M&A Rules in Emerging Asian Countries - Fourth edition

アジア新興国の M&A法制 第4版

Mori Hamada & Matsumoto Asia Practice Group
**森・濱田松本法律事務所
アジアプラクティスグループ 編**

商事法務

第4版はしがき

　本書は、当事務所アジアプラクティスグループが2016年11月に出版した『アジア新興国のM&A法制』に、既存の15カ国の章についての最新情報へのアップデートを行うとともに、新たにモンゴルの章を追加して、出版するものである。
　今回の改訂は、過去11年間で実質5回目の執筆・改訂となる。本書のもととなった『アジア新興国の上場会社買収法制』（2012年2月刊行）から11年を経た現在（2023年5月）、当事務所は、シンガポール、ヤンゴン、バンコク、ホーチミン、ハノイ、ジャカルタの6拠点に合計約170名の弁護士を有し、当事務所の全弁護士の約4分の1が東南アジア地域に展開している。そして、当事務所の東京・大阪・名古屋等の日本各地のオフィスにもアジア業務に従事している弁護士が多くいる。この体制とネットワークを駆使して、アジア全域の新興国の案件を多く取り扱っている。
　パンデミックが終焉を迎え、国境を越えた経済活動が再度活性化してきたこのタイミングで、当事務所のアジア業務に関する総力を結集し、合計61名の弁護士が執筆に参加して、アジア新興国のM&Aに関する最新情報を日本の読者の方々にお届けするよう本書を作成した。
　米中対立の激化、ロシアによるウクライナ侵攻など不確実性が高まる世界情勢下においても、特に地政学的にこれらの影響を直接には受けない地域にあるアジア各国における成長の勢いは衰えていない。そして、この成長が続けば、たとえば、2050年には、インドネシアのGDPが日本のGDPより多くなると予測されている。そしてアジア全体では、世界全体のGDPの50％を占めるに至り、アジアにおける一人当たりのGDPの水準も欧州と同等になるという予測もある。このアジアの力強い成長にリンクし続けるため、アジア新興国におけるM&Aの機会を探すことは日本企業にとっては当然の経営課題となったといえよう。
　第3版のはしがきでも述べたとおり、日々アジア新興国におけるM&Aに従事する我々の使命は、日本企業とアジア新興国企業との間の経済的な結びつきを強化し、ともに成長・繁栄する関係の礎作りをすることにあると考えている。そのための努力の1つとして、日々の業務において蓄積した知見と各国の

第4版はしがき

　法制度の変更を、できるだけ頻繁に、本書の改訂という形で日本および世界各地の日本企業関係者の方々にお届けし、そして、可能な限りアジア新興国のM&Aにおける視界不良を取り除きたいと考えている。

　我々のこのような活動の原動力は、本書を活用してM&A案件を検討し、様々なご質問や感謝の言葉を下さる買収を検討されている企業の方々やファイナンシャルアドバイザーの方々、そして、何よりも具体的案件を遂行する機会を下さるクライアントの皆様の温かい励ましの言葉である。この場を借りて心より感謝を申し上げたい。

　本書が羅針盤となって、今後も日本企業によるアジア新興国のM&Aが1つでも多く成功することにつながることを願ってやまない。

　なお、本書の改訂に当たっては、最新の法規制と法実務の正確性を期すため、各国において以下の各法律事務所の協力を受けた。協力に厚く御礼を申し上げる。

　　マレーシア：Rahmat Lim & Partners
　　フィリピン：SyCip Salazar Hernandez & Gatmaitan
　　バングラデシュ：FM Associates
　　トルコ：Hergüner Bilgen Üçer Attorney Partnership
　　スリランカ：FJ&G de Saram
　　イスラエル：Herzog Fox & Neeman
　　UAE：Al Tamimi & Company
　　カンボジア：Bun & Associates
　　パキスタン：Vellani & Vellani
　　モンゴル：Melville Erdenedalai

　本書の内容についての責任は我々執筆者のみにあり、また、本書において述べられている見解は、執筆者らの私見であり、執筆者らの所属する法律事務所または上記の協力事務所の見解を制約するものではない。

　最後に、本書の執筆に当たって多大なるご協力をいただいた株式会社商事法務の浅沼亨氏に感謝申し上げるとともに、執筆過程において多くのサポートをいただいた森・濱田松本法律事務所の秘書・スタッフ各位にも、心から感謝申し上げる。

2023年5月　　　　　　　　　　　　　　　　　　　　　編者兼執筆者一同

目次

アジア新興国の
M&A法制〔第4版〕

第1章　アジア新興国のM&A法制の概要・1

- 1-1　総　論・1
- 1-2　M&Aの手法・M&Aを規制する法令等・2
- 1-3　ガバナンスおよび外資規制の概要・3
  - 1　ガバナンスの概要・3
  - 2　外資規制の概要・投資協定／経済連携協定の活用・5

第2章　シンガポール・9

- 2-1　総　論・9
- 2-2　M&Aの手法および関連する法令・ルールの概観・11
  - 1　M&Aの手法・11
  - 2　M&Aを規制する主要な法令・ルール・12
- 2-3　会社の種類とガバナンス・14
  - 1　会社法における会社の種類・14
  - 2　ガバナンスの概要・16
    - (1)　株主総会・17
    - (2)　取締役および取締役会・18
    - (3)　監査人および監査委員会・19
    - (4)　秘書役・20
    - (5)　ガバナンス・コードによる上場会社のガバナンス・20
- 2-4　買収のための各手法の手続および内容・23
  - 1　既発行株式の取得・23
    - (1)　非上場会社の既発行株式の取得・23
    - (2)　上場会社または買収コード適用非上場会社株式の取得に特有の規制（公開買付規制）・24
  - 2　新株の取得（第三者割当増資規制）（会社法161条）・32
  - 3　組織再編ないし組織再編に類似した制度・33
    - (1)　スキーム・オブ・アレンジメント（SOA）・33

(2) 合　併・35
　4　スクイーズ・アウト（完全子会社化）・36
　　(1) 株式売渡請求権・36
　　(2) 組織再編に類似した制度（スキーム・オブ・アレンジメント）の利用・39
　　(3) その他・40
　　(4) 支配株主との取引における少数株主保護に関するルール・41

2-5　買収に関連するその他の主要な規制・42
　1　外資規制・42
　2　大量保有報告規制・44
　3　適時開示規制等・45
　4　資金援助規制・47
　5　競争法による規制・48
　6　インサイダー取引規制・52
　|COLUMN|　シンガポールにおける金融分野のM&A活発化と決済法制横断化・10
　|COLUMN|　シンガポールにおける買収・組織再編と労働組合・53

第3章　インド・55

3-1　総　論・55
3-2　M&Aの手法および関連する法令・ルールの概観・57
3-3　会社の種類とガバナンス・57
　1　会社法における会社の種類・58
　2　ガバナンス・59
　　(1) 株主総会・59
　　(2) 取締役および取締役会・61
　　(3) 監査役および監査委員会・65
　　(4) 会社秘書役・65
　　(5) 指名報酬委員会・利害関係委員会・66
3-4　外資規制の概要・67
　1　事業分野ごとの外資規制・68
　　(1) 外国直接投資が全面的に禁止される場合・68
　　(2) 政府の事前承認が必要な場合（「政府ルート」）・68
　　(3) 政府の事前承認が不要な場合（「自動ルート」）・69
　2　価格規制・70
3-5　買収のための各手法の手続および内容・71

1 既発行株式の取得・71
  (1) 概　要・71
  (2) 一定割合以上の上場会社株式の取得（公開買付規制）・73
  (3) 強制的公開買付け・73
  (4) 間接取得と強制的公開買付け・74
  (5) 適用除外・75
  (6) 任意的公開買付け・76
  (7) 買付条件・77
  (8) 公開買付けのスケジュール・79
  (9) 競合買付け・82
2 新株式の取得（第三者割当増資規制）・83
  (1) 概　要・83
  (2) 第三者割当増資・83
  (3) 上場会社による第三者割当増資・84
  (4) 発行価格規制・85
  (5) 最低保有期間に関する規制・85
3 株式の売買に関する特有の規制・85
  (1) 株主間契約における株式の処分に関する合意・85
  (2) プット・オプションに適用される特有の規制・86
  (3) 株式譲渡契約におけるエスクローや分割払いのスキーム・86
4 スクイーズ・アウト・87
  (1) 概　要・87
  (2) 会社法上の少数株主排除のための手法・88
  (3) 非上場化買付け・93
5 組織再編など・96
  (1) 当事者の合意による事業譲渡・96
  (2) スキーム・オブ・アレンジメント・97
6 各手法の比較・99

3-6 買収に関連するその他の主要な規制・100

1 開示規制・100
  (1) 公開買付規則に基づく開示・100
  (2) インサイダー取引禁止規則に基づく開示・101
2 インサイダー取引規制・102
3 LBOに関する規制・103
4 企業結合規制・103
  (1) 事前届出の提出義務・103
  (2) 待機期間・106

第4章　マレーシア・108

- **4-1　総　論**・108
- **4-2　M&Aの手法および関連する法令・ルールの概観**・109
  - 1　M&Aに関する主要な法令・ルールの概観・109
  - 2　M&Aの手法の概観・110
- **4-3　会社の種類とガバナンス**・110
  - 1　会社法における会社の種類・110
  - 2　ガバナンスの概要・111
    - (1)　株主総会・112
    - (2)　取締役および取締役会・113
    - (3)　監査人および監査委員会・115
    - (4)　秘書役・115
    - (5)　指名委員会・116
    - (6)　ガバナンス・コードによる上場会社のガバナンス・116
- **4-4　公表買収事例**・118
- **4-5　外資規制の概要**・119
  - 1　外資規制のM&Aへの適用・119
  - 2　製造業・119
  - 3　非製造業・120
    - (1)　流通サービス以外の非製造業・120
    - (2)　流通サービス・122
    - (3)　その他事業ごとの外資規制・123
- **4-6　買収のための各手法の手続および内容**・125
  - 1　株主間での株式の譲渡による買収・125
    - (1)　株式譲渡の方法・125
    - (2)　上場会社の株式譲渡による買収特有の規制・126
  - 2　新規発行株式の取得・132
  - 3　スキーム・オブ・アレンジメント（SOA）および選択的減資（SCR）・132
  - 4　事業譲渡・133
- **4-7　買収に関連するその他の主要な規制**・134
  - 1　大量保有報告規制・134
  - 2　適時開示規制等・135
  - 3　関係当事者取引・135
  - 4　インサイダー取引規制・137
  - 5　競争法による規制・137

|COLUMN| マレーシアにおけるブミプトラ政策・124

第5章　ベトナム・139

5-1　総　論・139
5-2　M&Aの手法および関連する法令・ルールの概観・140
　1　M&Aの主な手法・140
　2　M&Aに関連する法令・ルールの概観・140
　3　M&Aに関連する近時の主な法令改正・142
　　(1)　新企業法、新投資法および新証券法の成立・142
　　(2)　新競争法の施行・142
　　(3)　外国為替管理に関する新通達の施行・142
5-3　会社の種類とガバナンス・143
　1　企業法における会社の種類・143
　2　2名以上有限責任会社のガバナンス・144
　　(1)　社員の数・権利・144
　　(2)　機関設計・145
　3　1名有限責任会社のガバナンス・148
　　(1)　会社所有者の権利・148
　　(2)　個人所有型の場合・149
　　(3)　組織所有型の場合・150
　4　株式会社のガバナンス・151
　　(1)　株主の数・権利・151
　　(2)　機関設計・151
　　(3)　公開会社の機関設計・158
5-4　外資規制の概要・160
　1　外資規制の概要・160
　2　特定の業種に関して適用される外資規制・160
　　(1)　投資禁止分野・条件付投資分野・重大プロジェクト・160
　　(2)　WTO加盟文書・162
　　(3)　日越投資協定・162
　　(4)　TPP11（CPTPP）協定および日・ASEAN包括的経済連携協定（AJCEP協定）・163
　　(5)　業種別の外資規制の例・164
　3　公開会社に適用される証券法上の外資規制・166
　4　M&Aに関する手続規制・167
　　(1)　M&A承認手続・168

（2）企業登録証の変更手続・169
　　（3）外国株主変更通知・170
　　（4）投資登録証の変更手続・170
5-5　買収のための各手法の手続および内容・171
　1　既発行株式・持分の取得・171
　　（1）非公開会社・171
　　（2）公開会社・173
　2　新規発行株式・持分の取得（第三者割当増資）・175
　　（1）非公開会社・175
　　（2）公開会社・177
　3　株式・持分取得以外の買収方法・178
　　（1）資産譲渡・178
　　（2）組織再編行為・178
　4　公開会社に対する支配権を強める方策・179
　　（1）公開会社の非公開会社化・180
　　（2）株主間合意または定款変更による意思決定権の確保・181
5-6　M&Aに関連する競争法上の規制の概要・182
　1　競争法に基づく企業結合規制の概要・183
　2　企業結合にかかる事前届出制度・183
　　（1）事前届出が必要となる企業買収・183
　　（2）事前届出が必要となる基準・184
　　（3）事前届出および審査手続・186
5-7　M&Aをめぐるその他の主要な規制・187
　1　公開会社による開示義務・187
　2　大量保有報告規制・187
　3　内部者による開示義務・188
　4　インサイダー取引規制・188
　|COLUMN|　ベトナムのM&Aにおける銀行実務の留意点・189

第6章　タ　イ・190

6-1　総　論・190
6-2　M&Aの手法および関連する法令・ルールの概観・191
　1　M&Aを規制する主要な法令・ルール・191
　2　会社買収の手法・192
6-3　会社の種類とガバナンス・193

1　民商法・公開会社法における会社の種類・193
　　　(1)　パートナーシップ・193
　　　(2)　会　　社・194
　　　(3)　利用状況・194
　　2　会社のガバナンスの概要・194
　　　(1)　非公開会社のガバナンス・194
　　　(2)　公開会社のガバナンス・197
6-4　外資規制の概要・201
　　1　外資規制の会社買収への適用・201
　　2　外国人事業法・201
　　　(1)　規制対象となる「外国人」の定義・201
　　　(2)　規制対象となる事業・202
　　　(3)　外国人事業許可・203
　　　(4)　Anti-nominee規制・204
　　3　個別の事業法による外資規制の加重・204
　　4　土地保有に関する外資規制・205
　　5　外資規制の回避スキーム・206
6-5　買収のための各手法の手続および内容・208
　　1　概　　要・208
　　2　既発行株式の取得・208
　　　(1)　非公開会社の既発行株式の取得・208
　　　(2)　非上場の公開会社の既発行株式の取得・209
　　　(3)　上場会社の既発行株式の取得・210
　　3　新株の取得（第三者割当増資）・217
　　　(1)　非公開会社における第三者割当増資手続・217
　　　(2)　公開会社における第三者割当増資手続・218
　　　(3)　公開買付規制の適用と株主総会決議による適用免除・218
　　4　全部事業譲渡および清算・219
　　5　新設合併および吸収合併・220
　　　(1)　新設合併・220
　　　(2)　吸収合併・222
6-6　M&Aをめぐるその他の主要な規制・224
　　1　取引競争法・224
　　　(1)　旧取引競争法の状況と改正法施行までの経緯・224
　　　(2)　企業結合規制（取引競争法51条）・224
　　2　上場会社株式の大量保有報告規制・227
　　3　上場会社の適時開示規制・227

4　上場会社株式のインサイダー取引規制・228
　　|COLUMN|　署名権限をめぐる日・タイの感覚のずれ・229

第7章　インドネシア・231

7-1　総　論・231
7-2　M&Aの手法および関連する法令・ルールの概観・232
　　1　M&Aを規制する主要な法律・規則・232
　　2　M&Aに関する規制の概観およびその手法・233
　　　(1)　外資規制・233
　　　(2)　会社買収手法・234
7-3　会社の種類とガバナンス・234
　　1　会社の種類・234
　　2　ガバナンスの内容・236
　　　(1)　株主総会・236
　　　(2)　取締役会・243
　　　(3)　監査役会（コミサリス会）・243
7-4　外資規制の概要・244
　　1　外国資本による出資規制・245
　　　(1)　投資法に基づく規制・245
　　　(2)　大統領令2021年第10号上の投資規制が適用されない場合・248
　　　(3)　投資法・ネガティブリスト以外の外資規制・投資規制・249
　　　(4)　種類株式の利用・250
　　　(5)　上場会社株式に関する取引へのネガティブリストの適用・251
　　2　外国資本会社の最低投資金額・最低資本金額・251
7-5　買収のための各手法の手続および内容・252
　　1　概　要・252
　　2　非公開会社の買収・252
　　　(1)　非公開会社の株式譲渡（支配権取得に該当しない場合）・252
　　　(2)　非公開会社の新株発行（支配権取得に該当しない場合）・254
　　　(3)　非公開会社の自己株式の処分（支配権取得に該当しない場合）・256
　　　(4)　支配権取得に該当する場合・256
　　3　公開会社の買収・259
　　　(1)　公開会社の株式譲渡・259
　　　(2)　公開会社の新株発行・260
　　　(3)　公開会社の自己株式の処分・262

(4) 支配権取得に該当する場合・263
　　(5) 公開会社の買収にかかる留意点（利益相反取引）・263
　4 強制的公開買付け・264
　　(1) 公開買付けの義務・264
　　(2) 強制的公開買付けが不要となる場合・265
　　(3) スケジュール・266
　　(4) 買付対価および価格・270
　　(5) 再譲渡義務・271
　5 任意的公開買付け・272
　　(1) 概　要・272
　　(2) スケジュール・272
　　(3) 買付対価および価格・275
　6 その他の買収手法（事業譲渡）・276
　7 スクイーズ・アウト（完全子会社化）・276
　8 上場会社の非上場化手続・276
7-6 M&Aをめぐるその他の主要な規制・277
　1 公開会社に関する大量保有報告規制・277
　2 開示規制・278
　　(1) OJK規則・278
　　(2) 証券取引所規則・278
　3 インサイダー取引規制・279
　4 競争法・280
　5 個人情報保護法・282
　|COLUMN| 支配権取得の場合の留意点——間接取得／グループ内再編の場合と従業員対応について・258

第8章　フィリピン・283

8-1 総　論・283
8-2 M&Aの手法および関連する法令・ルールの概観・284
　1 M&Aに関する主要な法令・ルールの概観・284
　2 M&Aの手法の概観・284
8-3 会社の種類とガバナンス・285
　1 会社の種類・285
　　(1) 株式会社／非株式会社・285
　　(2) 公開会社・285
　　(3) 報告義務会社・286

(4) 閉鎖会社・286
　　(5) 一人会社・286
　　(6) 会社以外の企業形態・287
　2 会社法上のガバナンスの概要・287
　　(1) 株主総会・287
　　(2) 取締役、取締役会およびその他役員・289
　3 上場会社等のガバナンス規制・291
　　(1) ガバナンス・コード・291
　　(2) PSEのガバナンス・ガイドライン・294

8-4　外国投資規制・294
　1 参入規制・294
　　(1) 外国投資法による規制・294
　　(2) その他の参入規制・298
　　(3) 出資比率の算定方法・298
　　(4) 反ダミー法・300
　2 海外送金規制・301

8-5　買収のための各手法の手続および内容・301
　1 概　要・301
　2 既発行株式取得・302
　　(1) 概　要・302
　　(2) 公開買付制度・303
　3 新株発行・309
　　(1) 概　要・309
　　(2) 手　続・310
　4 その他の買収手法・311
　　(1) 資産譲渡・311
　　(2) 吸収合併／新設合併・313
　　(3) スクイーズ・アウト／非上場化・313

8-6　M&Aをめぐるその他の主要な規制・314
　1 開示義務・314
　　(1) 大量保有報告規制・314
　　(2) その他の開示・315
　2 インサイダー取引規制・316
　　(1) 概　要・316
　　(2) インサイダーおよび重要な未公開情報の範囲・317
　　(3) 公開買付けに関するインサイダー取引規制・317
　　(4) インサイダー取引規制違反の効果・318

3　競争法における企業結合規制・318
　　|COLUMN|　フィリピンの財閥と合弁事業・320

第9章　ミャンマー・321

9-1　総　論・321
9-2　M&Aの手法および関連する法令・ルールの概観・322
　　1　M&Aを規制する主要な法令の概観・322
　　2　M&Aの手法の概観・323
9-3　会社の種類とガバナンス・323
　　1　会社法における会社の種類・323
　　2　ガバナンスの概要・324
　　 (1)　株主総会・324
　　 (2)　取締役・325
　　 (3)　取締役会・326
　　 (4)　監査人（auditor）・326
9-4　外国投資法制・327
　　1　ミャンマーにおける投資規制の枠組み・327
　　 (1)　概　要・327
　　 (2)　投資法下での投資規制の全体像・327
　　 (3)　MIC許可の取得が必要な業種・329
　　 (4)　制限業種・330
　　2　外資参入に関する規制・331
　　 (1)　投資法・331
　　 (2)　外国人による不動産に関係する権利の取得に関する制約・333
　　3　日緬投資協定・333
　　4　ミャンマー経済特区法・334
9-5　買収のための各手法の手続および内容・335
　　1　株式譲渡（既発行株式の取得）・335
　　2　株式の割当て（新株の取得）・336
　　3　事業譲渡・337
9-6　買収に関連するその他の主要な規制・338
　　1　ミャンマーに対する経済制裁・339
　　 (1)　米国およびEUによる経済制裁・339
　　 (2)　M&A取引との関係で留意すべき点・341
　　2　競争法・341

3　証券取引法・342
|COLUMN|　ミャンマー中央銀行（Central Bank of Myanmar）による外国為替取引規則（2023年4月末現在の状況）・342

第10章　バングラデシュ・345

10-1　総　論・345
10-2　M&Aの手法および関連する法令・ルールの概観・346
10-3　会社の種類とガバナンス・348
1　会社法における会社の種類・348
2　ガバナンス・350
　⑴　株主総会・350
　⑵　取締役・352
　⑶　取締役会・352
　⑷　監査役・352
　⑸　秘書役・353
　⑹　上場会社特有のガバナンス・353
10-4　外資規制の概要・355
1　出資比率等の規制・355
2　株式譲渡および新株発行における非居住者に対する規制・356
3　その他の問題点・356
10-5　M&Aの手法と関連する規制・357
1　株主間での株式の譲渡による買収・357
　⑴　概　要・357
　⑵　株式大量取得および買収規則・358
　⑶　スクイーズ・アウト（完全子会社化）・358
2　新株発行（第三者割当増資）・359
3　事業譲渡・360
4　合併等の組織再編・360
10-6　M&Aに関連するその他の主要な規制・361
1　適時開示規制・361
2　インサイダー取引規制・361
3　企業結合規制・362
|COLUMN|　バングラデシュ経済区法・347

第11章　トルコ・363

- 11-1　総　論・363
- 11-2　M&Aの手法および関連する法令・ルールの概観・364
- 11-3　会社の種類とガバナンス・364
  - 1　会社の種類・364
    - (1)　株式会社・365
    - (2)　有限会社・365
    - (3)　公開会社と非公開会社の区別・366
  - 2　ガバナンスの概要・366
    - (1)　株主総会・366
    - (2)　取締役および取締役会・368
    - (3)　独立監査・369
    - (4)　上場会社に対して適用される規律・369
- 11-4　M&Aの手法と関連する規制・370
  - 1　M&Aの手法・370
    - (1)　非公開会社の株式譲渡・370
    - (2)　事業譲渡・371
    - (3)　株式の発行（第三者割当増資）・371
  - 2　公開会社の株式譲渡（公開買付規制）・372
    - (1)　強制的公開買付け・372
    - (2)　任意的公開買付け・376
    - (3)　スクイーズ・アウト（完全子会社化）・377
- 11-5　M&Aに関連するその他の主要な規制・378
  - 1　外資規制・378
  - 2　開示規制等・379
    - (1)　トルコ商法上の開示規制・379
    - (2)　公開会社に対する規制・379
  - 3　企業結合規制・380
  - 4　インサイダー取引規制・381
  - 5　契約書に関する規制・381
    - (1)　印紙税・381
    - (2)　言　語・382
  - |COLUMN|　親日の国、トルコの魅力・382

第12章　スリランカ・383

12-1　総　論・383
12-2　M&Aの手法および関連する法令・ルールの概観・383
12-3　会社の種類とガバナンス・384
　1　会社法における会社の種類・384
　2　ガバナンス・385
　　⑴　株主総会・385
　　⑵　取締役・387
　　⑶　取締役会・387
　　⑷　監査役・387
　　⑸　会社秘書役・388
　　⑹　上場会社特有のガバナンス・388
12-4　外資規制の概要・389
　1　外資規制の概要・389
　2　外国為替法による外国投資規制・390
　3　土地所有規制・392
12-5　買収のための各手法の手続および内容・392
　1　株式の取得・392
　　⑴　概　要・392
　　⑵　既発行株式の取得・393
　　⑶　公開買付規制・393
　　⑷　スクイーズ・アウト（株式売渡請求権）・394
　2　合　併・395
　3　事業譲渡・395
12-6　M&Aをめぐるその他の主要な規制・396
　1　競争法・396
　2　上場会社株式の大量保有報告規制・396
　3　上場会社の適時開示規制・397
　4　上場会社株式のインサイダー取引規制・397

第13章　イスラエル・399

- 13-1　総　論・399
- 13-2　M&Aの手法・M&Aを規制する法令等・400
- 13-3　会社の種類とガバナンス・401
  - 1　会社の種類・401
  - 2　ガバナンス・401
    - (1)　株主総会・401
    - (2)　取締役・403
    - (3)　取締役会・404
    - (4)　監査役・405
- 13-4　M&Aの手法と関連する規制・406
  - 1　概　要・406
  - 2　株式譲渡・406
    - (1)　非公開会社・406
    - (2)　公開会社・407
  - 3　新株発行・411
  - 4　事業譲渡・411
  - 5　合　併・412
    - (1)　概　要・412
    - (2)　取締役会決議・412
    - (3)　合併提案書・412
    - (4)　債権者異議手続・413
    - (5)　株主総会決議・413
    - (6)　合併の効力発生・413
    - (7)　逆三角合併・413
  - 6　スキーム・オブ・アレンジメント・414
    - (1)　概　要・414
    - (2)　手　続・414
- 13-5　M&Aに関連するその他の主要な規制・415
  - 1　外資規制、その他事業活動の制限・415
    - (1)　土地に係る権利の付与または移転・415
    - (2)　電気通信事業・415
    - (3)　電気事業、天然ガス事業・416
    - (4)　国防、安全保障・417
    - (5)　敵国との取引・417

(6)　補助金等を受けている会社に係る規制・418
　　(7)　その他の規制等・418
　2　企業結合規制・418
　　(1)　合　併・418
　　(2)　制限的協定（Restrictive Arrangement）・419
　3　インサイダー取引規制・420
　4　証券法に基づく開示義務・421
　|COLUMN|　Israel Innovation Authorityのスタートアップ支援制度・422

第14章　アラブ首長国連邦（UAE）・423

14-1　総　論・423
14-2　M&Aの手法および関連する法令・ルールの概観・424
　1　オンショア・オフショアの概念・424
　2　M&Aの手法および関連する主要な法令等・424
14-3　会社の種類とガバナンス・425
　1　会社の種類・425
　　(1)　オンショアにおける会社の種類・425
　　(2)　オフショアにおける会社の種類・426
　2　ガバナンス・426
　　(1)　有限責任会社のガバナンス・427
　　(2)　公開株式会社・非公開株式会社のガバナンス・428
　3　上場会社特有のガバナンス・430
14-4　外資規制の概要・432
　1　外資規制のM&Aへの適用・432
　2　オンショアにおける外資規制・432
　3　オフショアにおける外資規制・434
　4　外資規制の回避・434
14-5　M&Aの手法と関連する規制・435
　1　既発行株式・持分の取得・435
　　(1)　概　要・435
　　(2)　非上場会社・436
　　(3)　上場会社・437
　2　新規発行株式・持分の取得・439
　　(1)　有限責任会社・439
　　(2)　公開株式会社・非公開株式会社・439

  3 事業譲渡・440
  4 合　併・440
  5 分　割・442
14-6 M&Aに関連するその他の主要な規制・442
  1 大量保有報告規制・442
  2 インサイダー取引規制・443
  3 企業結合規制・443
  |COLUMN| 多種多様なフリーゾーン・445

第15章　カンボジア・446

15-1 総　論・446
15-2 M&Aの手法および関連する法令・ルールの概観・447
15-3 会社の種類とガバナンス・448
  1 会社法における会社の種類・448
  2 ガバナンス・449
   (1) 株主総会・449
   (2) 取締役・451
   (3) 取締役会・452
   (4) 監査役・452
   (5) 上場会社特有のガバナンス・453
15-4 外資規制の概要・454
  1 外資規制の概要・454
  2 投資が認められない業種・455
  3 出資比率の上限・455
   (1) 土地所有・455
   (2) 実務上の制約・456
  4 投資プロジェクトの種類・456
   (1) 適格投資プロジェクト（QIP）・456
   (2) 拡大適格投資プロジェクト（EQIP）・459
   (3) 投資保障プロジェクト（GIP）・459
  5 投資優遇措置の内容・460
   (1) 概　要・460
   (2) 基本的優遇措置・460
   (3) 追加的優遇措置・461
   (4) 特別優遇措置・462

6　投資保障・462
　　7　QIP等の登録手続・463
　　8　QIP（EQIPを含む）の義務・463
　　9　その他の投資優遇措置（経済特区・PPP）・463
15-5　買収のための各手法の手続および内容・464
　　1　既発行株式の取得・464
　　　(1)　非上場会社の既発行株式の取得・464
　　　(2)　公開買付規制・465
　　　(3)　スクイーズ・アウト・465
　　2　新株式の取得・466
　　　(1)　非上場会社による新株発行・466
　　　(2)　上場会社による新株発行・466
　　3　合　併・467
　　4　事業譲渡・467
15-6　M&Aをめぐるその他の主要な規制・468
　　1　競争法・468
　　　(1)　事前届出が必要となる基準・468
　　　(2)　事前届出および審査手続・469
　　　(3)　事前裁定証明（Advanced Ruling Certificate）・470
　　2　上場会社の開示規制・470
　　　(1)　適時開示・471
　　　(2)　特別開示・471
　　　(3)　定期開示・472
　　　(4)　要請開示・472
　　3　インサイダー取引規制・472

第16章　パキスタン・474

16-1　総　論・474
16-2　M&Aの手法および関連する法令・ルールの概観・474
16-3　会社の種類とガバナンス・475
　　1　会社法における会社の種類・475
　　2　ガバナンス・476
　　　(1)　株主総会・476
　　　(2)　取締役・478
　　　(3)　取締役会・479

(4)　監査役・479
　　(5)　会社秘書役・479
16-4　外資規制の概要・480
　1　出資比率等の規制・480
　2　株式譲渡および新株発行ならびに配当支払いにおける非居住者に対する規制・480
　3　外国投資に関するその他の規制・481
16-5　買収のための各手法の手続および内容・482
　1　株式の取得・482
　　(1)　既発行株式の取得・482
　　(2)　新株発行・482
　　(3)　公開買付規制・483
　　(4)　スクイーズ・アウト・484
　2　合併等の組織再編・484
　3　事業または資産譲渡・485
16-6　M&Aをめぐるその他の主要な規制・485
　1　競争法・485
　2　上場会社の情報開示規制・487
　3　上場会社株式のインサイダー取引規制・487

第17章　モンゴル・489

17-1　総　論・489
17-2　M&Aの手法および関連する法令・ルールの概観・490
17-3　会社の種類とガバナンス・490
　1　会社法における会社の種類・490
　2　ガバナンス・491
　　(1)　株主総会・491
　　(2)　取締役会・取締役・492
　　(3)　上場会社・492
17-4　外資規制の概要・492
　1　外資規制の概要・492
　2　出資比率等の規制・493
　3　送金等に関する非居住者に対する規制・493
17-5　買収のための各手法の手続および内容・494
　1　株式の取得・494

xxi

(1) 既発行株式の取得および新株発行・494
        (2) 公開買付規制・495
        (3) スクイーズ・アウト・495
        (4) 株主による株式買取請求・495
     2 合併等の組織再編・496
        (1) 合併（merger）・496
        (2) 統合（consolidation）・497

17-6　M&Aをめぐるその他の主要な規制・498
     1 競争法・498
     2 上場会社の情報開示規制・499
     3 上場会社株式のインサイダー取引規制・500

     編著者・執筆者略歴・503

第1章　アジア新興国のM&A法制の概要

1-1　総　　論

　本書では、シンガポール・インド・マレーシア・ベトナム・タイ・インドネシア・フィリピン・ミャンマー・バングラデシュ・トルコ・スリランカ・イスラエル・UAE・カンボジア・パキスタン・モンゴルのアジア16カ国におけるM&A法制について紹介する。

　近年、アジアにおける中間所得層の増加等にみられるアジア市場の拡大を背景に、日本企業によるアジアでの企業買収案件は増加傾向にある。新型コロナウイルス感染症流行以前の日本企業によるアジア地域でのM&A件数は、2016年から2019年まで、193件（2016年）、221件（2017年）、259件（2018年）、303件（2019年）と毎年増加していた。2020年におけるM&A件数は新型コロナウイルス感染症の影響により202件にまで落ち込んだが、その後2021年には230件と再び増加に転じている[1]。また、最近の日本企業によるアジアでの買収案件の傾向として、中小企業による小規模な案件や、製造業だけでなく飲食店や小売店などのサービス事業者による案件等、案件の規模・買収者の属性の多様化が特徴的である。このことから、これまでは国内市場を中心に活動していた中堅企業やサービス事業者においても、生き残り戦略の一環としてアジアにおけるM&Aのニーズが高まっているといえる。

　一方、アジア各国のM&A法制の中には日本に比べ法制度が十分に整備され

1）　レコフ調べ。

ていないものや、多くの日本企業にとってなじみの薄い規制も少なくなく、特に多くの国において外資規制が厳しいという点に留意する必要がある。

1-2　M&Aの手法・M&Aを規制する法令等

　本書の対象としている多くのアジア各国においても、日本と同様、既存株式の取得、新株式の対象会社からの取得、事業譲渡、合併等の組織再編行為などがM&A取引の手法として存在する。

　もっとも、日本と異なり、株式譲渡の対抗要件ではなく効力要件として一定の登録が要求されたり、株式譲渡契約とは別に一定の譲渡証書の作成が必要とされたりする場合がある点や、株式譲渡において一定額の印紙税を支払う義務がある場合などに留意が必要である。また、主に上場会社の買収に適用される公開買付規制については、強制的公開買付規制の発動要件や、最低買付価格制度の有無など、日本の公開買付規制と大きく異なることを理解しなければならない。さらに、ベトナム・タイ・インドネシア・フィリピンなど、少数株主のスクイーズ・アウトのための明示的な法律上の制度がない国において、複数の株主が存在する上場会社の買収を行う場合には、少数株主への対応が問題になることが多い。

　いずれの国も、M&Aを規律する法令としては、会社法（企業法と訳されるもの、公開会社にのみ適用のある公開会社法なども含む）、主に上場会社のM&Aを規律するものとして証券取引法（その呼称は証券法、資本市場法、証券規制法とさまざまであり、また、具体的な規制の制定は、日本と同様に行政機関に委任されているケースも多い）や証券取引所規則等がある。

　シンガポールでは買収コードと、またマレーシアでは買収コードおよび買収規則といわれる特殊な行動規範が上場会社のM&Aにおいて重要な役割を果たしている。なお、バングラデシュ・スリランカなど、競争法による企業結合規制が存在しない国もあるものの、近年企業結合規制を新たに定めたインド・フィリピン・カンボジアなどにおいては、企業結合規制がM&Aのスケジュールに与える影響に留意する必要がある。

1-3　ガバナンスおよび外資規制の概要

1　ガバナンスの概要

　本書が対象とするいずれのアジア諸国でも、株主総会が会社の重要な事項についての意思決定機関としての役割を担っている。もっとも、その定足数および決議要件は必ずしも同じではない（【図表1-1】参照）。

【図表1-1】各国における株主総会の定足数および決議要件

	定足数 (注1)	決議要件 (注2)	
		普通決議	特別決議
シンガポール	2名以上	過半数	75％以上
インド	（非公開会社）2名以上 （公開会社）5名以上	過半数	75％以上
マレーシア	2名以上（ただし1人会社は1名以上）	過半数	75％以上
ベトナム	（有限責任会社）65％以上 （株式会社）過半数 （2021年1月1日の新企業法施行以降。改正前は51％以上）	（有限責任会社）65％以上 （株式会社）過半数 （2021年1月1日の新企業法施行以降。改正前は51％以上）	（有限責任会社）75％以上 （株式会社）65％以上
タイ	（非公開会社）2名以上かつ25％以上 （公開会社）25名以上または半数かつ議決権3分の1以上	過半数	75％以上
インドネシア	普通決議：過半数 特別決議：3分の2以上 特殊決議：75％以上	過半数	特別決議：3分の2以上 (注3) 特殊決議：75％以

			上 (注4)
フィリピン	過半数	発行済株式の議決権の過半数	発行済株式の議決権の3分の2以上
ミャンマー	2名以上	過半数	75％以上
バングラデシュ	（一人会社）1名以上 （株主6名以下非公開会社）2名以上 （株主7名以上非公開会社）3名以上 （その他）5名以上	過半数	75％以上
トルコ	普通決議：25％以上、特別決議：75％以上（ただし議題により異なる）	過半数	75％以上（ただし議題により異なる）
スリランカ	（非公開会社）2名以上 （公開会社）3名以上	過半数	75％以上
イスラエル	25％以上かつ2名以上	過半数	個別の項目毎に異なる
UAE	（有限責任会社） 50％以上 （株式会社） 50％以上	（有限責任会社） 過半数 （株式会社） 過半数	（有限責任会社） 75％以上 （株式会社） 75％以上
カンボジア	過半数	過半数	3分の2以上
パキスタン	（上場公開会社）10名以上（またはビデオリンク方式によって議決権の25％以上を保有する株主の出席している場合） （非上場の公開会社および非公開会社）2名以上（またはビデオリンク方式によって議決権の25％以上を保有する株主が出席している場合）	過半数	75％以上

(注1) 割合について、特記ない限り、分母は発行済議決権株式総数。
(注2) 特記ない限り、分母は株主総会に出席し議決権を行使した株主の議決権総数。
(注3) 公開会社の場合は3分の2超。
(注4) 公開会社の場合は75％超。

　普通決議事項は、多くの場合、日本と同様に出席株主の議決権の過半数の賛成によって承認されるが、たとえば、ベトナムにおける有限責任会社では、原則として出席社員持分の65％の賛成によって承認されるという点が特徴的である。

　他方、特別決議事項の承認には、日本の会社法では出席株主の議決権数の3分の2以上であるのに対して、多数の国において原則として出席株主の議決権の75％の賛成を要する。

　なお、フィリピンでは、株主総会の決議要件において、出席株主の議決権ではなく、発行済株式の議決権を分母とする点が特徴である。

2　外資規制の概要・投資協定／経済連携協定の活用

　本書が対象とするいずれのアジア諸国にも外資規制がある。もっとも国によって規制の範囲および程度は異なる。

　業種ごとの規制として代表的なものとしては、外資が半数以上を占める会社による飲食業等のサービス業の大部分を原則として禁止するタイの規制などがある。さらに、特殊な外資規制として、一定の場合に、外資による「公開会社」（上場会社のみならず、100名以上の株主を有する一定の会社も含まれる）の出資割合の上限が49％とされるベトナムの規制、一部の事業においてブミプトラ（マレー系住民等）の出資比率を30％以上としなければならないといったマレーシアのブミプトラ規制などが挙げられる。

　よって、日本企業がアジアで企業買収を行う際には、まずは対象会社が営む事業に適用される外資規制の内容を確認することがきわめて重要である。対象会社の事業が外資規制の対象となっている場合であっても、日本が対象会社の所在国と締結している投資協定（Investment Treaty）[2]・経済連携協定（Economic Partnership Agreement：「EPA」）[3]により、投資家として日本会社に対する内国民待遇・最恵国待遇等の権利が保障されることに加え、外資規制が特別に緩和・

撤廃されている場合もある。そのため、投資協定および投資章を含むEPA（以下「投資関連協定」という）を締結している国においては、投資関連協定の活用を検討する価値がある[4]。

　本書が対象とする16か国については、【図表1-2】のとおりいずれも日本との投資関連協定が存在している。なお、当該国について複数の協定が発効している場合には、どの協定を利用するかは買収主体たる買主が自由に選択することができる（必ず用いなければならないわけではない）。たとえば、日本とベトナムとの間では、①2国間の投資協定、②2国間のEPA（ただし、投資に関連する規定は2国間の投資協定を準用）、③日本とASEAN10か国との間の複数国間EPAである日・ASEAN包括的経済連携協定（Agreement on Comprehensive Economic Partnership among Japan and Member States of the Association of Southeast Asian Nations：「AJCEP」）[5]、④環太平洋パートナーシップに関する包括的及び先進的な協定（Comprehensive and Progressive Agreement for Trans-Pacific Partnership：「CPTPP」、「TPP11」）[6] ならびに⑤地域的な包括的経済連携協定（Regional Comprehensive

---

2）　日本は、2023年5月時点で52本の投資関連協定を発効させており、3本の協定は署名済み・未発効である。これらは合計で80の国・地域をカバーしている。また、18本の協定を交渉中であり、これらも発効した場合には94の国・地域がカバーされる（外務省「投資関連協定の現状」：https://www.mofa.go.jp/mofaj/files/100062901.pdf）。

3）　日本は、2023年5月時点で21本のEPAを発効・署名済みである（外務省「我が国の経済連携協定（EPA／FTA）等の取組」：https://www.mofa.go.jp/mofaj/gaiko/fta/）。なお、日本が締結する自由貿易協定（Free Trade Agreement：「FTA」）は、経済連携協定（EPA）と呼ばれている。

4）　日系企業がある国（A）に子会社を有しており、当該会社を通じて別の国（B）に所在する会社を買収する場合には、AとBとの間に投資関連協定が存在する場合にはその活用も選択肢になりうる。

5）　AJCEP協定の第一改正議定書により、AJCEP協定にサービス貿易、人の移動および投資に関する実質的な規定が追加された。同議定書は、日本および全てのASEAN構成国について発効済みである。

6）　TPP協定は米国も含めた12か国で署名されたが、2017年1月に米国が離脱を表明したため、発効の見通しが立っていない。CPTPPは、米国離脱後に日本のイニシアティブで米国を除いたTPP交渉参加11か国の間で署名されたEPAである（11か国で署名されたTPP協定であるため、TPP11とも呼ばれている）。2023年5月時点で、CPTPPの原署名国のうちブルネイ以外の10か国について発効済みであり、2023年7月12日にブルネイについても発効予定である。なお、CPTPPには新規加入のための規定があり、関心を有する国が将来的に参加することもありうる。2023年3月31日、英国のCPTPP加入交渉の実質的な妥結が発表された。2023年5月時点で、英国の早期加入に向けた手続が進められている。また、同時点までに中国、台湾、エクアドル、コスタリカおよびウルグアイが加入を正式に申請している。

Economic Partnership：「RCEP」)[7] が発効している。これらの協定では、それぞれ約束されている外資規制緩和の内容が異なるため、どの協定を利用するのが有利であるのかを比較検討する必要がある。活用可能な投資関連協定が増加することを通じて新たな買収機会が生じることもあるため、最新動向を注視する必要がある。

【図表1-2】投資協定・EPAの締結状況

章	国	投資協定	EPA			
			2国間	AJCEP	CPTPP	RCEP
2	シンガポール	×	○	○	○	○
3	インド	×	○	×	×	×[8]
4	マレーシア	×	○	○	○	○
5	ベトナム	○	○[9]	○	○	○
6	タイ	×	○	○	×	○
7	インドネシア	×	○	○	×	○
8	フィリピン	×	○	○	×	○
9	ミャンマー	○	×	○	×	△
10	バングラデシュ	○	×[10]	×	×	×
11	トルコ	○	□	×	×	×
12	スリランカ	○	×	×	×	×
13	イスラエル	○	×[11]	×	×	×

7) 日本、ASEAN10か国、中国、韓国、豪州およびニュージーランドにより署名され、ミャンマー以外の14か国について発効済みであり、世界の人口、GDPおよび貿易総額の約3割を占める経済連携協定である。なお、インドについて（注8）参照。

8) インドはRCEP交渉の参加国であったが、2019年11月に交渉から撤退する意向を表明した。インドに対する復帰の働きかけが行われたが、インドは本協定の署名に参加しなかった。本協定は、発効日からインドによる加入のため開かれている旨規定されている。また、インドの将来的な加入円滑化や関連会合へのオブザーバー参加容認等を定める15か国の閣僚宣言が発出されている。

9) 日・ベトナム投資協定を準用している。

10) 正式交渉開始前の準備として、2023年4月10日および同月12日に、あり得べき日・バングラデシュEPAに関する共同研究第1回会合が開催された。

14	UAE	○	×[12]	×	×	×
15	カンボジア	○	×	○	×	○
16	パキスタン	○	×	×	×	×
17	モンゴル	×[13]	○	×	×	×

【凡例：○：発効済み、△：署名済み未発効、□：交渉中、×：存在しない・対象国でない】

---

[11] 正式交渉開始前の準備として、2023年3月14日に、あり得べき日・イスラエルEPA共同研究第1回会合が開催された。

[12] 日本とUAEを含む湾岸協力理事会（GCC）は2006年にEPA交渉を開始したが、2007年以降交渉は中断されている。

[13] 日・モンゴルEPA発効時に、日・モンゴル投資協定は終了した。

第2章　シンガポール

2-1　総　論

　シンガポールでは、その成熟した上場市場や経済環境のため、中国を含むアジア各国でビジネスを展開している企業が、シンガポール法上の法人を持株会社や統括会社とするケースが多く、その中には、シンガポール証券取引所（The Singapore Exchange Securities Trading Limited：以下「SGX」という）に上場している会社も多い。

　SGXのMarket Statistics Report（February 2023）によれば、2023年2月末時点での上場企業648社のうち外国企業（Overseas companies）の数は225社（約35％）であり、そのうち69社（約11％）が中国企業（China Companies）とされている。さらに、SGXのウェブサイトによれば、上場外国企業の大半が中国および東南アジアの国々の企業で占められており、それ以外では、インド企業も上場している。そのため、アジア新興国の企業を買収する際に、シンガポールの持株会社を買収するというストラクチャーが採用されることがある。かかる会社は上場会社である場合もあれば、非上場会社である場合もある。また、2022年にはSGXがいわゆる特別買収目的会社（SPAC）の新規上場をアジアで初めて認めている。

　なお、日本企業がシンガポール企業を買収した実例は、すでに相当数に上っており、コロナ禍においてもシンガポールにて事業を行う企業のM&A案件およびシンガポール法人を持株会社とした東南アジア複数国に展開する企業グループのM&A案件は、引き続き活発であった。また、近年では日系企業の事業ポートフォリオの見直しにより、日本企業によるアジア各国で展開している

事業のいわゆるカーブアウトM&A（事業部門や子会社のM&Aによる売却）も増えており、その際の持株会社としてシンガポール法人が選択肢として挙げられている例も少なくない。

|COLUMN| シンガポールにおける金融分野のM&A活発化と決済法制横断化

　シンガポールは金融分野においても、グローバル企業のアジア拠点としての地位を確立し、また活発な投資を呼び込むことを重視した施策を実施している。近時、ASEAN諸国ではFintech企業の資金調達が依然として堅調に推移しており、2021年の資金調達総額は60億米ドルで過去最高を記録し、2022年も同等の水準を維持した。世界のFintech企業の資金調達額に占めるASEAN6か国の割合も、2018年の2％から2022年には7％まで拡大しており、さらに、ASEAN6か国の中ではシンガポールが43％を占めて最大の資金調達額を記録している。

　このような活発な投資の背景の一つに、法規制の迅速な整備があると考えられる。決済サービス全般を横断的に規制することを目的として、2020年1月に施行されたPayment Services Act（決済サービス法）が、特に重要な役割を果たしている。

　同法は、旧Payment System ActおよびMoney-changing and Remittance Business Actを統合した統一的な決済サービス法制であり、特に注目されたのは、money-changing service（両替サービス）以外のサービスについて統一的なライセンスの仕組みを整備したことである。また、そのライセンスをサービス規模によって二段階とし（standard／major）、規制の柔構造化を図った。大小さまざまな事業者が、統一的なライセンスのもとで横断的な決済サービスを展開できる環境が整っているわけである。

　横断的なpayment institution licenseの対象となるサービスは、①決済口座の発行、②国内送金、③越境送金、④アクワイアリング（加盟店向けの決済代行）、⑤電子マネー発行、⑥デジタル決済トークン（暗号資産の販売所・交換所の運営等）の各サービスである。このうち④・⑥は旧法時代には無かった規制類型であり、Payment Services Actの施行には規制強化の一面もあったが、それを統一的なライセンスの下で扱いつつ、リスクベースアプローチとしてサービスの種類ごとに行為規制を定めたことで、「入口」の複雑化を避け、事業者側・当局側ともに効率的な対応が可能となっているといえる。

　とりわけブロックチェーンに関連する⑥の分野は日本企業の進出や投資も旺盛であるが、国際的な規制動向は急速に変化しており、2021年にはカストディ（預かり）サービスを規制対象と加えること等を内容とする改正が行われた。

さらに、2023年3月時点ではまだ完全には発効していないものの、Financial Services and Markets Act 2022（金融サービス及び市場法）によれば、シンガポールに事業所を有する者又はシンガポール法人が、顧客の財産管理などのためにシンガポール国外でデジタルトークン・サービスを提供することも、新たに規制対象となる可能性がある。こうした規制環境の変化は、M&Aの前提を大きく変え得るものであり、引き続き注意が必要である。

金融当局であるシンガポール通貨金融庁（The Monetary Authority of Singapore：以下「MAS」という）は、日本でいう日銀と金融庁を足したようなパワフルな組織であるが、規制のみならず投資の呼び込みにも主導的な役割を果たしており、たとえば、毎年数万人を動員する「Singapore Fintech Festival」を主催している（コロナ禍で一時中断していたが、2022年11月に再開された）。コロナ禍後も、FinTechはシンガポール政府の重点的な投資促進分野であり、当局のバックアップを背景に、FinTech・暗号資産に関わる横断的な法制度が整ったことで、シンガポールを軸とした当該領域における投資・M&Aの動きは、今後も大小問わず増加が見込まれる。

2-2　M&Aの手法および関連する法令・ルールの概観

1　M&Aの手法

シンガポールにおけるM&Aの手法としては、大別して、事業譲渡、株式の取得、組織再編および組織再編に類似した制度がある。

事業譲渡においては、シンガポールの会社法（The Companies Act：以下「会社法」という）上の手続に従って事業を譲り受けることになる（会社法160条）。

株式の取得には、既存株主からの既発行株式の取得と対象会社の発行する新株の取得[1]がある。上場会社株式の取得については、一定の割合を超えて株式を取得した場合には公開買付けを行わなければならないとの規制があるとともに、任意に公開買付けを行うことも可能である。

なお、買収者が一定数以上の株式を取得した場合に対象会社の少数株主の株式を強制的に取得することができる株式売渡請求権の制度（いわゆるバイアウト権）があり、特に上場会社の買収においては、任意的公開買付けと組み合わ

せてスクイーズ・アウトによる100％買収の手法として利用される。

組織再編としては、合併（Amalgamation）があり、また、組織再編に類似した制度として、日本法にはないスキーム・オブ・アレンジメント（Scheme of Arrangement：以下「SOA」という）がある。SOAは、日本法上の組織再編と同様の利用方法を含むさまざまな利用方法がありうる制度であることから、記載の便宜上、本章では組織再編に類似した制度として分類する。

各手法の詳細については、後記2-4にて説明する。

2　M&Aを規制する主要な法令・ルール

シンガポールにおいてM&Aを規制する法律の中心となるのは会社法である。対象会社が会社法に基づき設立された法人（以下「シンガポール会社」という）である場合には会社法が適用される。会社法には、M&Aに関連する規定として、株式の譲渡に関する規定、事業譲渡に関する規定、組織再編やSOAに関する規定、スクイーズ・アウトを行うために重要な役割を果たす株式売渡請求権に関する規定、資金援助規制に関する規定等が置かれている。

次に、法律ではないものの、コード（The Singapore Code on Take-overs and Mergers：以下「買収コード」という）も上場会社の買収に適用のある重要なルールである。買収コードは原則として上場会社に適用されるが、非上場の公開会社であっても、株主数が51名以上であり純有形資産が500万シンガポールドル以上であれば、可能かつ適切な範囲内で適用される[2]（非公開会社に適用されることはない。以下、買収コードが適用される非上場会社を「買収コード適用非上場会社」という）（買収コードIntroduction 2項）[3]。買収コードは、証券先物法（The Securities and Futures Act）に基づき、シンガポール証券業評議会（The

---

1）　会社法上、定款に定めれば自己株式の取得・保有は可能であり（会社法76B～H条）、その場合、自己株式の第三者に対する処分も可能である（同法76K条(1)(a)・(1C) (a)）。自己株式の処分について具体的な手続は定められておらず、新株の発行とは異なり株主総会の決議は不要である。もっとも、自己株式の保有は発行済株式数の10％以内と定められており（同法76I条）、かかる制限のもとでは、買収の局面で自己株式の処分を受ける実益は多くないものと思われる。したがって、以後株式の取得を論じるにあたっては、自己株式の処分による方法は考慮しないものとする。なお、自己株式には議決権はないため（同法76J条）、買収コードにおいて議決権、株式持分、株式資本その他関連する証券の割合を計算する場合、原則として自己株式は計算の対象から除かれる。また、同じ理由により、買収コードの規制は自己株式にまで及ばない（SICの2007年12月10日付Practice Statement 2項）。

Securities Industry Council：以下「SIC」という）の助言を得てMASが作成している。

　買収コードは、SGXの上場会社（後述のとおり外国会社を含む）および買収コード適用非上場会社の支配権を取得する場合における一般的原則および手続その他のルールを定める。SICは、買収コードの適用を管轄・執行する監督機関であり（証券先物法139条(5)）、買収コードの解釈に関して非公開で相談を受け付ける。買収コードには法的拘束力がなく、法律上の罰則もないが、違反した買収者はSICによる制裁を受ける可能性がある。制裁の内容としては、けん責や一時的または永久的な証券市場からの追放がありうるほか、違反がなければ株主が得られたであろう金額を株主に対して支払うことを違反者に要求できる制裁もある（買収コード Introduction 2 項）。

　さらに、SGXの上場会社にはSGXの上場規則（SGX-ST Listing Rules：以下「SGX上場規則」という）[4]が適用される。SGX上場規則は証券先物法に基づきMASの承認を得てSGXにより作成されたものであり、主に上場会社の開示義務や買収における必要な手続について規定する。SGX上場規則も法律ではないが、その違反はSGXによる制裁等の対象となり、具体的には、SGXによるけん責から上場廃止措置に至るまで、その態様に応じた制裁がありうる（SGX上場規則106

2）　ただし、2022年に導入されたコード・ウェイバー（Code Waiver）制度に基づき、買収コード適用非上場会社は、SICに対し、所定の書面を提出することで、買収コードの適用を除外するよう申請することができる（SICの2022年10月7日付Practice Statement）。当該申請書では、①機関投資家、認定投資家、当該会社またはその関連会社の取締役、従業員、コンサルタントおよびアドバイザーなどを除く株主の数が50名以下であること、②SICにコード・ウェイバーを申請する少なくとも21日前までに、全株主に対し、コード・ウェイバーを取得する意図およびその結果生じる影響について書面通知を行っていること、③21日間の通知期間中に、総議決権の10％以上に相当する株主からコード・ウェイバーに関する異議申立てを受けていないこと、④株主または将来の株主が上記①の除外者であるか否かを確認するための合理的な措置を講じており、または講じる予定であること、⑤コード・ウェイバーが有効となった場合に、その状況を速やかにウェブサイトに掲載し、株主や新規投資家に対して必要な説明を行うことなどの条件が遵守されていること、または必要に応じて遵守されることを記載する必要があり、当該内容が確認され、承認を受けることとなる（SICの2022年10月7日付Practice Statement第2項）。
3）　公開会社および非公開会社の定義については、後記2-3の1参照。
4）　厳密にはSGXにはメインボード（Mainboard）とカタリスト（Catalist）という2つの市場があり、それぞれに上場規則がある。本章では、SGX上場企業の大部分がメインボードにおける上場であることから、以後SGX上場規則とはメインボードの上場規則を意味することとし、特段断りのない限りSGXの上場企業とはメインボードの上場企業を意味することとする。

条・第13章）。

　SGXに上場している法人がシンガポール会社である場合には、会社法、買収コードおよびSGX上場規則を含むシンガポールにおけるM&Aに関する法令およびルールが適用され、SGXに上場している法人が外国法人である場合にも、買収コードおよびSGX上場規則の適用を受ける。ただし、外国法人についての買収コードの適用は、（設立国等の証券取引所ではなく）SGXを第1の上場証券取引所として上場するプライマリー・リスティング（primary listing）を行っている場合に限られる（SGX以外の証券取引所を第1の上場証券取引所としつつ、SGXは第2の上場証券取引所として上場するセカンダリー・リスティング（secondary listing）を行っているにすぎない外国法人には買収コードは適用されない）（買収コードIntroduction 2項。なお、外国法人によるプライマリー・リスティングおよびセカンダリー・リスティングについてSGX上場規則第2章パートV参照）。なお、非上場のシンガポール会社には、かかるシンガポールにおけるM&Aに関する法令およびルールのうち、SGX上場規則は適用されず、買収コードも買収コード適用非上場会社を除いて適用されない。

　外資規制その他の上場会社の買収に関連する主要な規制については、後記 **2-5**にて説明する。

2-3　会社の種類とガバナンス

1　会社法[5]における会社の種類

　会社法の規制を受ける会社はシンガポール会社に限られず、登録された外国会社（foreign company）にも一定の規制が適用される（会社法パートXIディビジョン2参照）。外国会社とは、シンガポール以外で設立された会社その他の団体等をいう（会社法4条(1)「foreign company」定義）。

　シンガポール会社は、構成員の責任の有無および内容という観点から、有限責任株式会社（company limited by shares）、有限責任保証会社（company limited by

---

5）　シンガポールにおいては、2016年1月3日に改正会社法が全面施行された以降も頻繁に重要な改正が続いている。

guarantee)[6]および無限責任会社（unlimited company）に分類される（それぞれについて会社法4条(1)が定義）。もっとも実務上、このうち無限責任会社および有限責任保証会社は、法律上特に要求されている場合か慈善事業等特殊な場合にのみ利用されているため[7]、会社は通常、有限責任株式会社として設立される。

また、シンガポール会社には、公開会社（public company）と非公開会社（private company）の区別がある。非公開会社とは、基本的に、定款（constitution）[8]において、株式の譲渡が制限されており、かつ、株主数を50名以内に制限している株式資本（share capital）を有する会社をいい（会社法4条(1)「private company」定義・18条(1)）、公開会社とは非公開会社以外の会社をいう（同条(1)「public company」定義）。非公開会社はさらに、免除非公開会社（exempt private company）[9]とそれ以外の非公開会社（非免除非公開会社）に分類される。

公開会社は非公開会社よりも多くの規制に服し、それは公開市場から資金調達を行うことの機会費用（opportunity cost）であると説明される[10]。SGX上場規則においては、株主数が500名以上であることがメインボードの上場要件とされており（SGX上場規則210条(1)(a)）、カタリストの上場要件も株主数200名以上であるから（SGXのカタリスト上場規則406条(1)(c)）、必然的に公開会社のみがSGXに上場できることになる。

したがって、SGXに上場しているシンガポール会社は、会社法上の有限責任株式会社であり、かつ公開会社ということになる。以上をまとめたものとし

---

6) 会社法の定義上、定款において会社の清算時に出資することを約束する限度で会社構成員が責任を負う会社をいう。構成員は会社の清算時においてのみ出資を行う責任を負う。通常有限責任保証会社は非営利団体などに使われ、当初資金の大部分を（構成員の出資ではなく）政府等の第三者から調達することが多く、したがって定款に記載される責任限度額は1シンガポールドルなど名目上のものにすぎないことが多い（Benny S Tabalujan, Valerie Du Toit-Low, Singapore Business Law (5th Edition)（Business Law Asia, 2009）at 270）。
7) General Editor Tan Cheng Han, Walter Woon on Company Law (Revised Third Edition)（Student Edition）（Sweet & Maxwell Thomson Reuters, 2009）at 17,18.
8) 2016年1月3日の改正会社法施行前は、会社は基本定款（memorandum of association）および附属定款（articles of association）を作成するものとされていたが、改正会社法により、これらは単一の定款（constitution）に一本化された。
9) その株式が企業によって（直接または間接にも）保有されておらず、かつ、構成員が20名以下の会社、または政府の完全子会社であって免除非公開会社であると公告において宣言された会社をいう（会社法4条(1)「exempt private company」定義）。
10) 前掲（注7）のTan Cheng Han, at 20参照。

て、図表2-1を参照されたい。

【図表2-1】会社の種類

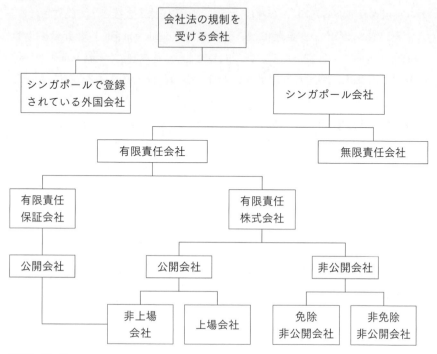

【前掲（注6）のBenny S Tabalujan, Valerie Du Toit-Low. at 268, Diagram 10Bに基づき筆者ら作成】

2　ガバナンスの概要

　シンガポール会社の主な機関は、株主総会、取締役会および取締役、監査人[11]ならびに秘書役である。上場会社の場合、これに加えて監査委員会も設置しなければならないほか（会社法201B条(1)）、SGX上場規則およびガバナンス・コード（後記2(5)に定義する）に基づき、より厳格なガバナンスが要求される。

---

11) 休眠会社（会計上の取引が生じていない期間中の会社をいう（会社法205B条(2)））または、会社法上で「小規模会社」（205C条）に該当する会社は、監査人を設置しなくともよい（205A条(1)・205B条・205C条）。

(1) 株主総会

株主総会には、事業開始より1カ月後から3カ月後までの間に開催される法定株主総会（有限責任公開会社であり、かつ、株式資本を有する会社のみ。会社法174条）、毎年1回開催される年次株主総会（同法175条）および必要に応じて開催される臨時株主総会（同法176条）があり、会社法に定められた重要事項の意思決定権限を有する。シンガポール会社における主な株主総会決議事項は、図表2-2のとおりである。

株主総会の定足数は2名である（会社法179条(1)(a)）[12]。普通決議の決議要件は株主総会に出席し、かつ、決議に参加した株主の過半数の賛成である[13]。決議は、（各株主の持つ議決権数にかかわらず）株主の頭数で数える挙手によることも、株式数（複数の株式で1株券または1単元を構成する場合は当該1株券または1単元）で数える投票によることもできる（同条(1)(c)）。

なお、議決権を持つ株主5名以上、議決権の5％以上を保有する株主または議決権のある株式についての払込資本金の5％以上の額の払込みを行った議決権のある株式の株主は、その請求に基づき投票による決議を行うことを請求する権利が保障されている（これに反する定款の定めは無効）（会社法178条(1)(b)）。

また、（75％以上の株主の承認を必要とする）特別決議においても定足数および決議の方法については普通決議と類似の規律があてはまる（会社法184条(1)・(4)・(5)）。

【図表2-2】主な株主総会決議事項

普通決議事項	一定の場合における取締役に対する貸付け等（ただし、免除非公開会社を除く（会社法162条））、株主総会において選任された監査人に支払う報酬および費用の決定（同法205条(16)(a)）
特別決議事項	定款の変更（定款に別途の定めがない限り（会社法26条(1)））、社名の変更（同法28条(1)）、減資（同法78B条(1)、78C条(1)、78G条(1)）、清算（The Insolvency, Restructuring and Dissolution Act：（以下「倒産法」という）160条(1)(b)）

(2) 取締役および取締役会

取締役会は、意思決定機関であるとともに、業務執行権限を有する（会社法157A条(1)）[14]。取締役会の権限は、法令や定款で株主総会に留保された事項を除き、当該会社が行うことのできる事項全般にわたる（同条(2)）。

取締役会の決議要件その他の手続については、会社法上明文の規定はないため定款の定めに従うことになる。その主な理由は、会社を取り巻く環境の変化に対する迅速な対応を可能とするために会社の意思決定手続に柔軟性を持たせることであると説明されている[15]。取締役会を含む会社内における権限の分配についても定款の定めに従う[16]。

取締役の数は、シンガポールに通常居住する者が1名いればよいが（会社法145条(1)）、その者に限らず18歳以上でなければならない（同条(2)）。取締役の選任は株主総会の普通決議事項とされており（会社法149B条）通常は年次株主総会において選任される[17]。ただし、公開会社においては1つの決議で複数の取締役を選任することはできない（すなわち、株主総会において複数の取締役候補者がいる場合には、それぞれの取締役候補者ごとに選任の賛否を問う必要がある。ただし、複数の取締役候補者について一括での決議を許容する動議が全株主によって賛成された場合は、一括で決議を行うことができる）（同法150条(1)）。

公開会社では、取締役の解任は株主総会の普通決議事項である（ただし、かかる解任動議の提出を予定する者は会社に対して事前に特別通知（special notice）[18]を行う必要がある）（会社法152条(1)・(2)）。他方、非公開会社の場合、定款に別段の定めがない限り、特別通知なしで株主総会の普通決議で取締役を解任することが可能である（会社法152条(9)）。また、非公開会社の場合には、定款に定めることにより、取締役会決議によって取締役を解任することもできるが、当該

---

12) 株主が1名しかいない場合には、決議内容を記録化しそれに株主が署名をするか（会社法184G条）、株主が会社である場合には当該会社の代表者が決議内容を明示のうえ署名することにより（同法179条(6)）、株主総会を開催することなく決議を行うことができる。
13) 前掲（注7）のTan Cheng Han, at 229参照。
14) 前掲（注7）のTan Cheng Han, at 247, 291参照。
15) 前掲（注7）のTan Cheng Han, at 239参照。
16) 前掲（注7）のTan Cheng Han, at 291参照。
17) 前掲（注7）のTan Cheng Han, at 251参照。
18) 特別通知は株主総会の28日以上前に行う必要がある（会社法185条）。

決議は取締役の善管注意義務に基づき会社の利益に資するものでなければならないと解されている[19]。

このほか、SGX上場規則が上場要件として上場会社に必要なガバナンスについて規定している。上場会社は上場を維持する間はかかる上場要件を満たさないといけないので（SGX上場規則209条）、上記のガバナンス要件に加えてSGX上場規則上の要件も満たす必要がある。

具体的には、上場会社においては、会社と業務および財務上重要な関係にない独立した社外取締役（独立取締役）が少なくとも2名必要となる（SGX上場規則210条(5)(c)）。さらに、外国会社の場合、シンガポールに居住する少なくとも2名の独立取締役がいなければならない（同規則221条）。また、定款または会社の基本書類（constituent documents）に下記の事項を含む一定の記載をすることが求められており（同規則210条(7)）、その内容を遵守しなければならない（同規則別紙（Appendix）2.2）。

- 社外取締役に対する報酬（fees）は固定給とし利益や売上高に基づく業績連動報酬としてはならず、社内取締役に対する給与（salaries）にも売上高に基づく業績連動部分を含めてはならない（SGX上場規則別紙(9)(c)）。
- 取締役に対する報酬の増加は、招集通知にかかる増加案が記載されたうえで開催された株主総会の承認決議を経ることなく行うことはできない（SGX上場規則別紙(9)(d)）。
- 業務執行取締役またはそれに相当する地位にある者が任期を定めて任命された場合、その期間は5年を超えることができない（SGX上場規則別紙(9)(i)）。

(3) 監査人および監査委員会

シンガポール会社には、原則として、会計監査権限を有する機関として監査人が設置される（会社法205条・207条）。監査人の選解任は株主総会の普通決議事項である（ただし、解任動議の提出を予定する者は会社に対して事前に特別通知

---

[19] もっとも、善管注意義務違反があったとしても、当該取締役の解任は無効とはならず、会社による損害賠償請求訴訟を提起しうるにすぎない（前掲（注7）のTan Cheng Han, at 272参照）。

（special notice）を行う必要がある）（同法205条）。なお、以下のとおり、上場会社においては監査委員会が監査人を指名する。

会社法上、（公開会社であっても）非上場会社には監査委員会の設置義務はないが、（シンガポール会社の）上場会社については監査委員会を設置する必要がある（同法201B条(1)）。監査委員会は、財務諸表のチェックを行うほか、監査人とともに監査計画、内部会計統制システムおよび会計報告のチェック等の業務を行い、さらに定款または会社法205条にかかわらず監査人の指名も行う（同条(5)）。会社法においては、監査委員会は、取締役会が選任する最低3名の取締役を委員とし、かつ、委員の過半数は、当該上場会社またはその関連会社（related corporation）[20]の社内取締役またはその配偶者、両親、兄弟姉妹、子もしくは養子であってはならない等の制限がある（同条(2)）。

(4) 秘書役

秘書役は、日本法にはない機関である。シンガポール会社の常設機関であり、シンガポール会社は、少なくとも1名、主要なまたは唯一の居住地をシンガポールとする秘書役を任命しなくてはならない（会社法171条(1)）。秘書役の主な業務は、シンガポール会社が会社法をはじめとする法令上の義務を遵守するために必要な事務を行うことであり、当該事務にはたとえば、会計帳簿・年次報告その他会社の基本的事項の当局への提出・届出、取締役会・株主総会に関する事務がある[21]。公開会社の場合、非公開会社よりも厳しい適格性要件が秘書役に課されるが、非公開会社でも会社法上必要な登記・登録を怠ると会計企業規制庁（Accounting & Corporate Regulatory Authority：以下「ACRA」という）により同様の要件を具備した秘書役の選任を要求されることがある（同条(1AA)・(1AB)）。

(5) ガバナンス・コードによる上場会社のガバナンス

以上の法令またはSGX上場規則上義務づけられるガバナンスに加えて、SGXの上場会社はMASが発行しているガバナンス・コード（The Code of Corporate

---

20) 親会社、子会社および兄弟会社のことをいう（会社法6条・5条）。
21) 前掲（注6）のBenny S Ta balujan, Valerie Du Toit-Low at 288参照。

Governance 2018：以下「ガバナンス・コード」という）にも留意する必要がある。ガバナンス・コードは、シンガポールの上場会社に適用されるルールであり、株主価値を増大するために望ましいとされる模範となるガバナンスを定めたものである（2001年3月21日付委員会レポート（Report of the Committee and Code of Corporate Governance）7項）。

　ガバナンス・コードは法律として制定されたものではなく、その遵守が強制されているものではないため、これを遵守しなかったことがただちに過料その他の処分の対象となるものではない。しかし、SGXの上場会社は、ガバナンス・コードの原則（principles）の遵守状況を年次報告書に記載しなければならず、ガバナンス・コードのガイドライン（guideline）を遵守していない事項がある場合は、その点について適切な説明を記載しなければならない（コンプライ・オア・エクスプレイン。SGX上場規則710条）。なお、2012年のガバナンス・コード（The Code of Corporate Governance 2012）における規定事項のうち、重要かつ標準的規範とすべき事項は2018年のガバナンス・コード改訂時にSGX上場規則へ移行しており、当該事項そのものの遵守義務が課されている（それらの事項については、遵守せずに説明するという選択肢がなくなっている）。ガバナンス・コードは直近では2023年1月にも一部改訂をされており、これはSGX上場規則の一部法改正（独立取締役としての合計選任期間の上限を9年とする等）に沿ったものとなっている。

　ガバナンス・コードおよびガバナンス・コードからSGX上場規則へ移行された規定に基づく具体的なガバナンスのうち、重要なものとして以下のものが挙げられる。

- 取締役会構成における多様性の確保：2018年のガバナンス・コードの改訂において、2012年のガバナンス・コードではコンプライ・オア・エクスプレインの対象となっていた取締役会の構成員のうち少なくとも3分の1を独立取締役とする要件は、SGX上場規則へ移行され遵守義務が課された。ただし、取締役会の議長とCEO（chief executive officer）が同じ人物であるか直近親族（immediate family）[22]同士である場合や取締役会の議長が独

---

22) 配偶者、子、養子、継子、兄弟姉妹および親をいう。

立取締役でない場合等、取締役会の議長の独立性が確保されていない場合には、過半数を独立取締役とし（同2.2条）、独立取締役の長を選任しなければならない（同3.3条）。ガバナンス・コードにおける独立取締役とは、業務執行、地位および判断に関して会社から独立しており、会社にとって最良の利益を図る当該取締役の独立した業務判断を妨げ、または妨げる合理的なおそれのある、当該会社、その関連会社（related corporation：親会社、子会社および兄弟会社のことをいう）、その会社の議決権の5％以上を保有する株主（substantial shareholder）またはその会社の役員との関係がない者をいう（同2.1条）。

- 取締役会の議長とCEOは、原則として異なる者が務める（ガバナンス・コード3.1条）。
- 全取締役の任命について取締役会に対する推薦を行う指名委員会（Nominating Committee）を設ける（ガバナンス・コード4.1条）。指名委員会は、少なくとも3名の取締役により構成され、委員長を含むその過半数は会社から独立している者が務める（ガバナンス・コード4.2条）。
- 取締役およびCEO（CEOが取締役でない場合）等の主要な経営担当者（Key management personnel）に対する報酬の枠組みについて取締役会に対する推薦を行う報酬委員会（Remuneration Committee）を設ける（ガバナンス・コード6.1条）。報酬委員会は、少なくとも3名の取締役により構成され、全員が社外取締役でなくてはならない。委員長を含む過半数は会社から独立している者が務める（ガバナンス・コード6.2条）。
- 監査委員会（Audit Committee）を設ける（ガバナンス・コード10条）。監査委員会は、少なくとも3名の取締役により構成され、全員が社外取締役でなくてはならない。委員長を含む過半数は会社から独立している者が務める（同10.2条）。また、委員長を含む少なくとも2名は、会計または関係する財務管理の専門的知識および経験を持つ者が務める（同条）。

2-4 買収のための各手法の手続および内容

1 既発行株式の取得

(1) 非上場会社の既発行株式の取得

会社法上、適式な譲渡証書（instrument of transfer）が会社に対して交付されない限り、会社は株式の移転を登録してはならないこととされている（会社法126条1項）。従前は、このような譲渡証書に基づき株主名簿に譲受人の名称が登録されることで株式譲渡の効力が生ずると解されていた。しかしながら、2016年1月3日に全面施行された改正会社法により、非公開会社については株主名簿の作成・備置義務が撤廃されるに至った（同法190条・191条）。これに伴い、非公開会社は、株主の変更があった場合にはACRAに登記しなければならず、株式譲渡の効力は、この登記に基づく株主情報の更新の時に生じるものとされている（同法126条(3)）。

実務上、株主名簿への登録やACRAへの登記は主に秘書役が行うこととされており、登録・登記にあたっては、上記の譲渡証書のほか、株式譲渡を承認する旨の取締役会議事録（非公開会社の場合）、譲渡人が保有していた譲渡対象株式を表章する株券、および、税務当局が発行する印紙税支払証書（stamp duty certificate）を秘書役に提出することが要求される。秘書役は株主名簿への登録（公開会社の場合）またはACRAへの登記（非公開会社の場合）の後、旧株券を破棄し、譲受人に対して新たな株券を発行する（会社法130AE条）。なお、日本における株券発行会社の場合と異なり、シンガポールでは株券の引渡しは株式譲渡の効力要件として必須ではないが、会社法上、株券はその表章する株式についての株主の所有権を証明する一応の証拠（prima facie evidence of the title）とされており（同法123条1項）、上記のとおり秘書役に対して譲渡人の株券を提出することが要求される。なお、非公開会社の場合には、ACRA登記のオンラインシステム上、印紙税の支払が完了していないと登記申請が行えない形となっているため、ACRAへの登記の前に印紙税の支払いが必要となる。

(2) 上場会社または買収コード適用非上場会社株式の取得に特有の規制（公開買付規制）

上場会社または買収コード適用非上場会社の株式を一定割合以上取得する場合には、以下に述べる買収コードの規制に従うことが必要となる。

① 強制的公開買付け（買収コード14条）

SICの承認がない限り、一定期間内の連続した取引によるか否かにかかわらず、買収者が共同保有者（persons acting in concert）（後記⑤(b)参照）の保有または取得する株式と併せて対象会社の30％以上の議決権を表章する株式を取得した場合、買収者は直ちに公開買付けを行わなければならない（強制的公開買付け。買収コード14.1条(a)）。たとえば、買収者が、対象会社の大株主から相対取引で株式を取得し、30％以上の議決権を表章する株式を取得した場合、当該買収者は直ちに公開買付けを行わなければならない。なお、買収者および共同保有者が、対象会社の30％以上50％以下の議決権を保有しており、かつ、6カ月の期間内に1％超の議決権を表章する株式を取得した場合にも、強制的公開買付けの義務が生じる（同条(b)）。

強制的公開買付けにおいては、SICの承認がない限り、買収者および共同保有者が併せて50％超の議決権を保有することとなる数の株式の応募を受けたことという条件を付さなければならず、かつ、かかる条件以外の条件を付すことはできない（買収コード14.2条(a)。ただし、後記2-5の5Aに記載するとおり、シンガポール競争・消費者委員会（The Competition and Consumer Commission of Singapore：以下「CCCS」という）により買収に肯定的な判断が下されること等の条件が付される例外的な場合に留意する必要がある（買収コード14.2条(c)・別紙（Appendix）3））。また、強制的公開買付けにおいては、対価は現金のみであるか、または現金以外の対価（たとえば株式）とする場合でも現金の選択肢がなければならず、その価格は、公開買付期間中または公開買付けの開始前6カ月間に買収者または共同保有者が支払った価格のうち最も高い価格を下回ってはならない（同14.3条）。

② 任意的公開買付け（買収コード15条）

強制的公開買付けの義務が生じない場合に、買収者が行う公開買付けを、任意的公開買付けという（買収コード15.1条）。たとえば、買収者が、対象会社の

30％以上の議決権を保有する大株主との間で、当該大株主による公開買付けへの応募について合意しただけでは強制的公開買付けの義務は生じず、この場合には任意的公開買付けが行われる。

　任意的公開買付けにおいても、強制的公開買付けと同じく、買収者および共同保有者が併せて50％超の議決権を保有することとなる数の株式の応募を受けたことという条件を付さなければならない。もっとも、任意的公開買付けにおいては、強制的公開買付けと異なり、一定の条件のもとで、かかる応募数の下限にかかる「50％超」の数値を上げること（たとえば4(1)に後述する株式売渡請求権の行使要件を満たすように90％以上とすること）ができる。

　応募数の下限を高く設定する場合には、かかる応募数の下限の数値が買付書類（offer document）中に明示的に記載されていること、および、買収者がかかる高い下限の数値を設定することに関して誠意を持って行動していることについて買収者がSICを満足させること、が条件とされている（買収コード15.1条Notes 4項）。

　なお、公開買付開始後における公開買付けへの株主の応募状況にかんがみ、応募数の下限を引き下げること（ただし、50％超である必要はある）は、SICの承認があれば、かかる引下後14日間応募を受け付けることと、かかる引下げの前に応募した株主が引下げの通知を受けてから8日間かかる応募の撤回を許容することを条件に、行うことができる（買収コード15.1条Notes 4項）。

　また、任意的公開買付けにおいては、応募数の下限以外の条件であっても、客観的な条件であれば付すことができる[23]が、条件成就が買収者の主観的な解釈または判断に依拠するような主観的・抽象的な条件を付すことはできない（買収コード15.1条）。

　また、任意的公開買付けにおいては、強制的公開買付けと異なり、対価は現金のみならず、現金以外の対価のみ（たとえば株式）でもよく、また両者の混合とすることもでき、その価格は、公開買付期間中または公開買付けの開始前

---

[23] 応募数の下限等の一般的な条件については、買収コード上はSICの承認がなくとも設定することができるとされているが（買収コード15.1条）、実務上、かかる条件設定の際には（特に、応募数の下限の数値を90％等高く設定する際には）SICへの事前の照会および承認の取得が行われているようである。

3カ月間に買収者または共同保有者が支払った価格のうち最も高い価格を下回ってはならない（買収コード15.2条）。

③ 公開買付けのスケジュール

公開買付けは買収者による公開買付けの公表により開始される。このとき、買収者は、以下の事項を開示しなければならない（買収コード3.5条）。

- 公開買付けの条件
- 買収者、および究極的な買収者（ultimate offeror）または買収者の究極的な支配株主（ultimate controlling shareholder of the offeror）
- 公開買付けの対象となる証券（かかる証券以外に議決権のある証券を対象会社が発行している場合は当該証券も含む）、かかる証券に関する転換可能証券、ワラント、オプションまたはデリバティブ[24]で、(i)買収者により保有もしくは支配され、(ii)買収者の共同保有者により保有もしくは支配され、または(iii)買収者もしくは共同保有者に対して応募する旨の合意がなされているものの詳細
- 公開買付けに付されるすべての条件
- 公開買付けに重要な影響のある買収者または対象会社の株式に関する合意の詳細（オプション、補償その他の方法によるとを問わない）
- 買収者または共同保有者が(i)第三者に対してチャージその他の担保に供し、(ii)第三者より借り入れ、または(iii)第三者に貸し出している関係証券の詳細
- 公開買付けの対価の全部または一部が現金である場合は、フィナンシャル・アドバイザー（financial adviser）または他の適切な第三者による、公開買付けに対して全株主から応募があった場合でも十分な買収資金を買収者が調達可能である旨の留保のない確認

買収者は、公開買付けの公表から14日以降21日以内に、対象会社の株主に対して、買付書類（offer document）[25]を送付する必要がある（買収コード22.1条）[26]。

---

[24] 転換可能証券、ワラント、オプションおよびデリバティブは、買収コードの定義集にそれぞれ詳細に定義されている。

[25] 買付書類の記載事項等詳細は買収コード23条に定められている。

一方、対象会社の取締役会は、買付書類の送付から14日以内に、株主に対して対象会社の意見を送付する必要がある（offeree board circular）[27]（同22.2条）。かかる意見には、フィナンシャル・アドバイザーによる当該公開買付けに対する独立した意見、および、取締役による当該公開買付けに対し応募を推奨するか否かの意見を付さなければならない（同24.1条(a)・(b)）。

なお、実務上、友好的買収の場合には、公開買付けの公表と株主に対する買付書類の送付は、買収者と対象会社とで別途に行うのではなく共同して行われる。

買収者による買付書類の送付から最低でも28日間は買付期間としなければならない（同22.3条）。かかる買付期間は合計して最長60日間になるまで延長でき（同22.9条）、実務上延長されることも多いようである。よって、案件ごとに異なるものの、通常、公開買付けの公表から対価の交付まで2ヵ月程度の期間は必要となる。公開買付けの基本的なタイムテーブルの一例は、図表2-3のとおりである。

【図表2-3】公開買付けのスケジュール（モデル）

	日　　程	手　　続
(i)	T	公開買付けの公表
(ii)	T＋1日頃（(i)からできる限り早く）	対象会社による開示
(iii)	T＋2日頃（(ii)からできる限り早く）	対象会社による公開買付けに関する意見をする独立のフィナンシャル・アドバイザーの選任
(iv)	T＋14日以降T＋21日以前	買収者による対象会社の株主に対する買付書類の送付およびSICに対するその写しの提出
(v)	T＋35日以前（(iv)から14日以内）	対象会社によるその株主に対する対象会社の意見の送付およびSICに対するその写しの提出

---

26) シンガポールでは、フィナンシャル・アドバイザーが買収者を代理して公開買付けを行うのが市場慣行となっており（Chandrasegar Chidambaram, Take-overs and Mergers（Second Edition）(Lexis Nexis, 2010) at 260）、その結果、買収者により作成公表される書類は、かかるフィナンシャル・アドバイザーが買収者の代理人として作成公表する。
27) かかる意見の記載事項等の詳細は、買収コード24条に定められている。

(vi)	T＋49日（(iv)から28日以上）	当初の買付期間の終了（first closing date）（買付期間は延長されうる）
(vii)	T＋81日（(iv)から60日）	買付期間の終了（最も遅い場合）

【Lucien Wong, Christopher Koh. The International Comparative Legal Guide To Mergers & Acquisitions 2010（Global Legal Group Ltd. 2010）at 254に基づき筆者ら作成】

④　強制的公開買付けか任意的公開買付けか

　仮に対象会社に30％以上の議決権を保有する大株主が存在し、買収者が公開買付けに際して当該大株主とその保有する株式の取得について事実上合意する場合でも、当該大株主の保有する株式を公開買付けに先立って取得せず、当該大株主との間で公開買付けに応募する合意だけをする場合には、強制的公開買付けは義務づけられない。

　この点、少なくとも対象会社の大株主の保有する株式を確実かつ迅速に取得したい場合には、当該大株主からその保有にかかる株式を取得した上で、強制的公開買付けを行えばよい。もっとも、前述のとおり、強制的公開買付けにおいては、SICの承認がない限り、買収者および共同保有者が併せて50％超の議決権を保有することとなる数の株式の応募を受けたことという条件以外の条件は付せられない。よって、買収者の目的が対象会社の完全子会社化にある場合には、当該大株主との合意を公開買付けへの応募の合意にとどめ任意的公開買付けとし、公開買付けにおける応募数の下限にかかる条件を、4(1)に後述する株式売渡請求権の取得要件を満たすように90％以上とすることによって、公開買付けが成立する際には必ず対象会社の少数株主をスクイーズ・アウトできるようにすることもできる[28]。なお、前述のとおり、公開買付けの開始後に、応募数の下限を下げることは一定の条件の下で許容されており、株主の応募状況によっては、かかる下限の引下げにより公開買付けをいったん成立させたうえで、他の方法（たとえば、⑥に述べる任意の非上場化とエグジット・オファーの組み合わせの方法）により、対象会社のスクイーズ・アウトを目指すという選

---

28)　Lucien Wong, Lee Kee Yeng, Who's Who Legal-Options and Considerations For Privatisations in Singapore（LawBusiness Research Ltd., 2011.3）.

択肢をとることもできる。ただし、エグジット・オファーにも買収コードが適用される結果（SICの2006年4月12日付Practice Statement 3項）、SICの承認がない限り、公開買付けの成立後6カ月以内に行われるエグジット・オファーの条件を、先行する公開買付けの条件より良い条件にはできない（買収コード33.2条）ことには留意が必要である。

⑤ 公開買付けにおけるその他の留意点

(a) 部分的公開買付け

任意的公開買付けの場合に、応募数の下限その他の客観的な条件を付すことができることはすでに前記②において述べたが、100％未満の議決権を保有することとなる特定の買付予定数を定めてその数の株式のみ買い付けることも、SICの承認を条件に行うことができる。かかる場合の公開買付けを部分的公開買付けという。SICは、買付予定数の株式の議決権が、①30％未満であれば、買収コード16.4条(d)および(f)から(i)までに定める条件その他の買収コード16.2条Noteに掲げる条件を満たしていれば通常承認し、②30％以上50％以下であれば承認することはなく、③50％超であれば、一定の条件（当該部分的公開買付けが強制的公開買付けではないこと、買収者および共同保有者が部分的公開買付けの公表前後の一定期間および買収時において対象会社の議決権のある株式を購入しないこと、一定の場合に対象会社の株主総会の承認を得ることその他の買収コード16.4条(a)から(i)までに定める条件）が満たされない限り通常承認しない（買収コード16条）。

(b) 共同保有者

すでに述べたように、買収コードは、強制的公開買付けの契機となる対象会社の取得議決権数について、買収者の持つ議決権数だけでなく共同保有者の持つ議決権数も併せて考慮することとしている。買収コードにおいてはそれ以外にも、買収者と共同保有者の保有分を一体として取り扱うことが要求される場面が多い。したがって、共同保有者の範囲を適切に画することは買収コードの適用を考える上で重要なポイントとなる。

共同保有者とは、買収コードにおいて、公式・非公式を問わずなされた合意または約束に基づき、対象会社株式の取得を通じて対象会社の実効的支配権[29]を共同して取得する個人または会社と定義され、共同保有者と推定される者が

例示列挙されている（買収コード定義1項「Acting in Concert」）。

共同行為の態様はさまざまであるため、共同保有者の定義は広く定められており、SICはその経験、良識および能力に基づき状況証拠から適切に共同保有者を認定しなければならないとされるが、その認定は難しいといわれている[30]。なお、強制的公開買付けが必要となる共同保有者の具体的な関与態様が、買収コード14.1条Notesに言及されている。たとえば、SICは通常、1回の株主総会の投票を共同して行ったこと自体でかかる行為を行った株主同士が共同保有者となるとは考えないものの、さらにその後の株主総会でも同様の行為を行った場合は、共同保有者と認定する要素の1つとして考慮するものとされる（同Notes 2項）[31]。

⑥ 任意の非上場化とエグジット・オファーの組み合わせ

買収者が対象会社との合意により、対象会社においてその株式の任意の非上場化を株主総会で決議させた上で、買収者が対象会社の株主に対してエグジット・オファーを行うという買収手法もよく行われてきた。任意の非上場化がSGXによって認められるためには、株主総会に出席し、かつ、決議に参加した株主の保有する株式数の75％以上を保有する株主の賛成が必要である。なお、2019年7月のSGX上場規則の改正により、買収者およびその共同保有者は上場廃止決議につき議決権を行使できないこととなった（SGX上場規則1307条）。また、非上場化後の少数株主を保護する観点から、任意の非上場化の決議後に株主に対する合理的なエグジットの選択肢（通常は現金の交付）のオファーが提供されなければならず、また、そのオファーが公正（fair）[32]かつ合理的（reasonable）[33]であるか否かについて意見を行う独立のフィナンシャル・

---

29) 実効的支配権とは、実際に支配しているか否かにかかわらず、会社の議決権の30％以上を直接または間接に保有することをいう（買収コード定義11項「Effective Control」）。
30) 前掲（注26）のChandrasegar Chidambaram, at 116, 198参照。
31) ただし、この点について、取締役会の支配を目的とする提案を株主総会で共同して行う株主同士は通常共同保有者と推定されるものとされている（買収コード14.1条 Notes 3項）。
32) 2019年7月のSGX上場規則の改正により、「合理的（reasonable）」であることのみならず、「公正（fair）」であることの意見を取得することが義務付けられた。
33) もっとも、何をもって合理的（な価格）とするかは実務上難しい問題とされ、現に2009年および2010年に行われた任意の非上場化案件では、会社の純資産をベースにプレミアムをのせた例もある一方で、逆に純資産ベースを割る例もあった（前掲（注28）Lucien Wong, Lee Kee Yeng参照）。

アドバイザーが任命されていることが通常必要である（同規則1309条）。

　任意の非上場化を決議する株主総会の招集通知（circular）は、株主総会の少なくとも21日前には全株主に送付される。招集通知には、エグジット・オファーの条件およびフィナンシャル・アドバイザーの意見が記載される。一方、エグジット・オファーはオファー・レター（offer letter）を株主に対して送付することによって行われるところ、オファー・レターは、招集通知とともに送付されても（この場合エグジット・オファーは株主総会決議が承認されることが条件となる）、また、株主総会後に送付されてもよい（SICの2006年4月12日付Practice Statement 2項）。

　任意の非上場化にも買収コードは原則適用される。もっとも、エグジット・オファーを一定期間[34]撤回しないことを条件に、タイムテーブルに関するルール等、一定の規定は、通常SICよりその適用を免除される（SICの2006年4月12日付Practice Statement 3項）。かかるSICの免除を受けるためには、SICに対するクリアランス手続が必要となる（同3項）。

　エグジット・オファーにおいては、任意的公開買付けのように公開買付けの応募数の下限にかかる条件を付すことができず、4(1)に後述する株式売渡請求権による少数株主のスクイーズ・アウトが保証されるものではない。ただし、いったん非上場化が株主総会で決議されると、上場廃止される株式を保有する少数株主にとっては、エグジット・オファーに応募するインセンティブが働き、株式売渡請求権の取得要件である90％以上の株式を取得する可能性も高まるといわれている[35]。なお、留意すべき点として、先述のとおり、2019年7月のSGX上場規則の改正により、改正前は可能であった買収者および共同保有者による上場廃止の総会決議における議決権の行使が今後はできないため、買収者が大株主の場合に上場廃止の総会決議が否決されるリスクが低いという従来の任意の非上場化とエグジット・オファーの組み合わせの利点が活かせない場面が多くなると考えられる。

---

34) 株主に対するオファー・レターが株主総会決議後に送付された場合は送付日から21日間であり、オファー・レターが株主総会前に株主総会の招集通知とともに送付された場合は非上場化を株主が承認したことの公表日から14日間である（SICの2006年4月12日付Practice Statement 4項）。

35) 前掲（注28）の Lucien Wong, Lee Kee Yeng 参照。

2　新株の取得（第三者割当増資規制）（会社法161条）

　シンガポール会社の買収方法としては、他の株主からの既発行の株式の譲受けのほか、対象会社の新株を第三者割当増資により取得するという方法もある。もっとも、取締役会決議により第三者割当てが可能な日本法と異なり、シンガポールにおいては、公開会社における新株の発行には常に株主総会決議が必要となる。かかる決議は、通常、普通決議で足りるが、定款の定めにより決議要件が特別決議に加重されていることもある。会社法上は、この決議は特定の新株発行に対して個別になされなくともよく、事前に、包括的に将来の新株発行を承認する決議でもよい（会社法161条(2)）。包括的承認の効力は、その後最初に開催される年次株主総会の終了時まで続く（同条(3)。SGX上場規則806条(6)(a)）。もっとも、上場会社においては、包括的承認に基づく新株発行には、主要株主[36]等[37]に対する発行はできず[38]（同規則812条(1)・(2)）、第三者割当てによる株式発行数の上限（自己株式を除く発行済株式総数の20％（同規則806条(2)））や、対価の金額の下限（原則として引受契約の締結日においてSGXで取引された対象会社の株式価格の加重平均に対して10％を超えて低い価格とすることはできない（同規則811条(1)））等の制限があるのに加え、そもそも上場会社の買収の場面において事前の包括的承認に基づき新株発行がなされることは実務上想定されない。

　また、上場会社および買収コード適用非上場会社においては、新株の発行にも買収コードが適用されるため、新株発行後の買収者の議決権保有割合が

---

[36]　主要株主とは、直接または間接に、自己株式を除く発行済株式の議決権の5％以上の議決権を表章する株式を保有する株主をいう（SGX上場規則上定義されていない定義語は会社法の定義による。会社法81条・7条）。
[37]　具体的には、(i)取締役および主要株主、(ii)(i)の直近親族、(iii)主要株主の主要株主、関連会社、関係会社および兄弟会社、(iv)取締役および主要株主により直接または間接に10％以上の持分を保有される会社、(v)SGXが(i)から(iv)までに該当すると判断した者である。ただし、(ii)から(iv)までについてはSGXが取締役または主要株主の支配または影響を受けず独立した者として包括的承認に基づく新株発行を認めることがある（SGX上場規則812条(4)）。
[38]　個別の決議に基づき主要株主等が新株発行を受ける場合でも、その主要株主等およびその関係者（associate）はかかる決議に参加することはできない（SGX上場規則812条(2)）。関係者（associate）とは、SGX上場規則の定義上広く関連する会社を含み、直接または間接に会社持分の30％以上を保有する当該対象となる会社を含む（同規則「associate」定義）。

30％以上となる場合には、SICから免除の承認を得ない限り、強制的公開買付けの義務が生じる。かかるSICの免除承認を得るためには、新株発行前の対象会社の株主総会において過半数の議決権を保有する株主（買収者や共同保有者等の当該新株発行に関与しまたは利害関係を有する者を除く）の承認を得る（Whitewash Resolution）等の要件を満たす必要がある（買収コード14条Notes on Dispensation from Rule 14第1項。なお、買収コード別紙1に詳細なルールが定められている）。

　このように、第三者割当てによる新株発行については、原則として取締役会の決議により認められている日本に比べ、シンガポールでは、そもそも株主総会決議が必要になるなどより多くの制約がある。しかも、既存株主は新株の発行によって対価を受領するわけではないので、特に上場会社においては、株主総会において既存株主が承認するインセンティブは低いといわれる。

　以上の理由により、財務状況が悪い会社が破綻することを防ぐために資金を注入するような場合（この場合は株式価値の増大に資するため既存株主の協力を得やすい）を除き、上場会社の買収方法として第三者割当てによる新株発行の方法が取られる実例は少ないようである。

　他方で、非上場会社においては、大株主との間で合意が得られれば株主総会での承認が容易な場合が多いことに加え、第三者割当増資によって資金ニーズを満たしつつ合弁会社を組成するというニーズもあり、上場会社の場合よりも第三者割当てが多く用いられる。

3　組織再編ないし組織再編に類似した制度

(1)　スキーム・オブ・アレンジメント（SOA）

　シンガポールには、会社法上、組織再編として合併があり、そして組織再編に類似する制度としてSOAがある。SOAのほうが合併よりも実務上利用される頻度が高いことから、SOAから論ずることとする。

　SOAは、会社法210条に基づき行われる手続であり、その内容に明文上の限定はなく、さまざまな用途に用いられうるが、対象会社の100％買収という局面では、通常、買収者が対象会社の株主に対し、買収の対価として現金の支払いを行い、それに対して、①対象会社が既存の対象会社株式の消却と買収者に対

する新株の発行を行うか、あるいは、②発行済株式を既存株主から買収者に移転するという形で用いられる。その結果、対象会社は買収者の完全子会社となる[39]（この点で、SOAは、日本法上の現金対価の株式交換と同様の効果を有する取引に用いることができる）。なお、会社法上、買収者は対価として買収者の株式（または現金と株式の両方）を交付することもできるが、外国企業による上場会社の買収の場合（特に当該外国企業の株式がSGXにおいて上場されていない場合）には、対価として買収者の株式を交付することは実務上想定されない。

　SOAは対象会社自身が行う手続であり、通常対象会社の大株主の合意を得たうえで、買収者と対象会社とでSOAの実施契約を締結し、それに基づき対象会社が、裁判所に特別な株主総会（以下「特別株主総会」という）の招集手続開始を申し立てる。特別株主総会においては、総会に出席し、かつ、決議に参加した株主のうち、頭数の過半数かつ株式価値（value of the shares）[40]の75％以上の承認決議が必要である（会社法210条（3AA）・（3AB）(a)(b)）。ただし、後述する買収コードの一部適用免除の条件を満たすためには、買収者および共同保有者ならびに買収者および対象会社に共通の主要株主は、通常は決議に参加することはできない（なお、SOAに合意した対象会社の大株主は、SOAに合意したとしても共同保有者とは通常はみなされず、決議に参加できる）。そして、特別株主総会の承認に加えて、裁判所の認可が必要となる（同条（3AB）(c)）。SOAは、かかる認可においてより早い日が別途定められない限り、その認可の写しがACRAに登録された時点で効力を生じる（同条(5)）。以上の手続には、通常4カ月から5カ月の期間が必要となる。

　上場会社および買収コード適用非上場会社においては、SOAにも買収コードは原則適用されるが、一定の条件を満たすことによって公開買付けの条項（対価の種類（買収コード17条）およびタイムテーブル（同22条）に関する条項を含む）等多くの規定は、SICに対するクリアランス手続を経て、通常その適用が免除される（買収コード定義12項「Offer」のNote参照）。当該条件とは、買収者

---

39)　図表2-3のLucien Wong, Christopher Koh, at 253参照。
40)　条文上は「value of the members」であるが、通常の会社形態として想定される有限責任株式会社の場合、「value of the shares」の意味となる。「value of the shares」は、対象会社の発行する株式が1種類のみである場合は、事実上議決権と同義である。これ以降同様の表現をしている箇所についても同じである。

を含む当該取引に利害を有する関係者が株主総会決議に参加しないことや、対象会社による独立のフィナンシャル・アドバイザーの選任等である（同項「Offer」のNote参照）。

(2) 合　　併

合併はシンガポール会社のみが行えるので、外国会社が合併を利用してシンガポール会社を買収する場合には、シンガポールに受け皿となる会社を設立し、当該会社と対象会社を合併させることになる。なお、合併には、SOAに類似した裁判所の認可を要するもの（会社法210条・212条）のほか、裁判所の認可を要しないものとして、全部合併と100％子会社を当事会社とする略式合併とがある（同法215A～K条）。会社法210条および212条では、吸収合併および新設合併のいずれも可能であり、また、資産負債の一部のみを移転させることも可能であるため、この点では、日本法上の会社分割に類似した制度を内包しているといえる。同法215A～K条の全部合併と略式合併は、日本における合併とほぼ同様の制度であり、消滅会社の権利義務の全部が存続会社（吸収合併）または新設会社（新設合併）に一般承継（包括承継）される効果を有する。

本章では、裁判所の認可が不要な対象会社全部の買収の手法である全部合併のみを取り上げて特に論ずることとする。

会社法215A条以下による全部合併の手続としては、合併の当事会社間で合併契約が締結され、それに基づき合併提案書（amalgamation proposal）が作成される（会社法215B条）。合併提案書の写しは、取締役宣言書（declaration）の写し、取締役の重要な利害関係の報告書（statement）および合理的な株主が当該合併案が会社および株主に及ぼす性質および影響を理解するのに必要な情報および説明とともに、合併を決議する株主総会の少なくとも21日前に、取締役会により株主に送付される（215C条(4)）。また、取締役会において、支払能力証明書（solvency statement）が作成される（215C条(2)(b)・(c)）。さらに、取締役は、合併を決議する株主総会の少なくとも21日前に、少なくとも１つのシンガポールで公刊されている英語の日刊新聞により合併案を公告する（215C条(5)(b)）。かかる公告には、株主および債権者が会社の登録事務所その他公告で別途記載する場所にて会社の営業時間内に合併提案書の閲覧謄写が可能であるこ

とが記載される (215C条(5)(b)(i))。それらの後、各合併会社の株主総会が行われる。合併の承認には特別決議が必要となる (215C条(1)(a))[41]。合併が承認された場合、合併に関する書類がACRAに登録され (215E条)、ACRAは合併通知 (notice of amalgamation / notice of incorporation) および合併確認証明書 (certificate of confirmation of amalgamation) を発行する (215F条)。合併の効力は、合併通知に記載された効力発生日に生じる (215G条)。SOAと異なり裁判所の認可は必要ないが、裁判所は、株主または債権者[42]の異議申立てに基づき、当該合併の効力発生の禁止、合併提案書の変更または会社もしくは取締役会に合併提案書の全部もしくは一部の再考を命じることができる (215H条)。通常は、4カ月以内に取引が完了する。

上場会社および買収コード適用非上場会社においては、SOAと同様、買収コードは原則適用されるものの、SICに対するクリアランス手続によってその適用の一部が免除される。もっとも、免除される条項はSOAのように多くない。買収条件の修正に伴う買付期間の14日間の延長（買収コード20.1条）、タイムテーブル（同22条）、応募（同28条）および応募者による応募撤回の権利（同29条）に関する条項のみである（買収コード定義12項「Offer」のNote参照）[43]。

合併は、グループ内の再編成で利用されることはあるものの、**4(2)**に後述するとおりスクイーズ・アウトの手法として利用された例はほとんどない[44]。また、外国会社が合併を利用してシンガポール会社を買収する例も稀である。

4　スクイーズ・アウト（完全子会社化）

(1)　株式売渡請求権

株式売渡請求権とは、会社法215条に規定される買収者が少数株主から強制的に株式を取得することができる制度である。

---

41) 買収コード上、買収コードの一部適用除外を受けるために、SOAと同様、買収者や主要株主は決議に参加しないことが必要とされている。
42) なお、取締役は、合併を決議する株主総会の遅くとも21日前に、合併提案書の写しを担保権を有する債権者に送付しなければならない。
43) なお、SOAより免除を得るために必要な条件が多く、たとえば、合併書類の送付後60日目の午後5時半までに合併の効力が発生すること等の条件も必要とされている。
44) 前掲（注28）のLucien Wong, Lee Kee Yeng参照。

具体的には、買収者は、買収者による買収開始（下記のとおり、対象会社が上場会社または買収コード適用非上場会社の場合に、任意的公開買付けと組み合わせた場合には買付書類を送付した時[45]）から4カ月以内に、対象会社株式（買収開始時に買収者自身が保有していた株式[46]および自己株式を除く）の90％以上[47]の保有者により買収者が対象会社株式を取得することについて承認された場合、それから2カ月以内に当該買収に反対する株主に通知することによって、当該株主の株式を強制的に取得する法定の権利（以下「株式売渡請求権」という）を得る。

したがって、対象会社が上場会社または買収コード適用非上場会社の場合には、前述のとおり、任意的公開買付けにおいて、その後の株式売渡請求権の行使を見据えて90％の株式の取得を下限とすることにより、当初からスクイーズ・アウトを前提にした取引が可能となる。なお、買収者は、あらかじめ株主に送付する買付書類において、90％以上の株式を取得した場合の株式売渡請求権を行使する意図の有無を記載しなければならない（買収コード23.5条(c)）。任意的公開買付けと株式売渡請求権の行使を組み合わせた取引は通常4カ月から5カ月の期間を必要とする。なお、強制的公開買付けの場合には90％を応募数の下限とする条件を付けることができないため、当初からスクイーズ・アウトを前提とした取引とすることはできないが、公開買付けの結果90％以上を取得した場合は当然株式売渡請求権を取得する。ただし、前掲（注47）において記載したとおり、公開買付開始時点で買収者が保有する株式は90％の算定の対象とならないため、たとえば公開買付前に支配株主から相対で株式を取得したことにより強制的公開買付けの要件に該当した場合、その株式は算定の対象外となることには留意が必要である。

他方で、非上場会社（買収コード適用非上場会社を除く）を買収する場合に

---

45) 前掲（注26）の Chandrasegar Chidambaram, at 316参照。
46) 買収者自身が保有していた株式には、買収者のために保有する名義人、買収者の関連会社、当該関連会社のために保有する名義人が保有していた株式を含む（会社法215条(9)）。
47) 計算方法には注意が必要である。たとえば、公開買付前にすでに20％の対象株式を保有していた場合、残り70％を取得して合計90％にすればよいのではなく、自らの保有する分を除く株式の90％、すなわちこの例では80％の90％（72％）をさらに取得する必要があり、その結果最終的には対象会社株式の92％（20％＋72％）まで取得しなければならない。

は、実際に株式売渡請求権を行使する局面は限定的と考えられるが、理論上は、対象会社の90％以上の株式を取得すれば株式売渡請求権を行使することも可能である。

　株式売渡請求権を行使する場合、買収者は、原則としてすでに取得した株式と同様の条件（価格を含む）にて、反対株主の株式を取得しなければならない（会社法215条(1)）。

　反対株主は、株式売渡請求権の行使の通知を受けた場合、その日から１カ月の間に、他の反対株主のリスト（名称および住所）の開示を買収者に書面にて要求することができる（この場合、買収者は、かかるリストの送付から14日間は株式売渡請求権を行使できない）（会社法215条(2)）。また、反対株主は、株式売渡請求権行使の通知を受けた日から１カ月以内または反対株主のリストを取得してから14日以内のいずれか後の日まで、裁判所に対して株式売渡請求権の行使に対する異議を申し立てることができる（同条(1)）。この場合、株式売渡請求権の行使の可否は裁判所の判断に委ねられることになる。裁判所が異議申立てを認めない限り、買収者は、株式売渡請求権行使の通知がなされた日から１カ月経過後、反対株主が反対株主のリストを取得してから14日経過後、かつ、裁判所に対する異議申立てが継続中の場合はその申立手続が終了した後、買収者により任命された反対株主を代理する者および買収者との間で締結された譲渡証書とともに対象会社に通知の写しを送付する。そして、株式売渡請求権の行使により取得する株式の対価を対象会社に支払う。対象会社はそれを受けて、買収者をかかる株式の保有者として登録する（同条(4)）。対価は、かかる支払いを受領する対象会社の専用信託口座に支払われることとされ（同条(5)）、その後、対象会社により反対株主に支払われる。

　なお、反対株主は、買収者の株式売渡請求権とは逆に、買収者（買収者のために保有する名義人を含む）が自己株式を除く対象会社株式の90％以上を取得した場合[48]、その保有する株式の買取りを当該買収者に請求する権利を取得する（いわゆるセルアウト権）。当該権利を行使した場合、買収者は、原則としてすでに取得した株式と同様の、または反対株主もしくは買収者の申立てにより

---

48) 株式売渡請求権を行使した時点ですでに買収者が保有していた株式も含む点で、株式売渡請求権の発生要件とは異なるので留意を要する。

裁判所が適当と判断した条件（価格を含む）にて反対株主の株式を取得しなければならない。買収者は、対象会社株式の90％以上を取得した日から1カ月以内に、反対株主に、反対株主が当該権利を有する旨を通知しなければならず、反対株主はそれから3カ月以内に買収者に買取りを請求しなければならない（会社法215条(3)）。

対象会社が上場会社または買収コード適用非上場会社の場合において行われる、任意的公開買付けと株式売渡請求権行使の組み合わせによるスクイーズ・アウトの最大の特徴は、敵対的買収の局面でも利用しうるということである。4(2)および(3)に後述する手法がいずれも対象会社自身が行う手続であるのに対し、公開買付けおよび株式売渡請求権行使はいずれも買収者が行う手続であり、基本的に対象会社の協力を必要としないからである。

また、競合する買収者が現れた場合、任意的公開買付けにおいてはそれに対して条件等を変更するのが比較的容易であるのに対し、4(2)および(3)に後述する手法では条件の変更には必要書類の修正に加え多くの場合対象会社の株主総会の延期等が必要となりうるため、柔軟性に乏しい。したがって、競合する買収者の出現が予想される場合には、任意的公開買付けと株式売渡請求権行使を組み合わせた手法が一般的に選択されることが多い[49]。

(2) 組織再編に類似した制度（スキーム・オブ・アレンジメント）の利用

SOAおよび合併のいずれによっても、買収対価を現金とすることにより、いずれもスクイーズ・アウトを達成することができる。これらは、前記のとおり対象会社自身が行う手続であるため、友好的買収の場合にその利用が限定される手法である。なお、買収者の親会社がシンガポール会社である場合、合併に際し、会社法上親会社の株式を取得することはできないため（会社法76条(1A)(a)(ii)）、親会社株式を合併の対価として交付するいわゆる三角合併はできないことになる（日本法のように三角合併の対価として交付するために親会社の株式を取得する例外は認められていない）。一方で、買収者の親会社が外国会社である場合、日本法のもとでは外国会社である親会社の株式を取得できるか否かはか

---

49) 前掲（注28）の Lucien Wong, Lee Kee Yeng参照。

かる外国会社の設立準拠法の問題と解されているところ、シンガポール法のもとでも同様の整理が妥当するのかという点については疑義がある。

決議に必要となる株式価値（SOAの場合）または株式数（株券数・単元株数）（全部合併の場合）の割合はともに総会に出席し、かつ、決議に参加した株主が保有する株式の75％である。もっとも、前記のとおり、対象会社が上場会社または買収コード適用非上場会社の場合には、買収コードの適用により、買収者および共同保有者ならびに買収者および対象会社に共通の主要株主は、通常は決議に参加できないため、買収者等以外の一般株主が保有する株式価値（SOAの場合）または株式数（株券数・単元株数）（全部合併の場合）の75％の賛成が必要となる。そのうえ、SOAでは、総会に出席し、かつ、決議に参加した株主の頭数の過半数の賛成も必要となるため、わずかな議決権しか持たない過半数の少数株主の反対によって決議の結果が左右されてしまうおそれがあるという欠点がある。さらに、SOAの場合は、裁判所の認可手続が必要となるため、通常取引の完了まで時間がかかる。

しかし、このような欠点がない合併のほうがSOAより利点があるように見受けられるにもかかわらず、合併は実務上、スクイーズ・アウトの手法としてほとんど利用されていない。その理由としては、全部合併が2005年に導入された比較的新しい制度であることによる事例の蓄積の乏しさがゆえにその利用が敬遠されていることや、取締役が支払能力証明書において合併後の会社の将来にわたる支払能力を証明する義務を負うこと[50]等が挙げられている[51]。

(3) その他

スクイーズ・アウトには前述のSOAおよび株式売渡請求権およびSOAの利用が一般的であるが、それ以外にも理論的に可能な手法は存在する。ここではそのうち事業譲渡および株主による任意の清算（以下、単に「清算」という）の組み合わせと、特定の株主を対象とした減資（Selective Capital Reduction）について説明する。

---

50) 合理的な根拠に基づかず虚偽の記載をさせた取締役には、刑事罰として罰金または懲役刑が科される（会社法215Ⅰ・J条）。
51) 前掲（注28）のLucien Wong, Lee Kee Yeng参照。

事業譲渡および清算の組み合わせは、まず、対象会社の事業を買収者が譲り受け、その後に対象会社が清算を行う手法である。いずれも対象会社の株主総会による承認が必要であり、事業譲渡については普通決議（会社法160条(1)）が[52]、清算には特別決議（倒産法160条(1)(b)）が要求される。清算には取締役による支払能力宣言書（declaration of solvency）の作成が必要であり、清算手続開始時点から12カ月以内に会社の全負債を返済しうる旨の意見を述べなければならない（倒産法163条）。また、清算は通常他の手続よりも時間がかかるため、株主が対価を得るまでの期間が長くなることも欠点の1つである。

特定の株主を対象とした減資は、株主である買収者以外の少数株主の株式の消却を伴う減資を行い、当該少数株主に対して現金を交付してスクイーズ・アウトを達成する方法である。減資の手続には、裁判所の認可を必要としないもの（会社法78C条）と必要とするもの（同法78G条）がある。いずれの場合も、対象会社の株主総会における特別決議が必要である。これらの方法は、対象会社の資金を用いることへの抵抗感から、実務上、買収の手段として用いられた例は少ない。

(4) 支配株主との取引における少数株主保護に関するルール

会社法上、会社の行為または株主総会の決議等により抑圧的または不公平な取扱いを受けた株主は、裁判所にその是正を求める訴訟を提起することができる（会社法216条）。株主は、株主代表訴訟とは異なり、会社の代わりとしてではなくあくまで株主個人としてこの訴訟を提起することができる。この訴えを受けた裁判所は、当該取引または決議の禁止、取消しまたは変更等を決定することができる。さらに、会社または他の株主による少数株主の株式の買取りを命じることもできるため、実質的に反対株主による株式買取請求権に近い効果をもたらしうる。スクイーズ・アウトを行う場合には、このような訴訟によって取引が影響を受けないように、適正かつ公平な手続および対価によって取引を行うよう常に留意する必要がある。

---

52) なお、金融機関（銀行、保険会社、金融会社（finance companies）、資本市場サービス・ライセンス（capital markets services license）保有者を含む）の事業譲渡の場合、これに加えて裁判所と当局による承認が必要となる。

また、SGX上場規則は利害関係人との取引を規制しているため（SGX上場規則第9章）、上場会社はその点に留意する必要がある。利害関係人の定義には支配株主が含まれるため（同規則904条(4)(a)）[53]、支配株主との取引に際してはSGX上場規則のルールに従う必要がある。それによると、原則として、利害関係人との特定の取引を承認する株主総会決議には当該利害関係人およびその関係者は参加できず（同規則919条）、また、独立のフィナンシャル・アドバイザーから取引条件に関する意見を取得しなければならない（同規則921条(4)）。

　さらに、買収コードも大株主による少数株主を害する買収取引を禁じているため、上場会社および買収コード適用非上場会社はその適用も受ける。買収コードは、その一般的原則において対象会社株主の公平な取扱い（買収コード一般的原則3項）、支配権の誠実な行使および少数株主の抑圧の全面的禁止（同4項）を謳っている。特に、特定の株主にのみ有利な条件とする取引はSICの承認がなければ行うことはできない（買収コード10条）。取引にかかわる株主に対する情報提供についても、できる限り時期および方法に差を設けてはならないと定め、情報収集能力の格差を可能な限り是正するよう配慮している（同9条）。

2-5　買収に関連するその他の主要な規制

1　外資規制

　シンガポール政府は外国資本によるシンガポールへの投資を奨励しており、外国資本による事業所有は、国家の安全保障にかかわる事業、公益事業、メディア関係事業、金融業等の一定の分野を除いて制限されることはない。逆に、外国資本の誘致を奨励すべく、財政支援・優遇税制等の積極的な投資優遇策をとっている[54]。

53）　ほかに、取締役、CEOもしくはその各関係者、または支配株主の関係者も定義に含まれる。
54）　詳細は、シンガポール経済開発庁（EBD）のウェブサイト（https://www.edb.gov.sg/ja.html）および日本貿易振興機構（JETRO）のウェブサイト（http://www.jetro.go.jp/world/asia/sg/）参照。

制限される一定の分野とその規制の内容を例示すると以下のとおりである。なお、特段明示する場合を除き、以下の規制は、外国会社に限らずシンガポール会社による投資においても適用がある。したがって、これらは、厳密な意味での外資規制というわけではないが、一定の事業分野に対する外国会社の投資をも結果的に規制するものであるため、記載の便宜上ここで言及する。

公益事業の例でいうと、電気事業については、事業（going concern）の取得についてエネルギー市場監督庁（Energy Market Authority of Singapore）の書面による事前承認が必要であり（電気法（The Electricity Act）30B条(3)）、直接または間接に12％以上の持分または議決権を取得すること、直接または間接に30％以上の持分または議決権を取得することおよび間接的支配権[55]の取得について、エネルギー市場監督庁の事前承認を必要とする（同条(2)）。また、ガス事業については、事業の取得についてエネルギー市場監督庁の書面による事前承認が必要であり（ガス法（The Gas Act）63B条(3)）、直接または間接に12％以上の議決権を取得すること、直接または間接に30％以上の議決権を取得することおよび間接的支配権の取得について、同じくエネルギー市場監督庁の事前承認を必要とする（同条(2)）。いずれの事業についても、CEO、取締役または取締役会の議長の任命にはエネルギー市場監督庁の書面による事前承認が必要とされる（電気法30G条(1)、ガス法63H条(1)）。そして、水道事業については公営企業に限定される。

メディア関係事業の例でいうと、新聞事業および放送事業については、主要株主になること（新聞および印刷出版法（The Newspaper and Printing Press Act）11条(1)、放送法（The Broadcasting Act）35条(1)）、直接または間接に5％以上の議決権のある株式を取得する結果となる取引の合意（新聞および印刷出版法11条(3)、放送法35条(3)）、直接または間接に12％以上の株式または議決権を取得することおよび間接的支配権の取得（新聞および印刷出版法12条、放送法36条）につい

---

[55] 株式または議決権保有の有無にかかわらず、その者の指示に従って取締役が行動する者（ただし、かかる者が専門的能力に基づいて助言を行っているにすぎない場合はかかる者はこれに該当しない）または会社の方針を決定する地位にある者（ただし、エネルギー市場監督庁の承認を得て任命されたCEO、取締役または取締役会の議長はこれに該当しない）をいう（電気法30B条(9)。本項（1　外資規制）に掲げる他の事業の法律においても同趣旨の定義が設けられている）。

て、それぞれ通信・情報大臣（Minister of Communications and Information）、メディア開発庁長官（Minister of Media Development Authority）の事前承認を必要とする。また、新聞事業については、別途通信・情報大臣の書面による事前承認を得た場合を除き、取締役全員がシンガポール国籍の保有者であることを必要とする（新聞および印刷出版法10条）。放送事業については、CEO、取締役または取締役会の議長の任命にはメディア開発庁長官の事前承認を必要とし（放送法33条(1)）、かつ、メディア開発庁長官の事前承認を得た場合を除き、取締役の半数以上およびCEOがシンガポール国籍の保有者であることを必要とする（同条(2)）。

金融業の例でいうと、銀行は他の法人と統合（merger）するには通貨金融庁長官（Minister of Monetary Authority of Singapore）の書面による事前承認を必要とする（銀行法（The Banking Act）14条）。また、銀行については、主要株主になること（同法15A条(1)）、直接または間接に5％以上の議決権のある株式を取得する結果となる取引の合意（同条(3)）、直接または間接に12％以上の株式または議決権を取得すること、直接または間接に20％以上の株式または議決権を取得することおよび間接的支配権の取得（同法15B条）について、通貨金融庁長官の事前承認を必要とする。

なお、1978年に為替管理制度が撤廃されて以来、為替管理規制の適用はない。このため、シンガポールにおいては、対内直接投資、配当金もしくは利益の送金または資本の本国送金に関する為替管理上の特段の制限はない。

また、シンガポール会社の取締役のうち少なくとも1名はシンガポールに通常居住する必要があるので（会社法145条(1)）、買収後すべての取締役を日本の居住者とすることはできない。雇用については、現地人の雇用義務はないものの、会社の業種および現地人労働者数に応じて外国人労働者数に上限が設けられている。また近時は、シンガポール全体で外国人労働力の割合が3分の1を超えないようにするという基本理念の下、外国人労働者に対する雇用許可の発給が厳格化される傾向にある点に留意が必要である。

2　大量保有報告規制

自己株式を除く発行済株式の議決権の5％以上の議決権を表章する上場会社

の株式を直接または間接に保有することとなった株主（主要株主）は、それを認識してから 2 営業日以内に、会社に対して書面による通知を行う必要がある（証券先物法135条）。また、主要株主は、保有株式の議決権について 1 ％以上の増減を認識したときは、同様に 2 営業日以内の書面による通知を行う必要がある（同法136条）。さらに、主要株主でなくなった株主は、それを認識してから 2 営業日以内に、やはり会社に対して書面による通知を行う必要がある（同法137条）。これらの通知は様式が決まっており（Form 3）、MASのウェブサイトより入手可能である。当該様式上、株式の種類、取得または処分した株式数およびその対価、取得または処分態様等を記載しなければならない。

　上場会社は、上記通知を受け取った後、その翌営業日中にその内容を公表するかSGXに通知する義務を負う（証券先物法137G条）。

　株主および上場会社が上記の各通知義務を怠った場合、それぞれ刑事罰として罰金が科されうる（証券先物法137D条・同法137G条(3)以下）。

3　適時開示規制等

　SGX上場規則上、（買い手・売り手を問わず）上場会社による資産・事業の取得・処分（SGX上場規則第10章）および買収取引（同規則第11章）は開示義務の対象となりうる。

　このうち資産・事業の取得・処分に関しては、取引の規模に応じて開示義務の有無および範囲が異なる。具体的には、主に以下の割合を指標とし、その割合（取引規模）に応じて以下の 4 種類のカテゴリーに分類される。

指標とされる割合（SGX上場規則1006条）
　① 　会社グループの連結純資産に対する、対象資産の純資産額（ただし、資産の処分の場合のみ）
　② 　会社グループの連結純利益に対する、対象資産から生じる純利益の額
　③ 　自己株式を除く発行済株式総数に基づく会社の時価総額に対する、対価の総額
　④ 　取引直前の会社の発行済証券数に対する、資産取得の対価として発行された証券数

⑤　会社グループの鉱物、石油またはガス資産の確認埋蔵量および推定埋蔵量の総量に対する、採掘予定量の総量（鉱物、石油またはガスを扱う会社のみに適用）

4種類のカテゴリー（SGX上場規則1004条）

(i)　非開示取引（SGX上場規則第10章パートⅤ）：上記のいずれの割合も5％以下である場合には、開示は必要とされない（任意の開示は可能[56]）（SGX上場規則1008条）。ただし、重要情報の開示を義務づける一般条項（同規則703条）および一定規模以上による利害関係人との特定の取引の開示義務（同規則905条）の適用を受けることには留意が必要であり、また、SGX上場規則1009条により、取引の対価の全部または一部が証券である場合には、下記の開示取引において必要となる開示事項を開示する必要がある。

(ii)　開示取引（SGX上場規則第10章パートⅥ）：上記のいずれかの割合が5％超20％以下である場合には、開示が必要となる（SGX上場規則1010条）。開示事項は、対象資産の詳細、取引の概要、対価の総額、オプション等の重要な条件、対象資産の価値等SGX上場規則1010条(1)から(13)までに定められている13項目である。開示事項に利益予想が含まれる場合、さらに同規則1012条に定める事項の開示が必要となる。さらに、取引において資産・事業の売主から利益保証または利益予想をされている場合の開示事項等の取扱いについて同規則1013条が定めている。

(iii)　重要取引（SGX上場規則第10章パートⅦ）：上記のいずれかの割合が20％超である場合には、(ii)に記載する開示に加え、取引の実行に株主総会の承認決議が必要とされる。ただし、利益をもたらす資産の取得で、指標とされる割合の②のみが20％超である場合は重要取引には含まれない。株主に対しては、株主総会前に開示情報のすべてが送付される必要がある（上場規則1014条）。

(iv)　実質的買収またはリバース・テイクオーバー（SGX上場規則第10章パートⅧ）：資産の取得の場合において、上記のいずれかの割合が100％以上であ

---

56)　この場合の開示事項は、対価の詳細と対象資産の価値である。

る場合または会社の支配権（control）[57]の変更を生じる場合には、通常の開示事項に加え、取得資産の過去3年間のプロフォーマ財務情報（proforma financial information）の開示を要し、株主総会およびSGXの承認が必要となるほか、SGX上場規則1015条に定める手続を踏む必要がある。ただし、利益をもたらす資産の取得で、指標とされる割合の②のみが100％以上である場合は、このカテゴリーには含まれない（SGX上場規則1015条）。

買収取引に関しては、買収提案を受けた上場会社は、上場証券の取引停止を要請し、直ちにその旨を開示しなければならない（SGX上場規則1102条）。そして、自己株式を除く発行済株式総数の90％超を買収者と共同保有者が取得する買収案が合意された旨（公開買付けの場合90％超の応募があった旨）を買収者が開示した場合、SGXは、自己株式を除く発行済株式総数の少なくとも10％が500名以上の一般株主によって保有されることが確認されるまで、取引停止を継続しうる（同規則1105条）。

なお、買収取引において、買収当事者およびその関係者（associate）[58]は、買収期間中、法令および買収コードの規定に則り自己勘定または裁量のある投資一任を受けている顧客勘定による対象会社株式およびそれに関係する証券の売買を行った場合は、かかる取引日の翌日正午までにそれを開示する必要がある（買収コード12.1条）。当該開示は、SGX、SICおよび報道機関に対して書面で行われる[59]（同12条Notes 5項(a)）。

4 資金援助規制

シンガポール会社のうち公開会社またはその子会社は、原則として、直接または間接を問わず、当該会社またはその親会社の株式の取得（将来の取得を含

---

[57] 会社の財務および経営上の方針について、直接または間接に意思決定を支配する権限をいう（SGX上場規則「control」定義）。

[58] 買収の場面で存在するさまざまな関係を包含する言葉を正確に定義することは実務的ではないとしたうえで、直接または間接に買収者または対象会社の株式を保有している者で、当該買収取引の結果に商業上、財務上、人的とを問わず潜在的利害を有する者を広く含むことを意図しているとされる。通常は、広く関連する会社を含み、会社持分の5％以上を保有する当該会社も含む（買収コード定義2項「Associate」）。

[59] 投資裁量のない顧客勘定による取引を行ったにすぎない場合は、SICに対してのみ書面による開示を行えば足りるが、SICは正当な事由がある場合はこれを公開することができる（買収コード12.2条Notes 5項(b)）。

む）のための資金援助をすることはできない（会社法76条(1)(a)）[60]。この資金援助には保証・担保の提供も含まれるため（同条(2)）、LBO等対象会社による保証または担保提供を前提に買収資金を調達する取引においては、この規制が問題となる。

ただし、この規制にはいくつか例外があり、その1つは、株主総会における特別決議を得たうえで、ACRAへ書類を提出し、日刊新聞への公告を行い、株主、債権者またはACRA等による異議申立ての機会を付与する（会社法76条(10)）等の手続を踏むことである。また、2016年の会社法改正により、その他の例外として、資金援助を行うことが会社・株主の利益または債権者に対する弁済能力を著しく損なわない場合には、一定の要件の下で、取締役会決議により、資金援助が認められることとなった（同法76条（9BA））。LBO等の取引ではかかる例外規定に定める手続を踏むことを念頭に置く必要がある。

5 競争法による規制

競争法（The Competition Act）は、シンガポールにおける商品またはサービス市場の実質的競争を損なう、または損なう可能性のある買収取引を禁止している（競争法54条）。

シンガポールでは競争法を管轄・執行するCCCSに対する買収の報告義務はない。もっとも、買収を行う当事者は、任意で、CCCSに対し、当該取引が競争法違反を引き起こすものであるか否かについて判断を求めることができる（競争法57条・58条）。当該判断を求める前提として、買収当事者は、CCCSが発行しているCCCS買収手続ガイドライン（The CCCS Guidelines on Merger Procedure 2012）パート7、買収の実質的審査に関するガイドライン（The CCCS Guidelines on the Substantive Assessment of Mergers 2016）および市場画定ガイドライン（The CCCS Guidelines on Market Definition）、ならびに過去CCCSが行った判断の実例に基づき自己評価を行わなければならない。必要に応じて弁護士に相談することも考えられる（CCCS買収手続ガイドライン3.8条）[61]。CCCSの判断を求める手続はあくまで任意であるが、この手続を行うことなく競争法違反を生じた場合に

---

[60] 2016年の改正会社法施行により、非公開会社については、この資金援助規制が撤廃された。

は、CCCSによる制裁を受ける可能性がある。制裁としては、買収取消しの指導および違反当事者の過去３年における最高売上高の10％を上限とする課徴金（競争法69条、CCCS買収手続ガイドライン6.12条）等がある。課徴金は、違反当事者が故意または過失に基づき違反した場合にのみ科されうる（競争法69条(3)）[62]。

　CCCSは、当事者からその判断を求める手続の申請があった場合、まず競争法違反の懸念を生じうるか否かを判断する簡単な予備審査を行う（第１段階審査）。当該審査は通常、30営業日以内に完了する。CCCSは、第１段階審査において買収による競争法違反の懸念を生じないものと結論づけられなかった場合、さらに詳細な審査を行う（第２段階審査）。CCCSは、当該審査を120営業日以内に完了するよう努力するものとされる（CCCS買収手続ガイドライン2.8条・2.9条）。

　CCCSは、公開された案件でなければその判断を行わないが、案件を公開す

---

[61] 2018年に行われた競争法の改正、CCCSが行ったEコマースプラットフォーム市場調査、前回2016年にガイドラインが改訂されてからのCCCSによる競争法の執行に関する経験および国際的なベストプラクティスを考慮して、CCCSは2022年２月１日付で競争法に関するガイドラインの改訂を行っている。

[62] CCCSが買収取引の当事者に対して課徴金を科した最初のケースとして、配車サービス提供事業者であるUberが2018年３月に行った、同社東南アジアビジネスの同業Grabに対する譲渡に関する2018年９月24日付CCCS決定が挙げられる。この背景には、2018年３月にUberおよびGrabが同取引の実行を正式に公表する前に報道ベースで同取引が明るみに出た段階から、CCCSは、同業界の大手同士による統合であるため同取引を注視し、両社に対しシンガポールの買収取引ルール（CCCSの調査権限なども含む）を通知する等してきたが、両社は結局、CCCSへの事実上の事前相談や届出は行わずに同取引を実行するに至っていたという事情がある。CCCSはその決定において、同取引がシンガポールにおける配車サービス市場（予約により特定の場所から場所への運転手付き輸送サービスを提供するために運転手と乗車客をマッチングするプラットフォーム市場）の実質的競争を損なうものであると認定し、一定の問題解消措置を命じるとともに、CCCSが事前に上記の通知をしていたにもかかわらず（取引の巻き戻しが実質的に困難な）取引実行後にCCCSへの通知をするという方針をとっていたこと等を理由に故意・過失を認定し、Uberに対し約660万シンガポールドル、Grabに対して約640万シンガポールドルの、併せて約1300万シンガポールドルの課徴金が科せられた。

　本取引は市場へのインパクトが大きいものであり、世間の注目も集めた特徴的な事例ではあるが、CCCSの姿勢として、取引実行後であってもシンガポール競争法違反のおそれがある場合には積極的に調査を開始し、問題解消措置に加え、課徴金も科しうることを示すものであることを示した点で重要であり、シンガポールにおけるM&Aを検討するにあたっても念頭に置くべきもののように思われる。

る前にCCCSの判断を求めたい場合には別途、非公開による相談手続を行うことも可能である（CCCS買収手続ガイドライン2.7条等）。ただし、この判断には必要な留保が付され（同ガイドライン3.18条）、また、法的拘束力もない（同ガイドライン3.27条）。したがって、案件が公開された後でなければ、法的拘束力のある判断を得ることはできない。非公開の相談手続は、手続開始から14営業日以内という短期間に終了することが予定されている簡易なものであり（同ガイドライン3.24条）、CCCSによる書面での質問も原則予定されていない（同ガイドライン3.25条）。

　SICは、買収者が買収コードと競争法のいずれをも遵守できるよう、買収者がCCCSの事前相談手続を行う場合における買収コードの適用について特別な取扱いをすることとしている（買収コード14.2条(c)・15.1条・別紙3）。公開買付けにおいてCCCSによる肯定的な結論が得られることを成立条件とする場合、買収者は条件付きの公開買付けの公表をすることができる（同別紙3の2項）。この場合、強制的公開買付けおよび任意的公開買付けは、それぞれ以下のとおり取り扱われる（同別紙3の3項）。

　　A　強制的公開買付け
①　(i)当初の買付期間の末日または(ii)買付けが応募に関して無条件となり（応募数の下限以上の応募があった場合等）もしくは無条件となることが宣言された日のいずれか後の時点より前の段階で、CCCSが第2段階審査に進むことを指示した場合または買収者による対象会社の議決権の取得を禁止する指示をした場合、公開買付けが失効することを（応募に関する条件に加えて）条件（以下「関連条件」という）とする必要がある。かかる取扱いは、強制的公開買付けにおいては50％超の議決権を保有することとなる数の株式の応募を受けたことという条件しか付すことができないという買収コード14.2条(a)の例外となる（**2-4の1(2)①参照**）。

②　関連条件に基づき公開買付けが失効した場合でも、強制的公開買付けを行う義務が失効するわけではない。したがって、CCCSがその後（第2段階審査を経て）肯定的な結論を出した場合、失効した公開買付けと同条件で（価格は失効した公開買付けの買付価格以上として）、実務上可能な限り早く強制的公開買付けを再度行わなければならない。一方、CCCSが強制的

公開買付けを禁止する否定的な結論を出した場合、SICは、（たとえCCCSはそこまでの要求をしなかった場合でも）買収者が共同保有者と併せて保有する対象会社の議決権を30％未満または（買収者および共同保有者が対象会社の30％以上50％以下の議決権を保有していた場合には）強制的公開買付けの義務が生じる前6カ月間に取得した分が1％未満になるよう減らすことを要求するか否かを検討することとなる。買収者がSICの承認を得て、限られた期間内にかかる議決権の減少を行った場合、SICは強制的公開買付けの義務は失効したものとみなす。

③　第2段階審査中は、買収者および共同保有者は対象会社株式をそれ以上取得してはならない。

　　B　任意的公開買付け

④　任意的公開買付けにおいても、関連条件を条件とする必要がある。さらに、第1段階審査中にCCCSが肯定的な結論を出すことを条件とすることもできる。主観的な条件を禁止する買収コード15.1条にかかわらず（2-4の1(2)②参照）、買収者は、CCCSの肯定的な結論が買収者が満足するものでなければならないとの条件を付することができる。

⑤　関連条件に基づき公開買付けが失効した場合でも、CCCSがその後（第2段階審査を経て）公開買付けを許容する肯定的な結論を出した場合、不成立の買収後12カ月間の買収を禁止する買収コード33.1条(a)の規定にかかわらず、CCCSがかかる結論を出してから21日以内に新たな公開買付けを公表して行うことができる。新たな公開買付けを行うか否かにかかわらず、新たな公開買付期間はCCCSによるかかる結論が出された日から開始する。新たな公開買付けを行わない場合、新しい公開買付期間はかかる21日の経過後または買収者が公開買付けを行わない旨を公表する日のいずれか早い時点まで続く。

⑥　新たな公開買付期間が開始した場合、買収コード15.2条に定める3カ月の最低買付価格の考慮期間は、関連条件に基づき公開買付けが失効した日からCCCSによる肯定的な結論が出された日までの期間（第2段階審査待機期間）とみなされる。

6　インサイダー取引規制

シンガポール法においてもインサイダー取引規制が存在し、買収取引にもインサイダー取引規制が適用される。ただし、日本とは異なり、インサイダー取引規制は原則として未上場株式の取引にも適用がある（証券先物法213条）[63]。

買収者[64]は、対象会社の株価影響情報を保有し、かつ、それが株価影響情報であると知っているときは[65]、それが公表されるか、その情報が株価影響情報でなくなる時まで対象会社株式の取引を行うことができない（同法218条・219条）。インサイダー取引規制を訴追する検察官または訴える原告は、かかる情報をインサイダー取引規制に違反して利用する意図を証明する必要はない（同法220条(1)）。株価影響情報とは、一般に入手できない情報[66]で、仮に公表された場合株価に重大な影響を及ぼす情報をいう（同法218条(1)(b)・219条(1)(b)）。ここで、対象となる株式に通常投資を行う者の投資判断に影響を及ぼしまたは及ぼしうる情報は、当該株式の株価に重大な影響を及ぼす情報であると合理的に認識されるべきものとされる（同法216条）。

インサイダー取引規制違反には、刑事罰、民事責任またはMASによる訴訟提起に基づく裁判所の課徴金支払命令が科されうる（同法221条・232条〜238条・327条）。なお、インサイダー取引規制の対象となる情報は証券先物法に列挙されているが、これらは例示列挙にすぎない（同法214条「Information」の定

---

63)　前掲（注7）のTan Cheng Han, at 620参照。
64)　会社は、その従業員または役員によるインサイダー取引の違反が、会社の明示または黙示の同意のもと、会社の利益のために行われたものと証明された場合には、会社自身が当該違反を行ったのと同様の刑事上の責任を負う（証券先物法236B条(1)）。特に、インサイダー取引違反を指示または助長するような社内文化（corporate culture）の存在が証明された場合、当該会社は明示または黙示の同意を行ったものとみなされることに留意が必要である（同B条(8)）。
65)　ただし、買収者が主要株主であるときは、証券先物法の定義上内部者（connected person）に該当し、内部者は、株価影響情報であると知らなかったとしても合理的に知るべき場合であれば責任を負う（証券先物法218条(1)(b)）。さらに、内部者は、一般に入手できない情報を保有していた場合はそれが株価影響情報であると知っていたものと推定される（同条(4)）。
66)　証券先物法の定義上一般に入手できる情報とは、(i)容易に認識しうる情報、(ii)他の投資家にも認識しうる形で得た後当該投資家に広まるのに十分な時間が経過した株価に影響を与える情報、または(iii)それらの情報から導き出される情報をいう（証券先物法215条）。

義参照)。したがって、ある情報が規制対象となるか否かは、(バスケット条項は存在するものの)個別具体的な重要事実および軽微基準への該当性を検討する日本法とは異なり、株価に影響を及ぼすか否かという規範に沿って実質的に判断される。

買収コードも、独自のインサイダー取引規制を設けている。すなわち、交渉、買収の提案または買収条項の修正が検討されていると推測される理由が生じた時から、かかる公表が行われた時またはかかる検討が終了した時までの間、進行中のまたは検討されている買収に関する証券の価格に影響のある秘密情報を持っている者(買収者を除く)は、対象会社の証券についていかなる取引も禁止される。

これに加えて、買収の公表がなされたにもかかわらず、買収の話し合いが終了しまたは買収者がそれ以上買収を継続しないことを決定した場合、かかる情報を関知している者は、その公表がなされるまで対象会社の証券を取引してはならないとされる(買収コード11.2条Notes 1項)。なお、買収者の証券についても、検討中の買収がかかる証券の価格に影響のある秘密情報とみなされない場合を除き、その取引が禁止される(同11.1条)。

以上の証券先物法と買収コードの規制内容は、必ずしも平仄がとられているわけではなく、一方の規定を遵守しても他方の規定に抵触することがありうるため、両者の規定にそれぞれ別途留意をする必要がある[67]。

> |COLUMN| シンガポールにおける買収・組織再編と労働組合
> 　シンガポールには、2021年12月末時点で61の労働組合(Trade Union)と78万5,456人の組合員が存するが、大多数の労働組合は職業別または産業別組合であり、また一般的に労働組合は使用者に対して友好的であるといわれ、実際、1987年以降現在に至るまで、シンガポールにおける大規模なストライキ数はわずかである。このような事情に照らすと、人員整理や労働条件の変更を伴うものでない限り、買収や組織再編そのものを行うにあたり、労働組合が強硬に反対し妨害するといった事態は想定し難い。
> 　もっとも、買収や組織再編の手法として合併または事業の譲受けを行う場合、相手方会社(合併の消滅会社または事業の譲渡人)に労働組合があると、以下に

---

67) 前掲(注26)のChandrasegar Chidambaram, at 120, 121参照。

説明するとおり、買収会社（合併の存続会社または事業の譲受人）が法律上、労働組合との間で新たに労働協約を締結しなければならないケースがあることには留意を要する（なお、株式譲渡による取引にはあてはまらない）。

　前提として、労働関係法（Industrial Relations Act）上、会社は、一般的な義務として、「承認」された労働組合との間で労働協約の締結を交渉しなければならず、合意に至らない場合、最終的に強制仲裁としての労働仲裁裁判所（Industrial Arbitration Court）が労働協約の締結および内容について確定的な判断を下すことができる仕組みとなっている。労働組合が会社との関係で「承認」されるのは、会社自ら労働組合の承認要求に応じた場合か、組合員が全従業員の過半数であることが所定の方法で確認された場合とされている。

　もっとも、合併および事業の譲受けの場合については、法令に特別の定めがあり、取引実行後、買収会社において相手方会社出身の組合員（以下「旧組合員」という）の割合が全従業員の過半数となる場合、相手方会社の労働組合は自動的に買収会社から「承認」されたものとして取り扱われる。また、全従業員の過半数に至らず自動的な「承認」とならない場合でも、労働組合が取引実行の前後に組合活動を通じて組合員の加入を募ることも考えられ、それによって買収会社の組合員数が全従業員の過半数となる場合、所定の手続を経て「承認」されるというシナリオもありうる。このように労働組合が買収会社に「承認」される場合、労働関係法の仕組みに従って新たに締結される労働協約の内容次第では買収会社の事業運営および人事制度に影響が生じうる点に留意が必要である。なお、労働組合が買収会社に「承認」されないとしても、相手方会社と労働組合の間の既存の労働協約が定める労働条件は、労働協約の期間満了までは取引実行後も引き続き買収会社において旧組合員に適用されるため、既存の従業員との関係で人事政策上の検討が必要な場合があろう。

第3章 インド

3-1 総　論

　2023年に国連推計による人口が中国を上回るなど、巨大潜在市場として期待されているインドでは、2014年4月から5月にかけて実施された連邦下院選挙において過半数の議席を獲得したモディ政権のもと、GST（Goods and Services Tax）導入による税制の簡素化、ブラックマネー対策、前首相からの流れを汲む外資規制の一層の緩和、倒産法の制定による事業再生及び清算手続の迅速化など、ビジネス環境の改善に向けた多くの施策が進められた。2019年4月から5月にかけて実施された連邦下院選挙においても、モディ首相が率いるBJP（インド人民党）が引き続き単独過半数を維持する結果となり、投資認可の承認プロセスを簡素化するなど、外資を積極的に誘致するためのビジネス環境の改善がなされてきた。仮に2024年に予定される連邦下院選挙以降も同政党が政権を維持する場合は、これらの経済改革が一段と進展することが期待される。

　モディ首相は親日家としても知られている。首相就任前のグジャラート州首相時代から日本との積極的な交流を深めていたが、モディ首相が就任後初めて日本を訪問した際には、安倍元首相との間で「日インド特別戦略的グローバル・パートナーシップのための東京宣言」が署名され、今後5年以内に日本の対インド直接投資とインド進出企業数を倍増する目標の設定や、3.5兆円規模の日本からの官民投融資を実現する意図が表明された。このような方針は岸田首相にも引き継がれ、総理に就任して初めての二国間訪問先としてインドを選んだ岸田首相は、インドとの関係を重視する姿勢を明確に打ち出し、日印国交

樹立70周年の節目の年となる2022年に、両首脳の共同声明として、今後5年間で官民あわせて対印投資5兆円の目標を掲げることが表明した。このような取り組みを背景として、2008年1月時点で438社であったインド進出日系企業の数は、2021年には1,439社に増加するまでに至っている[1]。

　日本企業のインド進出にあたっては、独資による子会社設立、インド企業との合弁、インド企業の買収（M&A）のいずれかの方法によることが一般的であるが、両国間の商慣習・文化的違いなどを踏まえると、インド進出を考える日本企業にとって、インド企業の既存の商流や人材をそのまま活用することができる合弁やM&Aによる進出は有力な選択肢である。この点、従前は、日本企業によるインド企業を対象としたM&Aは、欧米企業を対象としたものに比較して小規模な案件が多かったが、インドの上場会社や非上場会社を対象とした大型の買収案件も複数みられるようになってきた[2]。

　加えて、近年は、インドのスタートアップ企業の数が急増しており、インドのIT企業の業界団体NASSCOM（National Association of Software and Services Companies）によると、2012年から2021年に誕生した技術系スタートアップの数は、25,000社を超える。その中からはユニコーン企業（設立10年以内で、未上場の、評価額10億ドル以上のテクノロジー企業）も多く誕生しており、たとえば、2007年に設立された電子商取引大手のフリップカートは、2018年に米小売業大手ウォルマートに160億ドルで買収された。このようなインドの強みを背景として、日印両政府は、2018年に「日印スタートアップ・イニシアチブ」に合意し、翌年には、日印のスタートアップ連携を促進するためのプラットフォームである日印スタートアップハブがJETROベンガルール事務所に設立された。これらの取組みによって、今後、日印のスタートアップ企業間の連携が期待されるとともに、日本企業によるインドのスタートアップ企業への出資も行われている[3]。

1）　いずれも、在インド日本大使館の公表資料による。
2）　たとえば、クボタによるインドのトラクターメーカーEscorts Limitedの株式の第三者割当増資引受および公開買付けを通じた子会社化（2022年）、三井住友フィナンシャルグループによるインドのノンバンク大手Fullerton India Credit Company Limitedの買収（2021年）など。

3-2　M&Aの手法および関連する法令・ルールの概観

　インド企業を対象とする M&A の手法としては、既発行株式または新株式の取得（後記3-5の1～4参照）、事業譲渡、ならびに、合併および会社分割といった組織再編（後記3-5の5参照）が挙げられる。

　これらの M&A の手法を検討するにあたり、最も基本的な法律は会社法（Companies Act, 2013）であり、同法においては、株主総会および取締役会の権限といった会社運営の基本的事項のほか、事業譲渡や組織再編に必要な手続や、対象会社による買付者に対する資金的援助の禁止などの規定が置かれている。

　加えて、上場会社の株式取得には、インド証券取引委員会（Securities and Exchange Board of India）がインド証券取引委員会法（Securities and Exchange Board of India Act, 1992）に基づき制定する、公開買付け、株式の新規発行や開示などに関する各規則およびガイドラインなどが適用される。

　さらに、外国投資家である日本企業がインド企業の株式を取得するためには、インド外国為替管理法（Foreign Exchange Management Act, 1999）および同法に基づき制定される各規則などに定める事業分野ごとの出資比率規制ならびに価格規制などの規制に従う必要があるほか、一定の要件を満たす場合には競争法（Competition Act, 2002）に定める企業結合に関する事前届出などを行うことが必要となる。

　なお、インドでは、法令等の改正が頻繁に行われているため、常に最新の法令等を確認することがきわめて重要である。

3-3　会社の種類とガバナンス

　インドにおけるガバナンスの構造は会社法における対象会社の種類により異

3）　たとえば、三菱 UFJ 銀行は2022年3月にインドのスタートアップ企業を対象とした総額300百万米ドルの投資枠、通称 MUFG Ganesha Fund の設定を公表し、同年9月には同ファンドの第1号案件として、中小企業向けのオンラインプラットフォームを提供する企業である DotPe Privated Limited への出資を決定している。

なることから、以下では、会社法における会社の種類を説明した上で、非上場会社および上場会社のガバナンスの概要を説明する。

1 会社法における会社の種類

会社法においては、会社は、無限責任会社（unlimited company）、保証付有限責任会社（company limited by guarantee）、株式有限責任会社（company limited by shares）の3種類に大別される（会社法3条2項）。このうち、インドにおいて最も一般的に用いられている会社形態は、日本の株式会社に相当する株式有限責任会社である。

株式有限責任会社は、さらに、非公開会社（private company）と公開会社（public company）に分類される。非公開会社とは、定款上、(a)株式譲渡制限の定め、(b)株主数（従業員等一定の者を除く）を200名以下に限定する旨の定め、および、(c)有価証券の公募を禁ずる旨の定めがある会社をいい、公開会社とは、非公開会社に該当しない会社（すなわち、定款において上記(a)ないし(c)の定めが置かれていない会社）、または、非公開会社でない会社の子会社である非公開会社（みなし公開会社）をいう（会社法2条71項）。会社法は、公開会社については利害関係者を保護すべく中央政府の関与も含めた比較的厳格な規定を置く一方で、非公開会社については公開会社に適用のある規定の多くを適用しないこととし、柔軟な会社運営を認めている。

また、会社法では、株主を1名とする会社である一人株主会社（one person company）が許容されている（会社法2条62項）。もっとも、会社法施行規則（Notified Rules for Chapter 2 - Companies (Incorporation) Rules, 2014）3条1項によれば、一人株主会社を設立できる者は、インド国籍を保有する自然人に限定されている[4]ため、現時点においては、日本企業を含む外国法人が一人株主会社を利用できる余地はないといえる。

インド法における会社の種類をまとめると【図表3-1】のとおりとなる。

---

4) 従前、一人株主会社を設立できる者は、インド国籍を保有し、インドに居住する自然人に限定されていたが、2021年の会社法施行規則（Notified Rules for Chapter 2 - Companies (Incorporation) Rules, 2014）の改正により、インド国籍を保有する自然人であれば、インドに居住しているか否かを問わず一人株主会社を設立することができるようになった。

【図表3-1】会社の種類

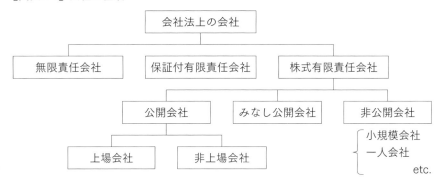

2　ガバナンス

インド会社法上の会社の主な機関は、株主総会、取締役会、取締役、監査役、監査委員会および会社秘書役である。

(1)　株主総会

株主総会は、毎年1回開催される定時株主総会（会社法96条）および必要に応じて開催される臨時株主総会（同法100条）があり、会社法に定められた重要事項の意思決定権限を有する。株主総会決議事項は、当該会社が非公開会社か公開会社かにより異なる。非公開会社および公開会社の主な株主総会決議事項は、【図表3-2】のとおりである。

【図表3-2】主な株主総会決議事項

	非公開会社	公開会社
普通決議事項	利益配当の承認、貸借対照表および損益計算書にかかる取締役会および監査役の報告の承認、取締役の選解任（再任された2期目の取締役の解任を除く）および監査役の選任、取締役および監査役の報酬決定、関連当事者取引の承認など	左記に加えて、法定総会での法定報告の承認、事業の全部または一部の譲渡など

特別決議事項	基本定款および附属定款の変更、商号変更、一定金額を超える自己株式の取得、減資、再任された2期目の独立取締役の解任、監査役の解任など	左記に加えて、第三者割当増資、一定金額を超える法人間貸付、投資または保証、自主清算の決定、任意の非上場化申請の決定（後記3-5の4(3)参照）など

　会社法上、株主総会の決議方法は、出席株主による挙手による方法と投票（poll）による方法が認められている。投票による決議を行う場合、株主総会の普通決議は、出席株主の過半数の議決権を有する株主の賛成により成立し、特別決議は、出席株主の75％以上の議決権を有する株主の賛成により成立する[5]。特別決議の要件が、出席株主の3分の2以上の議決権を有する株主の賛成と定める日本の会社法より厳しい要件が定められている点に注意が必要である。よって、株主総会の特別決議を単独で阻止するためには、25％を超える議決権を保有することで足りる[6]。

　これに対して、挙手による決議を行う場合には、各株主が保有する議決権の数に関係なく、出席株主の頭数を基準に議案の賛否が決まる。したがって、挙手による決議を行う場合、株主総会の普通決議は、出席株主の頭数の過半数の賛成により成立し、特別決議は、出席株主の頭数の75％以上の賛成により成立することとなる。そのため、たとえば、発行済株式総数1万株（普通株式のみが発行されているものとする）の会社において、株主Aが6,000株を保有し、株主B、C、D、Eがそれぞれ1,000株ずつ保有する場合で挙手による決議を行う場合、過半数超の議決権を有する株主Aが賛成しても、株主BないしEの全員が反対すれば、頭数では過半数に満たないため、株主総会普通決議は成立しないことになる。

　この点、会社法では、挙手による決議方法が原則とされており、投票による決議を行うためには、定款にあらかじめその旨を規定しておくか、個別の決議ごとに当該決議を投票により行うよう要求することが必要になる（会社法107

5）　厳密には、普通決議は、賛成の株主が反対の株主の数を上回る場合に成立し、特別決議は、賛成の株主が反対の株主の3倍以上存する場合に成立すると規定されている（会社法114条）。

6）　なお、定款に別段の定めがない限り、株主総会の定足数は非公開会社の場合は2名、公開会社の場合は5名とされている（会社法103条1項）。

条・109条)。また、非上場会社も含めて、一定の事項について、郵便投票による決議を行うことが認められ、または義務づけられている（会社法110条)。なお、インドでは、上場会社においても、定款で投票による決議方法を定めている会社は少ないことに注意する必要がある。

なお、会社法上、議決権数または株式数を基準に10％以上の株式を単独または複数で保有する株主には、一般株主には認められていない特別な権利（少数株主権）が認められている。たとえば、総議決権数の10％以上の株式を保有する株主は、議題を示した上で取締役会に対して臨時株主総会の招集を要求できるほか（会社法100条2項(a)）、株主総会において、個別の決議ごとに、当該決議を挙手ではなく投票によるべき旨要求することができる（同法109条1項(a)）。また、優先株式[7]の発行後に、当該優先株式の内容を変更する決議が行われた場合、当該決議に反対した優先株主は、権利変更の対象となる優先株式数の10％以上を保有していれば、裁判所に対する救済申立てなどの権利が認められている（同法48条)。

さらに、中央政府は、電磁的方法による議決権行使を認めることができるとされており（会社法108条)、会社法施行規則 (Notified Rules for Chapter 7 - Companies (Management and Administration) Rules, 2014) 20条2項によれば、すべての会社の株主は、電磁的方法により議決権を行使することができるとされている。

(2) 取締役および取締役会

取締役会は、意思決定機関であるとともに、業務執行権限を有し（会社法179条)、個々の取締役は取締役会の明示または黙示の授権に基づき個別の業務執行にあたる。

取締役会の権限は、法令や定款で株主総会その他の機関に留保された事項を除き、当該会社が行うことのできる事項全般にわたる（会社法179条1項)。取締役会の決議要件は、一定金額以上の投融資（同法186条2項）など全員一致の決議が必要とされる場合を除き、会社法上明文の規定はないため定款の定めに従うことになるが、通常は出席取締役の過半数の賛成である（会社法標準附属

---

[7] 会社法47条2項において、優先株式については、優先配当が支払われている限り、自らの権利を害する場合を除いて議決権を有さないものとされている。

定款68条参照[8]）。なお、取締役会の権限は、取締役会決議により任意に設置する委員会に委譲することも可能であり、一定規模以上の上場会社では経営の分化や、権限・責任の明確化などのためにかかる委員会を任意に設置するケースも多い。

取締役の数は、非公開会社においては2名以上、公開会社においては3名以上とされており（会社法149条1項(a)）、公開会社において15名超の取締役を選任する場合には、株主総会の特別決議が必要となる（同法149条1項）。取締役の選解任は、【図表3-2】のとおり、株主総会特別決議事項である一部の取締役の解任を除き、株主総会普通決議事項である（同法152条2項・169条1項）。

また、会社法では、2013年の全面改正により、独立取締役、女性取締役の概念および後述の主要役職者という概念が導入されており、居住取締役の要請も拡大されている。

まず、独立取締役については、上場の有無に応じて、【図表3-3】のとおり、公開会社に独立取締役の選任が義務づけられている（会社法149条4項）。そして、独立取締役の適格要件のうち、主なものは、以下のとおりである（同条6項）。

・マネージング・ディレクター、常勤取締役、指名取締役（nominee director）でないこと
・現在または過去において、その会社、親会社、子会社または関連会社（associate company）のプロモーターでないこと
・その会社、親会社、子会社または関連会社のプロモーターまたは取締役の関係者でないこと
・直前の2会計年度または当会計年度において、会社、親会社、子会社もしくは関連会社、またはそれらのプロモーターもしくは取締役との間で、金銭的な関係（取締役としての報酬、または、当該独立取締役となろうとする者の総収入額の10％もしくは別途下位規則に定められる金額を超えない金額の取引は除く）を有していないこと

---

8) 標準附属定款（会社法 Schedule I）は、別途明示的に変更がなされない限り、会社の附属定款として適用される（同法5条）。なお、会社法では、定款は、商号や事業目的等の基本的事項を記載する基本定款（Memorandum of Association）と、会社の運営に関する事項を規定する附属定款（Articles of Association）に分かれている。

・品格を有し関連する専門性と経験を有すると取締役会が判断する者であること

上記適格要件のうちに、指名取締役でないことという要件がある結果、会社の株主が指名した取締役は独立取締役の要件を満たさないことに注意が必要である。

【図表3-3】独立取締役の選任義務

分　類	必要な独立取締役の数
上場会社	全取締役の3分の1以上
以下の要件を満たす非上場公開会社 ・資本金1億インドルピー以上 ・売上高10億インドルピー以上　または ・借入金・社債・預託金の総額が5億インドルピー超	2人以上

次に、女性取締役については、上場会社および以下の要件を満たす非上場公開会社において、少なくとも1名以上の女性取締役の選任が義務づけられている（会社法149条1項ただし書）。

・資本金が10億インドルピー以上　または
・売上高が30億インドルピー以上

さらに、主要役職者（key managerial personnel）については、これに該当するのは、CEO、マネージング・ディレクター（managing director）、マネージャー（manager）、会社秘書役、常勤取締役（whole-time director）、CFO、常勤取締役の1段階下の役職の者であって取締役会において指名された者、および別途下位規則において定められる者である（会社法2条51項）。

さらに、会社法では、規模を問わずに非公開会社も含めたすべての会社において、少なくとも1人の居住取締役（1会計年度において合計182日以上[9]インドに居住した取締役）が必要とされる（会社法149条3項）。

各役職の説明は次頁【図表3-4】のとおりである。

9）新設された会社については、設立時から設立時点を含む会計年度末までの期間につき365分の182以上の割合に当たる日数、インドに居住することが必要とされる。

【図表3-4】各主要役職者（key managerial personnel）の説明

役職名	説　　明
マネージング・ディレクター	実質的な経営権限を付与された取締役
常勤取締役	常勤の取締役
マネージャー	会社に関するすべての（または実質的にすべての）事項に関する権限を付与された者。Directorでないものを含む
会社秘書役	文書・株主の管理、法令遵守等を役割とする役職
CEO	CEOの名称を付された者
CFO	CFOとして選任された者
その他の常勤の役職者	常勤取締役の１段階下の役職の者であって取締役会において指名された者

　上場会社および１億インドルピー以上の払込資本金を有する会社は、①マネージング・ディレクター、CEOもしくはマネージャー、またはこれらの者がいない場合は常勤取締役、②会社秘書役、および③CFOを選任する義務がある（会社法203条１項）。また、主要役職者のうち、マネージング・ディレクター、常勤取締役、マネージャーについては、会社法ScheduleＶに定める居住要件（就任の直前の12カ月間以上インドに滞在していることが要求される）や報酬制限等の条件に合致しない場合は、中央政府の承認を得る必要があるとされている（同法196条４項）。なお、非公開会社には、この会社法ScheduleＶに定める規制が適用されないことが明らかにされている。

　取締役会の会議の開催方法については、会社法上、実際に開催する方法に加えて、ビデオ会議によることも認められている（会社法174条１項）。この点、従前は、決算書類の承認や取締役会報告の承認等一部の事項については、例外的にビデオ会議の方法による取締役会での決議はできないこととされていた。しかし、2021年、この例外規定であった会社法施行規則（Notified Rules for Chapter 12 - Companies (Meetings of Board and its Power) Rules, 2014）の第４条が削除されたことにより、取締役会において決議することができる事項は、すべてビデオ会議の方法による取締役会で決議することが可能となった。なお、ビ

デオ会議による開催方法の詳細は、会社法施行規則に定められている。

(3) 監査役および監査委員会

会社法においては、会計監査権限を有する機関として監査役を設置することとされている。監査役は、会社の財務書類等を調査した上で、毎年の株主総会に監査報告書を提出し、期末における財務書類が適正であるかについての意見を述べる（会社法143条）。会社法では、定時株主総会を6回経るごとに改選されることが義務づけられている（同法139条1項）。なお、監査役の解任は株主総会の特別決議事項である（同法140条1項）。監査役には、勅許会計士（chartered accountant）またはパートナーの過半数が勅許会計士である会計事務所が就任権限を有する（同法141条）。監査役が職務の過程において役員または従業員による不正行為を発見した場合は、所定の期間内に中央政府に報告する義務を負う（同法143条12項、会社法施行規則（Notified Rules for Chapter 10 - Companies（Audit and Auditors）Rules, 2014）13条）。

会社法では、上場会社および以下の要件を満たす非上場公開会社において、監査委員会を設置することが義務づけられている（会社法177条1項）。
・資本金1億インドルピー以上
・売上高10億インドルピー以上　または
・借入金・社債・預託金の総額が5億インドルピー超

なお、監査委員会は、3人以上の取締役で構成される必要があり、その過半数は独立取締役でなければならず、監査委員会のメンバーの過半数は会社の財務諸表を理解する能力を有していることが要求される（会社法177条2項）。

(4) 会社秘書役

会社法では、文書・株主の管理、法令遵守等を役割とする会社秘書役（Company Secretary）という役職も存在する。会社秘書役は、日本にはない概念であるが、インドにおいては重要な役職とされており、難関試験である会社秘書役試験の合格者であり、かつ、インド会社秘書役協会に登録した者のみがその資格を有する。会社秘書役の選解任は取締役会の決議事項である（会社法203条2項・1項）。

会社秘書役は、会社法その他の会社に適用される規則の遵守状況について取締役会に報告し、会社秘書役協会が制定および公表する事務準則（secretarial standards）を会社が遵守するように確保する役割を担う（会社法205条）。具体的には、株主総会および取締役会に出席し、各種議事録を含むさまざまな書類を準備し、会社登記局に提出する等の行為を行う。

会社法上、資本金5,000万インドルピー以上の会社（公開会社であると非公開会社であるとを問わない）およびすべての上場会社は常勤会社秘書役を設置する必要がある（会社法203条1項）。また、上場会社と以下の要件を満たす非上場公開会社において、会社秘書役による監査が必要とされている一方（同法204条1項）、非公開会社においては、会社秘書役による監査は不要である。

・資本金5億インドルピー以上　または
・売上高25億インドルピー以上

(5) 指名報酬委員会・利害関係委員会

会社法では、前述の監査委員会に加え、上場会社と以下の要件を満たす非上場公開会社において、指名報酬委員会の設置が必要とされている（会社法178条1項）。

・資本金1億インドルピー以上
・売上高10億インドルピー以上　または
・借入金・社債・預託金の総額が5億インドルピー超

指名報酬委員会は、取締役および経営幹部の任命・解任に際しての推薦（会社法178条2項）、取締役会、諸委員会、取締役個人の職務執行の効果的な評価方法の策定（同項）、取締役・主要役職者その他従業員の報酬に関する方針の推薦（同条3項）といった役割を担う。なお、指名報酬委員会は、3人以上の社外取締役（non-executive director）で構成される必要があり、その過半数は独立取締役でなければならない（同条1項）。

また、会社法では、会計年度のいずれかの時点で、1,000人超の株主、債務証書保有者、預託者、その他の証券保有者を有する会社は、公開会社であると非公開会社であるとを問わず、利害関係委員会を設置しなければならない（会社法178条5項）。

利害関係委員会は、会社の有価証券保有者を含む利害関係人からの苦情等の検討および解決を行う（会社法178条6項）。なお、利害関係委員会は、議長は社外取締役（non-executive director）である必要があり、その他のメンバーは取締役会が決定する（同条5項）。

3-4 外資規制の概要

インドでは、外国投資家がインド国内の事業に投資する際に、さまざまな条件および制限が課せられるが、インド政府商工省内の産業政策促進局（Department of Industrial Policy and Promotion, Ministry of Commerce & Industry）は、定期的に、その時点における外資規制全般を統合版FDIポリシー（Consolidated FDI Policy）として集約し公表してきた（最新のものは2020年10月15日公表。）。当該最新の統合版FDIポリシー公表以降は、プレスノート（Press Note）とよばれる通達により、随時その変更内容が公表されている。また、2019年に為替管理ルール[10]（NDIルール（NDI Rules）とよばれる）が制定され、同ルールによっても外資規制が規定されている。これらの外資規制により、事業分野ごとに外資による投資に異なる条件が課されており、①外国直接投資が全面的に禁止される分野、②政府の承認により所定の外資比率まで投資が許容される分野（政府の事前承認が必要なことから「政府ルート」とよばれる）、③政府の承認を要さずに所定の外資比率まで投資が許容される分野（「自動ルート」とよばれる）の3つに分類されている。かかる規制について、上場会社である場合と非上場会社である場合とで区別は設けられていない。

日本企業がインドの上場会社を買収する場合には、まず、投資対象となる事業分野について上記外資規制で定められた出資比率その他の条件を確認することが必要となる。その上で、具体的な出資比率を決定するに際しては、株主総会における意思決定に必要な議決権比率（前記3-3の2(1)参照）を踏まえて最終的な買収スキームを決定することになる。

このほか、居住者・非居住者間の株式譲渡および非居住者に対する新株式の

---

10) Foreign Exchange Management（Non Debt Instruments）Rules, 2019

発行については、後述のとおり、NDI ルール上、譲渡価格ないしは発行価格につき、一定の制限がある。

1　事業分野ごとの外資規制

(1)　外国直接投資が全面的に禁止される場合

統合版 FDI ポリシー5.1条所定の8つの事業分野に対する外国直接投資は、外資比率にかかわらず、全面的に禁止されている。すなわち、①政府および民間の宝くじ、オンラインの宝くじ、その他を含む宝くじ事業、②カジノその他を含む賭博業、③チットファンド[11]、④ニディカンパニー[12]、⑤移転可能な開発権の取引業（Trading in Transferable Development Rights）、⑥不動産事業または農場家屋の建設業、⑦葉巻、チェルート（両切り葉巻）、シガリロ（細い葉巻）および紙巻きタバコ、タバコまたはタバコ代用品の製造業、ならびに、⑧原子力および鉄道輸送（大量高速輸送システムを除く）などの民間部門による投資に開放されていない事業活動および事業分野については、外国直接投資が認められていない。

(2)　政府の事前承認が必要な場合（「政府ルート」）

統合版 FDI ポリシーおよび NDI ルールは、政府の事前承認を条件として、一定の外資比率を上限とする外国直接投資が許容される事業分野を列挙している（統合版 FDI ポリシー5.2条、NDI ルール Schedule 1 (3) Table）。たとえば、既存製薬業（Brownfield）への投資については、74％までは政府の承認を要しないが、74％を超えて100％までは政府の承認を条件として出資が認められており（NDI ルール Schedule 1 (3) Table SI. NO. 16.2)、電気通信業（Telecom Services）については、49％までは政府の承認を要しないが、49％を超えて100％までは政府の承認を条件として出資が認められている（統合版 FDI ポリシー5.2.14条）[13]。また、インドでは、小売業の外資規制は単一ブランドの小売業と複数ブランド

---

[11]　一定数の人が契約に基づき一定の金銭等を一定期間にわたって出資し、当該契約に規定された抽選等の方法により各自が賞金を得る権利を有するインド特有の事業である。インドには、チットファンドを規制するチットファンド法（Chit Funds Act, 1982）が存在する。
[12]　ニディカンパニーとして政府が宣言した会社（会社法406条1項）。

の小売業とに分けて規制されているが、このうち複数ブランドの小売業は、従前は、外国直接投資が全面的に禁止される分野に指定されていたが、現在では、一定の条件を満たした場合に政府の承認を条件として51％まで外国直接投資が認められている（統合版FDIポリシー5.2.15.4条）。具体的には、①最低1億USドルの投資を行うこと、②1億USドルの少なくとも50％を3年以内に物流、倉庫等のバックエンドインフラに投資すること、③製品・加工品の少なくとも30％はインド国内の小規模企業から調達すること、④店舗の設置は原則として人口100万人以上の都市または各州政府が認めるその他の都市に限ること等の条件が付されている（同条）。

　なお、2020年4月17日付のプレスノートにより、インドと陸上で国境を接する国（ミャンマー、バングラデシュ、ブータン、ネパール、中国、パキスタン、アフガニスタン）からインドへ外国直接投資を行う場合は、事業分野にかかわらず、政府の事前承認が必要な政府ルートとなることが規定された。

(3) 政府の事前承認が不要な場合（「自動ルート」）

　統合版FDIポリシーおよびNDIルールは、政府の事前承認を要さずに、一定の外資比率を上限とする外国直接投資が許容される事業分野を列挙している（統合版FDIポリシー5.2条、NDIルールSchedule 1(3) Table）。たとえば、保険業については、74％までの出資比率による外国直接投資であれば、すべて自動ルートにより認められる（統合版FDIポリシー5.2.22.1条）。また、製薬業への新規投資（Greenfield）については100％まで、自動ルートによる出資が認められている（統合版FDIポリシー5.2.27.1条）。そして、単一ブランド小売業についても、100％まで、自動ルートによる出資が認められている（NDIルールSchedule1(3) Table SI. NO. 15.3）。なお、単一ブランド小売業を営む会社に対して51％を超える外国直接投資を行う場合には、調達額の総額の30％はインド国内（かつインド国内の小規模企業が望ましいとされる）から調達しなければなら

---

13)　なお、政府ルートおよび自動ルートにおける外資比率の上限数値としては、26％、49％、51％、74％、100％が設定されることが多い。かかる数値が用いられている理由は、会社法において、株主総会の普通決議の要件が出席株主の過半数の賛成とされ、株主総会の特別決議の要件が出席株主の4分の3以上の賛成とされている（前記3-3の2(1)参照）ことと関連していると考えられる。

ず、この要件は、最初の店舗の開業の年の4月1日から数えて5年間はその間の調達額の平均において充足する必要があり、それ以降は1年ごとに充足する必要がある。もっとも、革新的な技術を利用した製品でインドでの現地調達が不可能な製品の場合、上記の現地調達要件を、最初の店舗の開業から3年間は免除し、4年目から適用することとされている（NDIルールSchedule1 (3) Table SI. NO. 15.3.1）。さらに、インドの外資規制は、出資比率その他の条件が課される事業分野のみを列挙するネガティブリスト方式を採っていることから同条に列挙されていない事業分野については、100％の外資比率まで、自動ルートによる投資が認められている。

　なお、政府ルートによる場合も自動ルートによる場合も、出資比率の規制とは別の条件が課されている場合がある。たとえば、統合版FDIポリシー上、卸売業を営むためには、州政府または地方政府の要求するライセンスを取得する必要がある（統合版FDIポリシー5.2.15.1.2条）。インドの外資規制は、インド経済の状況や世論の影響等により、インドの法令等の中でも特に頻繁に見直しが行われる分野でもあるため、最新の外資規制の内容および当該業種に適用される個別の規制を確認する必要がある。

2　価格規制

　NDIルールにおいては、居住者・非居住者間の株式譲渡および非居住者に対する株式発行については、以下の制限が課せられている。

① 非居住者が居住者から株式を譲り受ける場合：非居住者が居住者から株式を譲り受ける場合の譲渡価格は、上場株式についてはインド証券取引委員会（以下「SEBI」という。）のガイドラインに従って定められる、第三者割当てをした場合の株式発行価格（過去26週間または2週間の週ごとの売買高加重平均価格（volume weighted average price）の最高値および最安値の平均値）[14]を下回ってはならないものとされ、非上場会社の場合には、SEBI登録のマーチャントバンカーまたは勅許会計士（Chartered Accountant）または原価会計士（Cost Accountant）により適切に承認された国際的に認めら

---

14) SEBI（Issue of Capital and Disclosure Requirements）Regulations, 2018 Chapter 5, Preferential Issue

れた価格算定方法で算出される価格を下回ってはならないものとされる（NDI ルール9条(3)、21条(2)(b)）。
② 非居住者が居住者に株式を譲渡する場合：上記①とは逆に、非居住者が居住者に株式を譲渡する場合の譲渡価格は、上記①の価格以下の価格であることが必要とされる（NDI ルール9条(2)、21条(2)(c)）。
③ 非居住者間の株式譲渡の場合：非居住者間の株式譲渡については、特段譲渡価格に関する制限は存しない。
④ インド内国法人による非居住者に対する新株式の発行：インド内国会社による非居住者への新株発行については、上記①で定める価格を下回ってはならないものとされる（NDI ルール21条(2)(a)）。

このように、NDI ルールにおいては、居住者と非居住者間の株式譲渡については、常にインド居住者側に有利な価格での譲渡を行うことが義務づけられている。実務上は、インド内国会社株式の取得にあたり、外国企業は多額のプレミアムを要求されることが多いため、上記価格規制が直ちに取引の障害となることは少ないが、たとえば、JV 契約において契約違反時のプット・オプションやコール・オプションを定める場合には、この点が問題となりうる。

なお、後記3-5の4(2)③の会社法66条に基づく選択的減資において、選択的減資の対象となる株主に外資規制上のインド非居住者が含まれる場合で、当該株主に対して支払われるべき金額が、証券取引委員会に登録されたカテゴリー１マーチャントバンカーまたは勅許会計士（Chartered Accountant）が独立当事者間で用いられるのと同様の国際的に認められた価格算定方法により算出した金額を超える場合には、RBI の承認が別途必要とされる（NDI ルール21条）。

3-5 買収のための各手法の手続および内容

1 既発行株式の取得

(1) 概　要

既発行株式の取得について、対象会社が非公開会社の場合には、当該株式譲渡を承認する旨の取締役会決議を取得する必要がある。

また、インドの会社の株式を譲り受けるに際して、当該株式にかかる株券が存在する場合は、売主から株券の引渡しを受けるとともに、インド会社法所定のSecurities Transfer Formという書式に売主および買主が署名の上、必要な印紙[15]を貼付して対象会社に名義書換を申請する必要がある（会社法56条1項）。これに対して、譲渡対象の株式が電子化されている場合、Demat口座[16]を通じた取引となる。インドにおいて、上場会社の株式は電子化されているが、非上場会社の株式であっても、電子化することが可能である[17]。これらの電子化された株式は、証券預託機関（Depository Participant）が管理するDemat口座に保管されるため、電子化された株式を譲り受ける買主は、あらかじめDemat口座を開設する必要がある。電子化株式の決済に際しては、売主がその証券預託機関に対して買主のDemat口座に対象株式を振替することを指示し（Delivery Instruction）、買主がその証券預託機関に対して当該株式を受け入れることを指示する（Receipt Instruction）ことが必要とされる。

　買主がDemat口座を有しない場合、売主において、電子化株式を株券に変更してから株式を譲り受けることも考えられる[18]。Demat口座を開設するためには、インド納税者番号（PAN）[19]を取得している必要がある。日本企業がPANを取得するためには、通常2週間から3週間程度を要し、さらに、Demat口座の開設に要する書類や時間は証券預託機関によって異なりうるため、株式譲渡の実行に間に合うようにスケジュールを管理する必要がある。

　なお、会社法では、公開会社の株式の譲渡を制限する当事者の合意が有効であることが明記されている（会社法58条2項ただし書）。したがって、公開会社の株式に関し、先買権、売却参加権、売却請求権等にかかる合意が有効である

---

15) 印紙税は、買主が負担するのが一般的であるが、売主および買主が別途の合意をすることも可能である。
16) 株式を電子化することをDematerialize（無券面化）とよぶが、その際に開設される株式の決済に用いられる口座をDematerialized AccountまたはDemat口座とよぶ。
17) 株主は、電子化した状態で株式を保有することにより、株券の盗難・偽造等を防ぎ、簡単な決済を行うことが可能になる。
18) 2020年7月以前は、株券の授受により株式を譲り受ける場合にのみSecurities Transfer Formに貼付けるための所定の印紙税が課され、電子化された株式を譲渡する場合には印紙税が免除されていたため、譲渡対価によっては、買主にてDemat口座を開設して、電子化されたままで株式を譲り受けることが多かった。
19) PANは、Permanent Account Numberの略。

ことが明らかである[20]。ただし、Put Option および Call Option については、後記3-5の3のとおり、インド準備銀行（Reserve Bank of India）（以下「RBI」という）の通達において一定の条件が定められている点に留意が必要である。

(2) 一定割合以上の上場会社株式の取得（公開買付規制）

インドにおいては、相対取引、市場取引または第三者割当てのいずれの方法による場合でも、上場会社の一定割合以上の議決権や支配権を取得する場合、公開買付けを行うことが義務づけられる。インドの公開買付けに関する要件や手続を定めるのは、証券取引委員会が制定する公開買付規則（Securities Exchange Board of India（Substantial Acquisition of Shares and Takeovers）Regulations, 2011）である[21]。

(3) 強制的公開買付け

公開買付規則上、以下のいずれかの取引を行う場合には公開買付けが必要となり（公開買付規則3条・4条）、公開買付けの決済が行われるまでは、原則として、かかる取引を完了することはできない（同規則22条1項）。なお、以下③の「支配権」は、株式保有、経営権、株主間契約または議決権拘束契約その他の方法により、取締役の過半数を選任する権利または経営もしくは方針決定を支配する権利を含むと規定される（同規則2条1項(e)）。

> ① 単独でまたは共同保有者(注1)と併せて、取得後の議決権保有割合が25％以上となる対象会社株式または議決権の取得
> ② すでに単独でまたは共同保有者と併せて25％以上かつ上場廃止基準割合（75％）(注2)未満の議決権を保有している者による、一会計年度内に5％を超える議決権ある対象会社株式または議決権の取得
> ③ 対象会社の支配権の取得
> （注1） 共同保有者（persons acting in concert）とは、対象会社の株式もしくは議決権を取得しまたは支配権を行使する共通の目的のもと、公式なものであると非公式なも

---

20) なお、旧会社法では、公開会社の株式の譲渡を制限する当事者の合意の法的効力については疑義が存在していた。
21) なお、その後も数次にわたり小幅な改正がなされている。

> のであるとを問わず、契約または約束に従い、かかる目的のために直接または間接に協働する者をいう（公開買付規則2条1項(q)(1)）。
> (注2) 公開買付規則2条1項(o)に定義される maximum permissible non-public shareholding（最大限許容される非流動的な株式の割合）のことである。具体的には、証券契約規制ルール（Securities Contracts (Regulation) Rules, 1957）19A条により、上場会社が上場を維持するためには、株式のうち最低25％は流動的であることが要求されるため、75％が最大限許容される非流動的な株式の割合ということになる。

インド上場企業に外国企業が出資する際には、当初から支配権を取得するのではなく、当初は、プロモーター[22]からの既存株式の取得または第三者割当増資により20％程度の株式を取得し、プロモーターも引き続き株式を保有して継続的に経営に関与するスキームが組まれることも多い。そのようなスキームでは、対象会社と業務・資本提携契約などを締結した上で、プロモーターとの間でも株主間契約を締結するのが一般的である。しかしながら、上記のとおり、強制的公開買付義務の有無を判断するにあたっては、共同保有者の保有株式数も合算されるため、そのようなスキームを検討するにあたっては、プロモーターが買付者の共同保有者とみなされ、強制的公開買付義務の対象となることのないよう、株主間契約の内容を慎重に検討する必要がある。

(4) 間接取得と強制的公開買付け

前記(3)①から③の場合に限らず、取得者がこれらの議決権または支配権を間接的に取得する場合も、同様に公開買付けを行う義務が課される（公開買付規則5条1項）。すなわち、ある者が、対象会社以外の会社などの議決権や支配権を取得し、これにより、自らおよびその共同保有者が、対象会社について、前記(3)①、②または③に記載する権利を行使できることとなる場合は、対象会社株式について公開買付けを行う必要がある。たとえば、取得者（X）が直接買収する対象が非上場会社（Y社）の過半数の株式である場合でも、Y社が上場会社（Z社）の議決権をすでに25％保有する場合、この買収により、XはY

---

22) プロモーター（promoter）とは、株式発行開示規則（後記2(3)）に定義される概念と同義であり（公開買付規則2条1項(s)）、(i)発行届出書類（offer document）にプロモーターとして記載された者、(ii)直接または間接に発行会社を支配している者、および(iii)取締役会がその助言、指示、指導を遵守する者を含むとされる（株式発行開示規則2条1項(oo)）。

社を通じてＺ社の25％以上の議決権を行使することが可能となるため、Ｚ社株式を対象とする公開買付けが必要となる（なお、便宜上、間接取得の事例におけるＹ社株式の取得に相当する取引を、以下「主要取引」という）。

　間接取得の場合、直近の監査済財務諸表に基づく対象会社（上記のＺ社）の総資産、売上高または時価総額のいずれかが、直接の買収対象である持株会社（上記のＹ社）の連結総資産、総売上高または時価総額の80％超である場合には、公開買付けのスケジュール上、当該間接取得は直接取得と同視して取り扱われるが（このような間接取得を以下「みなし直接取得」という）、かかる基準を満たさない間接取得（以下「純粋間接取得」という）については、公開買付けのスケジュールについて、直接取得とは異なる取扱いが規定されている（公開買付規則５条２項。詳細については、後記(8)参照）。

(5)　適用除外

　公開買付規則は、前記(3)①から③に該当する場合であっても、一定の場合には強制的公開買付義務が免除される旨を定める。

　具体的には、一定の要件を満たす者同士（一定の要件を満たすプロモーター間、共同保有者間、50％以上の資本関係のあるグループ会社間、近親者間など）の譲渡、登録株式引受人、株式ブローカーなど一定の者による通常の業務の過程での取得、デット・エクイティ・スワップによる取得、合併や会社分割等の国家会社法審判所[23]の認可を受けた組織再編による株式の割当、株式非上場化規則に基づく買付け（後記４(3)参照）等の一定の取引は、前記(3)①から③のいずれの場合についても、強制的公開買付義務が免除される（公開買付規則10条１項）。

　このほか、一定の要件を満たす株主割当て（rights issue）および自己株式の取得、他の会社について行われた株式を対価とする公開買付けの対価として対象会社株式を取得する場合、ならびにプロモーターによる政府系金融機関、登

---

[23]　インド企業省（Ministry of Corporate Affairs）の2016年６月１日付通達（F. No.A-45011/14/2016-Ad.IV）により、会社法審判所（National Company Law Tribunal）および会社法上訴審判所（National Company Law Appellate Tribunal）が設立され、会社法関連紛争の解決機関が統一された。なお、国家会社法審判所および国家会社法高等審判所が設立されたことにより、従来の会社法委員会（Company Law Board）は廃止された。

録ベンチャーキャピタルファンド、カテゴリーⅠアルタナティブ投資ファンドまたは登録外国ベンチャーキャピタル投資家からの株式の取得等の一定の取引は、前記(3)②の場合について強制的公開買付義務が免除されるなど（公開買付規則10条4項）、一定の類型の取引について、適用除外が定められている。

なお、適用除外規定に基づき公開買付けを行うことなく株式、議決権または支配権を取得した場合は、当該取得から4営業日以内に所定の様式により証券取引所に対して報告を行う必要があるほか（公開買付規則10条6項）、一部の取引については証券取引委員会に対する報告も必要とされる（同条7項）。

このほか、証券取引委員会は、その裁量により個別事情に応じた適用除外を認めることができる（公開買付規則11条）。

(6) 任意的公開買付け

公開買付規則上、公開買付けが義務づけられる場合でなくても、以下の条件を満たす場合には、一般株主から株式を買い集めることを目的として、任意に公開買付けを行うことができる（公開買付規則6条1項）[24]。

① 買付者が、共同保有者と併せて、25％以上かつ上場廃止基準割合（75％）未満の議決権ある株式を保有する者であること
② 買付者またはその共同保有者が、過去52週の間に、公開買付けによることなく対象会社の株式を買い付けていないこと

比較法的には、任意的公開買付けの場合、強制的公開買付けに比べて柔軟な条件設定が許容される場合も多いが[25]、インドにおいては、任意的公開買付けの場合には買付予定数を総議決権の10％以上で定めれば足りる点を除き（同規則7条2項）、任意的公開買付けと強制的公開買付けについて、買付条件の設定その他の点で、大きな違いはない。

---

24) かかる条件に該当しない場合、たとえば、共同保有者と併せて25％未満の株式しか保有しない者は、任意的公開買付けを行うことができない。
25) たとえば、シンガポールの公開買付規制においては、任意的公開買付けの場合に、強制的公開買付けに比べて条件の設定が緩やかに認められている（第2章参照）。

(7) 買付条件

公開買付けの対価の種類は、現金、買付者もしくはその共同保有者の株式もしくはこれらの株式を目的とする債券、その他公開買付規則で規定するもの[26]またはこれらの対価の組み合わせである（公開買付規則9条1項）。ただし、株式や株式を目的とする債券を対価とする場合には、公開買付公告日（後記(8)参照）において少なくとも2年間当該株式がインドの証券取引所に上場されていることなどの要件を満たす必要がある（同条2項）。

公開買付けの価格は、買付者が定められるが、公開買付規則が定める最低買付価格を下回ってはならないとされる（公開買付規則8条2項・3項）[27]。

具体的には、対象会社株式の直接取得またはみなし直接取得により公開買付けが必要となる場合、買付価格は、以下のうち最も高い価格以上の価格であることが必要とされる。

① 強制的公開買付義務の根拠となる対象会社株式取得にかかる契約上の合意価格
② 公開買付公告（public announcement）日に先立つ過去52週に買付者または共同保有者により対象会社株式の取得に支払われた取引高加重平均価格
③ 公開買付公告日に先立つ過去26週に買付者または共同保有者により対象会社株式の取得に支払われた最高価格
④ 取引が頻繁な株式の場合、公開買付公告日に先立つ過去60取引日の取引高加重平均市場価格
⑤ 取引が頻繁でない株式の場合、簿価評価、類似取引比準法（comparable trading multiples）その他かかる会社の株式評価に慣習的に用いられている要素を含む評価パラメーターを考慮に入れて、買付者および公開買付管理人（manager to the open offer）により決定された価格

---

26) 具体的には、買付者または共同保有者の発行する証券取引委員会に登録された格付機関による投資適格を下回らない担保付債券。
27) なお、後述の取引が頻繁な株式（frequently traded shares）とは、公開買付公告がなされる月に先立つ過去12カ月の証券取引所における取引高が、少なくとも当該種類の株式総数の10％以上である株式をいう（公開買付規則2条1項(j)）。

⑥ みなし直接取得の場合、買付申出書で開示が要求される対象会社株式1株当たりの価値（後記(8)参照）

他方、純粋間接取得により、対象会社株式の公開買付けが必要となる場合の買付価格は、以下のうち最も高い価格以上の価格であることが必要とされる[28]。

> (i) 強制的公開買付義務の根拠となる契約上の対象会社株式にかかる合意価格（もしあれば）
> (ii) 主要取引の契約締結日または公表日のいずれか早い日に先立つ過去52週に買付者または共同保有者により対象会社株式の取得に支払われた取引高加重平均価格
> (iii) 主要取引の契約締結日または公表日のいずれか早い日に先立つ過去26週に買付者または共同保有者により対象会社株式の取得に支払われた最高価格
> (iv) 主要取引の契約締結日または公表日のいずれか早い日と、公開買付公告日の間に、買付者または共同保有者により対象会社株式の取得に支払われた最高価格
> (v) 対象会社株式が取引が頻繁な株式の場合、主要取引の契約締結日または公表日のいずれか早い日に先立つ過去60取引日の取引高加重平均市場価格
> (vi) 買付申出書で対象会社株式1株当たりの価値の開示が要求される場合、当該株式価値（後記(8)参照）

買付予定数（いわゆる上限）については、買付者は、公開買付けを行うにあたり、あらかじめ買い付ける予定数を設定し、買付予定数を超える株式の応募があった場合に、応募された株式を按分して買い付けるものとすることができる。ただし、買付予定数は、少なくとも対象会社の議決権付株式総数の26％以上とする必要がある（公開買付規則7条1項）。なお、強制的公開買付義務の

---

[28] なお、いずれの方法によっても買付価格が決定できない場合には、上記⑤と同様の方法で買付者および公開買付管理人により決定される対象会社株式の公正価格が最低買付価格になるとされる（公開買付規則8条4項）。

根拠となる契約等に基づき取得される株式は、公開買付手続とは別に決済されるため、ここにいう買付予定数には含まれない。

　最低応募数条件（いわゆる下限）について、買付者は、最低限の株式の応募があることを公開買付成立の条件とすることができる（公開買付規則19条1項）。最低応募数条件には上限数または下限数の制限はない。最低応募数条件が満たされずに公開買付けが不成立となる場合には、強制的公開買付義務の根拠となる大株主等からの株式取得もできない。

　撤回条件について、公開買付規則上、公開買付けの撤回可能事由は、①取引の実行に必要な法令上の許認可が最終的に拒否された場合、②自然人である買付者が死亡した場合、③強制的公開買付義務の根拠となる契約上の条件が、買付者が合理的に支配できない事由により満たされなかった場合、④証券取引委員会が撤回に値すると認めた場合に限られる（公開買付規則23条1項）。このうち、①および③については、詳細買付公告および買付申出書（いずれも後記(8)参照）において、当該条件が開示されていることが必要となる（同項）。

(8) 公開買付けのスケジュール

　公開買付けの手続は、買付者が公開買付公告（public announcement）を行うことにより開始される。公開買付公告は、買付価格、買付対価の種類、買付予定数、最低応募数条件、対象会社の非上場化または上場維持についての買付者の意向等、公開買付けに関する基本情報が記載されるもので、買付者から対象会社、証券取引所および証券取引委員会に送付され、証券取引所により公衆の縦覧に供される（公開買付規則13条～15条）。公開買付公告は、強制的公開買付けの場合には議決権または支配権の取得の合意日に行うことが原則とされ、任意的公開買付けの場合には、任意的公開買付けの実施を決定した日に行うものとされている（同規則13条1項・3項）[29]。

　公開買付公告日から5営業日以内に、買付者は、詳細買付公告（detailed

---

29) なお、従前インド非居住者がインド居住者から公開買付けにより上場株式を取得する場合に対象会社の業種を問わず必要とされていたRBIの事前承認は、RBIが定める価格ガイドラインに従うことなど一定の条件を満たせば不要とされた（RBI/2011-12/ 247 A.P.（DIR Series）Circular No. 43, 2Bii)）。

public statement）を行う（公開買付規則13条4項）。詳細買付公告には、株主が、当該公開買付けについて詳細な説明に基づく決定ができるような情報を記載する必要があり（同規則15条2項）、その内容は、公開買付規則所定の新聞に掲載する（同規則14条3項）。なお、純粋間接取得の場合には、主要取引（前記(4)のY社株式の取得）の完了から5営業日以内に詳細買付公告を行えば足りる（同規則13条4項ただし書）。これは、純粋間接取得の場合には、直接の買収対象会社が世界各国で事業を行っている会社であることも多く、各国での許認可の取得等のために、直接の買収対象会社の買収完了に時間を要する場合もあることを踏まえ、かかる買収が完了してから公開買付けを開始することを可能にするためである[30]。

　詳細買付公告日から5営業日以内に、買付者は買付申出書のドラフトを証券取引委員会に提出し（公開買付規則16条1項）、これに対して、証券取引委員会は、原則として15営業日以内にコメントを返すこととされている（同規則16条4項）。ただし、証券取引委員会が同ドラフトについて明確化のための質問や追加情報の提供を要請する場合、コメントを返す期限は、これらの要請に関して十分な回答があった日から5営業日目の日まで延長されることとされている（同項ただし書）。よって、15営業日以内に証券委員会のコメントを受領できることは稀であり、実務上は、証券取引委員会から最終的なコメントを受領するまでに、1カ月から2カ月程度を要するのが一般的である[31]。証券取引委員会からのコメント受領に期間を要する事情は個別事案により異なるが、実務上は、迅速にコメントが受領できるよう、経験豊富なアドバイザーを起用するのはもちろんのこと、買収資金調達のコミットメントをもらう際に、かかるコメント受領までに長期間を要する可能性も考慮しておくなど手続が遅延する可能

---

30)　他方で、純粋間接取得の場合でも、最低買付価格の決定の起算点は、公開買付公告日とされているため、公開買付公告日から決済日までの期間が長期間になり、直接取得の場合より株主が不利益を被る可能性がある。そこで、純粋間接取得の場合であって、直接の買収対象会社の買収契約締結日またはその買収決定の公表日のいずれか早い日から詳細買付公告日までの期間が5営業日を超えるときには、買付価格に、当該期間について年利10％の割合で計算される金額を加えた金額を買付価格とすべきとされている（公開買付規則8条12項）。
31)　証券取引委員会からの最終的なコメントの受領までの期間は、1カ月から2カ月程度が一般的ではあるが、2週間等の1カ月より早いタイミングで最終的なコメントを受領することも、可能性としては低いものの、あり得るため、想定より早くコメントを受領する可能性もあることを念頭において、準備するのが望ましい。

性があることも念頭においた対応が必要になる。

　買付者は、証券取引委員会からのコメントを受領後、7営業日以内に、株主に対して買付申出書を発送する（公開買付規則18条2項）。なお、みなし直接取得の場合、および、純粋間接取得のうち、直近の監査済財務諸表に基づく対象会社の総資産、売上高または時価総額のいずれかが、直接の買収対象である持株会社の連結総資産、総売上高または時価総額の15％超である場合には、買付者は、対象会社株式の1株当たりの価値を計算し、買付申出書において開示する必要がある（同規則8条5項）。

　買付者は、証券取引委員会からのコメントを受領後12営業日以内に応募期間（株主が公開買付けに応募できる期間）を開始する必要があり、応募期間は10営業日である（公開買付規則18条8項）。いったん公開買付けに応募した株主は、応募期間中であっても当該応募を撤回することができない（同条9項）。

　買付者は、応募期間の最終日から10営業日以内に応募株主に対する買付代金の支払いを行う必要がある（公開買付規則21条2項）。

　以上で述べた公開買付けに必要な手続をまとめると、【図表3-5】のようになる。

【図表3-5】公開買付けのスケジュール（モデル）

手　　続	日　　程
公開買付公告	X
エスクロー口座への入金	Y −（>）2営業日
詳細買付公告	X +（<）5営業日(注) = Y
証券取引委員会に対する買付申出書のドラフト提出	Y +（<）5営業日
強制的公開買付義務の根拠となる取引の完了 （任意／エスクロー口座への全額入金[32]が条件）	Y +21営業日より後

32）　エスクロー口座への全額入金が行われていない場合においても、RBIの承認を得た上で、インド証券取引委員会に登録されている格付機関による格付けがAAAランク以上の指定商業銀行（scheduled commercial bank）による公開買付管理人のための無条件かつ撤回不可の銀行保証が買付対価の全額につき提供されている場合には、「Y +21営業日より後」に強制的公開買付義務の根拠となる取引の完了が可能となる。

証券取引委員会からのコメント受領	Y＋（＜）20営業日
買付申出書送付対象株主の特定日	Zの10営業日前
買付申出書最終版の株主に対する送付	Y＋（＜）27営業日
対象会社の独立取締役により構成される委員会による買付けに対する意見表明	Zの2営業日前
応募期間の開始	Y＋（＜）32営業日＝Z
応募期間の終了	Z＋10営業日
買付対価の支払い	Z＋（＜）20営業日＝ZZ
公開買付けの結果公表	ZZ＋（＜）5営業日
エスクロー口座からの残額の出金	ZZ＋30日以降
強制的公開買付義務の根拠となる取引の完了 （エスクロー口座への全額入金を行わない場合）	ZZ以降 ZZ＋26週間以前

（注）　ただし、間接取得の場合には原則として主要取引完了から5営業日以内。

(9)　競合買付け

　公開買付規則上、競合買付け（competing offers）が可能な期間や条件等に関して詳細な規定が定められている。競合買付けを行うには、当初の公開買付けにかかる詳細買付公告日から15営業日以内（以下「競合買付可能期間」という）に公開買付公告を行う必要がある（公開買付規則20条1項）。かかる期間内に公開買付公告がなされない場合には、当初の公開買付けにかかる買付期間の満了までは、買付者以外の第三者は、別途公開買付公告を行い、または強制的公開買付義務の根拠となる取引を合意することはできない（同条5項）。

　競合買付けにかかる買付予定数は、競合買付者がすでに保有する株式数と合計して、少なくとも当初の公開買付けにかかる買付予定数および公開買付けの根拠となる契約により買い付けることとされている株式数に当初買付者の保有株式数を加えた数以上となる数であることが必要とされる（公開買付規則20条2項）。また、競合買付けは、任意的公開買付けとはみなされないため（同条3項）、競合買付けにかかる買付予定数は少なくとも対象会社株式の総数の26％以上である必要がある（同規則7条1項）。

　競合買付けにおいては、当初の公開買付けに最低応募数条件が付されていた

場合を除き、最低応募数条件を付すことはできない（公開買付規則20条6項）。

競合買付けにかかる公開買付公告がなされた場合、当初の公開買付けにかかる買付者は、変更後の条件が対象会社株主にとってより有利である場合に限り、公開買付けの条件を変更することができる（公開買付規則20条9項）。他方で、競合買付者による条件変更については、競合買付けの応募期間開始の1営業日前まで、買付価格を引き上げることのみが可能とされている（同項ただし書）。

なお、すべての競合買付けのスケジュールは同様に進むものとされ、すべての競合買付けにかかる応募期間の末日は、最後に行われた競合買付けにかかる応募期間の末日に合わせて変更される（公開買付規則20条8項）。

2　新株式の取得（第三者割当増資規制）

(1)　概　　要

公開会社においても非公開会社においても、第三者割当増資を行うためには、対象会社の取締役会において第三者割当増資による株式発行を決議した上で、事前に株主総会の特別決議を経る必要がある（会社法62条1項(c)）。

このほか、授権資本金（Authorized Capital）の枠を超える第三者割当増資を行う場合には、授権資本金を拡大するための定款[33]変更が別途必要となる。かかる定款変更を行うためには、公開会社の場合も非公開会社の場合も株主総会の特別決議が必要となる。

(2)　第三者割当増資

公開会社または非公開会社が、既存株主に新株を割り当てずに第三者に割り当てる方法によって増資を行う場合であって、割当対象者が50名を超えず、かつ、1年間に200名を超えない場合を私募（private placement）と呼ぶ（会社法42条）。この場合、会社は発行価格や割当先等について株主総会の特別決議で決議した上で（Companies (Prospectus and Allotment of Securities) Rules, 2014 14条、会社法62条1項(c)）、同Rules所定の私募割当通知書兼応募申込書（Private Placement

---

33）授権資本金の規定は、Memorandum of Associationに規定される（会社法4条1項(e)）。

Offer cum Application Letter）を割当先である者に送付し、割当てを希望する者は送付された私募割当通知書兼応募申込書にて割当てに応じる意思表示をする。なお、適格機関投資家に対する割り当てについては、1年分に限り事前に決議することができる。私募割当通知書兼応募申込書には、株価算定書を添付することが必要とされる（同 Rules 12条7項・14条）。

なお、割当対象者が上記人数を超える場合は公募（public offer）として規制され、株主総会の特別決議に加えて、公衆の縦覧に供するために、詳細な情報を盛り込んだ目論見書（prospectus）を証券取引委員会に提出することが義務づけられるなど、より厳しい手続が設けられている（会社法23条以下）。

(3) 上場会社による第三者割当増資

インドにおいて、上場会社が第三者割当増資を行う際の要件や手続は、会社法に加えて、株式発行開示規則（SEBI (Issue of Capital and Disclosure Requirements) Regulations, 2018）に定められている。また、上場義務開示規則（SEBI (Listing Obligations And Disclosure Requirements) Regulations, 2015）の規定も遵守する必要がある。

上場会社が第三者割当増資をする際、株主総会の招集通知の添付書類においては、第三者割当ての目的、第三者割当てが実行される期間、割当先、割当先の割当後の株式保有比率、支配権の変動（もしあれば）などについて説明する必要がある（株式発行開示規則163条1項）。また、第三者割当増資が同規則に沿って行われていることについての監査役の証明書を株主総会に提出する必要がある（同条2項）。

株主総会において第三者割当増資が可決された場合、発行会社は、原則として15日以内（当該第三者割当増資により公開買付けが必要となる場合は、競合買付可能期間または公開買付けの完了に必要な許認可の取得から15日以内）に割当てを完了する必要がある（株式発行開示規則170条1項・3項）。ただし、割当てに規制当局の承認が必要な場合は、当局の承認が得られてから15日以内に割当てを完了すれば足りる（同項ただし書）。なお、実務上は、株主総会決議を経た後に、前記の株式発行の取締役会決議とは別途具体的な割当決定の取締役会決議を行うのが一般的である。

(4) 発行価格規制

インドの会社が非居住者に対して新株式を発行する場合は、発行価格は、上場会社の株式および非上場会社の株式のそれぞれについてあらかじめ法定されているガイドライン（詳細は前記3-4の2参照）に沿ったものである必要がある。

(5) 最低保有期間に関する規制

上場会社が第三者割当てにより発行した株式は、証券取引委員会による市場での取引承認日から1年間、ロックアップ期間[34]に服するものとされ、その間の譲渡は禁止される。さらに、第三者割当てによりプロモーターまたはプロモーターグループに対して発行された株式は、発行会社の株主資本の20％に相当する部分については、18カ月のロックアップ期間に服し、20％を超える部分については、6カ月のロックアップ期間に服する（株式発行開示規則167条1項・2項）[35]。

3　株式の売買に関する特有の規制

(1) 株主間契約における株式の処分に関する合意

インドの会社を対象とするM&Aにおいては、買収後の円滑な事業運営等を目的に、全株式を取得するのではなく、株式の一部のみを譲り受ける部分買収とした上で、既存株主との間で、当該会社の運営等に関して株主間契約を締結することが珍しくない。インドの株主間契約においても、他国における株主間契約と同様、一方当事者が重大な契約違反を犯した場合、契約違反を犯していない当事者（非違反当事者）が契約違反を犯した当事者（違反当事者）に対して、プット・オプションやコール・オプションを有する旨、規定される場合が多い。かかる取決めにおいて、非違反当事者がその株式を違反当事者に対して売却することとなるプット・オプションの行使に際しては、売却価格を当該株式の公正な評価額より高く設定したり、非違反当事者が違反当事者の有する株式を買い取ることとなるコール・オプションの行使に際しては、買取価格を当

---

[34] 株式発行開示規則においては、"lock-in" と規定される（同規則78条）。
[35] ただし、プロモーターが保有するロックアップ期間に服する株式については、プロモーターやプロモーターグループなど一定の者への譲渡は認められる。

該株式の公正な評価額より低く設定したりする場合がある。その他、将来一定の事由が生じた場合にこれらの権利が定められることもある。

前記3-4の2のとおり、非居住者が居住者との間で株式を売買する際には、価格規制に従う必要があるため、日本企業を含む非居住者がインド企業等の居住者との株主間契約において上記取決めを合意した場合であっても、実際にこれらの権利を行使する際には、同規制に反しない価格で売買を行う必要がある。

(2) プット・オプションに適用される特有の規制

非居住者が居住者である対象会社に対してプット・オプションを有する場合、NDIルールの定める条件を満たすものでなければならない（NDIルール9条5項）。具体的には、以下の条件が定められている。

> (i) 非居住者に対して確約された投資リターンを保証しないこと
> (ii) 1年間のロックイン期間（権利行使できない期間）があること　かつ
> (iii) ロックイン期間後の投資回収時の価格が、上述の価格規制を遵守していること

NDIルールは、直接には非居住者が居住者である対象会社に対して保有するプット・オプションを念頭においた規制であるが、非居住者が居住者との間で締結する株主間契約において、一定の事由に基づきプット・オプションを行使できる場合にも適用されると考えられている。よって、かかるプット・オプションを規定する場合、投資リターンを保証するような文言を避けるとともに、上記条件により、少なくとも契約締結日から1年間は権利を行使することができないと解釈される可能性があることに注意する必要がある。

(3) 株式譲渡契約におけるエスクローや分割払いのスキーム

インドの会社を買収するために株式譲渡契約を締結する際、売主の表明保証違反等に基づく買主の損害賠償請求権を担保したり、買収対価を調整したりするために、エスクロー口座を用いたり、譲渡対価を分割払いにして後払い分から差し引いたりする処理が検討される場合がある。しかし、インドでは、従前から、これらのアレンジをするためにはRBIの特別な承認が必要となり、承

認が得られるか不確実であることから、頻繁には採用されていなかった。

　すなわち、エスクロー口座については、RBIが定める通達において、エスクロー口座の用途が、買主が6カ月間の期間を上限にエスクロー口座を開設して入金し、株式譲渡の決済のために売主の口座に送金することや株式譲渡の効力が生じなかった場合に買主の口座に返金すること等に限られている。また、インドの外資規制上、非居住者たる買主が譲渡対価の一部の支払を留保する取引についてはRBIの事前承認が必要とされている（統合版FDIポリシーAnnexure 24(v)、NDIルール9条7項）。

　もっとも、NDIルールにおいて、一定の条件の下での例外は認められている。具体的には、居住者と非居住者の間で株式譲渡が行われる場合、譲渡対価の25％を上限として、また、契約締結日から18カ月以内であれば、RBIの承認なく対価を後払いすることが認められる。また、かかる後払いを目的として、これらの制限内でエスクロー口座を利用することも認められる（NDIルール9条6項）。NDIルール上は必ずしも明示されていないが、実務上はかかる制限の範囲内において、エスクロー口座は、買主の損害賠償請求権の担保や買収対価の調整に使用されている。

4　スクイーズ・アウト

(1)　概　　要

　インドの法制上、少数株主の排除を明文で認める規定として、会社法235条に基づく買収スキーム（Scheme of Acquisition）及び会社法236条に基づく少数株主からの取得制度（Purchase of minority shareholding）があるが、これらの条文に基づき少数株主を排除した実例は少ない。そもそも、インドにおいては、必ずしも少数株主の排除が頻繁に検討される状況にはないが、実務上は、(2)③の会社法66条に基づく選択的減資が比較的有力な選択肢として検討されることが多い。加えて、2020年2月に、会社法230条11項に基づく非公開会社のスクイーズ・アウトの手法も導入されたが、かかる手法が有力な選択肢となるかは、今後の実務の動向を注視する必要がある。本章では、これらの手法も含めて、少数株主排除のために採りうる会社法上の手法を検討する。なお、本章で紹介する少数株主排除のための各手法は、実例が存在する手法があるものの、

十分な事例の集積があるわけではない。

(2) 会社法上の少数株主排除のための手法
① 会社法235条に基づく買収スキーム
　買収スキームにより少数株主をスクイーズ・アウトするためには、買付者は、少数株主に対して、買付申出書を送付し、4カ月以内に、全株主の株式価値[36]の10分の9以上（買付者もしくはその子会社またはそれらの名義人が買収スキーム提案時にすでに保有している株式を除く）を構成する株式を保有する株主の承認を得る必要がある（会社法235条1項）。なお、かかる承認は株主総会決議による必要はない。

　この承認を得た場合、買付者は、上記4カ月間の経過後2カ月間の間に当該買収スキームに反対する株主に対して、その保有する株式の買取請求通知をすることができる（会社法235条1項）。かかる通知を行った場合、当該通知から1カ月経過後またはその時点で反対株主による国家会社法審判所に対する異議申立手続が係属している場合には当該異議申立手続が却下された後に、買付者は、反対株主の株式を強制的に買い取ることができる（会社法235条2項および3項）。

　買収スキームは、反対株主からの異議申立てがない限り国家会社法審判所の関与なく実行可能な手段ではあるものの、上記株主承認要件を充足するハードルが高いこと、事例の集積が乏しく反対株主の異議申立てにかかる国家会社法審判所の判断基準が不明確なことなどから、実例は少ない。

② 会社法236条に基づく少数株主からの取得制度
　会社法236条によれば、買付者もしくは共同保有者[37]が発行済株式の90％以上、または個人もしくは集団が多数派もしくは発行済株式の90％以上を保有するに至った場合には、少数株主が保有する残存株式を取得できるとされてい

---

36) 議決権のある普通株式のみが発行されている場合には、実質的には議決権数と同義である（以下、本①、③および後記5(2)において同じ）。
37) 買付者（acquirer）および共同保有者（person acting in concert）は、Securities and Exchange Board of India（Substantial Acquisition of Takeovers）Regulations, 1997の規則2条1項(b)(e)で定義される。なお、同規則は、Securities and Exchange Board of India（Substantial Acquisition of Takeovers）Regulations, 2011によって改訂されており、会社法236条において旧規則の定義が引用された理由は明らかではない。

る。同条においては、買付者らは、前記要件を満たした場合、対象会社に対し、少数株主が保有する残存株式の買付け意思を通知しなければならない（会社法236条1項）。また、買付者または共同保有者は、少数株主に対し、登録評価人（Registered Valuer）の算定する株式価値に基づき決定される価格で株式を買い取ることを申し出る必要がある（同法236条2項）。

なお、少数株主の側から、多数株主に対し、少数株主の保有する残存株式の買付を求める申出を行うことも可能である（会社法236条3項）。

多数株主は、買付対象の株式の譲渡価額に相当する金額を、少数株主への支払いのために、最低でも1年間、別途準備される対象会社名義の銀行口座に預け入れなければならず、預入金は少数株主に対し、譲渡対価として60日以内に支払われなければならない（会社法236条4項）。また、少数株主のうち75％以上を保有する者らが、買付者らと買付価格の増額を交渉し、買付者が譲渡価格の増額に同意した場合、他の少数株主に対しても増額分が按分で分配されることとなる（同法236条8項）。

会社法236条は、少数株主が保有する株式の取得を正面から規定しているものの、少数株主が、買付者または共同保有者からの買付の申出を受諾する義務を負っているかは規定されていないため、現時点では同条に基づく少数株主からの株式取得が強制的に実行可能かは明らかでない。また、同法235条に基づく買収スキームと異なり、同法236条に基づく少数株主からの取得制度については、具体的な手順やタイムライン等も規定されておらず、現時点では不明確な点が残る手法と言わざるを得ない[38]。

③　会社法66条に基づく選択的減資

少数株主の排除のために実務上用いられることが多い手法が、会社法66条に基づく買付者以外の一般株主のみを対象とした選択的減資である。

選択的減資を行うためには、まず、対象会社の取締役会において選択的減資の内容を決議し、株主総会の特別決議による承認を得る必要がある（会社法66

---

38) 会社法236条が適用された裁判例として、S. Gopakumar Nair & Anr. vs. Obo Bettermann India Pvt. Ltd NCLAT Company Appeal（AT）No. 272/2018が存在する。ただし、同判決は会社法236条の適用範囲に関する事例判断にとどまり、会社法236条の要件を明確化したものではない。

条1項)[39]。この承認を得た上で、対象会社が国家会社法審判所に対する減資の認可を申請し、国家会社法審判所の認可(同法66条1項・2項・3項)を受け、減資の登記申請がなされることにより減資の効力が発生する。

このほか、会社法66条2項・3項によれば、減資を行う場合には、原則として、同項に規定する一定の債権者保護手続を経ることが必要となるが、国家会社法審判所が全ての債権者の債権が弁済されたもしくは担保が付されたか、または、すべての債権者の同意が得られたと認めた場合にはこれを省略することが可能であるとされている(国家会社法審判所施行規則(National Company Law Tribunal(Procedure for Reduction of Share Capital), 2016)3条6項)。

会社法66条[40]は、スクイーズ・アウトを正面から規定したものではないため、同条に基づく選択的減資の可否については従前から争いがあった。この点に関して、裁判所は、選択的減資は最も厳格な審査に服するとはするものの、同条が減資の方法を特段制限していないことから、近時、買付者以外の一般株主のみを対象とした選択的減資の可否が争われた複数の事案で、法令に定める手続が遵守されていることを前提に、一般株主に対して公正な対価が支払われ、減資の対象となる一般株主の大多数が株主総会で当該減資に賛成していることなどを理由として選択的減資を認める旨の判断を示している[41]。この結果、選択的減資は、スクイーズ・アウトの有力な手法として用いられているものである[42]。

実務上は、過去の裁判例も踏まえ、法令に定める手続の遵守は当然のこととして、一般株主の利益を保護すべく、株主総会における十分な情報の開示および対価の公正性確保のための専門家からの株式価値評価書の取得などが最低限必要と解されている。なお、選択的減資の対象となる株主に外資規制上のイン

---

39) なお、附属定款に減資を許容する定めがあることが必要とされる。
40) 旧会社法100条。
41) In Re: Cadbury India Limited. MANU/MH/2681/2014, Sandvik Asia Ltd v. Bharat Kumar Padamsi, 2009 IndlawM UM 720. Elpro International Ltd, 2008, 86 SCL 47, In Re: Reduction of Equity Share Capital of Organon(India)Ltd, 2010 IndlawM UM 516(以上いずれもBombay High Court), In Re: M/S. Reckitt Benckiser(India)Ltd. MANU/DE/3902/2011(Delhi High Court)も参照。判例上は、買付者以外の一般株主のみによる株主総会開催の要否も争われているが、これを不要とするのが現在の判例である。
42) ただし、一般株主の大多数の賛成として具体的にどれくらいの賛成を得ればよいのかなど、不明確な点は依然として残る。

ド非居住者が含まれる場合には、前記3-4の2の価格規制を遵守する必要がある。

④　会社法230条11項に基づく非上場会社のスクイーズ・アウト（スキーム・オブ・アレンジメント）

2020年2月に、スキーム・オブ・アレンジメント（SOA。詳細は後記5の「組織再編など」参照）を用いた非上場会社のスクイーズ・アウトの方法が導入された。かかる方法の下では、非上場会社の株式の4分の3以上の株式を保有する株主は、残りの株式の全部または一部の買付の申出を行うことができる（会社法230条11項）[43]とされ、以下のとおり、かかる申出を内容とするSOAを国家会社法審判所が認可した場合、少数株主の株式を強制的に取得可能である。

すなわち、会社法230条11項に基づくスクイーズ・アウトを行おうとする場合には、非上場会社の株式の4分の3以上の株式を保有する株主は、国家会社法審判所に対し、残りの株式の全部または一部の買付の申出を内容とするSOAの認可を申請する必要がある（会社法施行規則（Companies (Compromises, Arrangements and Amalgamations) Rules, 2016）3条5項）。さらに、多数株主は、かかる申請と同時に、登録評価人（Registered Valuer）の算定する株式価値に基づき、当該取得の対価の50％以上に相当する金額を別途銀行口座にエスクローとして預け入れる必要がある（会社法施行規則（Companies (Compromises, Arrangements and Amalgamations) Rules, 2016）3条6項）。そして、国家会社法審判所が、前記買付の申出を内容とするSOAを認可した場合、少数株主は多数株主による買付を拒否することはできないとされている。

なお、上記買付の申出により不利益を被った者は、国家会社法審判所に不利益の救済を求める申請を行うことが認められている（会社法230条12項）。

会社法230条11項に基づくスクイーズ・アウトは、国家会社法審判所の認可を経る必要はあるものの、少数株主保有の株式を強制的に取得可能な手段である。もっとも、2020年2月以降、同手法はスクイーズ・アウト手法として広く利用されていないが、引き続き実務の動向を注視する必要がある。

---

43)　なお、会社法230条11項に基づきスクイーズ・アウトを行うには、資本金の4分の3以上相当の株式の保有があれば足りるのか、各種類株式の4分の3以上の株式の保有まで必要であるかは、現時点においては、明らかではない。

SOAに必要な手続については後記5(2)を参照されたい。

⑤ 株式併合

株式併合により、スクイーズ・アウトを行うことも可能と解されているが、国家会社法審判所の認可を要する点に留意されたい。

すなわち、株式併合を行うためには、まず、対象会社の取締役会において株式併合を内容とする基本定款の変更を決議し、株主総会の特別決議による承認を得る必要がある（会社法61条1項(b)）。この承認を得た上で、対象会社が国家会社法審判所に対する株式併合の認可を申請し、国家会社法審判所の認可を受け、株式併合の効力は発生する[44]。

⑥ スキーム・オブ・アレンジメント

選択的減資のほかに、実務上用いられることがあるその他の手法は、後記5のSOAによるものである。すなわち、前記④に記載の株式の強制取得を内容とするSOAとは別のスキームを内容とするSOAの一環として、買付者（またはSPC）を存続会社、対象会社を消滅会社とする合併を行い、買付者以外の一般株主に対しては現金を、買付者に対しては存続会社の株式を交付することでスクイーズ・アウトを行うことも可能と解されている。

かかる手法による場合、買付者以外の一般株主および買付者のそれぞれのみによる株主総会（separate class meeting）において、株式価値の4分の3以上の承認が必要となると解されている[45]。

他方、SOAで買付者を含むすべての株主に対して現金を対価交付する合併を行えば、買付者以外の一般株主や買付者のみによる株主総会は不要となるが[46]（ただし、別途通常の株主総会において株式価値の4分の3以上の承認は必要である）、その場合には、税制適格要件を満たさないこととなるため、対象会社資産の譲渡益課税などの税務上の問題が生じうる点に留意が必要である（所得税法（Income Tax Act, 1961）2条1B項・45条・47条(vi)項）。

また、SOAによるスクイーズ・アウトを行う場合には、国家会社法審判所

---

44) なお、附属定款に株式併合を許容する定めがあることが必要とされる。
45) Miheer H Mafatlal v. Mafatlal Industries Ltd, (1997) 1 SCC 579（Supreme Court）参照。ただし、旧会社法下の判決である点に留意されたい。
46) 前掲（注45）参照。

の認可を要する点にも留意が必要である。

SOAに必要な手続については後記5(2)を参照されたい。

(3) 非上場化買付け

インドでは、公開買付けにより相当数の株式を取得した上で、上場関連コスト[47]の削減などを目的に株式非上場化規則（Securities and Exchange Board of India (Delisting of Equity Shares) Regulations 2021）に基づく対象会社の任意の上場廃止およびこれに伴う非上場化買付けを行う事例がある。また、これらの方法により対象会社を非上場化した上で、会社法に定める一定の手法により少数株主を排除した実例もある。なお、インドの上場会社について少数株主排除を検討する場合、かかる手法を定めた明文規定はないため、まず当該会社を非上場化した上で、前記(2)の各手法を用いた少数株主排除を検討するのが一般的である。

非上場化買付けとは、上場会社が証券取引所における上場を廃止するのに際して当該会社の株主に退出の機会を与えるべく行われる買付けである。上場廃止には、上場規則に違反したことなどを理由とする強制的な上場廃止と任意の上場廃止がある。任意の上場廃止を行うことができるのは、①上場廃止の対象となる株式が証券取引所に上場されてから3年が経過しており、②上場廃止の対象となる株式を目的とする発行済転換証券が存在しない場合である（株式非上場化規則4条1項）。対象会社株式が上場している一部の証券取引所のみの上場廃止申請を行う場合には、他の証券取引所における流動性が引き続き確保されるため、非上場化買付けを行う義務はないが、すべての証券取引所における上場廃止の申請を行う場合には、一般株主に退出の機会を与えるべく、非上場化買付けが義務づけられる（同規則5条・7条）[48]。

---

47) 前記3-3の2(2)のとおり、上場会社は、一定数の独立取締役選任をはじめとするコーポレート・ガバナンスの整備などを行う必要がある。
48) ただし、直近事業年度最終日における資本金が1億インドルピー以下で純資産が2億5,000万インドルピー以下であり、上場廃止を承認する取締役会の日から過去1年間の当該会社の発行株式の取引量が同社の発行株式の10％以下であって、かつ直近1年間において証券取引所から法令の不遵守等を理由とする取引停止処分を受けていない会社については、一定の条件のもと、簡易な手続での任意の上場廃止が可能とされている（株式非上場規則35条1項）。また、上場会社の子会社である上場会社については、一定の条件のもと、SOAにより、任意の上場廃止が可能とされている（株式非上場規則37条）。

任意の上場廃止を行うには、まず、買付者は、関連するすべての証券取引所に対して、初期的非上場化買付公告（initial public announcement）を行う必要があり、証券取引所は初期的非上場化買付公告を公表し、かかる公告は対象会社にも送付される（株式非上場化規則8条）。その後、対象会社の取締役会における承認および株主総会における郵便投票・電子投票による特別決議による承認が必要となる。また、通常の特別決議と異なり、任意の上場廃止を承認する株主総会においては、一般株主の賛成票が、その反対票の2倍以上であることが必要とされる（株式非上場化規則11条4項）。

　株主総会の承認を得た後、対象会社は、証券取引所に対して非上場化の予備的承認（in-principle approval）に向けた申請を行う（株式非上場化規則12条1項）。証券取引所の予備的承認を得た後、買付者は、非上場化詳細買付公告（detailed public announcement）を行い（同規則15条1項・別表1）、株主に対して、買付申出書を送付する（同規則16条1項）。非上場化詳細買付公告および買付申出書においては、同規則に従って算出した最低買付価格を開示する必要がある（同規則15条2項および16条4項）。また、買付者が非上場化買付けの目安価格（indicative price）[49]を提示した場合には、目安価格も開示する必要がある。

　なお、買付者は、対象会社の株主総会における承認から7営業日以内に、エスクロー口座を開設し、上記の最低買付価格（ただし、買付者が目安価格を提示している場合、目安価格）を基準として非上場化買付けの対象となる全株式の取得に必要な資金の25％を現金、銀行保証またはこれらの組み合わせの方法によりあらかじめ入金する必要がある（株式非上場化規則14条1項）。また、買付者は、非上場化買付公告に先立ち、エスクロー口座にかかる資金の残りの75％を現金、銀行保証またはこれらの組み合わせの方法により入金する必要がある（株式非上場化規則14条3項）。

　株主は開示された上記の最低買付価格・目安価格も踏まえ、入札期間（bidding period）内に所定の方法で入札を行い（株式非上場化規則17条）、最も入札数の多い価格が買付価格となる（同規則20条1項・別表2）。

　買付価格以下の価格で入札されたすべての株式の数と買付者の保有株式数の

---

[49] 目安価格は、任意の上場廃止において、買付者が提示することを認められている最低買付価格より高い買付価格である（株式非上場規則2条1項(o)）。

合計が、非上場化買付けの対象とされた種類の株式にかかる発行済株式数（海外預託証券の対象であり、カストディアンに保有されている株式[50]、株式に基づく従業員給付制度規則（Securities and Exchange Board of India（Share Based Employee Benefits）Regulations, 2014）に従い信託に保有されている株式、休眠株主（inactive shareholder）に保有されている株式を除く）の90％に達した場合には、非上場化買付けが成立する（株式非上場化規則21条）。入札により決定された買付価格が最低買付価格又は目安価格と同額の場合、および入札により決定された買付価格が最低買付価格以上目安価格未満の場合、買付者は、入札により決定された買付価格を拒否できず、非上場化買付けが成立する（同規則22条1項および2項）。他方で、入札により決定された買付価格が目安価格を超える場合には、買付者は、入札により決定された買付価格を拒否して非上場化買付けを不成立とすることもできる（同規則22条3項）ほか、買付者は、入札により決定された買付価格を拒否してから2営業日以内に、帳簿価格を超える価格による対抗提案を行うことができる（同規則22条）。

　非上場化買付けの最大の特徴は、このように、買付価格を買付者であるプロモーターが自由に定めることができない点にある。入札手続により決定される買付価格は、対象会社株式の市場株価などと比べて著しく高額になることも多いため、対象会社の上場廃止ないしスクイーズ・アウトを企図する場合であっても、当初から任意の上場廃止およびこれに伴う非上場化買付けを行うのではなく、公開買付けにより任意の買付価格で一定数の株式を取得した上で、非上場化買付けを行うのが一般的である。

　非上場化買付けが成立した場合、買付者は、一般株主への支払い日から5営業日以内に、証券取引所に対して非上場化の最終申請を行い（株式非上場化規則25条）、これが認められれば対象会社株式の上場は廃止されることになる。一連の非上場化買付けに要する期間は、個別事案により異なるが、実務上はおおむね6カ月から8カ月程度を要することが多い。

　非上場化買付けにより対象会社株式が非上場化された場合、買付者はその後少なくとも1年間、残存株主の求めに応じて買付価格と同額で当該残存株主の

50）　かかる株式についてはそもそも非上場化買付けに応募することはできない（株式非上場化規則19条3項）。

株式を買い付ける義務を負い（株式非上場化規則26条1項および2項）、かかる期間は当該買付けのためにエスクロー口座を維持する必要がある（同条3項および4項）。また、非上場化買付けを行った株式については、非上場化の時点から3年間は再上場申請をすることができないとされているため（同規則40条1項(a)）、非上場化後に早期の再上場によりイグジットを目指すことはできない。

公開買付けに続いて任意の上場廃止を予定する場合には、スキーム検討時に以下の点に留意する必要がある。すなわち、公開買付規則においては、公開買付けの結果、上場廃止基準割合（75％）に抵触することとなった場合には、証券契約規制ルールで定められた期間内（12カ月）に一定の方法により非流動株式の比率を上場廃止基準割合未満に下げる必要があり（公開買付規則7条4項）、この場合、株式非上場化規則に基づく非上場化公開買付けは、公開買付けの完了から12カ月が経過するまで行えない（同条5項）。そのため、公開買付完了後に、引き続き任意の上場廃止申請およびこれに伴う非上場化公開買付けを予定している場合には、買付後の株式保有割合が75％未満となるように買付予定数を定める必要がある。

5　組織再編など

インドにおける株式取得以外の M&A の手法は、①当事者の合意による事業譲渡（slump sale by private arrangement：以下「私的事業譲渡」という）、および、②国家会社法審判所の認可を必要とするスキーム・オブ・アレンジメント（SOA）である。

(1)　当事者の合意による事業譲渡

事業譲渡には、私的事業譲渡と SOA の一環として国家会社法審判所[51]の認可を得て行う事業譲渡があるが、後者の手法は、権利義務および契約上の地位の移転につき別途特段の定めがない限り相手方の同意が不要となるというメリットはあるが、国家会社法審判所の認可が必要になることから、事業譲渡を

---

51)　なお、①小規模会社（Small Company）同士の合併、②親子会社間の合併、および③別途指定する会社間の合併に関しては、かかる国家会社法審判所による認可は不要である（同法233条1項）。

行う場合には、私的事業譲渡によるのが一般的である。

私的事業譲渡を上場会社が行うためには、対象会社の取締役会において、事業譲渡承認の決議を行った上で、株主総会特別決議による承認が必要となり（会社法180条1項(a)）、かかる株主総会決議は郵便投票の方法により行われる必要がある[52]（会社法施行規則（Companies (Management and Administration) Rules, 2014）22条16項(i)）。

私的事業譲渡による譲渡対象事業の権利義務および契約上の地位の承継の効果を契約の相手方など第三者に対抗するためには当該第三者の承認が必要であるほか、許認可なども自動的には引き継がれず、再取得が必要である。

このように、契約上の地位や許認可等の承継手続が煩雑であるほか、譲渡対象資産について譲渡益課税の対象となるなどの税負担が生じる可能性があるものの（所得税法50B条）、私的事業譲渡は、国家会社法審判所の認可が不要であることから、近時、上場会社による利用例も増加しつつあり[53]、外国会社が買主となる事例もある。そのため、私的事業譲渡は、日本企業がインド上場会社を買収する際の現実的な選択肢の1つとなりうる。

(2) スキーム・オブ・アレンジメント[54]

SOAの代表的な手法は、事業譲渡（slump sale）、合併（amalgamation）および会社分割（demerger）である。事業譲渡、合併および会社分割については、所得税法において、税制適格が認められるための一定の要件を満たす類型が定義されているが、会社法上の組織再編はかかる定義に該当するものに限られるわ

---

52) 電子投票を認めている会社においては、通常の株主総会において、決議することが認められている（会社法施行規則（Companies (Management and Administration) Rules, 2014）22条16項但し書き）。
53) Piramal Healthcare（インド）によるAbbott Labor（米国）に対する国内製剤事業の譲渡（2010年）、Chloro Chemicals（インド）によるAditya Birla Chemicals（インド）に対するChlor Chemical事業の譲渡（2011年）、Unichem Laboratories Limited（インド）によるTorrent Pharmaceuticals（インド）に対する製剤事業の譲渡（2017年）、Hotel Leela Ventures Limited（インド）によるBSREP IH India Ballet Pte. Ltd（シンガポール）に対するホテル事業の譲渡（2019年）など。
54) 会社法230条ないし234条。必要な手続の詳細については、会社法施行規則（Companies (Compromises, Arrangements and Amalgamations) Rules, 2016）、国家会社法審判所規則（National Company Law Tribunal Rules, 2016）等が適用される。

けではない。たとえば、所得税法上定義される合併は株式を主な対価とする合併に限られ、会社分割は承継会社が分割会社株主に対して承継会社株式を割り当てる人的分割に限られるが、会社法上は、現金対価の合併[55]や、承継会社が分割会社に対して承継会社株式を割り当てる物的分割（slump exchange）も可能と解されている。

なお、会社法上、インド法上の会社とインド中央政府が別途指定する国の法律に基づき設立された外国会社との間の合併が、RBIの事前の許可を条件に認められることとなった（会社法234条）。もっとも、日本の登記実務上、外国会社と日本法上の合併については登記が認められないため、仮に日本がインド中央政府から指定された場合であっても、日本法上の会社とインド法上の会社との合併を行うことはできない。

また、会社法上、登録評価人（Registered Valuer）の制度が導入され、①第三者割当増資を行う場合（会社法62条1項）、②スキーム・オブ・アレンジメントを行う場合（同法230条2項）、③合併や株式移転等により、会社の資本株式の90％以上を保有することとなった株主が残存株主の保有する株式を買い取る場合（同法236条2項）、④その他会社法上会社財産の評価が必要とされている場合において、広く登録評価人による評価を行うことが義務づけられている。登録評価人は、監査委員会または（監査委員会が設置されていない場合には）取締役会が選任するものとされている（同法247条1項）。

さらに、会社法上、上場会社を合併消滅会社、非上場会社を合併存続会社とする合併を行う場合において、当該合併に反対する上場会社の株主に対して、国家会社法審判所の命令に基づき、当該株主が保有する株式を合併当事会社に対して売却する機会を与えなければならないとされており、かかる株式の買取価格はSEBIの定める基準に基づき算定される価格を下回ってはならないものとされている（会社法232条3項(h)）。

SOAに基づく組織再編を行う場合には、まず、SOAの当事者間で当該SOAの内容を記載した文書を作成する。これを両当事会社の取締役会において承認した上で、国家会社法審判所に対してSOA認可のための株主総会および債権

---

55) ただし、一部の裁判所においては現金対価が認められないケースもあるようである。

者集会の招集を申し立て、国家会社法審判所により株主総会および債権者集会の招集がなされることが必要である[56]。その後、対象会社株主総会における株式価値の 4 分の 3 以上を構成する株式を保有する株主および債権者集会における債権額の 4 分の 3 以上を構成する債権者の承認および国家会社法審判所の認可を得て、当該認可を登記する必要がある。SOA の効力は SOA において定めた日（appointed date）に生じることになる（会社法232条 6 項）。なお、国家会社法審判所は、株主総会および債権者集会を招集する場合、インド中央政府等の政府機関にも SOA について通知する（会社法232条 1 項・会社法230条 3 項）。

上場会社が当事者となって SOA を行う場合、上記に加えて、国家会社法審判所に対する申立てに先立ち、証券取引所の承認を求めることが必要とされる（上場・開示規則（SEBI（Listing Obligations And Disclosure Requirements）Regulations, 2015）37条 1 項）。この点、証券取引委員会による2017年 3 月10日付通達以前は、上場会社が合併消滅会社または分割会社となり、非上場会社が合併存続会社または分割承継会社となる場合には、SOA において存続会社が証券取引所に上場する旨の定めがない限り、証券取引所は当該組織再編を承認しないのが通常であった。もっとも、同通達以降は、同通達（その後の改正を含む。）が定める各種手続（少数株主の関与やエクジットの確保等）が遵守されており、かつ、証券取引委員会・証券取引所が適当と判断した場合には、存続会社の上場が不要な合併・会社分割も認められるようになった[57]。

6　各手法の比較

外国企業によるインド上場会社の買収の際には、本章で紹介した各手法のうち、手続の簡便さや確実性などの理由により、株式取得の手法が最もよく用いられている。この点、商慣習や文化的な違いなども踏まえて、当初から外国企業が単独で完全な支配権を取得するのではなく、インド側の大株主が外国企業による出資後も一定の株式を保有し、継続的に対象会社の経営に関与すること

---

56)　ただし、債権額の 9 割以上を構成する債権者の事前の同意が取得されている場合には、国会会社法審判所は、債権者集会の開催を省略することができる（会社法230条 9 項）。

57)　ただし、同通達以降も、証券取引所に提出された SOA のほとんどは、存続会社は証券取引所に上場する旨の定めがある。

も多い。

また、資本充実のために、既発行株式の大株主からの相対取得と新株式の第三者割当てを組み合わせた取引が行われることも多い。さらに、前記のとおり、インド上場会社の一部事業を買収する場合で、主要な契約等の相手方や許認可の承継に実務上大きな問題が生じないと見込まれる場合には、私的事業譲渡が用いられることもある。

他方で、インドの証券取引所にインド子会社の株式を上場していない外国企業にとっては、合併および会社分割の手法は、税務上の理由や証券取引所の承認取得が困難であることなどから、インド上場会社の買収方法としては一般的ではない。

3-6 買収に関連するその他の主要な規制

1 開示規制

インドにおいては、公開買付規則および証券取引委員会がインド証券取引委員会法に基づき制定したインサイダー取引禁止規則（Securities and Exchange Board of India (Prohibition of Insider Trading) Regulations, 2015）のそれぞれが、一定数以上の上場会社の株式を取得した者に対する開示義務を規定している（【図表3-6】参照）。

(1) 公開買付規則に基づく開示

公開買付規則上、共同保有者と併せて上場会社の5％以上（Innovators Growth Platformに上場している場合は、10％以上）の株式または議決権を保有するに至った者は、株式の割当通知日、取得日または処分日から2営業日以内に、対象会社および対象会社が上場するすべての証券取引所に対して所定の様式にてその保有割合を報告する義務がある（公開買付規則29条1項・3項）。また、すでに共同保有者と合わせて上場会社の5％以上（Innovators Growth Platformに上場している場合は、10％以上）の株式または議決権を保有する者が、最終の報告から保有する株式または議決権につき2％（Innovators Growth Platformに上場し

ている場合は、5％）を超える保有割合の変動があった場合も同様の報告義務が課せられている（同条2項・3項)[58]。

【図表3-6】開示規制のまとめ

公開買付規則に基づく開示義務	
報告が必要となる場合	①共同保有者と合わせて上場会社の5％以上（Innovators Growth Platformに上場している場合は、10％以上）の株式または議決権を保有するに至った場合 ②最終の報告から保有する株式または議決権につき2％（Innovators Growth Platformに上場している場合は、5％）を超える保有割合の変動があった場合
報告期限	株式の割当通知日、取得日または処分日から2営業日以内
報告先	対象会社および対象会社が上場するすべての証券取引所
インサイダー取引禁止規則に基づく開示義務	
報告が必要となる場合	①ある会社（対象会社）の主要役職者もしくは取締役に任命され、またはプロモーターもしくはプロモーターグループのメンバーとなった者が、対象会社の有価証券を保有している場合 ②会社のプロモーター、プロモーターグループのメンバー、指定された者および取締役が、3カ月間に取引した（1回の取引か一連の取引かを問わない）対象会社の有価証券の価値が100万インドルピーを超える場合
報告期限	①任命の日またはプロモーターもしくはプロモーターグループのメンバーとなった日から7日以内 ②取引から証券取引所の2取引日以内
報告先	対象会社

(2) インサイダー取引禁止規則に基づく開示

インサイダー取引禁止規則上、ある会社（対象会社）の主要役職者もしくは取締役に任命され、またはプロモーターもしくはプロモーターグループのメンバーとなった者は全員、任命の日またはプロモーターもしくはプロモーターグ

---

58) これらの報告義務との関係においては、上場会社の株式に転換が可能な証券も株式とみなして計算され、その保有についても開示義務の対象となる（公開買付規則28条2項）。

ループのメンバーとなった日から7日以内に対象会社に対して、その保有する対象会社の有価証券を開示しなければならない（インサイダー取引禁止規則7条1項(b)）。また、すべての会社のすべてのプロモーター、プロモーターグループのメンバー、指定された者および取締役は、3カ月間に取引した（一回の取引か一連の取引かを問わない）対象会社の有価証券の価値が100万インドルピーを超える場合、当該取引から証券取引所の2取引日以内に取得または処分した有価証券の数を対象会社に対して開示しなければならない（同条2項(a)）。

2 インサイダー取引規制

　インサイダー取引禁止規則は、内部者（insider）が、①未公表の価格感応情報を保持している場合、一定の場合を除き、証券取引所に上場している会社および上場しようとしている会社の有価証券を取引することが禁止されており（インサイダー取引禁止規則4条）、②内部者は、一定の場合を除き、証券取引所に上場している会社および上場しようとしている会社またはその有価証券に関する未公表の価格感応情報を伝達することが禁止されている（同規則3条）。インドのインサイダー取引規制においては、有価証券の取引行為が存在しない場合であっても、未公表の価格感応情報を他人に伝達などする行為自体が禁止されていることに注意を要する。ただし、①同一の未公表の価格感応情報を保持しているインサイダー間の市場外取引であって、未公表の価格感応情報の伝達等に関する違反がなく、両者が意識的にかつ十分な情報を与えられた上で取引を行う場合や、②未公表の価格感応情報を保持している者の間におけるブロックディール窓口メカニズムを通じた取引であって、未公表の価格感応情報の伝達等に関する違反がなく、両者が理性的かつ十分な情報を与えられた上での取引決定を行う場合、③問題となる取引が誠実な取引を行うという法定の義務に従って実施される場合、④問題となる取引が行使価格が適用法令に従ってあらかじめ定められているようなストックオプションの行使である場合、⑤内部者が非個人である場合において、未公表の価格感応情報を有している主体と取引決定を行っている主体が異なり、規則の違反がないよう、そして両主体間で未公表の価格感応情報のやり取りが内容に適切にアレンジされている場合等がインサイダー取引規制から除外されている（同規則4条1項）。

インサイダー取引禁止規則における「内部者」とは、①会社関係者（connected person）および②未公表の価格感応情報を保持する者またはこれにアクセスを有する者と定義される（インサイダー取引禁止規則2条1項(g)）。①の会社関係者については、詳細な定義が置かれており、現在および過去6カ月以内に役員や従業員であった者に加えて、会社関係者の直近の親族を含む10の類型の者について反証がない限り会社関係者とみなす規定が置かれている（同項(d)）。②の類型については、いかにして情報を保持し情報へのアクセスを有するに至ったかにかかわらず内部者の定義に該当するとされていることに留意が必要である。また、「未公表の価格感応情報（Unpublished Price Sensitive Information: USPI）」とは、会社またはその有価証券に直接または間接に関連する情報であって、公表された場合に有価証券の価格に重大な影響を与えるもので、一般的に入手可能な情報（generally available information）ではないものとされている（同項(n)）。同規則上、財務結果、配当、資本構成の変更、合併・買収・非上場化等の取引、主要役職者の変更、上場契約に従った重要な事象が未公表の価格感応情報に含まれる（しかしこれらに限られない）とされている。

インサイダー取引禁止規則に違反した場合、違反者に対して10年以下の禁錮（imprisonment）もしくは2億5,000万インドルピー以下の罰金またはその両方が科されうるため（証券取引委員会法24条）、十分に注意が必要である。

3　LBOに関する規制

会社法上、公開会社が、自社または親会社の株式の取得の目的またはこれに関連して、直接または間接に、貸付け、担保提供その他方法のいかんを問わず、資金的援助を行うことは原則禁止される（会社法67条2項）。よって、この規制は、上場会社の買収において、当該上場会社の資産やその子会社の株式や資産を買収者による買収資金の調達のために担保に供する、いわゆるLBOの方法により買収者が資金調達を行う場合の障害となる。

4　企業結合規制

(1)　事前届出の提出義務

インド法上の会社の買収を行うに際して、当該買収が競争法の定める企業結

合（combination）の定義に該当する場合、競争法および競争法に基づき競争委員会（Competition Commission of India）が制定した企業結合規則（Competition Commission of India（Procedure in regard to the transaction of business relating to combination）Regulations, 2011）[59]の定めに従い、事前届出を行う必要がある。競争法上、かかる事前届出が必要となる取引の類型は、①企業体（被取得企業）の支配権、株式、議決権または資産を取得する取引、②ある企業体（被取得企業）の支配権を取得する取引で、当該取得者がすでに、類似、同一もしくは代替する製品の生産、流通もしくは取引に従事しているか、または類似、同一もしくは代替するサービスの提供に従事する他の企業体（既取得企業）を直接または間接に支配している場合、③企業体の吸収合併または新設合併、および④ある企業体（被取得企業）の支配権、株式、議決権また資産の取得、吸収合併または新設合併に関連する取引で取引価格が200億インドルピー超の取引の4つに分類されている（競争法5条）。取引類型ごとに定められた次頁図表3-7の数値基準を上回る取引が企業結合と定義され、企業結合を行う場合、①、②および④（支配権、株式、議決権または資産の取得の場合）の類型については、契約その他の文書の締結後企業結合の完了前までに、③および④（吸収合併または新設合併の場合）の類型については、取締役会における合併の承認後企業結合の完了前までに、それぞれ競争委員会に対して事前届出を行う必要がある（競争法6条2項）[60]。次頁【図表3-7】中「または」で表示されているとおり、各コラム内の数値基準のいずれかを満たせば、事前届出義務が生じる。

なお、インド政府は、従前、告示により、期間を限定した上で（直近では、2022年3月16日付告示により、2017年3月27日付告示から5年間とされていた期間を2017年3月27日付告示から10年間へと伸長していた）、暫定的に、取得型の企業結合（上記①および②の類型）において、支配権、株式、議決権または資産を取得される企業が、インド国内で35億インドルピー以下の資産を有するか、またはインド国内で100億インドルピー以下の売上高を有する場合は、【図表3-7】記載の基準を

---

[59] 企業結合規則は2011年6月1日から効力を生じ、企業結合についての事前届出や競争委員会による反競争的な企業結合についての審査などの運用が開始された。

[60] 事前届出を要する基準や競争委員会による審査の流れを含む企業結合規制全般については、小山洋平「インド企業結合規制の解説（上・下）」国際商事法務589号・590号（2011）参照。

3-6 買収に関連するその他の主要な規制

【図表3-7】事前届出が必要な数値基準

《インド国内における資産・売上高による基準》

	資産（インド国内）		売上高（インド国内）
当事者(注1)が合計で右記の規模を有する場合	200億インドルピー超	または	600億インドルピー超
または			
グループ(注2)が合計で右記の規模を有する場合	800億インドルピー超	または	2,400億インドルピー超

または

《全世界における資産・売上高による基準》

	資産（全世界）		売上高（全世界）
当事者(注1)が合計で右記の規模を有する場合	10億USドル超（うちインド国内で100億インドルピー以上）	または	30億USドル超（うちインド国内で300億インドルピー以上）
または			
グループ(注2)が合計で右記の規模を有する場合	40億USドル超（うちインド国内で100億インドルピー以上）	または	120億USドル超（うちインド国内で300億インドルピー以上）

または[61]

《取引価格による基準》

取引価格		インド国内におけるビジネス
取引価格が200億インドルピー超	かつ	被取得企業がインドで実質的にビジネスを遂行（substantial business operations in India）している場合

(注1) 当事者とは、本(1)記載の①から③の各企業結合類型ごとに以下の意味を有する。
　　①の類型：当該取引の両当事者
　　②の類型：被取得企業および既取得企業
　　③の類型：合併後の会社
(注2) グループとは、2つ以上の企業体が、直接または間接に、(i)一方が他方の26％以上の議決権を行使する関係(注)、または(ii)一方が他方の取締役会のメンバーの過半数を指名する関係、または(iii)一方が他方の経営または業務内容を支配する関係のいずれかを有する場合をいい（競争法5条）、本(1)記載の①から③の各企業結合類型ごとに以下の意味をする。
　　①の類型：当該取引後に被取得企業が属するグループ
　　②の類型：当該取引後に被取得企業が属するグループ
　　③の類型：当該合併後の会社が属するグループ

(注) 企業結合告示は、5年間の暫定措置として、50％未満の議決権を行使する企業をグループに含めないものとしていた。その結果、あるグループに属する企業が26％以上50％未満の議決権を行使するだけの企業は当該グループに含まれず、当該企業の資産または売上が勘案されない結果、グループの資産規模または売上規模が低下するため、実質的には事前届出を要する数値基準が暫定的に引き上げられたことになっていた。そして、5年間の期限が迫った2016年3月4日付告示により、この措置をさらに5年間継続することが明らかにされたが、2017年3月27日付告示によりこの2016年3月4日付告示は取り消され、この措置は、再度、2017年3月27日から5年間継続されることとされた。その上で、5年間の期限が迫った2022年3月16日付告示により、この措置はさらに5年間継続されることとなった。

満たしたとしても事前届出を不要とするとする措置を取っていたが（このほか、同一グループ会社内における株式取得や合併等、インドにおける競争に与える悪影響が類型的に少ない取引についても事前届出は不要とされている（企業結合規則別紙1））、2023年4月11日に成立した競争法を改正する法律（The Competition（Amendment）Act, 2023）では、この暫定措置の内容が盛り込まれ、法律として規定されることとなった。もっとも、かかる事前届出に係る例外規定は、【図表3-7】の基準のうち、インド国内における資産・売上高による基準と全世界における資産・売上高による基準にのみ適用され、取引価格による基準には適用されない。

(2) 待機期間

競争委員会は、事前届出の提出を受けてから30日以内に、当該企業結合がインド国内の関連市場における競争に著しい悪影響を及ぼすおそれがあるかなどについて、暫定的な見解（prima facie opinion）を形成する（企業結合規則19条1項）。その時点で明らかに当該悪影響を及ぼす可能性がないと判断し、競争委員会が当該企業結合を承認した場合は、当該企業結合を実行することができる。

他方で、かかる判断がなされない場合は、詳細な審査手続に移行する。競争法上、いかなる企業結合も、事前届出を提出してから150日を経過するかまたは競争委員会が当該取引を承認するまでは、効力を生じないものとされている（競争法6条2A項）。

---

61) この「または」以下は、2023年4月11日に成立した競争法を改正する法律（The Competition（Amendment）Act, 2023）において、従前の資産および売上高による基準に加えて新たに新設された、取引価格による基準である（この基準に係る部分は2023年5月現在未施行）。

上場会社を買収するに際して、当該買収が企業結合の定義に該当し、かつインド国内の関連市場における競争に著しい悪影響を及ぼすおそれがあると判断される可能性がある場合は、インドの企業結合規制上、最長で150日という長期の待機期間が設定されていることに留意してスケジュールを検討する必要がある。

【図表3-8】企業結合審査のフローチャート

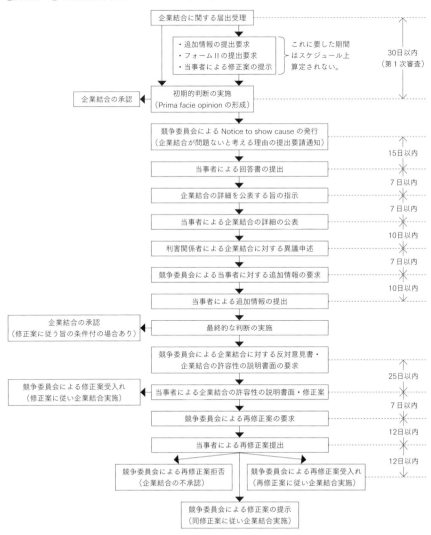

第4章　マレーシア

4-1　総　　論

　マレーシアは、ルック・イースト政策を提唱したマハティール政権時（1981年以降）より、日本と緊密な経済関係を築いてきており、特に1985年以降、プラザ合意を受けた急速な円高を背景に、多くの日系企業がマレーシアに進出した。低廉な労働力、相対的に安定した政治状況、さらには英語が比較的広く使用されていることも、日系企業の進出を後押ししてきた。

　現在も、両国の経済上のつながりは強く、マレーシアにとって、日本は、第5位の輸出相手国かつ第5位の輸入相手国である（2021年)[1]。

　近年、平均賃金の上昇や外国人労働者の雇用にかかる負担の増加などにより、日系企業の対マレーシア投資は従前に比してやや減少傾向にあるものの、依然日本はマレーシアにとって第3位の投資国であり（2022年)[2]、マレーシアに進出する日系企業は1,600社を超えており（2022年4月現在)[3]、日本にとって重要な海外進出先の1つとなっている。

　日系企業による投資は、歴史的には、その多くが製造業、なかでも電子電気部門に集中していたが、近時は、中間所得者層の拡大により購買力が強化されたこと[4]、後述のとおり非製造業に対する外資規制も近年緩和されてきていることなどを背景に、非製造業に対する投資も増加している。マレーシアは、近

---

1) Ministry of International Trade and Industry の統計による。
2) Malaysia Investment Development Authority の統計（製造業投資認可額）による。
3) 日本貿易振興機構（JETRO）クアラルンプール事務所の統計による。
4) 2021年における国民1人当たり GDP は1万1,109米ドルとされた（世界銀行の統計資料による）。

隣諸国と比較して、進出、事業遂行に関する法制度は簡明であり、また、相対的に汚職が少ない点などから、外資企業にとっての進出の障害は少ないと評価できる。とはいえ、同国においては、いわゆるブミプトラ政策と呼ばれる特有の人種優遇政策も絡み外資規制・許認可に関するルールや当局による行政指導において複雑な点もあり[5]、また、M&Aルールやコーポレート・ガバナンスに関しても日本とは異なるルール、制度があるので、同国での進出や事業運営に際して正確なルール、制度の理解が必要である。また、かかる投資先はマレーシア証券取引所（Bursa Malaysia）[6]に上場していることも多く、その場合、投資にあたっては上場会社の買収に係る法規制に留意する必要がある。

4-2　M&Aの手法および関連する法令・ルールの概観

1　M&Aに関する主要な法令・ルールの概観

マレーシアにおいて、M&Aを規制する法令・ルールの中心となるのは、会社法（Companies Act 2016）、Capital Markets and Services Act 2007（以下「CMSA」という）、買収コード（Malaysian Code on Take-Overs and Mergers 2016）および買収規則（Rules on Take-Overs, Mergers and Compulsory Acquisitions 2016）である。これらのうち、会社法は、株式譲渡等各種M&Aの手法についての手続・規制を定め、他方、CMSA、買収コードおよび買収規則には、公開買付けや公開買付け後のスクイーズ・アウト等、マレーシアの上場会社等のM&Aにおける重要な規定が置かれている。また、対象会社が上場会社である場合には、Bursa Malaysiaの上場基準（Listing Requirements）による規制も受ける。

---

[5] マレーシアでは、2022年11月の総選挙の結果、アンワル・イブラヒムが第10代首相となり、5つの政党勢力の連立政権が成立した。2018年の前回総選挙によるナジブ政権からマハティール政権への交代以降、首相の退陣が相次いでいることから、近年マレーシアでは円滑で安定した政権運営のかじ取りが課題と言われる状況が続く。このような相次ぐ政権交代の影響により、一般論として、当面の行政当局における許認可の事務は、人事異動や事務レベルにおける運用基準の見直しなどにより遅延しやすい状況にあるといえる。取引において許認可が問題となる場合には、留意が必要と思われる。

[6] Bursa Malaysiaのウェブサイト（2023年3月時点）によれば、上場会社数は、約900社弱である。

2 M&Aの手法の概観

マレーシアにおけるM&Aの最も一般的な手法は株式取得であり、その手続および要件は第一義的に会社法により規律される。また、一定割合を超える上場会社株式を取得するには、CMSA、買収コードおよび買収規則に従い公開買付けを実施する必要があり、さらに、上場会社の発行済株式の100％の取得を目指す場合には、公開買付けを実施した後に、株式売渡請求権（いわゆるバイアウト権）を行使して発行済株式の100％を取得する方法や、会社法に従い、スキーム・オブ・アレンジメント（Scheme of Arrangement：以下「SOA」という）または選択的減資（Selective Capital Reduction：以下「SCR」という）とよばれる方法により100％の株式取得を行う場合もある。また、事業譲渡により対象会社の事業の全部または一部を譲り受ける方法も考えられる。なお、マレーシア法上、2つの法人を1つの法人に統合するという意味での合併に関する一般規定は存在しない[7]。

各手法の内容については、後記 **4-6** にて詳述する。

4-3 会社の種類とガバナンス

1 会社法における会社の種類

会社法の規制は、会社法に基づき設立された会社（以下「マレーシア会社」という）に限られず、同法に基づき登録された外国会社（foreign company）にも一定の範囲で適用される。

マレーシア会社は、構成員の責任の有無および内容という観点から、有限責任株式会社（company limited by shares）、有限責任保証会社（company limited by guarantee）および無限責任会社（unlimited company）に分類されるが（会社法10条(1)）、実務上通常利用されるのは、日本の株式会社に近い会社形態である有

---

7) ただし、会社法上、SOAの枠組みの中で、2以上の会社による"amalgamation"が認められている（会社法370条(1)(a)参照）。この"amalgamation"の定義および法的効果は会社法上必ずしも明確ではないものの、日本の会社法上の合併類似の法的効果（複数の会社の法人格の統一、資産・負債の包括承継）を有するものとも解しうる。

限責任株式会社である。

また、マレーシア会社には、公開会社（public company）と非公開会社（private company）がある。非公開会社とは、基本的に、株式資本（share capital）を有する会社で、定款[8]（constitution）において株式の譲渡が制限されており、株主数が50名以内に制限されている会社をいい（会社法2条(1)「private company」定義・42条(1)・(2)・(4)[9]）、公開会社とは非公開会社以外の会社をいう（同法2条(1)「public company」定義）。公開会社は非公開会社よりも多くの規制に服する。非公開会社はさらに、免除非公開会社（exempt private company）[10]とそれ以外の非公開会社（非免除非公開会社）に分類される。

なお、株主数が1,000名以上であることがメインマーケットの（Bursa Malaysiaのメインマーケット上場基準（以下「上場基準」という）3.06条(1)）、また、200名以上であることがACEマーケット[11]の（Bursa MalaysiaのACEマーケット上場基準3.10条(1)）、それぞれ上場要件のひとつとされているため、必然的に、上場会社となるマレーシア会社は、有限責任株式会社の中でも公開会社ということになる。

2　ガバナンスの概要

マレーシア会社の主な機関は、株主総会、取締役会および取締役、監査人な

8）　2016年の会社法改正により、会社法に会社の運営に関する詳細な手続が規定されたことから、有限責任保証会社を除いて、会社は、必ずしも定款を作成する必要がなくなった（会社法31条(1)）。改正前会社法の下で、定款は、memorandum of association（基本定款）およびarticles of association（附属定款）と呼ばれていたが、現在の会社法では両者を一本化した上で「constitution」へと呼称が変更されている。なお、改正前会社法の下で、基本定款および附属定款を作成している会社については、それがそのまま定款（constitution）とみなされるため、改めて定款（constitution）を作成する必要はない。
9）　非公開会社においては、株式もしくは債券の引受けを公開市場に対して募集すること、またそのような募集がされることを見越して株式または債券を発行しもしくは発行することに同意すること、または利子の有無や固定期間か要求払い（payable at call）かの違いにかかわらず会社に対する金銭の預託を公開市場に対して募集することが禁じられている（会社法43条(1)）。
10）　その株式が法人によって（直接または間接にも）保有されておらず、かつ、構成員が20名以下の会社をいう（会社法2条(1)「exempt private company」定義）。取締役に対する貸付が禁止されない（同法224条(2)(a)）など一定の会社法の規定が免除される。
11）　ACEマーケットとはメインマーケット以外のBursa Malaysia上の上場市場であり、上場基準がメインマーケットよりも緩和されている代わりにスポンサーによる上場審査を要求する。主に新興企業向けの市場である。

らびに秘書役である。上場会社の場合、これに加えて、監査委員会および指名委員会も設置しなければならないほか、上場基準およびガバナンス・コード（後記(6)に定義する）において必要とされるより厳格なガバナンスが要求される。

(1) 株主総会

　株主総会は、設立から18カ月以内およびそれ以降毎年1回事業年度の終了から6カ月以内かつ前回の開催から15カ月以内に開催される定時株主総会（会社法340条(1)ないし(3)）ならびに必要に応じて開催される臨時株主総会があり、会社法に定められた重要事項の意思決定権限を有する。非公開会社においては、2016年の会社法改正により、定時株主総会の開催義務が撤廃された。もっとも、少数株主保護の観点から、払込資本金の5％以上の額の払込みを行った株主が、取締役に対して株主総会の開催を求めた場合、株主の求めに応じて前回の株主総会が開催されてから12カ月が経過していれば、一定の例外的な場合を除き、取締役は株主総会を開催しなければならない（同法311条(4)）。マレーシア会社における主な株主総会決議事項は【図表4-1】のとおりである。

　株主総会決議の定足数は、1人会社の場合は1名、それ以外の場合は定款にそれより多い人数が定められていない限り2名である（会社法328条(1)・(2)）。普通決議の決議要件は株主総会に出席し、かつ、決議に参加した株主の過半数の賛成である。決議は、定款の定めにより（各株主の持つ議決権数にかかわらず）株主の頭数で数える挙手によることも、株式数で数える投票によることもできる（同法293条(1)(a)）。議決権を持つ株主5名以上、議決権の10％以上を保有する株主または議決権付株式についての払込資本金の10％以上の額の払込みを行った議決権付株式の株主は、投票による決議を行うよう求める権利が保障されている（これに反する定款の定めは無効）（同法331条）。なお、（75％以上の株主の承認を必要とする）特別決議においても定足数および決議の方法については普通決議と同様の考え方があてはまる。

　非公開会社においては、取締役または監査人の任期満了前の解任の決議を除いて、いわゆる書面決議も可能である（会社法290条(1)(a)・297条(2)）。この場合の決議要件は、実際に株主総会を開催して決議する場合と同じとなる（同法291条(1)(b)・292条(1)(b)）。

【図表4-1】主な株主総会決議事項

普通決議事項	取締役の選解任（会社法202条(2)・206条）、一定の場合における取締役に対する貸付（ただし、免除非公開会社を除く）（同法224条(3)）、一定の場合における取締役による会社の事業もしくは資産の取得または処分の承認（同法223条(1)）、株主総会において選任された監査人に支払う報酬（費用および現金以外による支払を含む）の決定（同法274条(1)(a)）、監査人の選解任（同法267条(4)・276条(1)(a)）
特別決議事項	社名の変更（会社法28条(1)）、定款の承認（同法32条(1)）、定款の変更（同法36条(1)）、減資（同法115条）、清算（同法439条(1)(b)）

(2) 取締役および取締役会

　取締役会は、意思決定機関であるとともに、業務執行権限を有する（会社法211条(1)）。取締役会の権限は、会社法や定款で株主総会に留保された事項を除き、当該会社が行うことのできる事項全般にわたる（同条(2)）。

　定款に別途定めがない限り、取締役会決議の定足数は、取締役会において別途定めない限り、取締役の過半数である（会社法212条、同法別紙3-7.）。決議要件は、出席した取締役の過半数の賛成投票である（同別紙3-11.）。

　取締役会についても株主総会同様、いわゆる書面決議も可能であり、定款に別の定めがない限り、取締役会の招集通知を受け取った取締役の全員が署名した決議書は、現実に開催された取締役会で可決された決議とみなされる（会社法212条、同法別紙3-15.）。

　取締役会を含む会社内における権限の分配についても定款の定めに従う。なお、上場会社においては、取締役の大半が社外取締役（non-executive director）であり、会社の日々の業務に従事する社内取締役（executive director）は1名または2名であることが多い[12]。この場合取締役会は事業戦略を決定し、それに従って、COO、executive vice-president等さまざまな肩書きを持つ従業員が通

---

[12] 社内取締役（executive director）とは、会社に常勤する取締役であり、典型的には業務執行取締役（managing director）があてはまる。一方、社外取締役（non-executive director）とは、会社に常勤しない取締役をいい、しばしば大株主から任命されて経営陣や社内取締役を監視する役目を負う者がこれにあてはまる。

常実際の業務執行を委譲されて担う。

　取締役の数については、マレーシアに居住する者が1名必要である（会社法196条(4)(a)）。取締役の選任方法については、定款に別段の定めなき限り、株主総会の普通決議において選任される（同法202条(2)）[13]。ただし、公開会社においては1つの決議で複数の取締役を選任することはできない（すなわち、株主総会において複数の取締役候補者がいる場合には、各取締役候補者ごとに選任の賛否を問う必要がある。ただし、複数の取締役候補者について一括での決議を許容する動議が全株主によって賛成された場合は、一括で決議を行うことができる）（同法203条(1)）。公開会社では、取締役の解任は株主総会の普通決議事項である（ただし、かかる解任動議の提出を予定する者は会社に対して事前に特別通知（special notice）[14]を行う必要がある）（同法206条(1)(b)・(2)・(3)）。

　このほか、上場基準が上場会社に必要なガバナンスについて規定しているため（上場基準第15章）、上場会社は上記のガバナンス要件に加えて上場基準の要件も満たす必要がある。

　具体的には、少なくとも2名または取締役会の人数の3分の1（取締役会の人数が3または3の倍数でない場合は、3分の1に最も近い整数）のいずれか多い人数は独立取締役でなければならない（上場基準15.02条(1)・(2)）。独立取締役とは、経営に関与せず、独立した判断および会社の最良の利益を図る行為を妨げうる、業務上その他の関係を有しない取締役をいう（同1.01条「independent director」定義）。同定義には独立取締役とみなされる者が具体的に列挙されている。

　また、取締役は6以上の上場会社（マレーシア会社および外国会社を含む）の取締役を兼任してはならない（上場基準15.06条）。

　さらに、上場会社の場合、定款に、取締役の報酬等に関する規制その他の事項に関し一定の記載をし、その内容を遵守しなければならないとされている（上場基準第7章 Part J）。

---

[13] ただし、定款に別途定めがない限り、取締役会も追加の取締役を選任する権限を有する（会社法202条(3)）。
[14] 特別通知は株主総会の28日以上前に行う必要がある（会社法322条(1)）。

(3) 監査人および監査委員会

　会社法においては、会計監査権限を有する機関として監査人（Auditor）が設置される（会社法267条・271条）。監査人の選任は株主総会の普通決議事項であり（同法267条(4)・271条(4)）[15]、公開会社の場合、定時株主総会において監査人の選任および報酬の決定が行われる（同法340条(1)(c)）。また、監査人の解任も株主総会の普通決議事項である（ただし、監査人の解任動議の提出を予定する者は会社に対して事前に特別通知（special notice）を行う必要がある）（同法276条(1)(a)・277条）。

　これに加えて、上場会社は上場基準に基づき、取締役の中から任命した者を構成員とする監査委員会（audit committee）を設けなければならない。その構成員は3名以上とし、全員社外取締役で、過半数が独立取締役でなければならず、代理取締役であってはならない（上場基準15.09条）。また、少なくとも1名はマレーシア会計士協会（Malaysian Institute of Accountants）の会員等会計または財務の一定の実務経験のある者でなければならないとされる（同条(1)(c)）。

　監査委員会の議長は独立取締役でなければならない（上場基準15.10条）。監査委員会は、監査計画、内部統制システムの評価、監査報告等を精査し取締役会に対して報告する（同基準15.12条）。また、取締役会に対する報告において提起された問題が、かかる報告にもかかわらず解決されずに上場基準に違反することとなる場合は、そのことを速やかにBursa Malaysiaに報告する（同基準15.15条・15.16条）。監査委員会の会議は、出席委員の過半数が独立取締役でなければ有効な定足数とはならない（同基準15.18条）。

　さらに、上場会社は、十分な経験および情報・専門知識のある会計事務所を外部監査人（external auditor）として選任しなければならない（上場基準15.21条）。外部監査人は、取締役会が作成する内部統制報告書を精査し、その結果を取締役会に報告する（同基準15.23条・15.26条(b)）。

(4) 秘書役

　マレーシアでは日本にはない機関として秘書役（Secretary）がある。秘書役

15）設立後最初の事業年度の会計書類提出の日の30日前までや、一時的な欠員の補充の場合には、例外的に、取締役会にも監査人の選任権がある（会社法267条(3)）。

とはマレーシア会社の必要的設置機関であり、マレーシア会社は、少なくとも1名、主要なまたは唯一の居住地をマレーシアとする秘書役を任命しなくてはならない（会社法235条(1)）。秘書役の主な業務は、登記事務等会社が会社法をはじめとする法令上の義務を遵守するために必要な事務を行うことであり、たとえば、会計帳簿・年次報告その他会社の基本的事項の当局への提出・届出、取締役会・株主総会に関する事務がある。

(5) 指名委員会

上記に加えて、上場会社は上場基準に基づき、社外取締役のみ（さらにその過半数は独立取締役）から構成される指名委員会（nominating committee）を設けなければならない（上場基準15.08Ａ条(1)）。指名委員会は、取締役の選定および評価を行う（同条(2)）。2022年7月の上場基準の改正により、上場会社は、上場会社およびその子会社において選任または再任する取締役の資質に関する方針（fit and proper policy）を、上場基準2.20Ａ条に定める取締役の資質に沿った形で策定し、ウェブサイトで公表することが必要となった（上場基準15.01Ａ条）。また、上場会社は、2022年12月31日に終了する事業年度以降、年次報告書（annual report）において指名委員会の義務履行に関する記載を設けることが義務付けられた（上場基準15.08Ａ条(3)）。

(6) ガバナンス・コードによる上場会社のガバナンス

以上の会社法および上場基準により義務づけられるガバナンスに加え、Bursa Malaysiaの上場会社はMalaysian Code on Corporate Governance 2021[16]（以下「ガバナンス・コード」という）にも留意する必要がある。

ガバナンス・コードは、上場会社がグッド・コーポレート・ガバナンスを構築するために採用すべき仕組みおよび手続に関する幅広い原則（principles）および具体的な提言（recommendations）を定めたものである。ガバナンス・コー

---

[16] 2017年4月26日、the Securities Commission of Malaysia（以下「SC」という）は、それまでのガバナンス・コードであったMalaysian Code on Corporate Governance 2012に代わって、Malaysian Code on Corporate Governance 2017（以下「MCCG2017」という）を制定し、2021年4月28日、SCは、MCCG2017を改正し、Malaysian Code on Corporate Governance 2021を制定した。

ドは法律ではなくその遵守は法的義務ではないものの、その遵守状況について詳細な説明を年次報告書に記載しなければならず、当該望ましいガバナンスを遵守していない事項がある場合は、かかる事項を明確に指摘した上でその理由を説明するとともに、その代わりとして採用されているガバナンスについての説明を記載しなければならない（上場基準15.25条）。

ガバナンス・コードが定める模範的なコーポレート・ガバナンスとしては、きわめて多様なものが取り上げられている。以下はその一例である。

① 取締役会の少なくとも半数が独立取締役で構成されていなければならず、大会社[17]の取締役会では、過半数が独立取締役でなければならない。
② 独立取締役の任期は、原則として通算9年を超えてはならず、独立取締役の任期が9年を超える場合には、大株主[18]による決議とその他の株主による決議という2段階の投票プロセスを経た株主の承認が必要となる。
③ 取締役会の役員において女性が占める割合が30％以上でなければならない（30％未満である場合には、30％以上を達成するために当該会社がとる措置および達成までに要する期間（3年以内が望ましい）を開示する）。
④ 取締役会の議長は監査委員会、指名委員会または報酬委員会の議長と兼任してはならない。
⑤ 取締役とシニアマネジメントの報酬を決定する方針と手続を会社のウェブサイト上で公表しなければならないこと。また、取締役の報酬（報酬、給与、ボーナス、現物給付その他報酬を含む）および当該取締役の氏名ならびに5万リンギット単位でシニアマネジメント上位5人の報酬を開示しなければならない。
⑥ 監査委員会は独立取締役だけで構成されている必要がある。
⑦ 株主の株主総会への参加を促すために、定時株主総会の少なくとも

---

17) FTSE Bursa Malaysia Top 100 Index に含まれる会社または会計年度の開始時点における時価総額が20億リンギット以上である会社をいう。
18) (i)ある会社の議決権の33％以上を保有する株主、(ii)議決権を有する株式を最も多く保有する株主、(iii)取締役の過半数を任命する権利を有する株主、または(iv)会社の事業及び事務につき決定する、もしくはそのような決定に効力を与える権限を有する株主をいう。

28日より前に株主に招集通知を発しなければならず、すべての取締役が株主総会に出席する必要がある。また、不在者投票やリモート参加を行いやすくするような技術を導入する必要がある。
⑧　取締役会は、持続可能性（sustainability）についての戦略や目標を設定する等の持続可能性に関する問題に取り組まなければならない。

4-4　公表買収事例

　日系企業によるマレーシアの著名な買収事例のうち、非上場会社を対象とするものとしては、イオン株式会社が、フランスの Carrefour S.A. グループから、ハイパーマーケット事業を運営する Magnificient Diagraph Sdn.Bhd. の全発行済株式を約151億円で取得した事案（2012年10月）、アサヒグループホールディングス株式会社が、乳製品関連事業を営むマレーシア会社 Etika Dairies Sdn Bhd ほか11社の株式を合計約336億円で買収した事案（2014年6月）、三井物産株式会社および株式会社エフピコが、共同で、機能性食品容器の製造・販売を行う Lee Soon Seng Plastic Industries Sdn. Bhd. の全株式を約160億円で買収した事案（2022年5月）などがある。

　一方、日系企業によるマレーシアの上場会社の買収事例としては、ダイキン工業株式会社が、空調およびフィルター事業を行う O. Y. L. Industries Bhd. の全株式を、相対取引、公開買付け、およびその後の株式売渡請求権行使によるスクイーズ・アウトにより、総額約2,438億円で買収した事案（2006年5月）、王子製紙株式会社が、マレーシアのダンボール製造販売大手である Harta Packaging グループの持株会社 HPI Resources Bhd. の株式を公開買付けおよびその後の株式売渡請求権行使によるスクイーズ・アウトにより、総額約69億円で買収した事案（2011年8月）、株式会社日立製作所がマレーシアのITソリューション企業 eBworx Berhad の株式を公開買付けおよびその後の株式売渡請求権行使によるスクイーズ・アウトにより、総額約47億円で買収した事例（2012年5月）、大成ラミック株式会社が、軟包装材の製造販売を営む Malaysia Packaging Industry Berhad の株式の90％超を、同社の親会社である東洋製罐株

式会社からの相対取得および公開買付けにより、総額約5.7億円で買収した事案（2016年5月）などがある。

4-5 外資規制の概要

1 外資規制のM&Aへの適用

　マレーシアの外資規制は、他国における外国投資法のような一般的な規制法律は存在せず、法律による規制ではなく関連する各種行政機関のガイドラインやライセンス付与における内部ポリシーによって規制されていることが多く、体系としてわかりにくいのが特徴といえる。なお、日本とマレーシアとの間では２国間経済連携協定（EPA）が締結されており（2006年７月発効）、当該EPAに基づき日本の投資家による投資について外資規制が緩和されている業種もあるため、当該EPAの内容も確認することが有益である。また、日本、マレーシアを含む加盟国11カ国によって署名され2018年12月に一部の原署名国について発効した環太平洋パートナーシップに関する包括的および先進的な協定（CPTPP）においても、一定の外資規制緩和がなされている（2022年発効）。加えて、マレーシアが締約国となっている日・ASEAN包括的経済連携（AJCEP）協定について、2020年８月に同協定の第一改正議定書が日本と一部のASEAN加盟国との間で発効した。本稿執筆時点では、マレーシアは国内手続を完了していないため同議定書はマレーシアについては発効していないように見受けられるが、同議定書はAJCEP協定にサービス貿易および投資の自由化・円滑化に関する規定等を加えるものであり、日本とマレーシアとの２国間EPAにはない新たな外資規制の緩和が約束されている業種（一定の教育事業等）もある。そのため、マレーシアについて同議定書が発効した後は、AJCEP協定に基づく検討も行う意義がある。

2 製造業

　1975年工業調整法（Industrial Co-ordination Act 1975）に基づき、株式資本（shareholders' funds）[19]が250万リンギット以上、またはフルタイム（常勤）有給従

業員[20]を75名以上雇用する製造業企業は、国際貿易産業省（Ministry of International Trade and Industry：以下「MITI」という）に対し、製造ライセンスの取得を申請する必要がある。なお、製造ライセンスの申請は、MITI傘下の政府機関であるマレーシア工業開発庁（Malaysian Investment Development Authority：以下「MIDA」という）に提出することになる。

　マレーシアにおいては、かかる製造ライセンスの取得に関し、2003年6月以前は輸出割合に応じた出資比率制限が課されていたが、2003年6月の制度改正により、すべての製造業についてかかる外資出資比率規制が撤廃され、100％の外国資本保有が認められるようになった。なお、製造業ライセンスについては、2019年1月にMIDAのガイドラインが改正され、(i)従業員1人当たりの最低設備投資額を14万リンギットとすること、(ii)フルタイム従業員の80％以上がマレーシア人であり、かつ外国人ワーカーの雇用は現行の国家政策に従うこと、(iii)従業員の25％以上が学位等を有する経営・技術・管理系の従業員であるか、または、製品付加価値が40％以上であることなどの要件が追加・加重されている点に注意が必要である。

3　非製造業

(1)　流通サービス以外の非製造業

　従来、流通サービス以外の非製造業の外資の出資比率は外国投資委員会（Foreign Investment Committee：以下「FIC」という）が監督しており、FICのガイドラインに従って決定されていた。従来のFICのガイドラインでは、取引の実行についてはFICの承認が必要とされ、出資比率に関しては、「外資の出資比率は30％以内」かつ「ブミプトラの出資比率は30％以上」と規定されていたが、2003年以降、順次規制緩和が進み、「外資の出資比率は30％以内」という一般規制は撤廃され、さらに、2009年4月に発足したナジブ政権のもとでは、非製造業の出資規制緩和が進み、以下のサービス産業27分野で、「ブミ

---

[19]　企業の払込資本金、剰余金（reserve）、払込剰余金（share premium account）残高、利益処分勘定（profit and loss appropriation account）残高の総計をいう。
[20]　事業所での労働時間が1日6時間以上、かつ年間平均労働日数が月20日以上で、当該事業所から給与を受け取っているすべての者をいう。

プトラの出資比率は30％以上」という規制が撤廃され、外資による100％出資が可能となった。

- 電子計算機および関連サービス（6分野）
- 健康・社会事業にかかわるサービス（5分野）
- 観光サービス（6分野）
- 道路運送サービス（1分野）
- スポーツとその他レクリエーションに関するサービス（1分野）
- ビジネスサービス（4分野）
- 運転者の提供を伴わない賃貸サービス（2分野）
- 内陸水路における運送（2分野）

また、2009年6月30日には、FICの株式取得ガイドラインが廃止され、以後FICは外資による株式取得を監督しないこととなった[21]。

さらに、2011年10月には、以下のサービス産業17業種（その後下記⑱が追加され18業種）についても、2012年以降段階的に、外資による100％出資（ただし、以下の②については上限70％）を認めることが公表された。

① 通信サービス（アプリケーション・サービス・プロバイダー）
② 通信サービス（ネットワーク・ファシリティ・プロバイダー、ネットワーク・サービス・プロバイダー）
③ クーリエ・サービス
④ 大学のステータスを有する民間高等教育サービス
⑤ インターナショナル・スクール
⑥ 技術・職業中等教育サービス
⑦ 技術・職業中等教育サービス（特別な必要性のある生徒向けのもの）
⑧ 技能訓練サービス
⑨ 私立病院サービス
⑩ 独立の専門診療所サービス

---

21) ただし、既存の会社について、他の所轄機関より発行されるライセンスや認可によりすでに課されている資本条件は、ガイドライン廃止後も引き続き有効に適用される点に留意が必要である。また、上記のFICのガイドラインの廃止後も、会社の業種によっては外資による株式取得について各種個別法令に基づき、個別の外資規制その他各規制当局による監督に服することがある点にも留意が必要である。

⑪　独立の専門歯科サービス
⑫　デパートストア・専門店
⑬　焼却サービス
⑭　会計・税務サービス
⑮　建築サービス
⑯　エンジニアリングサービス
⑰　リーガル・サービス
⑱　積算工サービス

(2)　流通サービス

　非製造業のうち、流通サービスについては、国内取引・生活費省（Ministry of Domestic Trade and Consumer Affairs：以下「MDTCA」という）[22]が管轄している。MDTCA は、2020年 2 月、「マレーシア流通取引・サービスへの外国資本参入に関するガイドライン」（Guidelines on Foreign Participation in the Distributive Trade Services Malaysia：以下「流通取引サービスガイドライン」という）を公表し、外資企業による流通取引への参入および事業運営に種々の制約を課している[23]。なお、流通取引サービスガイドラインは、行政によるガイドラインに過ぎず法的拘束力を有さず、また、多くの制約が「義務」ではなく「推奨」として規定されているため、違反に対する罰則はないものの、実務上は、このガイドラインの遵守が各種行政サービス（外国人従業員の雇用に必要な許可の取得など）を受ける条件とされることも多いため、実際には同ガイドラインの遵守が必要と言える。

　流通取引サービスガイドライン上、流通サービスとは、「仲介者や最終消費者にサプライチェーンを通じて商品とサービスを供給するすべての活動」と定義されており、販売会社・サービス業が広くカバーされている。

　流通取引サービスガイドライン上、外国資本がマレーシアの会社に対する持分の取得その他の方法により流通取引に参入する場合には MDTCA の認可を得

---

22)　MDTCA は、2018年 7 月、前身の国内取引・協同組合・消費者省（Ministry of Domestic Trade Co-operatives and Consumerism：通称「MDTCC」という）から改名した。
23)　これは、2010年の MDTCC のガイドラインに代わるものである。

ることが必要とされている[24]。その他の外資規制としては、共通する「推奨」条件として、ブミプトラまたはマレー人の取締役を任命すること、現地従業員をマネジメント職以上を含め全レベルのポジションに登用すること、非熟練外国人ワーカーの比率を15％以下とすること、マレーシアの人種構成を反映するような雇用構成とすること等の条件が課されている。また、サービス形態別に個別に種々の資本規制や運営上の条件が定められており、たとえば、ハイパーマーケット[25]については30％以上のブミプトラ資本、また、コンビニエンスストアについては外資による出資比率は30％以下かつブミプトラによる出資比率が30％以上といった条件が規定されている。

また、下記の事業は外資参入禁止業種とされている。
・スーパーマーケット・ミニマーケット
・食料品店・一般販売店
・新聞販売店、雑貨の販売店
・薬局（伝統的な代替薬品や一般的な乾燥食品を取り扱う薬局）
・コンビニエンスストアのあるガソリンスタンド
・常設の市場（ウェットマーケット）や歩道店舗
・国家戦略的利益に関与する事業
・布地屋、(高級店でない) レストラン、ビストロ、宝石店など

(3)　その他事業ごとの外資規制

上記の一般的な外資の出資規制のほか、マレーシアにおける企業活動や事業運営に関して、特定のライセンスや許認可、政府承認が必要になる場合や、関連する政府機関がガイドライン等により一定の出資比率を義務づけている場合がある。たとえば、銀行については、マレーシア中央銀行（Bank Negara）の政

---

[24] なお、同ガイドラインの適用範囲に関して規定上必ずしも明確ではないものの、外国投資家がマレーシアの流通取引業者に対する持分を取得する場合、外国投資家による取得後の議決権比率が50％を超過する場合にのみ、MDTCA の承諾取得が必要と解釈されている。
[25] 食品・非食品を含む非常に広範囲に及ぶさまざまな消費者商品を取引サイズまたは量によりさまざまな形態の包装で販売する、5000平方メートル以上の販売フロアを持つセルフサービスの販売店をいう。

策上、外資出資比率は、投資銀行およびイスラム銀行については70％、商業銀行については30％がそれぞれ上限とされている。

　なお、金融サービス法（Financial Services Act 2013）によれば、銀行（保険会社および投資銀行についても同様）の株式取得に際して、外資・内資を問わず、5％以上の株式取得については、マレーシア中央銀行（Bank Negara）の事前承認が必要であり、また、合計で50％超の株式を取得する場合には、財務省（Ministry of Finance）の事前承認が必要となる。さらに、金融サービス法上、個人の場合は、合計で10％超の株式を保有することが禁止されているが、法人に対してはこのような上限は定められていない。なお、外資企業にのみ課される出資規制は定められていない。

|COLUMN|　マレーシアにおけるブミプトラ政策

　マレーシアは、その国策としていわゆるブミプトラ政策が採られている点が特徴的である。マレー系（約69％）、中華系（約23％）、インド系（約7％）をはじめとする各種民族により構成される多民族国家であるマレーシアにおいては、経済的優位にある中華系に対し、「ブミプトラ（Bumiputera）」（サンスクリット語で「土地の子」の意）と呼ばれるマレー系住民およびサバ・サラワクの先住人種の地位強化・保護を目的に、教育・経済・雇用などの各分野において優遇策（一種のアファーマティブ・アクション）が採られており、一般にこのような政策を総称してブミプトラ政策と呼ばれている。マレーシアの憲法上も、明文でブミプトラの特別な地位の保護が規定されており、ブミプトラ政策はマレーシアの国策と言える。

　M&Aの文脈においては、対象となる会社・事業において、ブミプトラの資本参加が要件とされ、その結果、外資企業によるコントロールが制約されないか、あるいは、出資規制以外にも雇用や取引先などについてブミプトラの起用が要件となっていないかといった点を確認する必要がある。本文で述べた通り、このようなブミプトラの具体的な施策は法律レベルではなく、行政ガイドラインやライセンス付与の実務で対応されていることが多く、近時減少・緩和傾向にはあるものの、現在も規制は残っており、注意が必要である。

　このようなブミプトラ政策が具体化された著名なガイドラインとしては、本文で紹介した流通取引に関するMDTCAガイドラインのほか、不動産保有に関するEPUガイドライン（正式名称：Economic Planning Unit, "Guidelines on the Acquisition of Properties"）がある。具体的には、EPUガイドラインでは、①

2,000万リンギット以上の価値を有する不動産の直接的な取得によって、ブミプトラ関係者または政府機関が保有する土地持分が希釈化される場合、または、②2,000万リンギット超の価値を有する不動産を保有する会社（その全資産に占める当該不動産価値の割合が50％超となるものに限る）の株式取得を通じた不動産の取得であって、これによりブミプトラ関係者または政府機関の支配権に異動が生じる場合には、Economic Planning Unit（EPU）の承認取得が必要となり、また、かかる承認の要件として、取得者は30％以上のブミプトラ資本を有しなければならず、また、取得者の払込資本金が25万リンギット以上でなければならないなどの要件が課される。

また、より個別の業種レベルでは、たとえば、一般保税倉庫による倉庫業において、最低30％のブミプトラ資本出資比率が課されている。

4-6　買収のための各手法の手続および内容

1　株主間での株式の譲渡による買収

(1)　株式譲渡の方法

会社法上、適式な譲渡証書が会社に対して交付されない限り、会社は株式の移転を登録してはならないこととされている（会社法105条(1)）。よって、株式譲渡に際しては、当事者間で締結される株式譲渡契約のほかにかかる譲渡証書が作成される。

具体的には、株式の譲渡人および譲受人双方が署名した定型の譲渡証書（Form of Transfer of Securities）を会社の秘書役に対して交付し、株主名簿上の登録株主の変更を申請することになる[26]。株主としての登録が完了したことをもって、株式の譲受人は株主としての地位を取得する[27]。

また、株式譲渡に際しては、譲渡人から譲受人に対して当該株式を表章する

---

26)　通常は譲受人において行う。
27)　実務上は、譲渡証書の譲渡人から譲受人への交付と対価の支払いが同時履行となるのが一般的であるところ、会社法上、譲渡人と譲受人が双方署名した譲渡証書を提示して印紙税を支払わなければ株主名簿の書換えが行えないため、対価の支払いと株主名簿書換え完了までの間には若干のタイムラグが生じることとなる。

株券が交付され、譲受人は当該株券を会社の秘書役に交付して消却させ、自己名義の新株券の交付を受ける。なお、株式は印紙税の課税対象であり、譲受人は新株券の交付および株主名簿上の名義書換えを受ける前に印紙税を支払う義務を負う[28]。

なお、マレーシアでは、これまで株式譲渡についてのキャピタルゲインは課税対象とはされてこなかったが、マレーシア政府が2023年2月24日に発表した予算案において、2024年中にも企業による非上場会社株式譲渡益に対するキャピタルゲイン課税に関する検討を始めるものとされている。導入時期や税率等の詳細は、本書執筆時現在においては明確にされておらず、今度の動向に注視が必要である。

(2) 上場会社の株式譲渡による買収特有の規制
① 強制的公開買付け（買収規則4条）

強制的公開買付けとは、CMSA218条(2)に基づき以下の場合に買収者に実施が強制される公開買付けをいう。

すなわち、買収者[29]が、(a)会社[30]（以下、本項において「買収コード適用会社」という）に対する支配権を獲得した場合（買収規則4.01条(a)）、または、(b)買収コード適用会社の議決権付株式の33％超50％以下を保有しており、かつ、6カ月間に当該買収コード適用会社の議決権付株式の2％超を取得した場合（買収規則4.01条(b)）には、買収者において強制的公開買付けの義務が生じる。ここで、「支配権を獲得した場合」とは、買収コード適用会社の議決権付株式または議決権の33％超、もしくは買収コードに定められた割合以上の議決権を取得した場合を意味し（CMSA 216条(1)）、たとえば以下の場合も含まれる。

---

28) 株式譲渡にかかる印紙税の税率は、非上場会社株式の場合、評価額の0.3％であり、評価額は、純有形資産または譲渡対価のいずれか高い方とされる。ただし、上場会社株式譲渡にかかる印紙税は税率0.15％かつ1つの譲渡取引当たり上限1,000リンギットとされている。
29) 「買収者」には「共同して会社に対する支配を取得し、もしくは取得を申し込む2名以上の者（共同保有者（persons act in concert））」が含まれる（CMSA 216条(1)ないし(3)）。
30) 本項は上場会社の買収について論じているが、ここでいう「会社」とは上場会社に限られず、「公開会社」（前記4-3の1参照）その他の団体でSCが指定したものも含まれることに留意が必要である（CMSA 216条(1)）。

- ある買収コード適用会社における株主の株式保有割合が、当該会社の新株発行により希釈化されたことにより33％以下となった場合において、当該株主が追加で株式を取得して33％超の株式を取得するような場合（買収規則4.01条注記8項(a)）。
- ある買収コード適用会社（downstream entity）の議決権付株式または議決権の33％超を有する買収コードが適用されない会社（upstream entity）の株式の50％超を、単独でまたは第三者とともに取得するような場合で、(i) upstream entity が downstream entity を直接または間接に支配している、または(ii) upstream entity が他の者やグループの株式保有と共同して downstream entity の支配をしているような場合であって、upstream entity にとって downstream entity への投資の価値が重要である（upstream entity の資産、時価総額、株主資本または売上もしくは収益の50％以上を構成する）または upstream entity の株式の50％超を獲得する重要な目的が downstream entity の支配権獲得であると合理的に考えられる場合（買収規則4.01条注記3項）。

強制的公開買付けにおいては、買付者による買収コード適用会社の株式取得の条件として、買付者および共同保有者が併せて50％超の議決権を保有することとなる数の株式の応募を受けたことという条件を付さなければならず、かつ、かかる条件以外の条件を付すことはできない（買収規則6.01条）。すなわち、たとえば公開買付けが成立するための下限となる議決権比率を50％より引き上げることは認められない。

また、公開買付けにおける株式取得の対価については、現金またはほかの対価によることも認められるが（買収規則6.04条(1)および(2)）、公開買付けの対象となる株式の10％以上を公開買付けの開始前3カ月間および公開買付期間中に買付者または共同保有者が有価証券（securities）を対価として取得していた場合には、当該有価証券を対価とすることが強制される（買収規則6.04条(3)）。また、強制的公開買付けにおいては、現金を株式取得の対価の選択肢とする必要があり（同条(1)）、さらに、その買付価格は、公開買付けの開始前6カ月間または公開買付期間中に買付者または共同保有者が対象会社株式について支払った、または支払う旨の合意をした最高価格を下回ってはならない（買収規

則6.03条(1))。

② 任意的公開買付け（買収規則5条）

任意的公開買付けとは、強制的公開買付以外の公開買付けを意味する（買収規則5.01条)。任意的公開買付けは、CMSAおよび買収コードに基づく強制的公開買付義務が生じない場合であっても、後述の株式売渡請求権と併せて、買付者が対象会社の発行済株式の100％の取得を実現する手段として行われている。

任意的公開買付けにおいては、原則として、買付者による対象となる買収コード適用会社の株式取得の条件として、買付者が50％超の議決権を保有することとなる数の株式の応募を受けたことという条件を付さなければならない（買収規則6.01条(2))。ただし、任意的公開買付けにおいては、強制的公開買付けと異なり、公開買付けが成立する下限を「50％超」から上げることができ（買収規則6.01条注記5項)、その他の条件も付すことができるとされている（ただし、条件成就が買付者または共同保有者の意見などの主観や、買付者または共同保有者が支配する事象に依拠するような条件を付すことはできない）（買収規則6.02条(1)および(2))。

上記①のとおり、公開買付けにおける株式取得の対価については、現金のほか、一定の場合には有価証券による必要があるとされているが、任意的公開買付けにおいては、買付者または共同保有者が、公開買付けの開始前6カ月間または公開買付期間中に当該公開買付けにかかる株式を現金で10％以上取得していた場合、またはSCが必要と判断した場合、現金を株式取得の対価の選択肢とする必要がある（買収規則6.04条(2))。

任意的公開買付けにおける買付価格については、公開買付けの開始前3カ月間または公開買付期間中に買付者または共同保有者が対象会社株式について支払った、または支払う旨の合意をした最高価格を下回ってはならない（買収規則6.03条(2))。

③ 部分的公開買付け

部分的公開買付けとは、任意的公開買付けのうち、対象となる買収コード適用会社の株式の100％未満の株式取得を目的に行われるものである（買収規則5.02条)。特に、当該会社が外資規制の及ぶ事業を行っている場合、外資規制に違反しないようにするため部分的公開買付けを行うことが考えられる。もっ

とも、部分的公開買付けを行うためには、SCの承認を得る必要がある（買収規則5.02条）。

④　公開買付けの手続の概要

(a)　手　　続

公開買付けの手続の概要は以下のとおりである（【図表4-2】参照）。

まず、買付者は、公開買付けの公表に先立ち、対象会社の取締役会に対し通知を行い（買収規則9.01条）、対象会社からの真摯な質問に対してはこれに対する回答を行う（買収規則9.03条）。

そして、買付者は、公開買付けを行う確実な意思を有している場合、公開買付けの公表を行い（買収規則9.10条(1)(a)）、かつ、買付者は、公表後対象会社の取締役会、SCおよび証券取引所に対し[31]、買収規則に従ってオファー価格の根拠、オファーの条件その他所定事項を記載した書面による通知（以下「オファー通知」という）を行う（同9.10条(1)(b)）。対象会社の取締役会は、オファー通知を受けてから即時[32]に、オファー通知を受けた旨を公表し、かつ、7日以内にオファー通知の写しを株主に対し送付するものとされている（同条(5)）。

買付者は、オファー通知日から4日以内に、公開買付けの内容、条件の詳細を記載した書面（offer document）（以下「買付提案書」という）（後記(b)参照）をSCに提出し（同11.01条(1)(a)）、また、対象会社はオファー通知日から20日以内に、公開買付けに対する取締役会の意見を記載した回答書（offeree board circular）（以下「取締役会意見書」という）とともに、独立アドバイザーによる公開買付けに対する株主への賛否に関する見解を記載した回答書（independent adviser circular）（以下「独立アドバイザー意見書」という）を、SCに対して提出し、SCのコメントを求めるものとされる（同11.01条(1)(b)）。買付者は、オファー通知日から21日以内に、買付提案書を、対象会社の取締役、株主および株式に転換できる証券の保有者に対し発送する（同11.02条）。買付提案書の発送日から10日以内に、対象会社の取締役会は、対象会社の株主および株式

---

31)　証券取引所への通知が必要なのは、対象会社または買付者の有価証券がマレーシア国内の証券取引所に上場している場合である。

32)　買付者に公開買付けを行う義務が生じてから1時間以内に、買付者による公表と、対象会社による通知を受けた旨の公表がされなければならない（買収規則9条注記14項）。

に転換できる証券の保有者に対し取締役会意見書を交付し（同11.03条）、また、独立アドバイザーは、対象会社の取締役会、株主および株式に転換できる証券の保有者に対し独立アドバイザー意見書を交付する（同11.04条）。

公開買付期間は、買付提案書の発送日から少なくとも21日間必要であり（同12.01条(1)）、最長で当該発送日から95日間である（同条(2)）。なお、買付条件の変更は当該発送日から46日間に限り認められる（同12.03条(3)）。公開買付後にスクイーズ・アウトを行う場合の手続については、後記⑤を参照されたい。

【図表4-2】公開買付けのスケジュール（モデル）

日　　程	手　　続
Tより前	買付者による対象会社取締役会への通知
T	買付者による公開買付けの公表、対象会社・SC・証券取引所へのオファー通知 対象会社による買付者からのオファー通知を受領した旨の公表
Tから4日以内	買付者によるSCへの買付提案書の提出
Tから7日以内	対象会社による対象会社株主へのオファー通知の写しの送付
Tから21日以内	買付者による買付提案書の対象会社の取締役および株主らへの送付（この送付の日をDとする）
Dから10日以内	対象会社取締役会意見書をおよび独立したアドバイザー報告書の株主らへの交付
Dから21日以上95日以下	公開買付期間満了日

(b) 買付提案書

買付提案書に記載されるべき情報は買収規則別紙1に定められており、多岐にわたる。主要なものとして、以下のものが含まれる。

・買付者および財務アドバイザーその他買付者を代理してオファーを行う者ならびに共同保有者の主要な構成員
・買付者の主要な事業および財務情報
・対象会社の株主総会に提出された直近の会計書類記載の財務状況からの重

大な変更の有無
- 買付対価およびその根拠
- 以下の事項に関する買付者の意向
  - 対象会社の事業の継続
  - 清算、資産の売却その他対象会社の事業への重大な変更
  - 対象会社およびその子会社の従業員の雇用の継続
- オファーに付された条件
- 対象会社の株価情報
- 買付資金の十分性についての確認
- 買付者と対象会社およびその取締役または株主との間の合意内容
- 買付者の対象会社の株式の保有状況

⑤ スクイーズ・アウト（完全子会社化）

スクイーズ・アウト手法の中で公開買付けと組み合わせて用いられるのが、CMSA 222条に規定する買付者が少数株主から強制的に株式を取得することができる制度である（株式売渡請求権（Compulsory Acquisition））。

具体的には、買付者は、公開買付けを実施した後4カ月以内に、買付者または共同保有者がすでに保有している株式を除く[33]対象会社株式の90％以上の株式の保有者が応募した場合、それから2カ月以内に当該買収に反対する株主に所定の通知をすることによって、当該反対株主の株式を強制的に取得することができる（CMSA 222条(1)）。これにより、買付者は対象会社の株式の100％を取得することが可能となる。なお、株式売渡請求権を行使する場合、買付者は、原則として公開買付けによりすでに取得した株式と同一の条件（価格を含む）にて、反対株主の株式を取得しなければならない（同条(3)）。

反対株主は、株式売渡請求の通知を受領した場合、裁判所に対して当該売渡請求に対する異議を申し立てることができる。この場合、株式売渡請求権の行使の可否は裁判所の判断に委ねられることになる（CMSA 224条）。

買付者の株式売渡請求権とは逆に、反対株主は、買付者が対象会社株式の

---

[33] 公開買付前にすでに20％の対象株式を保有していた場合、残り70％を取得して合計90％にすればよいのではなく、自らの保有する分を除く株式の90％、すなわちこの例では80％の9割（72％）をさらに取得する必要がある。

90％以上を取得した場合、その保有する株式の買取りを当該買付者に請求する権利を取得する（いわゆるセルアウト権）（CMSA 223条）。当該権利を行使した場合、買付者は、原則として公開買付けと同一の条件で株式を取得しなければならない（同条(1)）。

2 新規発行株式の取得

マレーシア会社の買収方法としては、他の株主からの既発行の株式の譲受けのほか、対象会社の新株を第三者割当増資により取得することも考えられる。新株の発行には株主総会における事前の普通決議が必要となる（会社法75条(1)(a)）。

なお、上場会社の場合、新株発行に伴う株式の取得についても強制的公開買付けの規制が適用されることに留意が必要である。すなわち、買付者が買収コード・規則適用会社の新株を引き受けることにより当該会社の議決権付株式の33％超を保有することになるような場合には、SC から免除（CSMA219条）の承認を得ない限り、公開買付けを行う必要がある。買付者およびそのアドバイザーは、免除の申請を行う場合には事前に SC と相談が必要とされ（買収規則4.07条）、SC は、強制的公開買付けを受ける権利を放棄することにつき対象会社の株主総会で利害関係を有しない株主による承認が得られること等の要件を充足した場合には、免除を検討することができるとされている（同4.08条(2)）[34]。

3 スキーム・オブ・アレンジメント（SOA）および選択的減資（SCR）

マレーシアには、会社法上、２つの法人を１つに統合するという意味での合併の制度はないが[35]、組織再編に類似する制度としてスキーム・オブ・アレンジメント（SOA）が規定されており、完全子会社化の手法として用いられることがある。

SOA は、会社法365条以下に基づいて、対象会社が裁判所の許可を得て株主または債権者との合意の上進める手続であるため、当該手続を行うことについ

---

34) なお、利害関係を有しない株主による承認の手続においては、（挙手ではなく）投票によることなどのさまざまな要件が課せられている。
35) ただし、前掲（注７）参照。

て対象会社の取締役会が反対していないことが大前提となる。SOAが100％の株式取得の手法として用いられる場合には、まず買収者が対象会社の株主に対し買収の対価を支払い、それに対して対象会社が既存の対象会社株式の消却と買収者に対する新株の発行を行うことにより、対象会社を買収者の完全子会社とすることが多い。

また、買収者が買収以前から対象会社の株主である場合には、買収者以外の株主の保有する株式について払戻し（減資）を実施することで買収者による対象会社の完全子会社化を実現する選択的減資（SCR）の手法が採用されることも多い。マレーシア会社法上、減資については裁判所の許可を受けて行う場合と（会社法115条(a)項）、裁判所の許可は受けずに取締役による支払能力宣誓書（solvency statement）を作成して行う場合があり（会社法115条(b)項）、いずれの場合も株主総会の特別決議による承認も必要となる。

SOAおよびSCRは対象会社主導の手続である。SOAを行う場合、買収者の提案に対象会社の取締役会が同意した場合、対象会社は、株主総会を開催し[36]、当該株主総会において、提案されたSOAについて、決議に参加した株主のうち、株式価値（fotal value）[37]の75％以上の承認が必要であるとされている。株主総会の承認が得られた場合、対象会社は、SOAに拘束力を持たせるための申立てを裁判所に対して行い、裁判所の許可を得る。

なお、上場会社についてSOAおよびSCRにより買収を行う場合、買収コードおよび買収規則が一部適用され、SCからの承諾を得る必要があるとともに、決議要件の加重などの条件をSCから課せられうる。

4 事業譲渡

事業譲渡を用いた買収手法は、対象会社が上場会社の場合、買収者から受領した事業譲渡の対価としての金銭を用いた自己株式の取得による株主還元とともに行われることが多いようである。この買収手法もSOAと同様、対象会社

---

[36] SOAの場合、かかる株主総会の招集手続についてもまず裁判所の許可が必要になる。また、SOAの場合、裁判所はその裁量により債権者集会の開催および承認を要請することもある（会社法366条）。

[37] 対象会社が1つの種類の株式しか発行していない場合は議決権割合と同じになると解される。

の協力が得られることが大前提である。この買収手法は、たとえば以下のように行われる。

- ・買収者の対象会社に対する事業譲渡の提案
- ・買収者と対象会社による、対象会社の株主の承認が得られること等を条件とした事業譲渡契約の締結
- ・対象会社による臨時株主総会の開催、および普通決議による承認の取得
- ・譲渡の実行

対象会社が上場会社の場合、事業譲渡が「重要な処分（Major Disposal）[38]」に該当するときは、株主総会の決議要件が加重されており、出席株主保有株式数の75％以上を有する株主による承認を得ることや（上場基準10.11Ａ条(1)(d)）。メインアドバイザー[39]および独立アドバイザー[40]を任命すること等が必要となる。

4-7 買収に関連するその他の主要な規制

1 大量保有報告規制

公開会社[41]の議決権付株式の5％以上を取得した株主は、会社法137条に従い、取得日から5日（上場会社は3日）以内に対象会社に対して書面による通知[42]（Substantial Shareholding Report）を行う必要がある。また、かかる株主は、同138条に従い、保有株式について増減があった場合には、同様に、かかる増減があってから5日（上場会社は3日）以内に書面による通知を行う必要がある。

---

38) 上場会社の資産の全部または実質的に全部の資産の処分で、上場基準を満たさなくなるようなもの（上場基準10.02条）。
39) メインアドバイザーは、「重要な処分」が適用法令に従っていることを確認し、また、開示が適切になされていることを確認する（上場基準10.11Ａ条(2)）。
40) 独立アドバイザーは、「重要な処分」が公正かつ合理的なものかコメントし、また、株主に対し、「重要な処分」に賛成すべきか否かアドバイスする（上場基準10.11Ａ条(3)）。
41) 日本法と異なり上場・非上場を問わない。
42) 当該書面には、当該株主の名称、国籍、住所、保有する株式の詳細等を記載する。

2 適時開示規制等

Bursa Malaysia の上場基準第 9 章は、上場会社に広範な適時開示義務を課している。上場基準上、直ちに情報を開示が必要になり得る場合には、たとえば以下のものが含まれる（上場基準9.04条）。

・合弁契約の締結
・マネジメントの変更
・資金の借入れ
・資産の売買
・新製品の販売
・資本投資計画の変更
・労使紛争の発生
・他社株式に対する公開買付けの開始
・事業方針の変更
・Memorandum of Understanding（以下「MOU」という）の締結

上記のとおり、Bursa Malaysia の上場会社が買収に際して MOU を締結した場合には、法的拘束力の有無にかかわらず、原則としてすべて開示すべきとされている。この点、日本の上場会社が機関決定を経ずに法的拘束力のない MOU を締結する場合、内容によってはその時点では適時開示は行わない場合も多いと思われるが、MOU の相手方が Bursa Malaysia に上場している場合、その内容にかかわらず当該相手方において開示義務が生じる場合がある点に留意が必要である。

3 関係当事者取引

上場基準第10章パート E は、上場会社またはその子会社が行う、「関係当事者（related party）」の利害に直接または間接にかかわる取引を規制している。ここで「関係当事者」とは、取締役、大株主（major shareholder）、または取締役もしくは大株主と関係のある者（上場基準1.01条）を意味し、「大株主」には、議決権の10％以上を保有する株主および議決権の 5 ％以上を保有する筆頭株主が含まれる（同条・10.02条(f)）[43]。

まず、関係当事者取引において、当該取引の規模にかかる「割合」[44]のいずれかが0.25％以上となった場合、上場会社はBursa Malaysiaに対して通知を行う義務を負う（上場基準10.08条(1)）。

次に、関係当事者取引において、当該取引の規模にかかる「割合」のいずれかが5％以上となった場合、上場会社は、上記の通知に加え、以下の義務を負う（上場基準10.08条(2)）。

・上場基準に記載された書面の株主に対する交付
・株主総会における株主の承認
・独立アドバイザー[45]の指名

さらに、関係当事者取引において、当該取引の規模にかかる「割合」のいずれかが25％以上となった場合には、メインマーケットに上場する会社は上記に加え、メインアドバイザー[46]を指名しなければならない（メインマーケット上場基準10.08条(4)）。

---

43) また、関係当事者取引規制上は、取引条件合意の日から遡って6カ月間の間に大株主であった者も、大株主とみなされる（上場基準10.02条(f)）。
44) 「割合」には、以下の計算で得られる数字を百分率で表示したものが含まれる（上場基準10.02条(g)）。
　(i) 取引の対象資産の価値の上場会社の純資産に対する割合
　(ii) 取引の対象資産に帰属する純利益の上場会社の純利益に対する割合
　(iii) 取引に関連して支払いまたは受領する対価の総額の上場会社の純資産に対する割合
　(iv) 買収の対価として上場会社により発行される株式資本の発行済株式資本に対する割合
　(v) 取引に関連して支払いまたは受領する対価の総額の上場会社の全普通株式の時価に対する割合
　(vi) 取引の対象資産総額の上場会社の総資産に対する割合
　(vii) （事業提携の場合）対象となるプロジェクトの総コストの上場会社の総資産に対する割合、または（合弁会社を設立する場合）当該上場会社による合弁会社の資本参加額の上場会社の総資産に対する割合
　(viii) （5年以内に取得した資産を処分する場合）取引の対象に対し投資した総額の上場会社の純資産に対する割合
45) 独立アドバイザーは、当該取引が公正かつ合理的なものか、また少数株主の利益を害するものか否かについてコメントし、かつ、少数株主に対して当該取引を承認すべきか否かアドバイスを行う（上場基準10.08条(3)）。
46) メインアドバイザーは、当該取引が公正かつ合理的な条件で実行され、少数株主の利益を害するものではないことを上場会社にアドバイスするとともに、適用法令を遵守していることを確認する（メインマーケット上場基準10.08条(4)）。なお、メインアドバイザーはPrincipal Advisorから選任され、Recognised Principal AdvisorはSCのRecognised Principal Advisors Guidelineに従い銀行等から選任される。

4 インサイダー取引規制

マレーシアにおいては、インサイダー取引は CMSA 188条により規制されている。「インサイダー」とは、①一般に入手可能になれば合理的な人間が有価証券の価格に重大な影響があると考える情報で、一般に入手可能となっていない情報を持っており、かつ、②当該情報が一般に入手可能ではないことを知っているか、合理的に知っているべき者をいう。インサイダーは、インサイダー情報に関連する有価証券であって取引所における売買が可能なものを取得または処分してはならず、かかる合意をしてはならず、また、第三者をしてかかる行為をさせてはならないものとされている。さらに、インサイダーは、直接または間接を問わず、インサイダー情報の開示を受けた者が当該情報に関連する有価証券の取得等を行う旨を知っており、または合理的に知るべきであった場合には、かかる情報を第三者に開示してはならないとされている。インサイダー取引規制に違反した者は、10年以下の懲役および100万リンギット以上の罰金に処せられる（CMSA 188条(4)）。また、SC は、訴訟を提起することが「公益に資する」と考えた場合、インサイダー取引規制に違反した者に対して民事訴訟を提起することができる（同201条(5)・(6)）。

5 競争法による規制

マレーシア議会において、2010年5月に競争法（Competition Act 2010：以下「競争法」という）および競争委員会法（Competition Commission Act 2010：以下「競争委員会法」という）が成立し、いずれも、2012年1月1日から施行されている。競争法は、マレーシアにおける全事業分野の経済活動を網羅的に規制する初めての総合的な競争法であり、禁止対象として、反競争的合意（同法第2部第1章）および支配的地位の濫用（同法第2部第2章）を定めている。2011年4月1日には、競争委員会法に基づき競争委員会が設置され、同委員会により、2012年5月2日には市場確定に関するガイドライン、第1章禁止（反競争的合意の禁止）に関するガイドライン、および違反申告手続に関するガイドラインを、また、2012年7月26日には、第2章禁止（支配的地位濫用の禁止）に関するガイドラインがそれぞれ公表されている。さらに、2014年10月14日には、罰金に関す

るガイドライン、およびリニエンシー制度に関するガイドラインも公表された。

競争法は、マレーシアにおける M&A に直接影響を与える、たとえば株式取得にかかる事前届出義務等のいわゆる企業結合規制に関する規定はいまだ導入していないが[47]、マレーシアにおける M&A が競争制限効果を有するものとして当局による規制の対象となる可能性は否定できないものと思われる[48]。

なお、競争法は一定の法令に基づく行為には適用されないとされているところ、当該法令において事業分野を限定した企業結合規制が設けられていることがある。例として、Malaysian Aviation Commission Act 2015（「マレーシア航空委員会法」）および Communications and Multimedia Act 1998（「通信マルチメディア委員会法」）の規制対象となっている事業については競争法の適用はないとされており、これらの事業分野内における企業結合については、マレーシア航空委員会および通信マルチメディア委員会がそれぞれ発出しているガイドラインによるとされている。

---

[47] 2022年4月25日、競争委員会は競争法の改正に関するコンサルテーションペーパーを発行した。これによれば、一定の物又はサービスの市場における競争を著しく減少させることとなる企業結合を禁じる規定の創設や、一定の閾値を超える企業結合については当事企業が競争委員会に対し事前通知を行う義務を課す規定の創設などが検討されている。

[48] このことを端的に示す事案として、同国における大手航空会社である Malaysia Airlines および Air Asia の間での、それぞれの親会社である Khazanah Nasional Berhad および Tune Air Sdn Bhd 間の株式交換による株式持合いを含む提携契約に関して、2014年2月、競争委員会がこれを違法な市場分割合意に当たると判断して合計2000万リンギット（各航空会社に対して1000万リンギット）の罰金を課した事例がある（この事例はマレーシア航空委員会法制定以前の事例であるため、上記のガイドラインに服していない）。その後2016年2月、競争法上訴委員会（Competition Appeal Tribunal）が、両航空会社からの上訴を受け、上記競争委員会の決定を取り消し、競争委員会がこれに対しさらに高等裁判所（High Court）の許可を得て不服申立てを行い、2018年12月に高等裁判所は競争委員会の不服申立てを認めた。Malaysia Airlines および Air Asia はこの高等裁判所の判決を不服として上訴裁判所（Court of Appeal）に上訴を行い、2021年4月27日に上訴裁判所は高等裁判所の判決を破棄する判決を行った。競争委員会はこの判決に対する不服申立てを連邦裁判所に対し行ったが、2022年2月9日、連邦裁判所は全会一致でこの申立てを棄却した。

第5章　ベトナム

5-1　総　論

　ベトナムは、アジア新興国の中でも経済発展の著しい国の1つであるとともに、2023年には人口が1億人に到達見込みを有する大国であり、今後さらに大きく成長が期待されるマーケットとして日本企業の関心も高い[1]。ベトナムは比較的政治が安定しており、また、人口に占める若年層の割合が高く、親日派が多いことなどを背景として、日本企業にとって東南アジアにおける有望な生産・消費の拠点の1つとなっており、とりわけ近時においては、いわゆる「チャイナ・プラス・ワン」としての投資も注目度が増している。

　日本企業によるベトナムに対する直接投資は多く、日本貿易振興機構（JETRO）によると、2016年は574件で約25億ドル、2017は601件で約87億ドル、2018年は643件で約83億ドルに達した。その後、2019年は680件で約29億ドル、コロナ禍の2020年は462件で約14億ドルと減少したが、2021年には331件で約36億ドルと回復の兆しを示している。日本は常にベトナムに対する投資国上位に挙がっている。日本企業のM&Aによるベトナムへの投資は件数・金額いずれの面でも堅調である。さらに、ホーチミン証券取引所やハノイ証券取引所におけ

---

[1]　日本貿易振興機構（JETRO）が作成した「ベトナム一般概況」（2023年2月公表）によれば、2006年から2010年にかけて実質GDP成長率で年平均7.0％の高い成長を遂げた。その後、インフレ緩和のための金融引締策等による影響も受け、実質GDP成長率は若干鈍化の傾向にあったが（2011年5.9％、2012年5.0％、2013年5.4％）、2014年には6.0％、2015年には6.7％、2017年には6.8％、2018年には7.1％と安定成長を取り戻している。コロナ禍の2020年（2.9％）、2021年（2.6％）もプラス成長を堅持し、2022年の成長率は8.0％に達しており、東南アジア地域でも群を抜く成長を示している。

る取引銘柄数も増加してきている[2]。

　ただし、このように、日本企業によるベトナム企業への投資に対する関心が高まっている一方で、以下で紹介するとおり、会社買収に関する法制度については、整備が必ずしも十分ではなく、法令等の解釈・運用には曖昧な点が多いといわざるをえないのが現状である。

5-2　M&Aの手法および関連する法令・ルールの概観

1　M&Aの主な手法

　ベトナム企業を対象とするM&Aの主な手法としては、既発行株式・持分または新規発行株式・持分の取得（後記5-5の1および2参照）および資産譲渡（後記5-5の3(1)参照）が挙げられる。

　非公開会社[3]の買収に際しては、外資規制に基づく対象会社の経営範囲の調整が必要となったり、地方の計画投資局（Department of Planning and Investment：DPI）に対する承認手続等を行う必要がある（後記5-4の4参照）。これに対し、公開会社の買収の場合、非公開会社とは異なる外資規制等が適用されうる点に留意が必要である（後記5-4の3参照）。

2　M&Aに関連する法令・ルールの概観

　ベトナムにおけるM&Aを規制する主要な法令等は多岐にわたるが、最も重要なものは企業法（59/2020/QH14）、投資法（61/2020/QH14）、証券法（54/2019/QH14）、競争法（23/2018/QH14）およびこれらに関連する下位の法規範である。なお、企業法、投資法および証券法については、後記3(1)のとおり、2019年・2020年に新たな法律が成立し、2021年1月1日より施行されている。本章では、特に明記しない限り、企業法、投資法および証券法に関する記載は

2）　ホーチミン証券取引所は2000年に開設された取引所であるが、現在では、上場株式銘柄数は404社（2023年4月現在）であり、また、ハノイ証券取引所は2009年に開設され、現在では、上場株式銘柄数は342社（2023年4月現在）である。
3）　以下、第5章全般において、「非公開会社」は、後記2で詳述する「公開会社」の要件を満たさない株式会社に加え、有限責任会社を含む意味に用いる。

いずれも新たな法律に基づき、当該新法律の施行前の企業法（68/2014/QH13）、投資法（67/2014/QH13）および証券法（62/2010/QH12）に言及する場合はそれぞれ「旧企業法」、「旧投資法」および「旧証券法」と呼称し、また、それとの対比で必要に応じて新たな法律をそれぞれ「新企業法」、「新投資法」および「新証券法」と呼称することとする。

　企業法、証券法および競争法はそれぞれ日本の会社法、金融商品取引法および独占禁止法に相当する法律であり、投資法は外資規制を含む国内外からの投資を規制する法律である。ベトナムの企業買収においては、投資法に基づく投資禁止分野または条件付投資分野に関する外資規制が特に重要となる。なお、前記1のとおり、公開会社の買収の場合、非公開会社とは異なる外資規制が適用されうるところ、「公開会社」とは、以下の①・②のいずれかに該当する株式会社を指す（証券法32条1項）[4]。

① 払込済定款資本が300億ベトナムドン（注：本書執筆時点のレートで【約1億3,629万円】）以上であり、議決権付株式の10％以上を100名以上（主要株主を除く）が保有する会社
② 証券法の規定に従い、証券取引委員会（State Securities Commission）への登録を通して株式の新規公開（initial public offering）を行った会社

　上記①の要件があるため、株式の新規公開を行ったことがない会社であっても、株主数と資本が一定の規模以上であれば公開会社と取り扱われる可能性がある。M&Aの対象となるベトナム企業が公開会社である場合、公開会社に関する外資規制に加え、証券法上の公開買付規制、大量保有報告規制、開示規制およびインサイダー取引規制等が適用されることに注意を要する。

---

[4]　なお、旧証券法上は、「公開会社」とは、以下の①から③のいずれかに該当する株式会社を指す（旧証券法25条1項）。
① 株式の公募（Public Offer）を行った会社
② 株式を証券取引所（Stock Exchange）または証券取引センター（Securities Trading Center）に上場している会社
③ 100名以上の株主（機関投資家を除く）が存在し、かつ、払込済設立資本が100億ベトナムドン以上である会社

3　M&Aに関連する近時の主な法令施行

(1)　新企業法、新投資法および新証券法の施行

M&Aに関連する主要な法令である企業法、投資法および証券法については、2019年・2020年に新たな法律が成立し、(一部の規定を除き)2021年1月1日から施行されている。

新企業法では、抜本的な改正はなかったとの指摘がなされることもあるものの、法文全体の全面改正となっており、内容を子細に確認すると、有限責任会社における監査役設置強制の緩和、各意思決定機関における決議要件の変更、諸手続（企業の管理者に関する情報変更の報告等）の廃止、一定の少数株主権が認められる基準の緩和や、特定の種類の優先株主に悪影響を及ぼす事項を株主総会で決議するためには当該種類の優先株式の75％以上を保有する優先株主の同意が必要とされる点等、細かくも重要な変更が多く含まれている。

新投資法においては、外資規制が適用される事業範囲の変更、M&A承認手続（後記5-4の4(1)参照）が必要となる条件の変更等、M&Aに関連する重要な法規制が変更された。

新証券法については、前記2のとおり、公開会社の範囲が変更され、また、公開買付規制の対象（後記5-5の1(2)参照）や、株式の公募・私募、自己株式取得に関する規制等にも変更がなされた。

(2)　新競争法の施行

企業結合規制を大きく変更する新競争法が2019年7月1日より施行され、さらに企業結合規制の詳細を規定する政令35号（Decree 35/2020/ND-CP）（以下「政令35号」という）が2020年5月15日より施行されている。政令35号には相当程度に具体的な企業結合に関する規定の適用基準等が定められているものの、曖昧な文言もあり、今後の実務の動向を慎重に注視する必要がある。詳細は後記5-6のとおりである。

(3)　外国為替管理に関する新通達の施行

ベトナム法上、外国投資家によるベトナムへの一定の投資の局面では、ス

キームに応じて、ベトナム企業が開設する直接投資資本口座（Direct Investment Capital Account：DICA）または外国投資家がベトナム国内で開設する間接投資資本口座（Indirect Investment Capital Account：IICA）を経由して支払いを行う必要があるところ、外国為替管理に関する新通達（Circular 06/2019/TT-NHNN）が2019年9月6日に施行されたことにより、DICAの開設やDICAを経由した支払いが必要な場面等が変更された。

当該新通達の施行前は、投資登録証の発行を受けているベトナム企業（主として、外国投資家により設立された企業がこれに該当する）はDICAを開設しなければならず、当該ベトナム企業の株式や出資持分を取得する場合には、原則として、対象会社である当該ベトナム企業の開設口座であるDICAを経由して売主に譲渡代金を支払う必要があり、他方、それ以外のベトナム企業の株式や出資持分を取得する場合には、外国投資家の開設口座であるIICAを経由して売主に譲渡代金を支払うこととされていた。これに対して、新通達では、投資登録証の発行を受けているベトナム企業のみならず、たとえば、外国投資家により設立されたわけではない（それゆえに投資登録証の取得を求められていない）ものの、設立後の株式・出資持分の取得等の結果、定款資本の51％以上を外国投資家が保有するベトナム企業もDICAを開設しなければならないこととされるなど、ベトナムのM&Aにおける送金実務に大きな変更が生じている。

5-3 会社の種類とガバナンス

　ベトナムの会社の買収法制を検討するにあたり、まずその前提として、以下において、ベトナムではそもそもどのような企業形態が存在し、各企業形態ごとにどのようなガバナンスの構造を採用しているのかについて、概観しておくこととしたい。

1 企業法における会社の種類

　企業法上、2名以上有限責任会社（企業法第3章第1節）、1名有限責任会社（同章第2節）、株式会社（同法第5章）、国有企業（同法第4章）、合名会社（同法第6章）、および私営企業（同法第7章）の6種類の会社が規定されている。

このうち、外国投資家がベトナムにおいて会社を設立・運営する場合に通常選択される会社形態は、有限責任会社または株式会社である。

　有限責任会社は、会社の持分を有する者（社員）によって構成される社員総会（2名以上有限責任会社の場合）または唯一の社員である会社所有者（1名有限責任会社の場合）が意思決定について広範な権限を有しており（企業法55条2項・76条）、所有と経営の分離は限定的といえる。

　他方、株式会社は、日本の会社法における取締役会設置株式会社に相当する会社形態であり、株主総会に権限が留保された一定の決議事項（企業法147条2項）を除き、取締役会が会社の業務運営に関する決定を行うとされており（同法153条1項）、所有と経営の分離が図られている。

　なお、各種の会社に共通の制度として、法定代表者の設置制度がある。法定代表者とは、対外的取引や裁判上の行為を行うに際して会社を代表する個人である（企業法12条1項）。会社は、1名または複数名の法定代表者を有することができるが、少なくとも1名の法定代表者はベトナム居住者でなければならない（同条2項・3項）。

2　2名以上有限責任会社のガバナンス

(1)　社員の数・権利

　2名以上有限責任会社の社員の数は、2名以上50名以下である（企業法46条1項）。

　社員は、社員総会決議への参加権、配当受領権、残余財産分配受領権、増資時における優先出資権、法令に定める義務に違反した社員総会議長、社長、法定代表者およびその他の管理者[5]に対して民事責任追及のために裁判所に提訴する権利等を有する（企業法49条1項・72条）。

　加えて、定款資本の10％（または会社の定款に規定されるそれを下回る割合）以上の出資持分を有する社員は、社員総会の開催を要求する権利、社員総会決議に瑕疵がある場合に決議取消しを請求する権利等を有する（企業法49条2項）。

5）　合名社員、無限定責任社員、社員総会の議長、社員総会の構成員、会長、取締役会議長、取締役、社長、および会社の定款の定めによりその他の管理者の地位にある個人などを指す（企業法4条24号）。以下同じ。

(2) 機関設計
① 社員総会

　社員総会は、すべての社員で構成される2名以上有限責任会社の最高意思決定機関である。

　社員総会で決議すべき事項は法定されている（企業法55条2項・59条3項。具体的な事項は【図表5-1】参照）。法律上、社員総会は、これらの事項を決議する権利と義務を有するとされている（同法55条2項）。

　社員総会の決議方法は、社員総会における投票、書面意見集約方式[6]、または定款に定めるその他の方式による（企業法62条1項）。

　社員総会の開催頻度は定款で規定されるが、1年に最低1回は開催する必要がある（企業法55条1項）。社員総会議長は、社員総会の決議により社員から選任され（同法56条1項）、社員総会を開催し、議案および必要書類を準備する任務を負う（同条2項）。

　社員総会の定足数は、定款資本の65％以上に相当する出資持分を有する社員の出席であるが、この定足数に達しない場合には、緩和された要件で再度開催することができる（企業法58条1項・2項）[7]。

　会議による社員総会の決議要件は、普通決議については、出席社員の出資持分総額の65％を有する者の賛成であるが（企業法59条3項(a)）、特別決議については、75％以上の賛成が必要とされる（同項(b)）。なお、上記の決議要件に関しては「定款において異なる割合を定めていない場合には」という留保文言が明記されており（同項）、実務上、2名以上有限責任会社の定款において、決議要件を出席社員の出資持分総額の51％などに引き下げる旨の規定が置かれる場合も見受けられる。

---

6) 会議を開催せずに書面により社員の議案についての賛否の意見を集約し、当該意見に基づき決議を行う方式。この方式による場合、定款に別段の定めがある場合を除き、定款資本の65％以上で定款で定める割合に相当する出資持分を有する社員の賛成が必要とされ（企業法59条5項）、普通決議・特別決議の違いはない。

7) 定款に異なる定めがない限り、定数に達しないため15日以内に再度開催する場合は、資本金の50％以上に相当する出資持分を有する社員の出席、さらに定足数に達しないため10日以内に再度開催する場合は、定足数の要件はない（企業法58条2項）。なお、社員総会の出席方法としては、社員（または議決権行使の代理人）による社員総会の出席のみならず、オンライン会議や電子投票等による投票や郵便・ファクシミリ・電子メールによる投票を行った場合にも社員総会に出席したものとされる（同法59条4項）。

【図表5-1】 2名以上有限責任会社の主な社員総会決議事項

普通決議事項 （出席社員の出資持分総額の65％以上の賛成）	i. 会社の年次事業計画および事業戦略 [※] ii. 増資・減資および追加出資の時期・方法の決定、社債発行の決定 iii. 会社の投資・開発プロジェクトの決定、市場開拓および技術移転の方法に関する決定 iv. 直近に公表された財務諸表上の総資産の50％（または定款に規定するそれよりも低い割合もしくは価額）以上の価値を有する金銭消費貸借または定款に規定するその他の契約の承認 v. 社員総会議長の選解任、ならびに、社長、会計主任、監査役その他の定款に定める管理者の選解任およびそれらの者との契約の締結・終了 [※] vi. 社員総会議長、社長、会計主任その他の定款に定める管理者の報酬、賞与その他の経済的利益についての決定 vii. 年次財務諸表、利益処分案および損失処理案の承認 [※] viii. 会社の機関・経営の設計に関する事項 ix. 子会社、支店および駐在員事務所の設置 x. 定款記載事項の変更・追加 [※] xi. 破産の申立て xii. 企業法および定款記載のその他の決議事項
特別決議事項 （出席社員の出資持分総額の75％以上の賛成）	i. 直近の財務諸表記載の総資産の50％（または定款に規定するそれよりも低い割合もしくは価額）以上の価値を有する資産の売却 ii. 定款の変更・追加 [※] iii. 組織再編行為[8][※] iv. 解散の決定 [※]

※(a)定款の変更・追加、(b)会社の事業戦略の決定、(c)社員総会議長、社長または総社長の選解任、(d)年次財務諸表の承認、(e)組織再編行為、および(f)解散の決定は、定款に別段の定めがある場合を除き、書面意見集約方式によることはできず、会議による社員総会で決議を行う必要がある（企業法59条2項）。

---

[8] 組織再編行為には、消滅分割、存続分割、新設合併、吸収合併のほか、会社形態の転換が含まれる（企業法4条31項）。

決議要件に関しては、企業法上、2名以上有限責任会社における利害関係人取引について特別な規制が設けられている。すなわち、会社と以下の者との間の契約・取引については、契約・取引の締結者は、取引の相手方、関係する利害関係、および契約書案または取引の主要条件を各社員・監査役に通知したうえで、定款に別段の定めがない限り、当該通知を受けた日から15日以内に社員総会の承認を得なければならない（企業法67条1項・2項）。
　　i　社員、社員の委任代表者、社長、法定代表者、またはこれらの者の関係者[9]
　　ii　親会社の管理者、親会社の管理者の選任権を有する者、またはこれらの者の関係者

　なお、利害関係人取引に関する社員総会の決議要件は、旧企業法では、普通決議要件・特別決議要件とは異なり、出席社員の出資持分総額を基準とするのではなく、議決権を行使できる社員の出資持分総額の65％以上の賛成が必要とされていたが、新企業法では、定款で別段の定めがない限り、新企業法59条3項に従った決議が必要である旨に改められた（つまり、通常の決議要件と同様で足りる趣旨と考えられる）。ただし、当該利益相反取引に利害関係を有する社員は議決権がないものとして決議要件を計算しなければならない（企業法67条2項）[10]。

②　社　　長

　社長は、社員総会において選任され、必ずしも社員である必要はない（企業法59条2項(c)・64条参照）。社員総会議長との兼務も可能である（同法56条1項）。社長は、社員総会で決議された事項を遂行するほか、日常業務の処理や会社名

---

9)　「関係者」とは、(a)親会社、親会社の管理者もしくは法定代表者または管理者を選任する権限を有する者、(b)子会社、子会社の管理者または法定代表者、(c)株式の所有もしくは取得、一部の資本拠出または会社の決定の発行を通じて対象会社の活動をコントロールできる個人・組織または個人・組織の集団、(d)会社の管理者、法定代表者または監査役、(e)会社の管理者、法定代表者、監査役または支配株主・社員の配偶者・父母・養父母・実子・養子・兄弟姉妹、(f)上記(a)～(c)に列挙される者の代理・代表権限を有する個人、および(g)上記(a)～(f)に該当する個人、会社、組織が株式・持分を有し、経営機関の意思決定をコントロールすることができる会社をいう（企業法4条23項）。
10)　この手続を経ずに締結され、会社に損害を及ぼす契約・取引は裁判所の決定に従い無効とされ、契約・取引の締結者や関係する社員等は会社に対して損害賠償責任を負い、また当該契約・取引により得た利益を会社に返還しなければならない（企業法67条3項）。

義での契約の締結、従業員の雇用などの権限および義務を有する（同法63条）。

③ 監査役会

監査役会は、国が定款資本の100％を保有する企業を除く国有企業である2名以上有限責任会社または国有企業の子会社である2名以上有限責任会社に設置が義務づけられるが、その他の2名以上有限責任会社の場合は、設置は任意である（企業法54条2項）[11]。

④ 法定代表者

2名以上有限責任会社は、1名または複数名の法定代表者を有することができるが、少なくとも1名の法定代表者はベトナム居住者でなければならない（企業法13条2項・3項）。2名以上有限責任会社は、1名以上の社員総会議長または社長を兼務した法定代表者を有さなければならず、定款に特に定めがないときは、社員総会議長がその会社の法定代表者となる（同法54条3項）[12]。

3　1名有限責任会社のガバナンス

(1)　会社所有者の権利

1名有限責任会社は、1名の「会社所有者」と称される社員により所有される有限責任会社である。「会社所有者」は1名有限責任会社の社員であり、個人のみならず組織もなることができ、出資した額の範囲内で会社の債務等について責任を負う（有限責任）（企業法74条1項）。

1名有限責任会社は、2名以上有限責任会社よりもさらに所有と経営が分離していない会社形態であり、会社所有者には広範な権限が認められている。会社所有者の権限は、会社所有者が個人の場合（個人所有型）と組織の場合（組織所有型）で異なり、具体的には【図表5-2】のとおりである（企業法76条）。なお、下記(3)のとおり、組織所有型で社員総会を設置している場合には、【図表5-2】の組織所有型の会社所有者の権限事項は、定款に別途定めない限り、社員総会の決議により決定することとなる（同法80条1項・2項）。

---

[11] 新企業法における改正事項。旧企業法では、社員の数が11名以上存する場合には監査役会の設置が義務付けられていた。

[12] 新企業法における改正事項。旧企業法では、2名以上有限責任会社に関して、法定代表者と社員総会議長や社長の兼務に関するルールはなかった。

【図表5-2】 1名有限責任会社の会社所有者の権限

個人所有型の会社所有者の権限	組織所有型の会社所有者の権限
ⅰ．定款内容の決定、変更・追加 ⅱ．増資、出資持分の一部または全部の他の組織・個人への譲渡の決定、社債発行の決定 ⅲ．納税義務等の財務上の義務を果たした後の利益使用の決定 ⅳ．組織再編行為、解散、破産申立ての決定 ⅴ．会社の解散・破産後の会社財産価額の回収 ⅵ．企業法・定款記載の他の権利 ⅶ．投資・経営・内部管理の決定（定款に異なる定めがある場合を除く）	ⅰ．定款内容の決定、変更・追加 ⅱ．事業戦略・年次事業計画の決定 ⅲ．機関・管理体制の決定、管理者の選解任 ⅳ．投資・開発プロジェクトの決定 ⅴ．市場開発・マーケティング・技術の対策の決定 ⅵ．直近の財務諸表上の総資産の50％（または定款に定めるそれよりも低い割合もしくは価額）以上の価値を有する金銭消費貸借契約、資産の売却に係る契約、または定款に規定する他の契約の承認 ⅶ．財務諸表の承認 ⅷ．増資、出資持分の一部または全部の他の組織・個人への譲渡の決定、社債発行の決定 ⅸ．子会社の設立、他の会社への出資の決定 ⅹ．会社の事業活動の監督・評価 ⅺ．納税義務等の財務上の義務を果たした後の利益使用の決定 ⅻ．組織再編行為、解散、破産申立ての決定 ⅹⅲ．会社の解散・破産後の会社財産価額の回収 ⅹⅳ．企業法・定款記載の他の権利

(2) 個人所有型の場合

個人所有型の1名有限責任会社の機関は、会長と社長のみである（企業法85条1項・2項）。会長は、社長を兼務することも可能であり（同条2項）、会社所有者の名義で会社所有者の各権利を行使することができる（同法81条1項）。社長は、会社の日常的な経営活動を運営する者として、会長が決定した事項を

遂行するほか、日常業務の処理や契約の締結、従業員の雇用などの権限・義務を有する（同法82条1項・2項）。法定代表者は定款の規定によって定められ、実務上、社長が務めることが多い。

(3) 組織所有型の場合

会社所有者が組織の場合、会社所有者は、その権利および義務を遂行するために、1名または複数（3名から7名）の所有者代理人を選任することができ、複数の所有者代理人を選任する場合には社員総会を設置することになる（企業法79条1項(b)・80条1項）。所有者代理人の任期は5年を超えてはならない（同法80条1項）。組織所有型の1名有限責任会社の機関構成は、この所有者代理人が1名選任されるか複数選任されるかにより異なり、①所有者代理人が1名選任される場合には、会長および社長により構成され（同法79条1項(a)）、②所有者代理人が複数選任される場合には、所有者代理人全員で構成する社員総会および社長により構成される（同項(b)）。なお、会社所有者が国有企業である場合は監査役会の設置が義務づけられるが、これら以外の場合は監査役会の設置は任意である（同条2項）[13]。

会長は、会社所有者のために、会社所有者の権利および義務を遂行する（企業法81条）。

社員総会は、会社所有者のために、会社所有者の権利および義務を遂行し（企業法80条1項）、その決議事項は定款に規定される（同条2項）。会議による社員総会の決議要件は出席者の過半数の賛成であるが、定款の変更・追加、会社の組織再編、および出資持分の一部または全部の譲渡については、社員総会出席者の4分の3以上の賛成または総議決権の4分の3以上を保有する出席者の賛成が必要となる（同条6項）。また、書面意見集約方式による決議も可能である（同条5項）。

社長は、5年以内の任期で社員総会によって選任され、社員総会が決定した事項を遂行し、日常業務を処理する（企業法82条）。

なお、1名有限責任会社は、社員総会議長、会長または社長を務める法定代

13）新企業法における改正事項。旧企業法では、組織所有型1名有限責任会社の場合、少なくとも監査役の選任は必須であった。

表者を1名有さなければならず、会社の定款に異なる定めがない場合、社員総会議長または会長が法定代表者を務めることとされているが（企業法79条3項）、実務上は、社長が務めることが多い。

4　株式会社のガバナンス

(1)　株主の数・権利

株式会社の株主数は、最低3名必要であるが、上限はない（企業法111条1項(b)）。株主は出資額の範囲においてのみ責任を負う（同項(c)）。

株主は、株主総会決議への参加権、配当受領権、新株引受権、株主リスト・株主総会議事録の閲覧・謄写権、および残余財産分配受領権を有する（企業法115条1項）。また、普通株式の数の1％以上を保有する株主は、取締役等の責任追及に係る代表訴訟提起権を有する（同法166条）。さらに、少数株主権として、普通株式総数の5％（または会社の定款に規定されるそれを下回る割合）以上を保有する者には、一定の場合[14]に株主総会の開催を要求する権利等が（同法115条2項）[15]、普通株式総数の10％（または会社の定款に規定されるそれを下回る割合）以上を保有する者には、取締役会と監査役会への人事の推薦権限が付与されている（同条5項）。

(2)　機関設計

①　機関設計の選択肢

企業法上、株式会社は、【図表5-3】の2つのパターンの中から機関設計を選択することができる（企業法137条1項）。なお、以下では非公開会社の機関について説明する。公開会社については、証券法等の規定が適用され、常に社外取締役の設置が必要となり、また非公開会社よりも任命すべき独立取締役の数（割合）が多いなど、機関設計のルールが異なるが、その詳細については、後記(3)を参照されたい。

---

[14]　取締役会が株主の権利に関して、もしくは管理者の義務に対して重大な違反を行い、または与えられた権限を越えた決定をした場合などが含まれる（企業法114条3項）。

[15]　新企業法における改正事項。旧企業法では、同法114条2項や同法161条1項において、所定割合株式の6か月継続保有要件が規定されていた。

【図表5-3】株式会社（非公開会社）の機関設計

パターン①	パターン②
・株主総会 ・取締役会 ・監査役会（※） ・社長 ※ 株主数が11名未満であり、かつ法人株主の株式保有割合の合計が50％未満の場合、監査役会の設置は任意	・株主総会 ・取締役会（※） ・社長 ※ 取締役の20％以上は独立取締役であることが必要、かつ、下部組織として監査委員会の設置が必要

　機関設計として【図表5-3】のパターン②を選択した場合、取締役の20％以上が「独立取締役」[16]である必要があり、独立取締役は会社運営の監査・管理機能を果たす。

　② 株主総会

　株主総会で決議すべき事項は法定されている（企業法138条2項・147条2項。具体的な事項は【図表5-4】参照）。法律上、株主総会はこれらの事項を決議する権利と義務を有する（同法138条2項）。

　株主総会決議事項の決議方法は、株主総会を開催し投票を行う方式と株主からの書面意見集約方式が認められている。ただし、定款の変更・追加、会社の事業戦略の決定、発行可能株式の種類・数の決定、取締役・監査役の選解任、直近の財務諸表上の総資産の35％以上の価値（定款に他の割合または価額が定められている場合を除く）を有する資産の売却または投資決定、年次財務諸表の承認、組織再編行為、解散の決定は、定款に別段の定めがある場合を除き、会議による株主総会により決議をする必要があり（同法147条2項）、書面意見集

---

16) 独立取締役は、以下の要件を満たす必要がある（企業法155条2項）。
　(a) 会社、親会社または子会社において現在業務に従事しておらず、また、少なくとも過去3年間に会社、親会社または子会社において業務に従事していなかったこと
　(b) 取締役として社内規定に基づき受領する手当を除き、会社から給与・報酬を現在得ていないこと
　(c) 配偶者、父母、養父母、実子、養子、兄弟姉妹が会社の主要株主、または会社もしくはその子会社の管理者ではないこと
　(d) 直接または間接を問わず、会社の議決権の1％以上を保有していないこと
　(e) 少なくとも過去5年間に会社の取締役または監査役ではなかったこと（2期連続で指名された場合を除く）

【図表5-4】株式会社の主な株主総会決議事項

普通決議事項[17] (出席株主の議決権の過半数の賛成)	i. 会社の事業戦略の決定(※) ii. 各種類の株式の年次配当率の決定 iii. 取締役および監査役の選解任(※) iv. 定款の変更・追加(経営分野、業種および領域の変更を除く)(※) v. 年次財務諸表の承認(※) vi. 各種類の発行済株式総数の10％を超える自己株式取得 vii. 会社および株主に損害を与えた取締役または監査役の違反行為に関する処分の決定 viii. 取締役会および監査役会の予算または報酬、賞与およびその他の経済的利益の総額の決定 ix. 内部管理規則および取締役会および監査役会の運営規則の承認 x. 独立監査法人のリストの承認、会社の活動の監査を行う独立監査人の決定、必要な場合の独立監査人の解任 xi. その他企業法および定款の記載の決議事項
特別決議事項 (出席株主の議決権の65％以上の賛成)	i. 発行可能株式の種類・数の決定(※) ii. (定款の記載事項のうち)経営分野、業種および領域の変更(※) iii. 会社の機関設計の変更 iv. 直近の財務諸表上の総資産の35％以上の価値(定款に他の割合または価額が定められている場合を除く)を有する資産の売却または投資の決定(※) v. 組織再編行為(※) vi. 解散の決定(※) vii. その他定款に記載の決議事項

※定款に別段の定めがある場合を除き、これらの事項は書面意見集約方式によることはできず、会議による株主総会で決議を行う必要がある。

約方式によることはできない。会議による株主総会を開催し投票を行う方式を採用する場合、株主総会に出席できない株主は、代理人の出席、電子的形式、郵便、ファクシミリ、電子メールまたは定款に定められた他の方法[18]により投

---

17) 普通決議事項で列挙されている事項のうちviii、ix、xは、新企業法で追加された事項である(企業法138条2項(k)～(m))。
18) 新企業法における改正事項。旧企業法においては、「定款で定められた他の方法」による投票は認められていなかった。

票用紙を送ることにより投票することが可能である（同法144条3項）。

定時株主総会は、原則として会計年度の終了時から4カ月以内に開催され（企業法139条2項）、臨時株主総会は、必要に応じて取締役会が招集する（同法140条1項）。招集通知は、議題とともに書面で株主総会の21日以上前に送付され（同法143条）[19]、株主総会の議長は、取締役会の議長が務めるか、または取締役会の議長が他の取締役を株主総会の議長として授権する（同法146条2項(a)）。

会議による株主総会の定足数は、議決権付株式の過半数[20]を保有する株主の出席であるが、この定足数に達しない場合には、緩和された定足数の要件で再度開催することができる[21]（企業法145条1項）。決議要件は、普通決議については、出席株主の有する議決権付株式の過半数の賛成[22]であるが（企業法148条2項）、特別決議については、65％以上の賛成が必要とされる（同法148条1項）。

2名以上有限責任会社と同様、株式会社は、株主総会の決議方法として、物理的な会議による株主総会の開催の他に、議案について株主から書面で賛成・反対等の意見を得ることにより決議を行うこと（書面意見集約方式）も可能である。書面意見集約方式の決議要件は、株式会社の議決権総数の過半数（50％超）[23]（定款でより大きな割合を定める場合はその割合）を有する株主の賛成であり（企業法148条4項）、普通決議・特別決議の違いはない。

利害関係人取引に関しても、2名以上有限責任会社と同様、その承認につき特別な規制が設けられている。すなわち、会社と以下の者との間の契約・取引については、当該契約・取引の価値が直近の財務諸表記載の総資産の35％（または定款に定めるそれよりも低い割合または価額）未満である場合には取締役会の承認を、それ以外の契約・取引については株主総会の承認を得なければなら

---

19) 新企業法における改正事項。旧企業法では招集通知の通知期間は10日以上前とされていた。
20) 新企業法における改正事項。旧企業法では定足数は51％とされていた。
21) 定足数に達しないため30日以内に再度開催する場合は、議決権株式の33％以上を保有する株主の出席、さらに定足数に達しないため20日以内に再度開催する場合は、定足数の要件はない（企業法145条1項～3項）。
22) 新企業法における改正事項。旧企業法では決議要件は51％以上とされていた。
23) 新企業法における改正事項。旧企業法では、書面意見集約方式の決議要件は51％以上とされていた。

ない（企業法167条1項・2項・2項(a)・164条2項)[24]。
 i 株式会社の普通株式総数の10％超を保有する株主、株主の委任代表者またはこれらの者の関係者
 ii 取締役、社長またはこれらの者の関係者
 iii (a)取締役、監査役、社長その他の管理者が株式・持分を保有する会社、または(b)これらの管理者の関係者が共同または単独で定款資本の10％超の株式・持分を保有する会社

また、新企業法では、直近の財務諸表記載の総資産の10％を超える借入・貸付または資産の売却に係る契約または取引を、会社の総議決権付株式の51％以上を有する株主またはその関係者との間で行う場合も、株主総会決議による承認が必要とされた（企業法167条3項(b)）。

利害関係人取引を承認する株主総会決議の決議要件は、旧企業法では、普通決議要件・特別決議要件とは異なり、出席株主の議決権数を基準とするのではなく、議決権を行使できる株主の総議決権数の65％以上の賛成が必要とされていたが、新企業法では、定款に別段の定めがない限り、新企業法148条1項および4項に従った決議、すなわち特別決議要件または書面意見集約方式による決議が必要である旨に改められた。ただし、当該利害関係人取引に利害関係を有する株主は議決権を有さず、決議要件の計算における議決権総数に当該株主の議決権は含まれない（企業法167条4項）。

③ 取締役会

株式会社の取締役の人数は3名以上11名以下である（企業法154条1項）。取締役の任期は5年以内で、再任可能である（同条2項）。取締役会は、【図表5-5】に記載の事項を決定する権利と義務を有する（同法153条1項・2項）。

---

[24] 以上の手続を経ずに締結され、会社に損害を及ぼす契約・取引は無効とされ、契約・取引の締結者や関係する株主等は会社に対して損害賠償責任を負い、また当該契約・取引により得た利益を会社に返還しなければならない（企業法167条5項）。

【図表5-5】主な取締役会決議事項

ⅰ.	会社の中期事業戦略、年次事業計画の決定
ⅱ.	発行可能株式の種類・数の提案
ⅲ.	発行可能株式数の範囲内での新株発行その他の資金調達方法の決定
ⅳ.	発行する株式または社債の発行価格の決定
ⅴ.	企業法133条1項および同条2項に従った自己株式取得の決定
ⅵ.	法令に従った投資計画の決定
ⅶ.	市場拡大、マーケティング、技術に関する対策の決定
ⅷ.	直近の財務諸表上の総資産の35％以上の価値に相当する売買、借入、貸付その他の契約または取引の決定(ただし、定款が異なる割合・価値を定めた場合と以下の取引は除き、以下の取引は株主総会決議による)
	(a) 直近の財務諸表上の総資産の35％以上の価値(定款に他の割合または価額が定められている場合を除く)を有する資産の売却または投資の決定
	(b) 企業法167条1項および同条3項に従い株主総会で承認される利害関係人取引
ⅸ.	取締役会議長、社長その他の定款に定める重要な管理者の選解任、およびこれらの者の報酬、賞与その他の経済的利益の額の決定
ⅹ.	他の会社の社員総会または株主総会に出席する委任代表者の選定およびその報酬、賞与その他の経済的利益の額の決定
ⅺ.	日常的な経営に関する社長その他の管理者の監督・指導
ⅻ.	社内の組織構成・社内規程に関する決定
ⅹⅲ.	子会社、支店または営業所の設立の決定
ⅹⅳ.	他の会社の株式・持分の取得の決定
ⅹⅴ.	株主総会の議案・資料内容の決定
ⅹⅵ.	株主総会の招集、書面意見集約方式による株主総会決議を行う旨の決定
ⅹⅶ.	株主総会への年次財務諸表の提出
ⅹⅷ.	配当率の提案、配当の支払日および支払手続、事業運営により損失が生じた場合の処理の決定
ⅹⅸ.	組織再編行為、解散の提案
ⅹⅹ.	破産の申立て
ⅹⅹⅰ.	その他企業法・定款記載の決議事項

　取締役会は、3カ月に1回以上開催する必要がある(企業法157条2項)。

　取締役会の定足数は、全取締役の4分の3以上の出席であるが(企業法157条8項)、かかる定足数に達しない場合には緩和された定足数の要件で再度開催することができる[25]。取締役会に直接出席することができない取締役は、(a)

オンライン会議に出席し投票するまたはその他の類似する形式により投票を行う、または、(b)郵便、ファクシミリ、電子メールまたは定款に定められた他の方法[26]で書面を送付することにより投票することができるほか、(c)取締役の過半数の同意があれば他の者を出席させることもできる（同条9項・11項）。決議要件は、出席取締役の過半数の賛成であり、賛否同数の場合は、取締役会の議長が決定権を有する（同条12項）。また、取締役会は、株主総会と同様、定款の定めに従い書面意見集約方式で決議を行うことが可能である（同法153条3項）。

会社と取締役等の一定の者との間の利害関係人取引については、当該取引の価値が直近の財務諸表記載の総資産の35％（または定款に定めるそれよりも低い割合）未満である場合には、契約に署名する会社代表者からの通知の受領日から15日以内に取締役会で承認する必要があり、この場合、利害関係を有する取締役を除いた他の取締役の過半数の賛成が必要となる（同法167条2項）。

④　社　　長

社長は、取締役会が取締役の中からまたは他の者を任命して選任する（企業法162条1項）。社長は、取締役会の決議に沿って業務を遂行するほか、その決議を要しない日常業務も処理する（同条2項）。

⑤　監査役会

株式会社は、原則として監査役会を設置しなければならない。例外として、(a)株主が11人未満であり、かつ、法人株主の株式保有割合の合計が50％未満の場合（企業法137条1項(a)）、または、(b)取締役の20％以上が独立取締役であり、かつ、取締役会に直属する監査委員会を設置する場合（同項(b)）には、監査役会の設置は不要である。

監査役会は、取締役会および社長の業務遂行を監督する（企業法170条1項）。監査役の人数は3名以上5名以下である必要があり、監査役の任期は5年を超えてはならないが、監査役の再任は可能であり、再任回数に制限はない

---

25)　定足数に達しないため7日以内に再度開催する場合は全取締役の過半数の出席で足りる（企業法157条8項）。
26)　新企業法における改正事項。旧企業法においては、「定款で定められた他の方法」による投票は認められていなかった。

(同法168条1項)。

監査役会は、取締役会および社長による業務の監督、事業運営の合理性・適法性の審査、財務諸表等の各種書類の審査、定時株主総会への監査報告書の提出、会社の内部監査等の権利・義務を有するものとされる（企業法170条)。

⑥ 法定代表者

株式会社に法定代表者が1名しかいない場合、取締役会議長または社長が会社の法定代表者となるが、定款に異なる定めのない限り、取締役会議長が会社の法定代表者となる（企業法137条2項)。2名以上の法定代表者がいる場合、取締役会議長および社長が法定代表者となる（同項)。なお、実務上、法定代表者を1名とする場合には、社長が法定代表者を務めることが多い。

(3) 公開会社の機関設計

株式会社が公開会社である場合には、ステイクホルダーがより広範囲に及び、また相対的に事業規模も大きいことなどから、証券法の施行細則を定める政令（Decree 155/2020/ND-CP）（以下「証券法の施行細則を定める政令」という。）により、コーポレート・ガバナンスの強化が図られている[27]。

① 取締役会・取締役

公開会社の取締役の人数は、非公開会社と同様に3名以上11名以下の範囲内で決められるが（証券法の施行細則を定める政令276条1項)、取締役のうち少なくとも3分の1は「社外取締役」である必要がある（同条2項)。「社外取締役」とは、社長、副社長、会計主任または定款に定められたその他の管理職のいずれの役職にも就いていない取締役を指す（同政令3条56項)。

公開会社のうち、上場会社ではなく監査役会を設置していない公開会社については、非公開会社と同様に取締役の20％以上が独立取締役である必要がある（証券法の施行細則を定める政令276条2項)[28]。他方、上場会社については、

---

[27] なお、情報開示に関しても、証券市場の情報開示に関する通達（Circular 96/2020/TT-BTC）が存在し、定期開示、適時開示に関する規律を通じて、公開会社のコーポレート・ガバナンスの強化の大きな柱の1つとなっているが、ここでは、機関設計のみに焦点を置いて説明する。

[28] 取締役の人数が5名未満である場合には、少なくとも1名の取締役が独立取締役でなければならない（証券法の施行細則を定める政令276条2項)。

取締役の数が3～5名の場合は1名以上、取締役の数が6～8名の場合は2名以上、取締役の数が9～11名の場合は3名以上が独立取締役でなければならない（同条4項）。

また、前記(2)のとおり、企業法は、利害関係人取引について取締役の利害関係の開示義務や取締役会または株主総会による承認などに関する規制を設けているが、公開会社については、証券法の施行細則を定める政令においてさらなる規制が設けられている。たとえば、取締役は、(a)公開会社、その子会社その他公開会社および当該利害関係人が定款資本の50％超を支配している会社と(b)当該取締役またはその関係者との間の取引を取締役会および監査役会に通知する義務を負い、かつ、公開会社は当該取引に対する株主総会または取締役会の承認に関する情報を公表しなければならない（証券法の施行細則を定める政令291条3項）。また、公開会社は、株主総会の承認がない限り、原則として取締役に対して貸付や保証を提供することができない（同政令293条4項(a)）。

② 監査役会・監査役

公開会社の監査役については、独立性の確保の観点から、企業法上の条件に加えて、さらに以下の要件を満たすことが求められている（証券法の施行細則を定める政令286条2項）。

(a) 当該公開会社の経理・財務部門に所属していないこと
(b) 過去3年間において当該公開会社の財務諸表監査を行った監査法人に所属していないこと

企業法では株式会社の監査役会の開催頻度や定足数について特段規定されていないが、公開会社の監査役会に関しては、少なくとも年に2回は開催しなければならず、また定足数は監査役の3分の2以上の出席が求められている（証券法の施行細則を定める政令289条1項）。

前記①記載の取締役に関する利害関係人取引規制は公開会社の監査役にも適用され、同様に、監査役は会社等との間の取引の通知義務、会社は当該取引の公表義務を負い（証券法の施行細則を定める政令291条3項）、また監査役に対する貸付け・保証の提供は株主総会の承認がない限り原則禁止される（同政令293条4項(a)）。

5-4　外資規制の概要

1　外資規制の概要

　前記5-2の2のとおり、外国企業がベトナム企業の買収を計画する際には、まず、外資規制を慎重に検討する必要がある。これにより、そもそも買収が可能かどうか、可能としてどの割合まで買収することができるかが決定されることになるからである。ベトナム企業の買収に関する外資規制には、大別して、特定の業種に関して適用される外資規制、公開会社の買収に適用される証券法に基づく規制、および非公開会社の買収に適用のある手続規制があり、それぞれについて検討する必要がある。

2　特定の業種に関して適用される外資規制

　業種ごとに適用される外資規制に関する主要な法源としては、投資法・WTO加盟文書・ベトナムとの間で締結されている投資協定・経済連携協定がある。

(1)　投資禁止分野・条件付投資分野・重大プロジェクト

　投資法は、内外投資家を問わず、投資禁止分野として投資が禁止される業種、および条件付投資分野として投資について制限を受ける業種をリストアップしている。

　投資禁止分野（投資法6条）としては、たとえば、麻薬に関する業種や、売春、人身等の売買に関する業種、債権回収[29]などが列挙されており、これらに該当する場合には、そもそも内外投資家を問わず投資が禁止されることになる。

　条件付投資分野とは、国防、国家の治安、社会の秩序、安全、社会道徳、市民の健康を理由として、当該分野について経営投資活動を実施するには一定の

---

[29]　「債権回収」事業は、新投資法において新たに投資禁止分野に追加されたが、この投資禁止分野に該当する「債権回収」事業の具体的範囲については、新投資法および同法の施行細則を定める政令上は必ずしも明らかではなく、これに該当し得る事業分野への投資を検討する際には慎重な見極めが必要である。

条件を満たさなければならない分野をいう（投資法7条1項）。投資法上、条件付投資分野に該当する具体的な事業分野として同法別表4に227種の業種が定められており、たとえば、銀行業・金融関連の分野、不動産業の分野、書籍等の印刷・出版の分野、教育・訓練事業分野等の業種が含まれる。これらに該当する場合には、外資出資比率に関する規制などの一定の条件が付されることになる。

また、投資法の施行細則を定める政令（Decree 31/2021/ND-CP）（以下「投資法の施行細則を定める政令」という。）は、上述の、内外投資家を問わず適用される投資禁止分野・条件付投資分野とは別に、外国投資家またはみなし外国投資家[30]（以下「外国投資家等」という）による市場参入が制限される業種のリストを指定している。具体的には、同政令別表1において、外国投資家等による市場参入が禁止される業種（25種）および外国投資家等による市場参入が条件付きで認められる業種（59種）を指定している。もっとも、本書執筆時点において、同リスト上には、外国投資家等による市場参入が禁止ないし条件付きとなる事業内容が列挙されているにとどまり、条件付きの事業内容に関して適用される外国投資家等による出資比率や投資形態などの具体的条件については定めがない。

さらに、原子力発電所の建設や空港の建設、工業団地のインフラ設備の工事・運営または所定の条件を充足する住居開発プロジェクト[31]などのベトナム

---

[30] 投資法上、外国投資家とは、外国籍の個人または外国法に基づいて設立された組織でベトナムで事業活動を行う者と定義されている（投資法3条19号）。これに加えて、以下のいずれかに該当する、外国投資家の出資を受け入れているベトナムで設立された法人（外国投資企業）がベトナム法人の設立・投資等を行う場合にも、原則として外資規制の対象となりうる（投資法23条1項）。
(a) 外国投資家の出資比率50％超
(b) 上記(a)の外国投資企業の出資比率50％超
(c) 外国投資家および上記(a)の外国投資企業の出資比率50％超
　以下では、この要件を満たす外国投資企業を、みなし外国投資家と呼ぶこととする。なお、このように、投資法の文言上、外資規制の対象は、外国投資家とその子会社（上記(a)）および外国投資家が当該子会社とともにまたはこれを通じて間接的に支配する会社（上記(b)(c)）に限定されており、外国投資家が支配するベトナムで設立された法人については、二層までは外国投資家扱いされることが条文上明示されている。実務上、この投資法上の外資規制の適用を回避するために、買収対象のベトナム法人の上位に持株会社たるベトナム法人を三層以上に介在させたうえで、当該最上位の持株会社の持分ないし株式を取得する手法が検討されることがある。

に対して特に影響の大きいプロジェクト（以下「重大プロジェクト」という）に対して投資を行う場合には、プロジェクトの内容に応じて、当該投資に係る国会、首相または省級人民委員会の事前承認を取得する必要がある（投資法29条〜32条）。なお、国会または首相の事前承認が必要とされるプロジェクトの申請先は計画投資省（同法34条1項、35条1項）、省級人民委員会の事前承認が必要とされるプロジェクトの申請先は投資登録証発行当局（後記5-4の4参照）である（同法36条1項）。

(2) WTO加盟文書

　サービス業に関しては、ベトナムがWTOに加盟した際のコミットメント文書（以下「WTO加盟文書」という）が重要である。ベトナムでは、WTO加盟文書に従い、外資規制が段階的に緩和されており、すでに多くの業種において外資による100％の投資が認められているが、現在においても、WTO加盟文書およびこれに基づく国内法上、外資の参入についての特別な規制が存在する。

　ただし、WTO加盟文書がすべてのサービス業を網羅的にカバーしているわけではないので、WTO加盟文書に規定されていない業種については、管轄行政当局の裁量によって許認可の判断が下されることになる。もっとも、過去に外資企業が進出した前例のある業種については、許認可を取ることは比較的難しくないとも言われる。

(3) 日越投資協定

　外国投資家の属する国家とベトナムとの間で投資協定が存在する場合には、当該投資協定の適用によって許認可を取得できるケースもある。日本の場合に

---

31) 都市部における土地面積が50ha以上または土地面積が50ha未満でも人口規模が1万5,000人以上のプロジェクト、非都市部における土地面積が100ha以上または土地使用面積が100ha未満でも人口規模が1万人以上のプロジェクト、土地面積や人口規模にかかわりなく国定史跡や特別国定史跡として当局に認定された地域における住居開発プロジェクトには首相の事前承認が必要とされている（投資法31条1項(g)）。他方で、都市部における土地面積が50ha未満かつ人口規模が1万5,000人未満、非都市部における土地面積が100ha未満および人口規模が1万人未満の場合、土地面積や人口規模にかかわりなく特別都市の（マスタープランに従い定められた）歴史的地域または開発制限地域内における住宅開発プロジェクトには、省級人民委員会の事前承認が必要とされている（投資法32条1項(b)）。

は、ベトナムとの間で日越投資協定を締結しており、当該協定の適用を主張することも検討に値する[32]。

日越投資協定（2004年12月19日発効）は、内国民待遇および最恵国待遇を規定した条約であり、適用対象となる分野についてはネガティブリスト方式が取られている。したがって、列挙されていない業種については外資への開放を認めていないとするポジティブリスト方式を取っているWTO加盟文書と異なり、日越投資協定のネガティブリストに列挙されていない業種であれば、投資前段階での内国民待遇が適用され、日本企業による投資を制限することは認められないことになる。WTO加盟文書のポジティブリストに該当しない場合であっても、日越投資協定のネガティブリストに該当しない限り、日本の投資家に対して市場が開放されると解釈されるべきである。しかしながら、管轄行政当局の担当官によっては、日越投資協定について十分な知識を有しておらず、WTO加盟文書のみに依拠して否定的な見解を持つ担当官も多く、実務上は、必ずしも日越投資協定を適用できるとは限らない。

(4) TPP11（CPTPP）協定および日・ASEAN包括的経済連携協定（AJCEP協定）

日本およびベトナムを含む11カ国によって2018年3月に署名され、同年12月に日本を含む一部の原署名国について発効した環太平洋パートナーシップに関する包括的および先進的な協定（TPP11協定またはCPTPP）は、2019年1月にベトナムについて発効した。CPTPPにおいても同加盟国からの投資の自由化・保護がなされており、たとえば、開放される市場分野についてネガティブリスト方式が採用された（つまり、CPTPP加盟国から行われる投資・サービス提供は原則として自由とし、その例外として課される規制内容が附属書に列挙されている）こと等が注目される。

また、日・ASEAN包括的経済連携協定（AJCEP協定）は、2008年に日本とASEAN諸国により署名され、同年から順次全締約国で発効していたところ、サービスの貿易および投資の自由化・保護についての交渉継続が規定され、これに伴い交渉が行われていた。そして、2019年、サービスの貿易、投資、自

---

32) 日本とベトナムとの間の経済連携協定（EPA、2009年発効）では、投資章は設けられておらず、日越投資協定を準用する旨の調整規定がある。

然人の移動の自由化・円滑化を内容とする本協定第一改正議定書への署名が行われ、（ラオス、ミャンマー、シンガポール、タイとともに）日本とベトナムとの間では2020年8月1日に発効した。本議定書の発効により、日本の投資家は日越投資協定およびCPTPPに加えてAJCEP協定第一改正議定書に基づくベトナムでの投資の自由化・保護を求めることができるようになっている。

(5) 業種別の外資規制の例

以下では、WTO加盟文書や国内法令等で個別に適用される外資規制の内容の例を挙げる。

まず、小売業に関する出資比率以外の規制としては、WTO加盟文書が、外資企業による2店舗目以降の小売店舗開設の可否については経済需要に応じて個別に判断されるという、経済需要テスト（Economic Needs Test：いわゆるENT）をクリアする必要があるとの規制を設けている。その判断基準については、2018年1月15日より施行された外資企業による交易活動に関する政令（Decree 09/2018/ND-CP）により一定程度明確化されたものの、実務上、基準を満たすかの判断において当局の裁量が大きく影響することは否定できない[33]。

次に、一部の事業に関しては、外国投資家による出資割合の上限が規制されており、実務上よく問題となる事業の例としては、①道路運送業と②広告業が挙げられる。具体的には、道路輸送業については、WTO加盟文書は、外資出資比率100％による参入を認めておらず、現地企業との合弁形態によるものとしている（外資出資比率は、旅客運送については49％、貨物運送については51％がそれぞれ上限とされている）。また、広告業については、WTO加盟文書上、広告業のライセンスを有する現地企業との合弁形態によることが要求されている。

---

33) すなわち、ENTに関しては、外資企業による交易活動に関する政令23条1項により、ENTの免除を受けることができる条件として、2店舗目以降の小売店舗が、①面積500平方メートル未満の規模であること、②トレードセンターに位置すること、および③コンビニエンスストアまたはミニスーパーマーケットではないことが明記された。加えて、ENTの審査基準についても、同政令では、①小売店舗開設に伴って営業を受ける地域の規模、②同地域内の小売店舗数、③同地域内の市場安定性や伝統的なマーケット等への影響、④同地域内の交通渋滞、環境衛生および防災への影響、⑤ベトナム人雇用創出への貢献可能性および国家予算への貢献可能性等の社会経済発展への貢献要素が挙げられている。なお、CPTPP附属書Ⅰにおいて、CPTPPの発効から5年後（2024年1月）にCPTPP加盟国との関係ではENTが撤廃されることが約束されている。

もっとも、外資出資比率の上限は定められておらず、理論上は、外資出資比率99.9％の合弁形態によることも可能ではあるが、どの程度まで外資の出資が認められるかについては、管轄行政当局の裁量によって判断される可能性がある。

　なお、不動産事業については、このようなWTO加盟文書や（外国投資家も含めた）民間企業の投資活動に関する一般法である投資法のみならず、業法たる不動産事業法および土地法を含む複数の国内法令等に基づく規制が重畳的に適用されうる事業分野であるため、具体的に出資を検討している事業の類型等に応じていかなる外資規制が適用されるかを精査しなければならない。すなわち、不動産事業は、投資法の施行細則を定める政令上、外国投資家等による市場参入が条件付きで認められる業種であるが、前述のとおり本書執筆時点においてこれに適用される外国投資家等による出資比率などの具体的な条件については定めがない。もっとも、不動産事業法では、外国投資企業[34]が実施することのできる不動産事業の業態がその前提となる不動産の取得態様と併せて限定的に列挙されている。たとえば、外国投資企業が販売・賃貸・割賦販売目的の新規建物を建築することは認められるのに対し、販売・賃貸・割賦販売目的の既存建物を購入することは認められない。さらに、この不動産事業法上の規制によれば、外国投資企業が新規の不動産開発事業を行うことは認められるものの、土地法上、外国投資企業[35]が国家から土地使用権の割当てや土地使用権のリースの付与を受けることができる場合は限定的であり（かつ実務上のハードルも高く）、また外国投資企業が私人や私企業から土地使用権を譲り受けることも原則として認められない。かかる規制を踏まえて、外国投資家がベトナム

---

[34] 不動産事業法上の当該事業規制（不動産事業法11条3項）が適用される「外国投資企業」の範囲については具体的な定義規定が設けられていないが、一般には、外国投資家からの出資を一部でも受け入れているベトナムで設立された法人を指すものと考えられている。

[35] 土地法上は、土地使用権の取得が制限される「外国投資企業」の範囲について明文規定が設けられており（土地法5条7項）、この文脈でも、外国投資家が一部でも出資しているベトナムで設立された法人を指す。なお、（注30）において前述したとおり、投資法上の外資規制は、外国投資家が直接支配するベトナム法人だけでなく外国投資家が当該ベトナム法人とともにまたはこれを通じて間接的に支配するベトナム法人にまで及ぶのに対し、不動産事業法および土地法上の外資規制の対象は、文言上、外国投資家が直接株式ないし持分を有するベトナム法人に限定されており、このような法令間での規制対象の不整合も不動産事業に対する外資規制の枠組みをより複雑にしている。各法令間での定義の統一化については近年の法改正に関する議論の中で検討されているが、本書執筆時点においてその具体的な方向性は定まっていない。

において不動産開発事業に投資しようとする場合には、不動産開発プロジェクト会社に出資する前に、ベトナム内資企業としての当該不動産開発プロジェクト会社において土地使用権を取得させる等の対応を検討する必要が生じる。

3　公開会社に適用される証券法上の外資規制

公開会社への投資に関する証券法に基づく規制として、証券法の施行細則を定める政令において、以下のとおり、公開会社に対する外資出資割合に関するルールが規定されている（同政令139条1項各号）。

① 公開会社が、ベトナムが加盟している条約により外資出資割合が規制されている分野の事業を行っている場合、当該外資出資割合規制が適用される。

② 公開会社が、関連法により外資出資割合が規制されている分野の事業を行っている場合、当該外資出資割合規制が適用される。

③ 公開会社が、外国投資家による市場参入が制限されている事業分野のリスト（投資法の施行細則を定める政令別表1）に列挙されている分野の事業を行っている場合、(i)当該リストに外資出資割合の条件が特定されている場合、当該条件が適用され、他方、(ii)当該リストで外資出資割合の条件が特定されていない場合、外資出資割合の上限は50％となる。

④ 上記①～③のいずれにも該当しない場合、公開会社に適用される外資出資割合に制限はない。

⑤ 公開会社が外資出資割合の上限が異なる複数の分野の事業を行う場合、最も低い外資出資割合が上限となる。

⑥ 公開会社が上記①～⑤より低い外資出資割合の上限を定める場合、株主総会の決議を経て定款に定めなければならない。

もっとも、実際には、上記⑥のとおり、ベトナムの公開会社が定款によって外資出資比率に制限を加えることは妨げられていないことにより、2015年の外資規制緩和以降も、公開会社の多くは依然として定款に（公開会社に対するかつての外資出資割合規制に従って）外資出資割合の上限を49％とする制限を残している例が多いため留意が必要である。

以上の外資出資割合は、あらゆる外国投資家の出資割合の合計を意味するため、外国投資家が新たに公開会社に出資することを検討する場合には、既存の外国投資家がどの程度存在するのかという点についても確認し、外国投資家として新たに投資を行う余地がどの程度残されているのかを事前に把握することが必要となる。

　これらの外資規制のもとでは、対象会社の業種や定款の内容によっては、対象会社の支配権を確保することはできない可能性もある。対象会社の業種や定款によって外資出資比率が49％に制限されている場合、外資出資比率の範囲内で対象会社の株式をすべて取得したとしても株主総会の決議を通すことができないため、これらの制限を前提とした上で、支配権の確保を強めるために何らかの実務上の対応を採ることができないかという点が問題となるが、これについては後記**5-5**の**4**を参照されたい。

4　M&Aに関する手続規制

　外国投資家がベトナム国内において新たに会社を設立する場合、一定の場合[36]を除き、まず地方の計画投資局（Department of Planning and Investment: DPI）の外国経済関係部（Foreign Economic Relations Office）において当該投資に関する登録手続を行い、投資登録証（Investment Registration Certificate：IRC）を取得する必要があり（投資法22条1項(c)）[37]、その後、計画投資局の企業登録部（Business Registration Office：BRO）に会社設立の登記を行い、企業登録証（Enterprise Registration Certificate：ERC）を取得することが求められている（企業法21条・22条・26条）。

　これに対して、既存の会社を買収する場合には、投資登録証の取得は求められないが（投資法25条・26条参照）、主に、①M&A承認の要否、②企業登録証の変更手続の要否、③外国株主変更通知の要否、④投資登録証の変更手続の要

---

[36]　中小企業法支援法（law on support for small and medium sized enterprises）に基づく中小規模の創造的スタートアップ企業等の設立の場合を除く（投資法22条1項(c)）。

[37]　なお、工業団地（industrial zone）、輸出加工区（export processing zone）、ハイテク区（high-tech zone）または経済区（economic zone）において新たに会社を設立する場合、原則として、計画投資局ではなく当該工業団地等の管理委員会（management board）が投資登録証の発行権限を有する（投資法39条1項）。

否、および⑤競争法上の事前届出の要否を検討する必要がある。この点、⑤については競争法に関する後記**5-6**にて解説し、以下では、①から④の手続について説明する。

(1) M&A承認手続

　外国投資家等がベトナムの非公開会社の買収（出資または株式・持分の譲受け）を行う場合、以下のいずれかの基準に該当する場合には、計画投資局（DPI）において事前に登録手続を行う必要がある（投資法26条2項）。実務上、当該登録手続はM&A承認手続と呼ばれることが多い。

① 対象会社が外国投資家等による市場参入が制限されている分野に属する事業を行っている場合であって、買収の結果、対象会社における外国投資家等の出資比率が増加する場合

② 買収の結果、外国投資家等の出資比率が増加し、結果として50％超となる場合

③ 対象会社が国防・国家安全に影響する地域の土地使用権証書を保有している場合

　上記①および②の基準のとおり、（上記③に該当する場合を除き）買収の結果、外国投資家等の出資比率が増加することがM&A承認手続の要件とされており、たとえば、外国投資家が持分の100％を保有するベトナム法人を他の外国投資家が譲り受ける場合、外国投資家等の出資比率が増加するわけではないため、M&A承認手続を経ずに買収を進めることが可能であると考えられる[38]。

　上記のいずれの基準にも該当しない場合、投資法上はM&A承認手続を行うことは不要であるが、実務上、そのような場合であっても、計画投資局からM&A承認手続を行うことを求められる可能性もあり、そのため、任意に

---

38) なお、旧投資法上は、以下のいずれかの基準に該当する場合はM&A承認手続が必要とされており、外国投資家等の出資比率の増加は要件とされていなかったため、外国投資家が持分の100％を保有するベトナム法人を他の外国投資家が譲り受ける場合であってもM&A承認が必要であった。
  (a) 対象会社が条件付投資分野に属する事業を行っている場合
  (b) 買収の結果、外国投資家等の出資比率が51％以上となる場合

M&A承認手続を行うケースも少なからず存在する。

　M&A承認手続のプロセスとしては、投資法上は、すべての申請書類を受領した日から15日以内に結果の通知が行われるとされているものの（投資法の施行細則を定める政令66条3項・4項）、実務上、当該手続に際して当局から申請者に対する照会、あるいは場合により関連省庁への意見照会が行われることもあり、結果として15日の期限が遵守されない場合も多いのが実情である。

(2) 企業登録証の変更手続

　企業法上、企業登録証の内容に変更が生じた場合、変更があった日から10日以内に企業登録証を変更することが要求されている（企業法30条等）。この点、ベトナム企業の買収（出資または既存株式・持分の譲受け）を行う場合、【図表5-6】のとおり、①対象会社が株式会社か有限責任会社のいずれか、また②買収方法が既存株式・持分の譲受けか新規発行株式・持分の引受けのいずれかで、当該企業登録証の変更手続の必要性が異なる。また、買収に際して、企業登録証の記載事項である対象会社の法定代表者等を変更する場合には、当該変更に関する企業登録証の変更手続を行わなければならず、案件ごとに個別に企業登録証の変更の要否を検討する必要がある。

【図表5-6】企業登録証の変更手続の要否

対象会社の会社形態	既存株式・持分の譲受け	新規発行株式・持分の引受け
株式会社	・企業登録証に株主構成は記載されないため、企業登録証の変更手続は不要	・左記と同様、株主構成の変更に関して企業登録証の変更手続は不要 ・新規株式の発行により企業登録証の記載事項である定款資本が増加するため、定款資本の増加に関して企業登録証の変更手続が必要
有限責任会社	・企業登録証に社員の情報が記載されるため、企業登録証の変更手続が必要	・左記と同様、社員の変更に関して企業登録証の変更手続が必要 ・また、新規持分の発行により企業登録証の記載事項である定款資本が増

| | | 加するため、定款資本の増加に関して企業登録証の変更手続が必要 |

(3) 外国株主変更通知

　対象会社が株式会社（上場会社を除く）の場合、外国投資家である株主に変更が生じた場合には、10日以内に当該外国株主の変更について企業登録部に対して通知することが必要である（企業法31条1項(b)・3項）。そのため、たとえば、外国投資家がベトナムの株式会社の株主からその保有する株式を譲り受けた場合、前記(2)のとおり、企業登録証の変更手続は不要であるものの、外国株主変更通知の手続を行わなければならない。

(4) 投資登録証の変更手続

　外国投資家がベトナム企業を買収する場合、投資法上、新たに投資登録証を取得することは不要である。しかし、買収の対象会社が外国投資企業であり、すでに投資登録証を保有している場合、買収により対象会社の株主・社員が変わることに伴い、投資登録証上の「投資家」の記載変更を検討する必要がある。この点、ベトナム法上、投資登録証上の記載事項に変更が生じた場合に投資登録証を変更しなければならないか否かは必ずしも明らかではなく、買収に際して投資登録証を変更することは必要ないという見解も存在するが、実務上は、買収により投資登録証上の記載事項に変更が生じた場合、投資登録証を変更することが一般的である。

　なお、実務上、外国投資企業である対象会社が投資登録証を保有していないものの、その株主・社員である外国投資家が2015年7月1日以前の投資法に基づき発行された投資許可証（Investment Certificate：IC）を保有しているケースも稀であるが見受けられる。このような場合、外国投資家が対象会社を買収する際には、投資許可証の投資登録証への変更を検討する必要がある。

5-5　買収のための各手法の手続および内容

1　既発行株式・持分の取得

既発行株式・持分の取得についての手続・規制等は、対象会社であるベトナム企業が非公開会社であるか、公開会社であるかによって大きく異なる。すなわち、対象会社が非公開会社であれば、基本的には企業法上の手続・規制に従うことになるのに対して、公開会社であれば、企業法のみならず証券法の規制等も適用され、一定の株式取得は公開買付規制等の規制が及ぶ点に留意を要する。

(1)　非公開会社
①　2名以上有限責任会社

2名以上有限責任会社の既存社員が出資持分を第三者に譲渡しようとする場合、他の社員は、その持分比率に応じて譲渡対象持分を同一条件で優先して取得する権利（先買権）を有する（企業法52条1項）。すなわち、譲渡希望社員は、まずは他のすべての社員に対して、出資割合に応じた出資持分を譲渡予定先への譲渡の条件と同条件で譲渡する旨を申し出なければならず（同項(a)）、この申出を受けた他の社員は、申出日から30日以内であれば自己の出資割合に応じた譲渡対象持分の全部または一部を取得することが可能である（同項(b)）。この先買権については、実務上、社員間で先買権を放棄するまたは行使しない旨を合意することにより、先買権の適用を排除して上記手続を経ずに譲渡希望社員が第三者に対して出資持分を譲渡することも行われている。

なお、全社員から出資持分のすべてを取得する場合のように、出資持分の取得により社員が1名しか存在しなくなる場合には、会社は1名有限責任会社の形態で事業活動を行うこととなり、当該取得日から15日以内に企業登記の変更登記を行わなければならない（企業法52条3項）。

②　1名有限責任会社

1名有限責任会社の出資持分を取得することを希望する者は、当事者間の合

意に基づき、当該1名有限責任会社の会社所有者から出資持分の全部または一部を取得することができる（企業法76条1項(h)・2項）。この点、(a)1名有限責任会社の会社所有者が個人の場合（個人所有型）、または会社所有者が組織の場合（組織所有型）で所有者代理人が1名のみ選任されている場合には、会社所有者は特段の機関決定を要せず出資持分を譲渡することが可能であるが、(b)組織所有型で複数の所有者代理人が選任されている場合には、会社所有者が出資持分を譲渡するには、所有者代理人で構成される社員総会の特別決議の承認を得なければならない点に留意を要する（同法80条6項）。

なお、会社所有者から出資持分の一部のみを取得した場合には、当該取得日から10日以内に2名以上有限責任会社または株式会社への変更登記手続を行わなければならない（企業法78条1項・202条3項）。

③　株式会社

非公開会社である株式会社の株主が第三者に既発行株式を譲渡する場合、2名以上有限責任会社とは異なり、他の既存株主は先買権を有さず、原則として自由に株式を譲渡することができる（企業法115条1項(d)・127条1項）。ただし、以下の(a)から(c)の場合には株式譲渡が制限されうる。

(a)　発起株主の譲渡制限

発起株主は、株式会社が企業登録証を取得した後3年以内に、他の発起株主以外の第三者に株式を譲渡する場合、株主総会の普通決議による承認を得なければならない（企業法120条3項・148条2項）。他方、発起株主が第三者ではなく他の発起株主に株式を譲渡する場合には、企業登録証の取得後3年を経過しなくとも株主総会決議による承認は不要である（同法120条3項参照）。また、発起株主の譲渡制限は、発起株主が設立後追加で取得した株式を譲渡する場合、および発起株主から株式を譲り受けた第三者が当該株式を譲渡する場合には適用されないため、これらの譲渡については、企業登録証の取得後3年が経過していなくとも株主総会決議の承認を得る必要はない（同条4項）。

(b)　定款の定めによる譲渡制限

定款に譲渡制限の定めが設けられている場合には、その定めに従い株式譲渡が制限される。ただし、定款の定めによる譲渡制限は、株券にその旨が明記されている場合にのみ効力を有する（企業法127条1項）。

(c) 議決権優先株式の譲渡制限

株式会社は普通株式のみならず優先株式を発行することも可能であり、その一類型として、議決権優先株式を発行できる（企業法114条2項(a)）。議決権優先株式は、一定期間普通株式より多数の議決権を有する株式であり、政府の委任を受けた組織および発起株主のみが保有することができる（同法116条1項）。企業法上、議決権優先株式は、裁判所の判決や決定等による場合でない限り、第三者に譲渡することができない（同条3項）。

株式譲渡の効力は、譲受人に関する一定の情報が株主登録簿に登録されて初めて生じる（企業法127条6項）。

(2) 公開会社

公開会社の株式取得については、一定割合以上の株式取得が証券法上の公開買付規制の対象となる点に留意が必要である。以下、証券法上の公開買付規制について述べる。

① 公開買付けの適用対象取引

証券法上、公開会社の株式を対象として以下の取引を行う場合は、公開買付けの手続によらなければならない（証券法35条1項）。

(a) 自らまたはその関係者[39]と併せて公開会社の議決権付株式総数の25％以上を直接または間接的に保有することになる取引

(b) 自らまたはその関係者と併せて公開会社の議決権付株式総数の25％以上を保有する者が、さらに株式を取得することにより、その直接または間接の議決権所有割合が議決権付株式総数の35％、45％、55％、65％または75％の各基準に達することとなる取引

---

39) 証券法4条46項で定義される「関係者」をいい、ある個人または組織の「関係者」には、(a)当該組織の内部者（証券法4条45項で定義され、取締役会議長、取締役、法定代表者、社長、副社長、会計主任等が含まれる）、(b)当該組織の議決権付株式・持分の10％超を所有する組織または個人、(c)他の組織・個人とともに直接もしくは間接的に当該組織を支配する、または当該組織・個人に支配される組織・個人、または当該組織・個人と共通の支配下にある組織・個人、(d)当該個人の父母、養父母、義理の父母、配偶者、実子、養子、義理の息子・娘、兄弟姉妹および義理の兄弟姉妹、(e)当該個人・組織を代理するまたは当該個人・組織に代理される契約関係にある者等が含まれる。

公開買付規制の対象となる取引には、市場外取引のみならず市場内取引も含まれる点に留意を要する。また、公開会社には、株式の新規公開を行ったことがなくとも、一定の株主数・払込済定款資本を有する株式会社も含まれるため（前記5-2の２参照）、新規公開未経験の公開会社の株式であっても公開買付規制の対象となりうる。

② 全部買付義務

公開買付けの実施後、自らまたはその関係者と併せて公開会社の議決権付株式総数の80％以上を保有するに至った場合（ただし、当該公開買付けにおいて全議決権付株式を対象としていた場合を除く）、さらに30日間、当該公開買付けと同じ買付価格・支払方法により、残りの株主が保有する全株式を公開買付けにより買い取らなければならない（全部買付義務）（証券法35条１項(c)）。

③ 公開買付規制の適用除外

公開買付規制の適用対象取引を行う場合であっても、当該取引が対象会社の株主総会の普通決議により承認されている場合は、公開買付けは不要となる（証券法35条２項(b)）。そのため、実務上は、対象会社の株主総会決議による承認を得て公開買付けを回避することが比較的多く行われている。

この対象会社の株主総会決議においては、すでに対象会社の株式を保有する買付者や買付者に株式を譲渡することを合意している売主およびそれらの関係者は当該決議について議決権を有さないものと扱われ、当該決議は議決権を有する残りの株主の50％超の賛成により承認されることとされている（証券法の施行細則を定める政令84条）。

なお、上記の例外の他にも、株主総会で承認された増資計画に基づき発行された新株の引受け、親会社・子会社間等のグループ間取引や贈与・遺贈による株式取得なども公開買付規制の適用除外取引とされている（証券法35条２項参照）。

④ 公開買付けに関するインサイダー取引規制

証券法上、公開会社に関する未公表事実一般に関するインサイダー取引が規制されているが（後記5-7の４参照）、公開買付けに関しては、別途特有のインサイダー取引規制が設けられている。具体的には、買付者、内部者（定義は後掲（注45）参照）、買付者の関係者や公開買付代理人の関係者、その他公開買付

けに関する情報を保有する者は、公開買付けについての公表に先立ち、未公表の公開買付けの事実を利用して対象会社の証券を買い付けたり、他人に情報を提供することや他人を唆して対象会社の証券を売買させることが禁止されている（証券法の施行細則を定める政令88条）。

⑤　スクイーズ・アウト

ベトナム法上、公開買付け後に残存する少数株主を強制的に排除するいわゆるスクイーズ・アウトの手法は整備されていない。すなわち、公開買付けに関連して、企業法・証券法は買収者に株式売渡請求権を与えておらず、また、現金対価合併は企業法上想定されていないと思われる（後記3(2)参照）。

少なくとも筆者らが知る限り、過去、ベトナムにおいて、現金対価合併に限らず、企業を買収する際に何らかのスクイーズ・アウトの手法が用いられたことはないと認識している。代替のスキームとしては、たとえば新会社を設立して対象会社の事業を当該新会社に移管する方法等が考えられるが、そのような代替スキームを採用する場合には、その有効性について慎重な検討が必要になろう。

2　新規発行株式・持分の取得（第三者割当増資）

既発行株式・持分の取得と同様、新規発行株式・持分の取得に係る手続・規制等も、対象会社であるベトナム企業が非公開会社であるか、公開会社であるかによって大きく異なる。対象会社が非公開会社であれば、基本的には企業法上の手続・規制に従うのに対して、公開会社であれば、企業法のみならず証券法等の規制も適用される。

(1)　非公開会社
①　2名以上有限責任会社

2名以上有限責任会社においては、増資の決定のために社員総会の普通決議による承認を得る必要があり（企業法55条2項(b)）、また、増資により定款記載事項である定款資本の変更を伴うため、定款変更のために社員総会の特別決議による承認を得る必要がある（同項(k)・59条3項(b)）。

2名以上有限責任会社が増資を行う場合、すべての社員はその出資割合に応

じて、持分の割当てを受け、出資する権利（新持分引受権）を有する（企業法68条2項）。新持分引受権は第三者に譲渡することが可能であり、既存社員以外の第三者が第三者割当増資を引き受けるためには、持分譲渡に関する規定（同法52条）[40]に従って、新持分引受権を有する既存社員から新持分引受権を譲り受ける必要がある（同法68条2項）。

② 1名有限責任会社

1名有限責任会社が第三者割当増資を行う場合、増資の決定および定款記載事項である定款資本の変更を行う必要があるところ、(a)個人所有型の場合、または組織所有型で所有者代理人が1名のみ選任されている場合には、会社所有者の決定により増資の決定・定款変更を行うことが可能であるが、(b)組織所有型であり複数の所有者代理人が選任されている場合には、社員総会において、増資の決定に係る普通決議、および定款変更に係る特別決議による承認を得なければならない（同法80条6項）。

なお、第三者割当増資により第三者から出資を受ける場合、定款資本の変更が完了した日から10日以内に、2名以上有限責任会社または株式会社への変更登録手続を行わなければならない（企業法87条2項・202条）。

③ 株式会社

株式会社が新株を発行する場合、まず、株主総会の特別決議において増資による発行可能株式の種類および数を承認し、また、株主総会の普通決議において定款資本の増加のための定款変更を承認する必要がある（企業法148条1項(a)・138条2項(b)・148条2項・138条2項(dd)）。そして、この株主総会決議を受けて、取締役会が発行可能株式数の範囲内で増資の実施およびその条件（実施時期・増資方法・発行価格等）を決定する（同法126条・149条2項・同条3項(c)・(d)）。

また、株式会社の既存株主は、その普通株式保有割合に応じて、優先的に新株を引き受ける権利（新株引受権）を有する（企業法115条1項(c)）。企業法上、

---

[40] すなわち、新持分引受権の譲渡希望社員は、まず他の全ての社員に対して、出資割合に応じた新持分引受権を譲渡予定先への譲渡と同条件で譲渡する旨を申し出なければならず（企業法52条1項(a)）、この申出から30日以内に他の社員が譲渡対象の新持分引受権の全部または一部を取得しない場合に限り、第三者は譲渡希望社員から新持分引受権を取得することができる。

株主総会の承認によりすべての株主の新株引受権が排除される旨の規定は存しないが、実務上は、新株引受権の放棄についてすべての株主から個別の同意を得ることまでは行われておらず、株主総会決議による承認が得られたことをもってすべての株主の新株引受権は放棄されたものとみなすという運用となることが多い。

(2) 公開会社

公開会社が第三者割当増資を行うためには、株主総会決議の特別決議により第三者割当増資に係る増資計画および調達資金の使用計画について、株主総会の普通決議において定款資本の増加のための定款変更の承認を得る必要がある（証券法31条1項(a)・企業法148条1項(a)・138条2項(b)・148条2項・138条2項(dd)）。また、非公開会社の場合と同様、株式会社が新株を発行する場合、株式会社の既存株主はその普通株式保有割合に応じて新株引受権を有するため（同法115条1項(c)）、第三者割当増資の実施を承認する株主総会において、既存株主による新株引受権の放棄についても承認を得ることが望ましい。そして、この株主総会決議を受けて、取締役会が発行可能株式数の範囲内で増資の条件（実施時期・増資方法・発行価格等）を決定する（同法126条・149条2項(c)・(d)）。

なお、前記1(2)③のとおり、株主総会決議により承認された増資計画に基づき行われた株式発行取引については、公開買付規制は適用されないこととされている（証券法35条2項(a)）。

公開会社による第三者割当増資を引き受けることができる主体は戦略的投資家[41]および機関投資家に限られており（証券法31条2項(b)）、機関投資家間の取引等の一定の場合を除き、第三者割当増資の完了から起算して、戦略的投資家は少なくとも3年間、機関投資家は少なくとも1年間の譲渡制限が課される（同項(c)）。なお、株式の額面金額よりも低い価格で第三者割当増資を行う場合、引き受けることができる主体は戦略的投資家に限られる（証券法の施行細則を定める政令44条1項）。

---

41) 戦略的投資家（strategic investor）とは、経済能力および技術資格に関する基準に基づき株主総会により選ばれ、少なくとも3年間は発行会社と協力することを確約する投資家をいう（証券法4条17項）。

公開会社は、第三者割当増資を行ってから最低6カ月間は新たに第三者割当増資を行うことが禁止される（証券法31条2項(d)）。

3 株式・持分取得以外の買収方法

(1) 資産譲渡

株式・持分取得以外の買収方法として、ベトナム企業から特定の資産の譲渡を受ける方法がある。ベトナム法上、日本法における事業譲渡のような買収方法が存在せず、ベトナム企業の事業を譲り受けるためには、資産譲渡により資産を譲り受け、また契約・従業員の承継等の手続を個別に行う必要がある。

2名以上有限責任会社が資産譲渡を行う場合、譲渡対象となる資産の価値が直近の財務諸表上の総資産の50％（または定款に定めるそれよりも低い割合・価額）以上である場合には、社員総会の特別決議が必要となる（企業法59条3項(b)）。また、1名有限責任会社が資産譲渡を行う場合には、(a)個人所有型の場合、または組織所有型で所有者代理人が1名のみ選任されている場合には、会社所有者の決定により資産譲渡を行うことが可能であるが、(b)組織所有型であり複数の所有者代理人が選任されている場合には、譲渡対象となる資産の価値が直近の財務諸表上の総資産の50％以上となる資産譲渡については、社員総会の普通決議による承認を得る必要がある（同法80条6項）。

株式会社が資産譲渡を行う場合には、譲渡対象となる資産の価値が直近の財務諸表上の総資産の35％（または定款に定めるそれよりも低い割合・価額）以上の資産譲渡については、株主総会の特別決議が必要となる（企業法148条1項(d)）。

(2) 組織再編行為

企業法上、ベトナム企業の組織再編行為の手法として、以下の4類型が規定されている（企業法198条〜201条）[42]。

① 消滅分割：分割会社（消滅会社）の株主の全部または一部が2社以上の新設会社の株主となり、消滅会社の資産・負債および権利義務の全部また

---

42) なお、組織再編行為は異なる会社形態間で行うことも可能である。たとえば、株式会社形態の会社が有限責任会社形態の会社を吸収合併でき、逆に、有限責任会社形態の会社が株式会社形態の会社を吸収合併することもできる。

は一部を当該新設会社に分割した後、消滅会社は消滅する方法
② 　存続分割：分割会社の株主の全部または一部が１社以上の新設会社の株主となり、分割会社の資産・負債および権利義務の一部を当該新設会社に分割した後、分割会社は存続する方法
③ 　新設合併：２社以上の会社（消滅会社）が合併により１つの新設会社となり、消滅会社の資産・負債および権利義務を新設会社に承継する方法
④ 　吸収合併：既存の１社以上の会社（存続会社）が１社以上の会社（消滅会社）を吸収し、消滅会社の資産・負債および権利義務を存続会社に承継する方法

以上の組織再編行為を行うためには、会社所有者の決定（企業法76条１項(m)・２項）、または社員総会もしくは株主総会の特別決議（同法59条３項(b)・80条６項・148条１項(dd)）による承認を得る必要がある。

なお、企業法には、合併に関して、対価の種類を直接限定する規定はないため、吸収合併は、外国投資家がベトナム国内に自らが支配する非公開会社を設立し、対象会社をこの非公開会社に吸収合併させ、対価として対象会社の株主に現金を交付することでスクイーズ・アウトの手段として利用することも理論上考えられる。もっとも、企業法201条２項(a)によれば、吸収合併契約には消滅会社の株式・持分等の交換対象を規定する必要があるところ、同項ではこの交換対象として存続会社の持分・株式・社債のみが列挙されており、存続会社の現金は含まれていないことからすれば、現行の企業法は、合併の対価として現金を想定していないものと思われる。なお、少なくとも筆者らが知る限り、ベトナムにおいて過去に現金対価合併の手法が用いられたことはない。

4 　公開会社に対する支配権を強める方策

前記5-4の３のとおり、公開会社を買収する場合、外資出資割合の上限を一律49％とする規制は廃止され、原則として、公開会社に対する外資による100％出資も可能となったものの、対象会社の業種や定款によって、非公開会社よりも厳しい外資規制が適用され、支配権を取得できない可能性もある。そこで、実務上、対象会社に対する支配権をより強固にするために、対象会社を非公開会社にできないかという観点（後記(1)）や、株主間の合意等により支配

権を確保できないかという観点（後記(2)）からも併せて買収スキームを検討する必要がある。

(1) 公開会社の非公開会社化

前記5-2の2のとおり、公開会社とは、株式会社であって、以下のいずれかの基準に該当する会社をいう。

① 払込済定款資本が300億ベトナムドン（注：本書執筆時点のレートで約1億3,629万円）以上であり、議決権付株式の10％以上を100名以上（主要株主を除く）が保有する会社〔要件1〕

② 証券法の規定に従い、証券取引委員会（State Securities Commission）への登録を通して株式の新規公開（initial public offering）を行った会社〔要件2〕

そのため、対象会社を非公開会社にするためには、上記のいずれの基準にも該当しないことが必要となる。以下、各基準について検討する。

① 株主数の減少

公開会社に関する〔要件1〕（300億ベトナムドン以上であり、議決権付株式の10％以上を100名以上（主要株主を除く）が保有する会社）との関係では、主要株主を除く株主の数を100名未満にする方法が考えられる[43]。公開会社の株主数を100名未満にする方法には、ある株主が他の株主から株式を買い集めることにより株主数を減少させる方法と、対象会社が自己株式を取得する方法がある。この場合、ある株主が他の株主から株式を買い集める場合であっても、対象会社が自己株式を買い集める場合であっても、買付者の買集め後の株式の議決権保有割合が25％以上に達する場合、買付者による当該買集め行為には公開買付規制が適用されるため、公開買付けを行うか、株主総会による承認を得るなどの方法により公開買付規制の適用を免れる必要がある。また、対象会社が自己株式を取得する方法による場合は、企業法133条および134条の規定に従い、財源規制[44]等に留意しつつ行う必要がある。

---

[43] 理論上は、払込済設立資本を300億ベトナムドン未満にすることにより公開会社を非公開会社とすることも考えられるが、企業法上、減資は必ずしも容易でない場合もある。

[44] たとえば、会社が株主から自己株式を取得する場合、当該株式の対価を支払ったとしても債務その他の財産上の義務をすべて履行できる場合にのみ自己株式の取得を行うことができるとされている（企業法134条1項）。

② 過去における新規公開との関係

公開会社に関する〔要件2〕（株式の新規公開を行った会社）との関係では、過去に株式の新規公開を行ったことにより公開会社に該当する会社（上場会社であればこれに該当する）は、たとえ株主数が100名未満であり、かつ非上場会社である場合であっても、少なくとも証券法の文言上は、公開会社に分類される可能性があるように思われる。

③ 留意点

上記の非公開会社化に関しては、公開会社の要件を充足しなくなった日から1年が経過しない限り公開会社の登録抹消は認められないという待期期間が設けられている点に留意が必要である（証券法38条2項）。この待期期間の制限の例外として、旧証券法に関する施行規則では、会社形態の変更（change of form of enterprise）が挙げられているため、株主数を50名以下にした上で株式会社から有限責任会社へと会社形態を変更した場合、上記の待期期間が適用されない可能性があった。そのため、公開会社を非公開会社化した上で買収を行うための方法として、株式会社から有限責任会社に会社形態を変更した後に買収を行うというスキームが採用されるケースもあった。これに対して、新証券法およびその関連法令では、会社形態を株式会社から有限責任会社に変更することにより公開会社の要件を充足しなくなる場合における手続が定められているものの（証券の発行等に関する通達（Circular 118/2020/TT-BTC）8条4項）、この場合に上記待期期間の適用が除外されるか否かは必ずしも明らかではない。

そのため、公開会社の非公開会社化のスキームについては、当局への確認も含めその有効性について慎重な検討が必要になる。

(2) 株主間合意または定款変更による意思決定権の確保

支配権の確保に必要な過半数以上の議決権を保有していない外国投資家であっても、他の大株主との間で、対象会社の株主総会における議決権行使に関して一定の合意を行うことにより、対象会社における意思決定を支配することが考えられる。実務上、このような合意が行われることは珍しくないものの、この方法による場合、議決権行使に関して合意をした他の株主が当該合意に反する議決権行使を行ったとしても、当該合意に沿った議決権行使を強制するこ

とは困難である可能性がある。さらに、議決権行使に関する合意を行う場合は、その合意自体が、公開会社に適用される外資規制の潜脱と評価されないよう、合意内容を十分に検討する必要があるように思われる。

また、対象会社の定款を変更して、株主総会決議事項の大半を取締役会に委任して、当該事項について株主総会は取締役会の決定に従う旨規定した上で、外国投資家が取締役会の過半数を占める方法も考えられる。しかし、株主総会の決議事項を定める企業法138条2項の規定は、株主総会の決議事項の決定を株主総会の権利としてだけでなく義務としても規定している。実務上、株主総会決議事項の一部の決定を取締役会に委任することは一般的に行われているものの、かかる文言等に照らして、企業法上、株主総会決議事項の決定を取締役会に委任することが可能か、可能であるとしてどこまで広範な委任が認められるかは必ずしも明らかではない。さらに、以上のような定款変更を行うためには株主総会の普通決議が必要になるため（企業法148条2項）、過半数の議決権を保有しない外国投資家がこの方策を採るためには他の株主の協力が不可欠となる。

5-6　M&Aに関連する競争法上の規制の概要

企業結合規制を規定する競争法は2018年に抜本的に改正され、さらに企業結合規制の詳細を規定する政令35号（Decree No.35/2020/ND-CP）が2020年5月15日より施行されたことから、企業結合に関する事前届出が必要となる場面が従前よりも拡大された。したがって、日本企業がベトナム企業を買収する際には、以前よりも当該買収に当たって企業結合規制に基づく事前届出が必要か否かを慎重に検討する必要性が生じている。本項では、M&Aに関連する競争法の概要について述べる。なお、競争法を執行する機関として設置が予定されていた国家競争委員会（Vietnam Competition Committee）は、2023年4月1日より、ようやく設置されることとなった。この設置により、競争法の執行がより活発化することが今後想定される。

1　競争法に基づく企業結合規制の概要

　旧競争法においては、吸収合併・新設合併、企業買収および合弁事業（「経済集中」）に参加した事業者の関連市場における合計市場占有率が①50％を超える場合は当該経済集中を行うことが禁止され、また②30％～50％となる場合には産業貿易省競争局への事前届出を行わなければならないとされていた。

　これに対し、新競争法では、合計市場占有率50％超という基準を廃止し、代わりに、経済集中によりベトナムにおける「市場競争が著しく抑制される」おそれがある場合には当該経済集中を行うことが禁止された（競争法30条）。そして、事前届出を必要とする基準について「合計市場占有率30％～50％」という基準を廃止し、①経済集中の参加事業者の総資産額、②経済集中の参加事業者の総売上高、③経済集中の取引金額、および④経済集中の市場シェアに関する基準のいずれかに該当する場合には事前届出が必要となると規定している。

2　企業結合にかかる事前届出制度

(1)　事前届出が必要となる企業買収

　新競争法上、「経済集中」を行う場合には、一定の基準に該当すれば事前届出が必要とされているところ、当該「経済集中」には、吸収合併、新設合併、企業買収、合弁事業または法令に基づくその他の経済集中の場合が含まれると規定されている（競争法29条）。この経済集中の一類型である「企業買収」とは、ある企業が他の対象企業の全部または一部の取引を管理または支配するのに十分な対象企業の資産の全部または一部を取得する行為と定義されている（同条4項）。また、他の類型である「合弁事業」とは、二またはそれ以上の企業が、自らの資産、権利、義務および法的利益を新たな企業を構築するために共同して寄与する行為と定義されている（同条5項）。

　そして、上記企業買収に該当するか否かの基準となる、他の企業を「管理または支配する」といえるか否かについて、政令35号では、以下のいずれかの基準に該当する場合と規定している（政令35条2条）。

　①　買収企業が買収対象企業の定款資本または議決権の50％超を取得する

場合
②　買収企業が買収対象企業の全部または一部の事業内容における資産の50％超の所有権または使用権を取得する場合
③　買収企業が買収対象企業の以下のいずれかの権利を有する場合
　(a)　取締役の全部若しくは過半数、社員総会の議長または社長についての直接または間接的な選解任権
　(b)　定款の変更権限
　(c)　事業の組織形態、事業内容・事業地域・事業形態の選択、事業規模・事業目的の調整、事業上の資金の調達・分配・利用方法の選択を含む事業活動に関する重要事項の決定権

　上記①および②の基準は比較的客観的に確認することができるのに対して、上記③の基準については、どの程度の権利を取得する場合に当該基準に該当することとなるかが明確ではない。たとえば、買収企業の買収対象企業に対する議決権比率が50％以下であっても、他の株主と間で締結する株主間契約に基づき、買収企業が買収対象企業の取締役の選解任に関する拒否権を有する場合、拒否権を有することが上記③(a)の権利を有するとみなされるかが問題となりうる。この点、実務上は、あくまで拒否権を有するのみでは取締役についての選解任を決定する権限を有するわけではないため、上記③(a)の基準には該当しないと考えられている。しかし、EUおよび中国においては買収企業が拒否権を有するにすぎない場合にも（企業結合届出の要件である一定の権限を有するものとして）企業結合届出を必要とすることを踏まえれば、実務運用の方向性が変わる可能性が一切あり得ないわけではなく、今後注視する必要がある。

(2)　事前届出が必要となる基準

　前記(1)で説明した「経済集中」に該当する取引を行う場合、一定の基準を満たせば、競争局に事前届出を行う必要があるところ、政令35号では、当該基準について、経済集中の当事者の属性に応じて、【図表5-7】のとおり規定している（政令35号13条1項・2項）。

　いずれの属性の場合も、【図表5-7】の①から④の基準のうち1つでも満た

【図表5-7】事前届出が必要となる基準

当事者が金融機関、保険会社及び証券会社（「金融機関等」）以外の場合
① 経済集中に参加する企業または当該企業が属する関連企業グループのベトナムにおける総資産が経済集中の実行の前会計年度において3兆ベトナムドン（本書執筆時点のレートで約136億2,900万円）以上の場合
② 経済集中に参加する企業または企業グループのベトナムにおける取引総額が経済集中の実行の前会計年度において3兆ベトナムドン（本書執筆時点のレートで約136億2,900万円）以上の場合
③ 経済集中の取引価値が1兆ベトナムドン（本書執筆時点のレートで約45億4,300万円）以上の場合
④ 経済集中に参加する企業の関連市場における合計市場占有率が経済集中の実行の前会計年度において20％以上の場合

当事者が金融機関等の場合
① 経済集中に参加する金融機関等または金融機関等が属する関連企業グループのベトナムにおける経済集中の実行の前会計年度における総資産が以下の基準を満たす場合
(a) 保険会社・証券会社：15兆ベトナムドン（本書執筆時点のレートで約681億4,500万円）以上
(b) 金融機関：ベトナム市場における金融機関システムの総資産の20％以上
② 経済集中に参加する金融機関等または金融機関等が属する関連企業グループのベトナムにおける経済集中の実行の前会計年度における取引総額が以下の基準を満たす場合
(a) 保険会社：10兆ベトナムドン（本書執筆時点のレートで約454億3,000万円）以上
(b) 証券会社：3兆ベトナムドン（本書執筆時点のレートで約136億2,900万円）以上
(c) 金融機関：金融機関システムの取引総額の20％以上
③ 経済集中の取引価値が以下の基準を満たす場合
(a) 保険会社・証券会社：3兆ベトナムドン（本書執筆時点のレートで約136億2,900万円）以上
(b) 金融機関：金融機関システムの定款資本総額の20％以上
④ 経済集中に参加する企業の関連市場における合計市場占有率が経済集中の実行の前会計年度において20％以上の場合

せば競争局に事前届出を行う必要がある。なお、上記基準のうち、経済集中の取引価値（上記③）については、ベトナム国外で行われる経済集中には適用されない（政令35号13条3項）。つまり、ベトナム国外で行われる経済集中について、ベトナムにおける事前届出を検討する際には、取引価値以外の3つの基準に基づいて判断することになる。

また、上記④の基準が規定する「関連市場」の定義について、競争法9条1項は、「関連する製品市場」および「関連する地理的市場」に基づいて決定されるとし、さらに、「関連する製品市場」とは、その特徴、使用目的および価格の観点から代替可能な製品およびサービスの市場を意味し、「関連する地理的市場」とは、類似した競争条件のもとで製品およびサービスを代替することが可能であり、かつ、他の隣接する地域と相当に判別可能な特定の地理的な領域を意味する旨を規定する。

そして、政令35号3条2項は、競争局が関連市場を決定する際に、管轄政府当局および各専門機関と協議する権利を規定し、政令35号4条以下において「関連する製品市場」および「関連する地理的市場」を判断する要素について比較的詳細に規定している。

(3) 事前届出および審査手続

経済集中に関して前記(2)に列挙した基準のいずれかに該当する場合には、競争局に事前届出を行い、審査を受ける必要がある。具体的な手続としては、競争局は、不備のない事前届出を受領してから30日以内に予備審査を行う（政令35号14条1項）。そして、競争局が公式審査を行うと決定した場合、その旨の通知がなされてから90日（ただし、事案が複雑な場合は60日の延長が可能）以内に公式審査を行うとされている（競争法37条）。なお、政令35号14条2項は、予備審査は必要であるものの公式審査が不要となる一定の基準を規定しており、たとえば、経済集中に参加する企業の関連市場における合計市場占有率が20％未満である場合には、公式審査は不要とされている。

事前届出義務があるにもかかわらず、事前届出を行わなかった場合には、違反の前営業年度における関連市場における当該企業の総収入の1％から5％以内の額の罰金等の処分が科される（競争法111条2項）。

5-7　M&Aをめぐるその他の主要な規制

1　公開会社による開示義務

公開会社は、監査済みの年次財務諸表や半期・四半期財務諸表、アニュアルレポート、年次株主総会決議等について定期開示を行う必要があり、また、臨時株主総会決議や組織再編行為の実施等の一定の重大なコーポレートアクションの決定をした場合には適時に開示を行わなければならない（証券法120条）。

2　大量保有報告規制

証券法上、①公開会社の主要株主（発行会社の議決権の5％以上の株式を保有する株主（証券法4条18項））となった場合、または②公開会社の主要株主が取引を行うことにより主要株主ではなくなる場合には、大量保有報告書を提出する義務がある（同法127条1項）。

また、主要株主が大量保有報告書を提出した後、主要株主の議決権割合が1％を超えて変動した場合には、その旨を公表する必要がある（証券法127条2項）。

大量保有報告書または追加報告書の提出事由が生じた場合、当該事由が生じた日から5営業日以内にその旨を開示したうえ、当該公開会社、証券取引委員会および当該株式を上場している証券取引所に対して報告する必要があるとされている（証券市場の情報開示に関する通達（Circular 96/2020/TT-BTC）31条1項・2項）。

大量保有報告書および追加報告書の議決権割合に係る提出基準（5％基準および1％基準）については、公開会社の株主単独の議決権割合のみで判断するのではなく、当該株主の関係者の議決権割合も合算して判断する必要がある点に留意を要する（証券法127条1項・2項）。そのため、たとえば、ある会社が単独で発行会社の議決権の5％以上を保有していないとしても、当該会社とその関係者の議決権を合算すると5％以上となる場合には、当該グループが共同保有者として大量保有報告書を提出しなければならない。

以上の大量保有報告規制は、適用対象が「公開会社」であり上場会社に限定されていないため、上場していない公開会社についても規制対象となる点に留意を要する。

3　内部者による開示義務

公開会社の内部者[45]およびその関係者が公開会社の株式、株式取得オプション、転換社債等の取引を行おうとする場合には、その旨を開示し、公開会社、証券取引委員会および証券取引所に対して報告する義務を負う（証券法128条1項）。

4　インサイダー取引規制

証券法上、インサイダー取引規制が設けられており、具体的には、以下の行為が禁止されている（証券法12条2項）。

① 自己または他人のためにインサイダー情報を利用して証券の売買を行うこと
② インサイダー情報を他人に提供すること
③ インサイダー情報に基づき他人に証券の売買に関する助言をすること

この点、「インサイダー情報」とは、公開会社に関する未公開情報であって、公開された場合には当該公開会社の株価に重大な影響を与えうる情報と包括的に定義されている（証券法4条44項）。もっとも、どのような情報が公開会社の株価に重大な影響を与えうる情報に該当するか、法令上列挙されているわけではなく、また具体的な判断基準も定められていないため、インサイダー情報の範囲は不明確といわざるを得ず、相当広く解釈されるおそれがある点に留意を要する。

実務的な観点からは、インサイダー取引規制が上場会社だけではなく公開会社に対して及んでいるという点、インサイダー情報の提供行為そのものが禁止されているなど禁止行為の範囲が広範である点およびインサイダー情報の定義が包括的で相当広く解される余地があるという点に留意する必要がある。

---

45) 取締役会議長、社員総会議長、会長、取締役、出資者、法定代表者、社長、副社長、財務取締役、会計主任および株主総会、取締役会または社員総会等により選任される同等の管理職、監査役等を指す（証券法4条45項）。

なお、公開買付けの局面におけるインサイダー情報の利用に関する規制も別途存在し、詳細については前記**5-5**、**1**(2)④を参照されたい。

|COLUMN|　ベトナムの M&A における銀行実務の留意点

　ベトナムの M&A について他国とは異なる特徴的な点としては、買収資本の送金に関してベトナム国内の銀行の関与が基本的には必要であり、それゆえに、送金に関する銀行実務が重要であることが挙げられる。すなわち、外国投資家がベトナム企業を買収する場合、買主・売主の双方が非居住者でない限り、外国投資家が買収資金を海外の口座から売主の口座に直接送金することは認められず、その買収ストラクチャーに応じて、対象会社であるベトナム企業が開設する直接投資資本口座（Direct Investment Capital Account：DICA）または外国投資家がベトナム国内で開設する間接投資資本口座（Indirect Investment Capital Account：IICA）を経由して売主の口座への送金を行う必要がある。この DICA・IICA を通じた送金手続のために、開設銀行に所定の必要書類を提出する必要があるところ、銀行は、法令に基づき外国為替に関するサービスを提供する場合には顧客の提出書類が取引を証する適正なものであるかを確認する義務を負うこと等に起因して、書類の偽造等のリスクを避けるため、たとえば以下のような銀行実務が存在している。

①　買収資金の送金額や送金先等のための書類として株式譲渡契約等の買収に関する契約を提出するに当たり、（ベトナム法上は契約締結の要件として必ずしも必要ないものの）ベトナム企業の有する社印による割印が求められる。

②　銀行への提出書類の署名に当たり、（黒色であればコピー等を利用して偽造を行うことが容易になるため）青色のペンで署名することが求められる。

　以上の他にも、口座開設・送金に関して留意すべき銀行実務が多く存在し、これらの要請に沿わない書類は受け付けられないケースもあるため、実際にベトナム企業を買収する際には、DICA・IICA の開設銀行と密に連携することが重要となる。

第 6 章 タ イ

6-1 総　論

　タイは1960年頃から外資誘致を積極的に行ってきた国であり、周辺諸国と比較し、インフラ、労働力等の投資環境が整備されており、また、自動車産業、電気・エレクトロニクス分野を中心に産業集積も進んでいるため、日本企業の東南アジアにおける代表的な進出地となっており、日本はタイに対する最大級の直接投資国となっている。

　また、タイは従来は自動車、電子機器、食品等をはじめとする製造拠点としての重要性が高かったが、最近では、不動産業、飲食業、専門サービス業や技術サービス業その他の各種サービス業の進出も盛んとなっており、市場としての重要性も高まっている[1]。

　タイはここ数年、政治的に比較的安定していて、多くの外国企業のタイに対する投資意欲は依然として高いように感じられる。

　業種別の進出形態に関しては、まず製造業の場合、後記のように基本的に外資規制が及ばないことから、日本企業はこれまで日本で積み上げてきた技術をもとに、自ら現地子会社を新規に設立して進出する例が依然として多いものの、日本を含む外国企業の事業再編の過程における買収事例も増えている。また、販売網等、現地企業の既存のリソースを強く期待して進出する場合には、現地企業との間で合弁会社を新規に設立し、合弁会社と現地企業との間で販売契約を締結するような例が現在のところ多く見られるが、今後は、現地企業に

---

[1] 日本貿易振興機構（JETRO）「タイ日系企業進出動向調査（2020年度調査）」（2021年3月）。

対する出資を通じて、現地企業の既存の販売網を直接利用する例も多くなる可能性がある。

また、サービス業の場合でも、日本企業が買収により現地拠点にしたいと考えるようなタイ企業や、逆に現地に進出している日系企業を買収するタイ企業も出てきており、日本企業とタイ企業との間の買収事例がみられるようになっている。

このように、日本企業によるタイ企業への直接の出資や、タイ企業の買収事例が増加してきているが、その対象となるタイ企業は、タイ証券取引所（Stock Exchange of Thailand：以下「SET」という）[2]に上場している場合も多く、日本企業が、タイの上場会社買収法制を正確に理解する必要性が急速に高まっている。

6-2 M&Aの手法および関連する法令・ルールの概観

タイ企業を対象とするM&Aの手法としては、後記のように、既発行株式または新株式の取得や、事業譲渡、吸収合併、新設合併が挙げられる。

ただ、後記の外資規制との関係から、一定の事業を行う対象企業については、外国投資家が一定割合以上の株式を保有することができない場合がある。

以下では、まずM&Aの手法を検討する前提として、M&Aに関連する法令について概観することとしたい。

1　M&Aを規制する主要な法令・ルール

タイにおいて、M&Aを規制する主要な法令は、外国人事業法（Foreign Business Operations Act）その他の外資規制、民商法（Civil and Commercial Code）の非公開会社に関する規定、公開会社法（Public Limited Company Act）[3)4)]、証券

---

2 ）　SETの市場には現在、Main Boardと新興企業市場であるMAI（Market for Alternative Investment）とがある。SETのウェブサイト（https://www.set.or.th/en/market/market_statistics.html）によれば、2022年末時点では、Main Boardの証券銘柄数は2,934（うち普通株式681、優先株式7、ワラント115、デリバティブワラント2,105、ETF13、預託証券12、ユニット・トラスト1）、株式時価総額は約20.4兆バーツ（本書執筆時点のレートで約82.4兆円）であり、MAIの証券銘柄数は253（うち普通株式198、優先株式1、ワラント54）、株式時価総額は約5,354億バーツ（本書執筆時点のレートで約2.1兆円）である。

取引法（Securities and Exchange Act）（証券取引法に基づく証券取引委員会（Securities and Exchange Commission：以下「SEC」という）[5]）や資本市場監視委員会（Capital Market Supervisory Board）の告示（Notification）も重要である）、取引競争法（Trade Competition Act）等である。

これらの中でも、外資規制は特に重要である。なぜなら、タイにおいては、一般的な製造業以外の業種に広範な外資規制が適用され、また土地の保有についても外資規制が存在するところ、かかる外資規制が会社の買収に対しても適用されるからである。

2　会社買収の手法

タイにおいて会社買収に用いることができる主な手法としては、まず、株式の取得による方法として、既発行株式の取得、および第三者割当増資による新株の取得が挙げられる。

他に合併などの組織再編も考えられるところ、タイ法上は、これまで吸収合併の制度がなく、新設合併だけが規定されていたものの、2023年2月施行の改正民商法により、新たに非公開会社の吸収合併の制度が創設されるに至った。そのため、これまでは株式の取得以外の方法としては、事業譲渡の手法が検討されていたが、今後は吸収合併も選択肢となる[6]。なお、会社分割の制度は現在のところ設けられていない。

上場会社の既発行株式または新株の取得に際し、後記のように、一定の議決権割合を超えて株式を取得した場合には強制的に公開買付けを行わなければならない。なお、タイ法上、買収者が対象会社の一定数以上の株式を取得した場

---

3) 後記のとおり、公開会社とは、株式の公募を目的として、公開会社法に基づき設立された会社をいい（公開会社法4条・15条）、原則として、株式譲渡に制限を設けることができない（同法57条）。公開会社の発起人は15名以上、そのうち半数以上はタイ国内居住者であることが要件とされている（同法16条・17条1項2号）。
4) SETに上場するためには前提として公開会社である必要があるが、他方、公開会社は必ずしも上場しているとは限らない。
5) SECは、1992年に証券取引法に基づき設立された、タイの資本市場を監視しかつ発展を担う独立の政府機関である。
6) この点、一定の要件を満たす全部事業譲渡（および清算）の場合には、後記のように、通常の事業譲渡と異なる税務上のメリットが与えられていることもあり、経済的には吸収合併に近いものになるということもできる。

合に対象会社の少数株主の株式を強制的に取得することができる株式売渡請求権の制度（いわゆるバイアウト権）は設けられていない。

6-3　会社の種類とガバナンス

1　民商法・公開会社法における会社の種類

　タイの会社買収法制を検討するにあたり、まずその前提として、以下において、タイではそもそもどのような企業形態が存在し、どのようなコーポレート・ガバナンス構造を採用しているのかについて、概観しておくこととしたい。

　日本の会社法に相当するものとして、まず、民商法第22編がパートナーシップおよび非公開会社について規定している。また、これとは別に、公開会社法が公開会社について規定している。これらを合わせたものがいわばタイの会社法ということになる。これらの法律のもとで、以下のようなパートナーシップおよび会社の設立が認められている。

(1)　パートナーシップ

　民商法上のパートナーシップには、普通パートナーシップ（ordinary partnership）と有限パートナーシップ（limited partnership）とがある。普通パートナーシップにおいては、構成員であるパートナー全員がパートナーシップの全債務について連帯して直接無限責任を負うことになる（民商法1025条）。有限パートナーシップにおいては、出資金額の範囲内で間接有限責任を負う有限責任パートナーと、パートナーシップの全債務について連帯して直接無限責任を負う無限責任パートナーとが存在する（同法1077条）。

　普通パートナーシップ、有限パートナーシップのいずれも、登記された場合には法人格を取得する（民商法1015条）。ただ、普通パートナーシップの登記は任意であるのに対し（同法1064条1項）、有限パートナーシップの場合には登記は義務とされている（同法1078条1項）。

(2) 会　　社

　前記のとおり、民商法が非公開会社について規定し、公開会社法が公開会社について規定している。いずれの会社も、間接有限責任を負う株主のみから構成される。

　非公開会社は、民商法に基づき設立される会社である。附属定款で定めることにより株式に譲渡制限を付すことが可能である一方で（民商法1129条1項）、民商法上は、株式の第三者割当てや社債の発行が不可能である（同法1222条1項・1229条）[7]など、閉鎖企業を予定した形態である。

　これに対し、公開会社は、株式の公募を目的として、公開会社法に基づき設立される会社である（公開会社法4条・15条）。公開会社は、会社が適法に有する権利や利益を擁護する場合およびタイ人と外国人との株式保有比率を維持する目的である場合[8]を除き、株式譲渡に制限を設けることができない（同法57条1項）。また、株式の第三者割当てや社債の発行も可能である（同法137条・145条）。上場会社となるためには、その前提として公開会社であることが必要である。

(3) 利用状況

　日本企業がタイに新規進出する場合には、非公開会社の形態によることが多いが、公開会社の形態によることもある。他方、パートナーシップの形態を採ることは稀である。日本企業によるタイにおけるM&Aも、非公開会社が対象となることが多いが、公開会社を対象とする例も少なからずみられる。

2　会社のガバナンスの概要

(1) 非公開会社のガバナンス

　以下ではまず、非公開会社のガバナンスの概要を説明する。

　非公開会社に設置される法定の機関としては、株主総会、取締役会（取締役が複数の場合）、署名権限を有する取締役および会計監査人があり、それぞれの組織の概要は、【図表6-1】のとおりである。

7）　社債の発行について、証券取引法に例外があることに留意を要する。
8）　主に外資規制に違反しないようにすることを想定していると思われる。

【図表6-1】非公開会社のガバナンスの概要

株主総会	
普通決議事項	・取締役の報酬（1150条） ・取締役の選任および解任（1151条） ・計算書類の承認（1197条） ・配当（1201条） ・会計監査人の選任（解任も含むと解される）（1209条） ・会計監査人の報酬（1210条）
特別決議事項	・基本定款および附属定款の変更（1145条） ・新株発行による資本増加（1220条） ・現物払込みによる新株発行（1221条） ・減資（1224条） ・解散（1236条4号） ・合併（1238条）
決議方法	・原則は出席株主または代理人の挙手による1名1票であるが、2名以上の株主の請求または附属定款の定めがあれば株式数に応じた投票による（1182条・1190条） ・特別利害関係株主は議決権を有しない（1185条）
定足数	・発行済株式数の資本の4分の1以上を有する少なくとも2名以上の株主または代理人の出席（1178条）
決議要件	・普通決議：出席株主の有する議決権の過半数の賛成。賛否同数の場合には株主総会の議長が決定権を有する（1193条） ・特別決議：出席株主の有する議決権の4分の3以上の賛成（1194条）
取締役会	
取締役の人数および資格	・1名以上 ・国籍要件や居住要件なし
取締役の任期	・毎年の最初の株主総会において、3分の1（端数が生じる場合には3分の1に最も近い人数）が退任する（1152条） ・再任は可能（1153条2項）
定足数	・附属定款の定めによる。3名超の取締役会で、かつ附属定款に定めがない場合は3名の出席（1160条）
決議要件	・出席取締役の過半数の賛成（1161条） ・賛否同数の場合は、取締役会の議長が決定権を有する（1161条）

業務執行を行う者	
署名権者	・取締役のうち、会社のために署名する権限を有する者を登記する必要がある（1111条2項6号）
取締役会の受任者	・取締役会は支配人または委員会にその権限を委任することができる（1164条）
会計監査人	
資格	・当該会社の役職員であってはならない（1208条） ・タイの公認会計士でなければならない（公認会計士法37条参照）
任期	・次の定時総会まで。再任は可能（1209条）

（注1） 上記図表内の条文番号で法令名の記載のないものは、すべて民商法のそれを指す。
（注2） 2023年2月施行の改正民商法により、附属定款で禁止されていない限り、会社は、電子的方法により取締役会を開催できることが明確にされた。そして、この場合、電子的方法により出席した取締役は出席したものとみなされ、定足数に算入されるとともに、議決権も行使できる（民商法1162/1条1項・3項）。

① 株主総会

非公開会社の株主総会の法定の決議事項、定足数および決議要件については、【図表6-1】を参照されたい。附属定款による決議事項の追加、定足数および決議要件の引上げならびに議長決定権の排除は可能である。

なお、株主の最低人数は2名である（民商法1237条1項4号）。

② 取締役会

取締役会は、株主総会および附属定款に従い、会社を経営する権限と責任を有する（民商法1144条）。非公開会社の取締役会の法定の定足数および決議要件ならびに取締役の人数および資格などについては、図表6-1を参照されたい。附属定款による決議事項の明確化、定足数および決議要件の引上げならびに議長決定権の排除は可能である。

③ 署名権限を有する取締役

取締役のうち、会社のために署名する権限を有する者を登記する必要がある（民商法1111条2項6号）。この署名権者は、日本の代表取締役のような包括的代表権を有する者とは異なる概念であるが、契約締結等の場面において類似の機能を果たすことになる。署名権者を複数置いて共同署名を要すると定めることも、単独で署名することができると定めることも可能である。

④　会計監査人

非公開会社においては、日本のような業務監査を行う監査役は存在しない。他方で、外部の会計監査人を必ず選任しなければならない（民商法1208条、1209条）。

(2) 公開会社のガバナンス

次に、公開会社のガバナンスの概要を説明する。

公開会社に設置される法定の機関としては、株主総会、取締役会、署名権限を有する取締役および会計監査人があり、また、上場会社の場合には独立取締役の選任や監査委員会の設置も必要となる。それぞれの組織の概要は、【図表6-2】のとおりである。

【図表6-2】公開会社のガバナンスの概要[注]

株主総会	
普通決議事項	・登記された額面金額未満での株式の発行（52条1号） ・会社登記後2年以内の発起人の株式譲渡の承認（57条2項） ・取締役の選任（70条1項）（附属定款に別段の定めがない限り累積投票による） ・貸借対照表および損益計算書の承認（112条1項） ・配当の承認（115条2項） ・株式配当の承認（117条） ・準備金の使用による累積損失の補填の承認（119条1項） ・会計監査人の選任および報酬の決定（120条） ・未発行の登録株式の消却による減資（140条） ・清算人および清算中の会計監査人の選任および解任ならびに報酬の決定（156条・163条1項3号） ・清算貸借対照表および清算損益計算書の承認（165条） ・清算結果報告書の承認（176条1項）
取締役報酬	取締役の報酬の決定には、出席株主の有する議決権の3分の2以上の賛成による決議が必要（90条2項）
取締役の解任	取締役の解任には、出席株主の4分の3以上かつ出席株主の有する議決権の半数以上による賛成による決議が必要（76条）

特別決議事項	・基本定款または附属定款の変更（31条1項） ・株式価額の払込みと会社に対する債権の相殺の承認（54/1条1項） ・全部もしくは重要部分の事業譲渡または売却（107条2号(a)） ・他社の事業の買収または譲受（107条2号(b)） ・事業の全部もしくは重要部分の賃貸借契約、経営委託、および損益分配目的の事業の統合の締結、変更または終了（107条2号(c)） ・増資（136条2項2号） ・額面金額または株式数の減少による減資（139条3項） ・社債の発行（145条2項） ・合併（146条1項） ・解散（154条1号）
決議方法	・株主総会における投票による（107条）
定足数	・25名以上の議決権を有する株主または株主の半数以上の出席、かつ発行済株式の議決権の3分の1以上を有する株主の出席（103条1項）
決議要件	・普通決議：出席株主の行使した議決権の過半数の賛成。賛否同数の場合には株主総会の議長が決定権を有する（107条1号） ・特別決議：出席株主の有する議決権の4分の3以上の賛成（107条2号等） （ただし、取締役の選任、解任および報酬の決定については、上記参照）
取締役会	
取締役の人数および資格	・5名以上、うち半数以上はタイ国内居住者（67条） ・上場会社の場合、取締役総数の3分の1以上かつ3名以上の独立取締役の選任が求められる（資本市場監視委員会告示）
取締役の任期	・原則として次の定時株主総会まで（71条1項） ・70条に定める累積投票と異なる方法で取締役の選任が行われる旨が附属定款に規定されている場合には、毎年の定時総会において3分の1（端数が生じる場合には3分の1に最も近い人数）ずつ退任する（71条2項） ・再任は可能（71条4項）
定足数	・全取締役の半数以上の出席（80条1項）
決議要件	・出席取締役の過半数の賛成（80条2項） ・賛否同数の場合は、取締役会の議長が決定権を有する（80条3項）

業務執行を行う者	
署名権者	・取締役のうち、会社のために署名する権限を有する者（附属定款により権限の範囲が限定されている場合には、その範囲を含む）を登記する必要がある（39条1項4号）
取締役会の受任者	・取締役会から委任を受けた1名もしくは複数の取締役またはその他の者は、取締役会に代わって会社のために行為することができる（77条2項）
監査委員会（上場会社の場合）	
委員の人数および資格	・3名以上 ・独立取締役であること等の資格要件あり（資本市場監視委員会告示）
会計監査人	
資格	・当該会社の役職員であってはならない（121条） ・タイの公認会計士でなければならない（公認会計士法37条参照）
任期	・次の定時総会まで。再任は可能（120条）

（注1） 上記図表内の条文番号で法令名の記載のないものは、すべて公開会社法のそれを指す。
（注2） 2022年5月施行の改正公開会社法により、会社の附属定款において明示的に禁止されていない限り、株主総会および取締役会は、電子的方法によって開催できることが明確にされた（公開会社法79条2項、98条3項）。

① 株主総会

公開会社の株主総会の法定の決議事項、定足数および決議要件については、【図表6-2】を参照されたい。附属定款による決議事項の付加、定足数および決議要件の引上げは可能である。

なお、株主の最低人数は15名とされている（公開会社法155条1項2号）。

② 取締役会

取締役会は、会社の目的、附属定款および株主総会決議に従い、会社を経営する権限と責任を有する（公開会社法77条1項）。

公開会社の取締役会の法定の定足数および決議要件ならびに取締役の人数および資格などについては、【図表6-2】を参照されたい。附属定款による決議事項の明確化、定足数および決議要件の引上げは可能である。

上場会社の場合には、一定の独立取締役を有することが求められ、人数が不

足する場合には新株の発行勧誘について SEC の承認が得られないこととなる（新規証券発行勧誘の承認申請および承認付与に関する資本市場監視委員会の告示（Notification of the Capital Market Supervisory Board No. ThorJor. 39/2559 Re: Application for Approval and Granting of Approval for Offering of Newly Issued Shares）4条・17条1号）[9]。

③　署名権限を有する取締役

取締役のうち、会社のために署名する権限を有する者（附属定款の定めにより権限の範囲が限定されている場合には、その権限の範囲についても）を登記する必要がある（公開会社法39条1項4号）。

④　監査委員会（上場会社の場合）

上場会社の場合、一定の独立取締役3名以上を委員として構成される監査委員会の設置が必要である（新規証券発行勧誘の承認申請および承認付与に関する資本市場監視委員会の告示17条3号）。

監査委員会は、SET の規則に従い財務書類、法令遵守、関係者間取引、内部統制等につき監査を行う。

委員の人数が不足した場合、一定期間内に必要人数を揃えないと、株式の取引停止理由および上場廃止理由となる（上場会社の監査委員会の設置要件に関する SET の指針（The Stock Exchange of Thailand's Policy Re：Listed companies required to appoint audit committee）3条）。

⑤　会計監査人

公開会社においても、会計監査を行う会計監査人を必ず選任しなければならない（公開会社法120条、公認会計士法37条参照）。

9）　独立取締役の条件として、当該会社または関連会社の株式を議決権の1％以上保有しないこと、当該会社または当該会社の関連会社の役職員、親族関係者、取引先、会計監査人、一定の専門家アドバイザー等ではないこと、2年以内にそのような役職員、取引先、会計監査人、一定の専門家アドバイザー等でなかったことなど、一定の資格要件が課されている（新規証券発行勧誘の承認申請および承認付与に関する資本市場監視委員会の告示17条2号）。

6-4　外資規制の概要

1　外資規制の会社買収への適用

前記のとおり、タイにおける外資規制は、新規進出に限らず、既存会社の買収に対しても同様に適用される。したがって、タイにおける会社買収法制を検討するに際しては、まず、外資規制の概要と重要な留意点を理解しておく必要がある。

2　外国人事業法

(1)　規制対象となる「外国人」の定義

タイにおける外国直接投資を規制する主要な法律は、外国人事業法である[10]。外国人事業法による規制は、「外国人」を対象としている。ここにいう「外国人」とは、以下を指す（外国人事業法 4 条）。

① タイ国籍を有しない自然人
② タイで登記されていない法人
③ タイで登記された法人で、資本を構成する株式の50％以上を①または②が保有している法人
④ マネージングパートナーまたはマネージャーが①である有限パートナーシップ（limited partnership）または登記された普通パートナーシップ（registered ordinary partnership）[11]
⑤ タイで登記された法人で、資本の50％以上を①〜④のいずれかが保有する法人

このうち、外国企業がタイに進出・投資を行うにあたって、通常重要となるのは③と⑤である。

---

[10]　日タイ経済連携協定（2007年11月 1 日発効）および日・ASEAN 包括的経済連携協定第一次改正議定書（2020年 8 月 1 日発効）により一部の事業について外資規制割合が緩和されている。
[11]　前記のとおり、いずれも民商法に基づき設立され登記されたパートナーシップを指すことになる。

第6章　タイ

③については、外資の割合が、議決権ではなく株式数でカウントされること、また、株式の過半数ではなく「50％以上」が基準となっている（すなわち、50％も含まれる）ことに留意する必要がある。

⑤については、たとえば、外国企業対タイ企業の株式保有割合が50％：50％のタイ法人である合弁会社を組成すると、当該合弁会社は「外国人」となり（③）、当該合弁会社が別のタイ法人に出資する場合、当該合弁会社にはタイ資本が50％入っているにもかかわらず、当該合弁会社による出資のすべての部分が「外国人」による出資となってしまう点に留意が必要である（【図表6-3】参照）。

他方で、外国企業対タイ企業の株式保有割合が49％：51％であれば、外国人事業法においては、株主であるタイ企業の資本構成にかかわらず、「外国人」に該当することはない。すなわち、外国人事業法上の「外国人」か否かは、間接保有者まで遡って検討するのではなく、直接の株式保有者が「外国人」に該当するかどうかのみにより判断されることになる。

【図表6-3】「外国人」の定義⑤の例

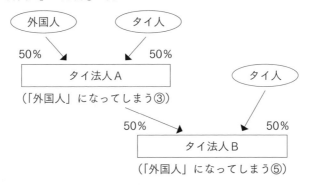

(2) 規制対象となる事業

外国人は、外国人事業法の別表1から3までのリストに掲げられた事業を原則として行うことができない（外国人事業法8条）。

外国人事業法の別表1には、外国人が営むことができない事業が9業種挙げられている。たとえば、新聞・放送事業、農林水産業、仏像の製造、土地売買

等である。

別表 2 には、国家の安全、伝統芸術の保護育成および天然資源・環境の保護のために、外国人が原則として営むことができない事業が13業種挙げられている。たとえば、武器の製造・販売、国内輸送、伝統工芸品の製造・取引、一定の製塩・製糖、鉱業等である。ただし、別表 2 の事業の場合、内閣の承認に基づく商務大臣（Minister of Commerce）の外国人事業許可を受けた場合には、例外的に「外国人」でも営むことができる[12]。

別表 3 には、タイの国内産業の競争力が不十分であるために、外国人が原則として営むことができない事業が21業種挙げられている。サービス業を中心にさまざまな業種が挙げられており、特に注意すべき点は、21項に「その他サービス業」[13]というキャッチオール規定が設けられている点である。ただし、別表 3 の事業の場合、外国人事業委員会（Foreign Business Committee）の承認に基づく商務省の事業開発局長（Director-General, Department of the Business Development）の外国人事業許可を受けた場合には、例外的に「外国人」でも営むことができる。

(3) 外国人事業許可

前記の外国人事業許可の付与は当局の広範な裁量に委ねられており、業種にもよるが、一般に取得の難度は高いといわれている。そのため、難度が高い一般的なサービス業の場合（飲食業、流通・運送業、広告業等）には、外国人事業許可の取得は当初から検討せず、株式の過半数を持たせるタイ側合弁パート

---

[12] なお、別表 2 の事業を「外国人」が行う場合には、原則としてその「外国人」の株式の40％以上をタイ人（非「外国人」）が保有していなければならない（ただし、商務大臣は、内閣の承認に基づき、この割合を引き下げることが可能であるものの、25％までで、この場合、取締役の 5 分の 2 以上がタイ国籍保有者でなければならない）という条件もある（外国人事業法15条）。
[13] 省令で定める業種を除くとされているところ、本書執筆時点において、(i)タイ国内の一定のグループ会社への貸付け、(ii)一定のグループ会社への事業所スペース等の賃貸、(iii)一定のグループ会社に対する経営管理・マーケティング・人事・IT に関する助言、(iv)証券取引法に基づく証券業務、(v)デリバティブ法に基づくデリバティブ業務、(vi)資本市場取引信託法に基づく受託業務、(vii)銀行業および外国銀行の駐在員事務所、(viii)生命保険業、(ix)損害保険業、(x)商業銀行業務に必要な一定の業務（銀行代理選任、不動産リース、債権回収代理等）、(xi)アセットマネジメント法に基づくアセットマネジメント業務などについて、「その他サービス業」から除外されている。

ナーを探すのが一般的である。

外国人事業許可の審査期間は、申請の受理から60日以内とされており、1回（60日）の延長がありうる（外国人事業法17条1項）。

なお、投資委員会（Board of Investment of Thailand：以下「BOI」という）[14]等による投資奨励により、外国人事業法による外資規制が解除される場合もある（外国人事業法12条）。

(4) Anti-nominee規制

タイ人（すなわち非「外国人」）の名義だけを借りて外国人事業法上の規制事業を無許可で行うことは、罰則付きで禁止されている（外国人事業法36条・41条）[15]。当然ながら、タイ人の名義株主としてのノミニー（nominee）を通じて、外国人事業法上「外国人」による営業が禁止されている事業を営む会社の株式の50％を取得・保有することも禁止される。どのような場合にノミニーであると判断されるかについては明確な基準がなく、裁判例や商務省の公表された判断例も見当たらないものの、安易にノミニーであると判断されているわけではない。

3　個別の事業法による外資規制の加重

外国人事業法に加えて、個別の事業法においても直接的または間接的な外資規制が存在することがあるので、別途注意する必要がある。

直接的な外資規制としては、外国人保有比率の上限を、外国人事業法上の50％未満よりも引き下げている場合がある。また、間接的な外資規制として

---

14) BOIは投資奨励機関であり、投資促進法（Investment Promotion Act）に基づき国内外の企業に恩典を与えることにより投資奨励を行っている。
15) 罰則の内容としては、名義貸しをした非外国人であるタイ国籍保持者またはタイ法人、および名義借りをした外国人の双方に対して、3年以下の禁固もしくは10万バーツ以上100万バーツ以下の罰金を科し、またはそれらを併科するものとされている。また、裁判所は、当該非外国人については名義貸しの終了または株式保有の終了、当該外国人については対象事業の終了または株式保有の終了を命令するものとしている。この裁判所命令に違反した場合には、違反1日当たり1万バーツ以上5万バーツ以下の罰金を科すものとしている。さらに、法人が違反行為を行った場合には、その取締役、パートナー、または当該法人から授権されて当該法人のために当該違反行為を行った者にも、3年以下の禁固もしくは10万バーツ以上100万バーツ以下の罰金を科し、またはそれらを併科するものとされている。

は、たとえば、取締役の一定割合についてタイ国籍保持者またはタイ居住者であることが要件とされている場合がある。

　たとえば、生命保険法（Life Insurance Act）や損害保険法（Loss Insurance Act）では、生命保険事業や損害保険事業を行う場合に、外国人保有比率を原則として25％未満（保険委員会の特別許可により49％以下まで引上げが可能。一定の例外的な場合[16]には財務大臣は外国人保有比率のさらなる引上げを認めることも可能）（生命保険法（Life Insurance Act）10条、損害保険法（Loss Insurance Act）9条）とし、また、原則として取締役の4分の3以上（保険委員会の特別許可により過半数まで引下げが可能。一定の例外的な場合[17]には財務大臣はさらなる引下げを認めることも可能）はタイ国籍保持者であることが要求されている。

　また、銀行等の金融機関についても、金融機関事業法（Financial Institutions Business Act）が適用され、生命保険法や損害保険法と同様の外国人保有比率の上限および取締役の人数比率の下限に関する規制がある（金融機関事業法16条）[18]。

4　土地保有に関する外資規制

　土地法（Land Code）の規制により、「外国人」は、BOIまたは工業団地公社（Industrial Estate Authority of Thailand）から許可を取得しない限り、原則として土地を保有することができない。

　なお、土地法における外国人の定義は、外国人事業法のそれと類似しているが、株式の（50％以上ではなく）49％超を外資が保有し、または株主の人数の過半数が外国人であるタイ法人は「外国人」に該当するとされている点が異な

---

16) ①会社が被保険者または公衆に損害を与えるような状況に置かれ、またはそのような操業を行っている場合、②保険会社の安定強化のため必要な場合、および③保険業界の安定強化のため必要な場合を指す。
17) 同様に、①会社が被保険者または公衆に損害を与えるような状況に置かれ、またはそのような操業を行っている場合、②保険会社の安定強化のため必要な場合、および③保険業界の安定強化のため必要な場合を指す。
18) 金融機関事業法においては、これ以外にも、1つの銀行等の株式を5％以上保有する者の監督官庁への報告義務や、1つの銀行等の株式を10％超保有する場合には監督官庁の許可を受けなければならない旨が規定されている。そして、かかる報告義務や許可の要否の判断においては、外国人事業法とは異なり間接保有者の保有する株式の数も考慮することとされている（金融機関事業法17条・18条）。

る。すなわち、たとえば、株式の49.5％を外国企業が保有するタイ法人は、外国人事業法上は非「外国人」であるが、土地法上は「外国人」に該当し、一定の許可を得ない限り原則として土地を保有できないことになる。

5　外資規制の回避スキーム

前記のような外資規制の適用を回避すべく、実務上はさまざまな工夫が試みられているが、その中でも、以下に記載する各スキームは、実務において比較的頻繁に検討される代表的なスキーム例である。

① 友好的な非「外国人」株主を利用するスキーム

外国人事業法上の「外国人」ではない（すなわちタイ資本が過半数を占める）友好的な株主から第三の株主として若干の出資を受けるという方法である。典型的な例として、日本企業とタイ企業が49％ずつ出資し、残り2％について、別の日本企業の関連会社でタイ資本が過半数を保有するコンサルティング会社や投資会社からの出資を受けるという方法である。この場合、当該コンサルティング会社や投資会社が、日本企業と事実上同様の議決権等の権利行使をすることにより、結果的に日本企業による経営支配が可能となる（【図表6-4】)[19]。

【図表6-4】友好的株主を利用するスキームの例(注)

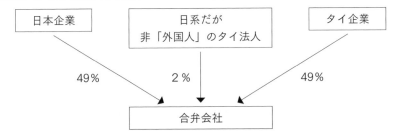

---

[19] 前記の Anti-nominee 規制に違反しないように注意する必要がある。前記のようにノミニーに該当するか否かの基準は明らかでないが、たとえば、株主間契約において同様の議決権等の権利行使をすることを契約上の義務として強制することは避けるべきであるように思われる。

② 1株当たりの議決権数の異なる種類株式を利用するスキーム

外国企業がたとえば、株式数を基準として49％の株式を保有し、タイ企業が51％の株式を保有することで、合弁会社を「タイ人」としつつ、1株当たりの議決権数が多い種類株式を外国企業に発行することで、外国企業が議決権の過半数を取得する方法である（【図表6-5】）。これは、前述のとおり、外国人事業法で規制の基準となるのは資本比率であり、議決権比率は問われていないことに着目したものである。

ただし、種類株に関する民商法の規定は具体的でなく、たとえば1株当たりの議決権数にどの程度まで差を付けてよいかなどといった点は明らかではない。また、このようなスキームによる外国企業の実質支配を防ぐべく、外国人事業法の規制を資本ベースから議決権ベースに変えるという改正論議も（いずれも実現していないものの）これまでに複数回生じていることに留意が必要である。

【図表6-5】議決権数の異なる種類株を利用するスキームの例

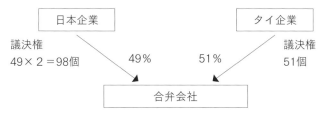

③ ダウンストリームインベストメント

これは、議決権の過半数を取得して会社経営権を支配しようとするものではないが、【図表6-6】のように合弁会社を二層（以上）にして、日本企業がそれぞれに対して外資規制の枠内でマイノリティ出資をすることにより、実質的に配当等の経済的利益を多く得る方法である。

【図表6-6】 ダウンストリームインベストメントの例

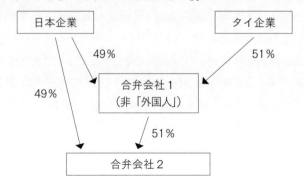

6-5 買収のための各手法の手続および内容

1 概　要

　前記のとおり、タイにおいて会社買収に用いることができる主な手法としては、まず、株式の取得による方法として、株式の公開買付けを含む既発行株式の取得と、第三者割当増資による新株の取得がある。また、主な株式の取得以外の方法として、事業譲渡の手法があり、特に、一定の要件を満たす全部事業譲渡（および清算）の場合には、通常の事業譲渡と異なる税務上のメリットが与えられ、経済的には吸収合併に近いものになる。
　そして、2023年2月施行の改正民商法により、新たに非公開会社の吸収合併の制度が開設されるに至っている。

2 既発行株式の取得

(1) 非公開会社の既発行株式の取得

　非公開会社の株式を取得のための法律上の手続としては、まず、株式譲渡証書（Share Transfer Instrument）を株式譲渡の当事者において締結することが必要である。この株式譲渡証書は、商務省に届出がなされるものではないため、必ずしもタイ語により作成される必要はない。株式譲渡証書については、民商

法1129条2項に規定されており、主要な点は、以下のとおりである。必要的記載事項は、株式譲渡の当事者名、株式数および株式番号であり、各署名者について少なくとも1名の証人による署名が必要である。証人は、株式譲渡証書の署名者以外の第三者であればよく、特別の条件はない。実務上は、株式譲渡の当事者間において、諸種の詳細な条件を規定した英文の株式譲渡契約書を別途締結し、株式譲渡証書は当該英文株式譲渡契約とは別に簡易なものを作成する場合が多い。なお、附属定款において、株式譲渡に取締役会や株主総会の承認を必要とする旨の譲渡制限を規定している場合があり、このような場合には当該規定に従う必要がある。株式譲渡の効力は株主名簿に記載されるまで会社および第三者に対抗することができない(民商法1129条3項)。また、対抗要件ではないものの、会社に株券発行義務があることや(同法1127条)、株式譲渡の証拠の1つとなるため、譲受人は会社から新株券の発行を受けておくべきである。株主名簿書換後、会社は、法令上の義務ではないものの、速やかに株主リストの変更を商務省に届け出るのが実務上一般的である。

なお、当然ながら、外国会社がタイの現地法人の株式を取得する場合、前述の外国人事業法等に基づく外資出資比率の制限に抵触しないように注意する必要がある。

(2) 非上場の公開会社の既発行株式の取得

非上場の公開会社の株式取得の手続は、公開会社法に定められている。株式譲渡は裏書によって有効になる。裏書には、譲受人の氏名または名称を記載の上、譲渡人・譲受人双方が署名し、譲受人に株券を交付することが必要である(公開会社法58条1項)。株式譲渡の効力は株主名簿に記載されるまで第三者に対抗することができない(同項)。会社は株主名簿書換請求があった場合、14日以内に名義書換を完了するか、または7日以内に請求人に対し譲渡が無効である旨を通知しなければならない(同項)。譲受人が新株券の交付を必要とする場合には、譲受人は会社に対し、旧株券ならびに自己および証人の各署名がなされた書面を提出して、株主名簿書換および新株券発行の請求を行い、会社は7日以内に名義書換を完了するとともに、1カ月以内に新株券を発行しなければならない(同条2項)。

法令上の義務ではないものの、実務上速やかに株主リストの変更を商務省に届け出る点や、外国人事業法等に基づく外資出資比率の制限に抵触しないように注意する必要がある点は、非公開会社の場合と同様である。

(3) 上場会社の既発行株式の取得
① 強制的公開買付けの対象となる取引

上場会社の株式を取得した結果、議決権総数の25％以上、50％以上または75％以上（以下、総称して「トリガーポイント」という）を保有することとなった場合は、公開買付けの手続を行わなければならない（証券取引法247条、上場会社の証券の買収に関する規則、条件および手続に関する資本市場監視委員会の告示（Notification of the Capital Market Supervisory Board No. ThorJor. 12/2554 Re: Rules, Conditions and Procedures for the Acquisition of Securities for Business Takeovers：以下「上場会社買収規則告示」という）4条）。

すなわち、25％未満の上場株式を保有している者が25％以上の議決権を表章する上場株式を取得した場合、25％以上50％未満の上場株式を保有している者が50％以上の議決権を表章する上場株式を取得した場合、そして、50％以上75％未満の上場株式を保有する者が75％以上の議決権を表章する上場株式を取得した場合に、公開買付けの手続が必要となる。

なお、後記の Acting in Concert Rule（証券取引法247条）により共同保有者とみなされる者や、(a)取得者の配偶者および未成年の子、(b)取得者（法人）の議決権を30％超保有する大株主など、証券取引法258条所定の一定の者（以下「関係人」と総称する）による株式の保有も、当該取得者による株式の保有とみなされる。

② 任意的公開買付け

任意的公開買付けも可能であり、手続は強制的公開買付けの場合と同じである（上場会社買収規則告示2条2号参照）。ただ、任意的公開買付けの場合、公開買付期間終了後に応募株式数が公開買付届出書に明記された募集株式数に満たないときは、公開買付けを撤回することもできる（同告示46条）。

③ 通常の公開買付手続の概要

公開買付者は、まず、SEC に対して、トリガーポイントに達する株式取得

の翌営業日までに、保有株式報告書（Form 246-2）を提出しなければならない（上場会社買収規則告示17条）。既発行株式の取得の場合には、同時に、SECおよびSETにそれぞれ株式公開買付意向書（Form 247-3）を提出しなければならない（同告示17条2項）。

次に、かかる保有株式報告書（Form 246-2）および株式公開買付意向書の提出から7営業日以内に、SECに対して、SECの承認したリストに掲げられているフィナンシャル・アドバイザーにより作成された公開買付届出書（Form 247-4）および公開買付応募申込書フォームを提出し、手数料を支払わなければならない（上場会社買収規則告示18条）。

その後直ちに、対象会社、対象会社株主およびSETに対し、公開買付届出書の写しおよび公開買付応募申込書フォームを交付しなければならない。また、タイ語日刊新聞2紙以上および英字日刊新聞1紙以上において公告を行わなければならない。公告期間は、公開買付届出書の冒頭において公開買付期間および公開買付条件が最終的なものである旨記載した場合には3営業日、それ以外の場合には1営業日である（上場会社買収規則告示20条）。後者の場合、公開買付期間を延長する場合および公開買付条件を変更する場合には、その旨の公告を1営業日の間行う必要があり（同告示25条3号・27条3号）、また、公開買付期間および公開買付条件が確定した段階で、その旨の公告を3営業日の間行う必要がある（同告示28条2項3号）。

公開買付届出書の提出から3営業日以内に、公開買付期間が開始する（上場会社買収規則告示23条）。公開買付期間は、25営業日から45営業日の間で設定する。公開買付期間は、当初に公開買付届出書において当該公開買付期間が延長されないかまたは最終的なものである旨記載した場合を除き、開始から最長45営業日の範囲内で延長することができる（同告示24条）。

公開買付届出書の提出後に対象会社に重大な悪影響（material adverse effect）を及ぼす事由[20]が生じた場合には、当初に公開買付届出書においてそれが最終的なものであると記載したか否かにかかわらず、公開買付期間および公開買付条件を変更することができる（上場会社買収規則告示24条・26条・29条）。ま

---

20) 上場会社買収規則告示には、いかなる事由がこれに該当するかについては具体的に定められていない。

た、公開買付届出書に、対象会社に重大な悪影響を及ぼす事由が生じた場合および対象会社の行為により対象会社の株価が著しく低下した場合には公開買付自体を撤回することができる旨を記載していれば、当該事由が発生した場合、SEC に通知し、かつ SEC が通知を受けてから 3 営業日以内に異議を唱えなければ、公開買付自体を撤回することもできる（同告示45条）。

当初に最終的な公開買付条件および公開買付期間を定めなかった場合には、公開買付期間終了まで15営業日前までに、それらを定めて SEC への届出、ならびに前記の公開買付届出書と同様の通知および公告を行う必要がある（上場会社買収規則告示28条）。

対象会社は、公開買付者より公開買付届出書の写しを受領してから15営業日以内に、当該公開買付けに対する意見表明書（Form 250-2）を SEC に提出し、かつ全株主および SET にその写しを交付しなければならない（証券取引法250条、公開買付けに関する意見表明書の作成の書式および時期に関する資本市場監視委員会の告示（Notification of the Capital Market Supervisory Board No. ThorJor. 40/2552 Re: Statement Form and Period for Preparing Opinion Concerning Tender Offer）2条）。当該意見表明書の中に、SEC の承認したリストに掲げられているフィナンシャル・アドバイザーのいずれかによる、株主のアドバイザーとしての意見を含まなければならない。

公開買付期間の終了後 5 営業日以内に、公開買付者は、SEC に対して、公開買付報告書（Form 256-2）を提出して結果を報告し、また、その写しを SET に提出しなければならない（上場会社買収規則告示34条）。

公開買付者は、原則として公開買付期間終了日から 1 年間は対象会社について新たな公開買付けを行うことができない（証券取引法255条）。また、トリガーポイントに達する株式を取得した者は、公開買付期間終了後 6 カ月間は、原則として公開買付価格よりも高い価格で対象会社の既発行株式を取得することができず、さらに、公開買付期間終了後 1 年間は、対象会社の株主総会において出席株主の議決権の 4 分の 3 以上を有する株主の賛成がない限り、公開買付届出書の記載と実質的に異なる行為を行うことができない（上場会社買収規則告示48条）。

なお、強制的公開買付けでは、先に終了した対象会社株式の取得の後に残存

する株主にも平等な売却機会を与えるために、残るすべての発行済株式を対象とした公開買付けの手続が必要とされることから、基本的に取得対象株式数に関して上限や下限その他条件を設定することが許されていない。

④ 非上場化を前提とした公開買付け

タイにおいては公開買付けが成功した後に対象会社株式を非上場化させることも行われている。この場合には、前記②の公開買付手続を行う前に、まず対象会社の取締役会が非上場化を承認する旨の決議を行ったうえ、その旨を同日中または翌営業日の SET の最初の取引時間開始の1時間以上前に SET に通知する必要がある（証券の非上場化に関するタイ証券取引所委員会の告示 (Notification of the Board of Governors of the Stock Exchange of Thailand Re：Procedures for Voluntary Delisting B.E. 2564（2021）：以下「非上場化告示」という）3条1項2号）。また、株式の非上場化のためには、対象会社の株主総会において発行済株式総数の議決権の4分の3以上の株式を保有する株主の賛成を得たうえ、発行済株式総数の議決権の10％超の株式を保有する反対株主が存在しないことが必要である[21]（同告示4条1項）。

その後、対象会社は、SET に上場廃止申請書を提出し、SET が30日以内の審査を経て上場廃止を承認した後、公開買付者は、前記の公開買付手続に入ることになる（非上場化告示5条、6条）。公開買付期間終了後、公開買付者は前記のとおり SEC に対して公開買付報告書（Form 256-2）を提出して結果を報告し、また、その写しを SET に提出する。SET は上場廃止の決定、およびその効果発生日を公表する[22]。

⑤ 公開買付けの対価の種類・価格

公開買付けの対価の種類は、金銭のみまたは金銭以外の有価物を選択できる

---

[21] 非上場化の承認および反対にかかる株主総会決議については、後記の whitewash の承認決議と異なり、当該取得者およびその関係人は除かれていない。また、議決権のない預託証券を保有する Thai NVDR Company Limited も例外的に議決権を持つことになる。Thai NVDR Company Limited は、タイの外資規制のもとで外国人にタイ株投資の便宜を図るため、タイ株を原証券として NVDR (Non-Voting Depository Receipt) という預託証券を発行する機関である。この預託証券を保有することにより、議決権以外の権利（主に配当受領権等の経済的利益）を実質的に享受することができる。

[22] 非公開会社が公開会社に組織変更することが可能である（公開会社法180条）のと異なり、公開会社は、非上場化しても、公開会社から、会社運営がより簡素な非公開会社に組織変更することは認められていないことに留意を要する。

ようにしなければならない（上場会社買収規則告示35条2号）。すなわち、金銭以外の有価物のみを対価とすることは許容されていない。

公開買付価格については以下の規制がある。まず、公開買付届出書提出の前90日間において公開買付者またはその関係人が対象株式を取得している場合には、その最高値を下回ってはならない（後記の Chain Principle Rule が適用される場合には、SEC 所定の計算方法に従い算出された間接的な支配権取得に要した費用も下回ってはならない）（上場会社買収規則告示36条1項）。

また、公開買付者またはその関係人が対象会社の他の種類の株式のみを公開買付届出書提出の前90日間において取得している場合には、(a)公開買付者のファイナンシャル・アドバイザーの評価による公正価格を下回ってはならず、かつ、(b)対象株式が上場株式であるときには、当該他の種類株式取得（期間中に複数回取得している場合には最高値で取得した時）の前5営業日間の対象株式の加重平均市場価格も下回ってはならない（上場会社買収規則告示36条2項）。

ただし、非上場化を伴う公開買付けの場合には、(a)公開買付届出書提出前の90日間において公開買付者またはその関係人が対象株式を取得している場合の最高値、(b)対象会社の取締役会が非上場化の株主総会への提案を決議した日または株主総会が非上場化を決議した日のうちいずれか早い方の前5営業日の加重平均市場価格、(c)直近の資産および負債により調整後の対象会社の簿価、および(d)公開買付者のファイナンシャル・アドバイザーの評価による公正価格、のいずれも下回ってはならない（上場会社買収規則告示56条）。

⑥　共同保有者とみなされる場合（Acting in Concert Rule）

(a)故意かつ共同して（intentionally and jointly）他の者と議決権を行使する者か、または、自己の議決権を対象会社を支配するために他の者に行使させる者で、(b)当該他の者と共同して議決権を行使する旨の株式間契約を締結している等の一定の関係または共同行為関係にある者は、トリガーポイントに達する議決権の取得の有無の判断において、共同保有者とみなされて、合算してトリガーポイントに達した場合には当該他の者とともに公開買付義務を負うことになる（証券取引法247条、共同保有者を定める資本市場監視委員会の告示（Notification of the Capital Market Supervisory Board No. ThorJor. 7/2552 Re：Prescription of Nature of Relationship or Conduct Constituting an Acting in Concert and Practices under Sections

246 and 247）2条）点に留意が必要である（いわゆる Acting in Concert Rule）。

⑦ 直接保有者の支配権の変動により間接的にトリガーポイントに達する場合（Chain Principle Rule）

対象会社の議決権を有する株主（以下「直接保有大株主」という）の直接的または間接的な支配権（具体的には、(a)直接保有大株主から１つずつ遡った場合の議決権の50％以上の保有の連続または(b)取締役指名権を通じた経営支配権）を取得した者には、当該者、中間者および直接保有株主ならびにそれらの関係人の有する対象会社の議決権の合計がトリガーポイントに達した場合、公開買付規制が適用される（上場会社買収規則告示６条・37条）点に留意が必要である（いわゆる Chain Principle Rule）。

たとえば、シンガポール法人の Kim Eng Holdings Ltd. が、Kim Eng Securities (Thailand) Public Company Limited の株式の約55％を有していたところ、2011年に Kim Eng Holdings Ltd. の株式の50％超をマレーシアの Maybank IB Holdings Sdn Bhd（旧名：Mayban IB Holdings Sdn Bhd）が取得した事例においては、Maybank IB Holdings Sdn Bhd が、Kim Eng Securities (Thailand) Public Company Limited の株式の取得について、公開買付届出書（Form 247-4）を提出している（【図表6-7】）。

【図表6-7】Chain Principle Ruleが適用される例

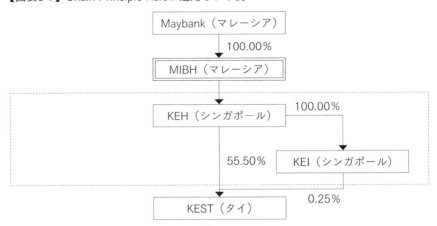

⑧ 外資規制が及ぶ業種における支配権取得の方法

(a) 部分的公開買付け

対象会社が外資規制の及ぶ事業を行っている場合、外資規制に違反しないようにするためだけであれば、1つの方法として、部分的公開買付け（partial tender offer）（上場会社買収規則告示49条以下）の方法により、取得上限を総議決権の50％未満に設定することが考えられる。部分的公開買付けの主な要件は、SECの承認（waiver）を得ることと、対象会社の株主総会において出席株主の議決権の過半数を有する株主の承認を得ることである（同告示50条）。

しかしながら、対象会社の支配権を得ることを目指す場合には、部分的公開買付けの方法は意味をなさない。そこで、既発行株式の取得により外資規制の及ぶ事業を行っている対象会社の支配権を取得する方法として、主に以下のものが考えられる。

(b) 外国人事業許可等の取得

まず、もっとも直截的な方法として、外国人事業許可等を取得することが考えられる。しかし、前記のように、外国人事業許可は一般的なサービス業（飲食業、流通・運送業、広告業等）の場合には取得が困難であることが多い。また、BOI等による投資奨励による外資規制の解除の対象もごく限られた業種（たとえば技術開発事業、環境保全事業等）に限定されている。

(c) 共同公開買付け

次に、共同で対象会社を運営するタイ側パートナーを確保したうえで、外資規制に反しない取得割合を定めて、共同で公開買付けを行う方法が考えられる。

ただ、この方法は、信頼できるタイ側パートナーを確保して、共同で対象会社を運営することができる場合に限られる。

日立物流株式会社のシンガポールにおける完全子会社であるHitachi Transport System (Asia) Pte. Ltd.と、発行済株式のうち同シンガポール子会社が約43.7％を有し、タイ資本が過半数を有すると思われるタイ関連会社であるHitachi Transport System (Thailand), Ltd.が、Eternity Global Logistics Public Company Limitedの株式の共同公開買付けを行い、それぞれ約49％および約51％の株式を取得した事例は、共同公開買付けの一例と思われる。

なお、この日立物流の事例は、同社とシンガポール子会社を一体としてみる

と、タイ関連会社と対象会社の双方に対してマイノリティ出資を行っており、さらにタイ関連会社が対象会社に過半数出資を行っていることから、一種のダウンストリームインベストメントの形にもなっている（【図表6-8】参照）。

【図表6-8】共同公開買付けの例

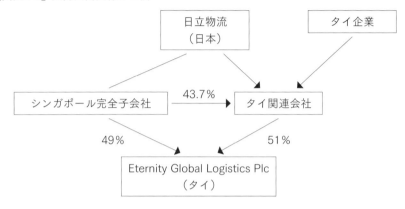

3　新株の取得（第三者割当増資）

(1)　非公開会社における第三者割当増資手続

非公開会社の新株発行は、原則として、既存株主に対してその出資比率に基づいてのみ行うことができ、第三者割当増資をすることができない（民商法1222条1項）。ただ、既存株主が新株発行を引き受けない場合、当該既存株主がその旨取締役会に通知すれば、取締役会は引き受けられなかった株式について他の既存株主に対して発行することができる。

当然ながら、非公開会社においても第三者割当増資の必要が生じる場合はあるから、このような場合、実務上は、①新株発行を引き受けることを希望する第三者（新株主）が既存株主から1株以上の株式を譲り受け既存株主となった上で、②取締役会が新株主を含む既存株主に対して新株発行について通知し、③新株主を除く既存株主が当該新株発行を引き受けない旨を取締役会に通知し、④新株主が当該新株発行を引き受ける、という方法により、実質的には第三者割当増資と同様のことを行っている[23]。

(2) 公開会社における第三者割当増資手続

前記のように、公開会社は、非公開会社と異なり、第三者割当増資を行うことができる（公開会社法137条）。

新株発行による増資を行うためには、出席株主の議決権のうち4分の3以上を有する株主による承認決議を行い、決議の日から14日以内に登録資本金の変更登記を行う必要がある（公開会社法136条2項2号・3号）。

(3) 公開買付規制の適用と株主総会決議による適用免除

新株の取得の場合にも、公開買付規制は原則として適用される（上場会社買収規則告示17条1号）。

ただし、株主総会決議による承認など一定の要件を満たすと、公開買付規制の適用の免除（Whitewash）を受けることができる。

公開買付規制免除の具体的な要件は、新株発行後の保有議決権割合が議決権総数の25％以上50％未満となる場合には、①取得される株式が（既発行株式ではなく）新株のみであること、②対象会社の株主総会において出席株主の議決権（当該取得者およびその関係人は除く）の4分の3以上を有する株主による承認を得たこと、③前記の株主総会の招集通知に、告示に規定される詳細が含まれること（SECに提出した招集通知案に対し、SECからの指摘があれば、その指摘を反映させた内容であること）、④取得者が、対象会社の取締役会が発行決議を行った後、前記の株主総会決議まで対象会社株式を取得しないこと、である（株主総会決議による公開買付規制の適用免除の申請にかかる規則に関する証券取引委員会の告示（Notification of the Office of the Securities and Exchange Commission No. SorGor. 29/2561 Re: Rules for the Application for a Waiver from the Requirement to Make a Tender Offer for All Securities of the Business by Virtue of the Resolution of the Shareholders' Meeting of the Business：以下「Whitewash規則」という）5条）。

他方、新株発行後の保有議決権割合が議決権総数の50％以上または75％以

---

23) SECは、一定の要件を満たした中小企業が円滑に資金調達できるように、一定の条件を満たせば、非公開会社にもかかわらず、ベンチャーキャピタル、プライベートエクイティ、エンジェル投資家、当該会社の取締役・従業員などに対し第三者割当を含む私募を行うことを認めている（Notification of the Capital Market Supervisory Board No. ThorJor. 17/2563 Re: Private Placement of Newly Issued Shares of Small and Medium-Sized Enterprise）。

上となる場合には[24]、前記に加え、⑤前記②の決議において発行済株式数の議決権の5％以上の株式を保有する反対株主が存在しないこと、⑥取得者が取得する株式は、既存株主の持株比率に応じた新株引受権（right offer）または新株予約権が行使されなかった分の株式であること、⑦前記②と同じ株主総会における決議において、既存株主に持株比率に応じた新株引受権を付与する旨の決議がなされた（right offer）こと、⑧前記②と同じ株主総会における決議において、取得者が取得できる上限が決定されたことも必要となる（Whitewash 規則6条）。

具体的な手順としては、まず取得者は、対象会社の取締役会に対して新株取得の意向を表明し、対象会社の取締役会が承認した後、SEC に対して株主総会招集通知案および株主総会決議申請書（Form 247-7）を提出する。SEC は指摘事項があれば15日以内に取得者に連絡する。その後、取得者は、株主総会招集通知が各株主、SEC および SET に送付されるように手配するとともに、SEC に対して、①公開買付規制の適用免除申請書、②公開買付規制の適用免除を適用し、取得者に新株を発行する旨の株主総会決議の通知書、③株主総会招集通知の写し、④前記②の決議にかかる株主総会議事録の部分の写しなどを提出する。

かかる一連の適用免除申請手続が適正に行われ、SEC が承認した場合に公開買付規制の適用免除の効力が発生する（Whitewash 規則7条～13条）。

4　全部事業譲渡および清算

事業譲渡は、対象会社の資産および負債を個別承継する方法である。

この点、課税に関しては、個別承継として個々の譲渡についての課税に服する通常の事業譲渡（asset transfer）の場合と異なり、全部事業譲渡（entire business transfer）の場合には、（時価ではなく）簿価で譲渡することができ、資産の譲渡益課税、付加価値税、特別事業税が免除される。ただし、かかる免税対象となる全部事業譲渡として認められるためには、譲渡会社および譲受会社が租税を滞納していないこと等の条件のほか、譲渡と同一会計年度内に譲渡会社の清算

---

[24] もっとも、多くの場合、対象の上場会社は土地を保有しているので、前記の土地法の規制との関係から、取得後の外資割合を49％にとどめることが多い。

手続を開始しなければならないものとされている（公開会社または法人の間の合併または全部事業譲渡の租税免除に関する基準、手続および条件にかかる税務長官の告示（Notification of the Director-General of Revenue Department, Re criteria, procedures and conditions related to merger or transfer of entire business to each other of public limited companies or limited companies for exemption of Taxes and duties））。

なお、許認可に関しては、全部事業譲渡の場合であっても、対象会社が有する許認可のほとんどは自動的には引き継がれず、また外国人事業許可のように承継が不可であるものも多いことに留意が必要である。

また、全部事業譲渡の場合であっても、従業員の承継には個別の同意が必要であり、同意が得られなければ労働者保護法（Labor Protection Act）または就業規則等所定の解雇補償金[25]を支払うことになる点にも留意が必要である。

5　新設合併および吸収合併

(1)　新設合併

これまでタイ法上は、1つの会社が存続し、他の会社が消滅する合併（いわゆる「吸収合併」）は認められておらず、当事会社がすべて消滅して新しい会社が設立される新設合併のみが認められていたことは前記のとおりである。非公開会社の新設合併の手続の流れは以下のとおりである。なお、2023年2月施行の改正民商法により、反対株主の株式買取制度が創設されている。

① 　株主総会決議：合併する各当事会社の株主総会で合併を決議する（民商法1238条）。

② 　特別決議の登記：株主総会で合併が決議された後14日以内に、商務省でかかる特別決議を登記する必要がある（民商法1239条）。

③ 　反対株主の株式買取：株主総会に出席した株主が合併に反対した場合、

---

[25]　労働者保護法所定の解雇補償金の額は、勤続年数に応じて最終賃金を基準に以下の日数に相当する金額と規定されている。
- (i)　120日以上1年未満　　30日分
- (ii)　1年以上3年未満　　　90日分
- (iii)　3年以上6年未満　　　180日分
- (iv)　6年以上10年未満　　240日分
- (v)　10年以上20年未満　　300日分
- (vi)　20年以上　　　　　　400日分

会社は、反対株主が保有する株式の買取者を手配する必要がある。株式買取価格について当事者間で合意が得られない場合には、鑑定人が任命され、その評価額が最終的な買取価格となる。買取価格の決定後、買取の申し出から14日以内に株式譲渡手続が完了しない場合、合併の手続は進行し、反対株主は新会社の株主となる（民商法1239/1条）。

④ 債権者の異議申立て：各当事会社の株主総会で合併を決議した後、14日以内に、当該決議時点に会社の名簿に記載された債権者に対し、書面で当該決議について通知をしなければならず、通知には異議申立期間が当該通知を受け取った日から1カ月以内であることを定めなければならない。また、会社は当該決議について、当該決議から14日以内に広く普及している日刊新聞に公告しなければならない。異議を申し立てた債権者がいた場合には、当該債権者に返済し、または担保を提供するまで、合併を進めることはできない（民商法1240条）。

⑤ 株主総会の開催：合併する各当事会社は、いずれかの会社が合併の決議をした日から6カ月以内に、以下の事項を共同で検討するために、株主総会を招集しなければならない（民商法1240/1条）。

(1) 合併会社の名称（合併する会社の旧社名とすることもできる）。
(2) 合併会社の目的
(3) 合併会社の株式資本（ただし、株式資本は、合併する会社の株式資本の合計を下回ってはならない）
(4) 株主に対する合併会社の株式の割当（ただし、増資する場合も、既存株主の株式保有割合に応じて新株を割り当てる必要はなく、合併する会社が協議することができる）
(5) 合併会社の基本定款
(6) 合併会社の附属定款
(7) 合併会社の取締役の選任
(8) 合併会社の会計監査人の選任
(9) その他合併に必要な事項がある場合には、その事項

⑥ 新会社への事業・資産等の引渡し：合併する会社の取締役会は、⑤の株主総会から7日以内に、事業、資産、会計、文書、帳票を新会社に引き渡

す（民商法1240/3条）
⑦　新会社設立登記：新会社の取締役会は、⑤の株主総会から14日以内に、合併登記を申請し、同時に、⑤の株主総会で承認された基本定款および附属定款を商務省の登記官に提出しなければならない（民商法1241条）。登記官は、合併した各当事会社が法人格を喪失したことを登記簿に記録する（民商法1242条1号）。

なお、合併の場合、当事会社が有する権利義務は自動的に新設会社に引き継がれる（民商法1243条）。許認可に関しても、一般的に、当事会社が有する許認可は自動的に新設会社に引き継がれると解されているが、実務上、手続の不備により許認可の引き継ぎが円滑に行われていない場合（たとえば、運送事業関係許可、健康被害発生事業許可書が考えられる）がある。

また、2019年5月の労働者保護法の改正により、新設合併に際して労働者の権利義務（雇用契約）の旧雇用主から新雇用主（新設合併会社）への承継には、労働者の個別の同意が必要であることが明示された。これにより、今後は事業譲渡の場合と同様に、新設合併においても労働者の承継には対象労働者の個別同意の取得が必要となる。

(2)　吸収合併

これまでタイ法上は、新設合併だけが規定されており、吸収合併の制度は存在しなかったが、2023年2月施行の改正民商法により、非公開会社の吸収合併の制度が創設されるに至った。

非公開会社の吸収合併の手続の流れは以下のとおりである。基本的に新設合併と同様の手続である。

①　株主総会決議：合併する各当事会社の株主総会で合併を決議する（民商法1238条）。
②　特別決議の登記：株主総会で合併が決議された後14日以内に、商務省でかかる特別決議を登記する必要がある（民商法1239条）。
③　反対株主の株式買取：株主総会に出席した株主が合併に反対した場合、会社は、反対株主が保有する株式の買取者を手配する必要がある。株式買取価格について当事者間で合意が得られない場合には、鑑定人が任命さ

れ、その評価額が最終的な買取価格となる。買取価格の決定後、買取の申し出から14日以内に株式譲渡手続が完了しない場合、合併の手続は進行し、反対株主は新会社の株主となる（民商法1239/1条）。

④ 債権者の異議申立て：各当事会社の株主総会で合併を決議した後、14日以内に、当該決議時点に会社の名簿に記載された債権者に対し、書面で当該決議について通知をしなければならず、通知には異議申立期間が当該通知を受け取った日から１カ月以内であることを定めなければならない。また、会社は当該決議について、当該決議から14日以内に広く普及している日刊新聞に公告しなければならない。異議を申し立てた債権者がいた場合には、当該債権者に返済し、または担保を提供するまで、合併を進めることはできない（民商法1240条）。

⑤ 株主総会の開催：合併する各当事会社は、いずれかの会社が合併の決議をした日から６カ月以内に、以下の事項を共同で検討するために、株主総会を招集しなければならない（民商法1240/1条）。

(1) 合併会社の名称（合併する会社の旧社名とすることもできる）。
(2) 合併会社の目的
(3) 合併会社の株式資本（ただし、株式資本は、合併する会社の株式資本の合計を下回ってはならない）
(4) 株主に対する合併会社の株式の割当（ただし、増資する場合も、既存株主の株式保有割合に応じて新株を割り当てる必要はなく、合併する会社が協議することができる）
(5) 合併会社の基本定款
(6) 合併会社の附属定款
(7) 合併会社の取締役の選任
(8) 合併会社の会計監査人の選任
(9) その他合併に必要な事項がある場合には、その事項

⑥ 新会社への事業・資産等の引渡し：合併する会社の取締役会は、⑤の株主総会から７日以内に、事業、資産、会計、文書、帳票を新会社に引き渡す（民商法1240/3条）

⑦ 新会社設立登記：新会社の取締役会は、⑤の株主総会から14日以内

に、合併登記を申請し、同時に、⑤の株主総会で承認された基本定款および附属定款を商務省の登記官に提出しなければならない（民商法1241条）。登記官は、吸収された片方の当事会社が法人格を喪失したことを登記簿に記録する（民商法1242条２号）。

6-6　M&Aをめぐるその他の主要な規制

1　取引競争法

(1)　旧取引競争法の状況と改正法施行までの経緯

　タイにおいては、1999年に取引競争法（以下「旧競争法」という）が制定・施行されており、これにより、カルテル等の競争制限行為および事業者による市場支配力の濫用行為が禁止され、企業結合に関する事前届出制度も設けられていた。しかしながら、下位規則の制定の遅れや、取引競争委員会の独立性、権限、予算等の不足のため、旧競争法の運用・執行はほとんど活発に行われてこなかった。

　他方で、ASEAN全体の流れとしては、2007年のASEANブループリントにおいて、2015年までに競争政策・競争法の導入の努力義務が謳われる等、実効性のある競争法の施行という大きな潮流が生まれていたといえる。そのような流れを受けて、タイにおいても実効性のある取引競争法の制定・施行に向けた動きが進められ、2016年の当初改正法案の内閣閣議決定から幾度かの修正法案を経て、2017年３月の暫定国会での可決、同年７月の官報公告掲載を経て、2017年10月５日付で取引競争法が正式に施行された。

(2)　企業結合規制（取引競争法51条）

　企業結合規制については、旧競争法では事前届出制が規定されていた。（ただし、その具体的な要件・手続を定めるとされた下位規則が制定されておらず、同制度は実際には運用されていなかった）。この点、取引競争法では、原則として事後報告制が採用されている。すなわち、

　(a)　市場における「競争の重要な減少」となる可能性のある企業結合は、取

引実行から 7 日以内の事後報告が必要
   (b) さらにこれを超えて「市場独占・市場支配」となる可能性のある企業結合は、事前の届出（許可）が必要（審査日数は90日、さらに15日の延長可）
とされている。ただし、一定のグループ間組織再編は適用除外とされている。
　企業結合規制の詳細は、以下のとおりである。
　① 規制の対象となる企業結合
原則
　一定の基準に該当する下記 M&A を行う場合には、事前届出（許可）または事後報告が必要となる（取引競争法51条4項1号〜3号）。かかる規制の対象となる企業結合は、以下のとおりである。
   (a) 合併
   (b) 他の事業者の政策、経営体制、指揮、経営を支配するための、他の事業者の全てまたは一部の資産の取得
   (c) 他の事業者の政策、経営体制、指揮、経営を支配するための、他の事業者の全てまたは一部の株式の直接的または間接的な取得
　上記のうち、(b)の資産の取得とは、他の事業者の事業資産価値の50％超の資産を取得する場合がこれに該当するとされ、また(c)の株式の取得とは、他の事業者が一定の公開会社の場合には議決権ベースで25％以上の株式等を取得する場合であり、他の事業者がそれ以外の場合には議決権ベースで50％超の株式等の取得をする場合であるとされている（取引競争委員会「合併とみなされる経営政策、体制、経営を支配するための資産・株式の取得の評価基準に関する告示」(Notification of the Trade Competition Commission of Thailand re: Criteria for the Assessment of Acquisition of Assets or Shares to Control Business Policy, Administration, or Management deemed as Merger, B.E. 2561（2018）））。
例外（内部組織再編）
　「事業者内部の組織再編（Internal Restructuring）」、すなわち一定のグループ会社間の組織再編・企業結合については、例外として企業結合に係る事前許可・事後報告はいずれも要求されないものとされている。グループ会社の間でM&Aを行ったとしても、市場における競争への影響は一般的に乏しいことが根拠であると思われる（取引競争法51条6項）。

この事業者内部の組織再編に該当するか否かの判断は、共通政策関係または共通支配利益に基づく事業間の組織再編であることとされている（取引競争委員会「共通政策関係または共通支配利益に基づく事業者の評価に関する告示」(Notification of the Trade Competition Commission of Thailand re: Criteria for the Assessment of Business Operators with Relations on Policy or Commanding Power, B.E. 2561 (2018)))。

　ここでいう共通政策関係とは、目的、政策、経営方法、指示、または体制に関して、支配利益を有する事業者の権限者から企業統制を受けることを意味する（同告示第3条）。いわゆる兄弟会社間の企業結合がこれに該当することになる。

　また、共通支配利益とは、下記に該当するグループ会社同士をいう（同告示）。
(a) 50％超の議決権を保有する場合
(b) 直接・間接に株主総会の議決権の過半数をコントロールする場合
(c) 直接・間接に取締役の半数以上の選任・解任をコントロールする場合
(d) 孫会社以下に上記(a)・(b)の関係を有する場合の当該孫会社

いわゆる子会社同士、または親子間の企業結合がこれに該当することとなる。

② 事後報告・事前届出の必要となる企業結合

　さらに、上記①に記載の(a)～(c)の企業結合に該当するとしても、そのすべてが事前届出（許可）・事後報告を必要とするものではない。すなわち、
(a) 当該企業結合が、「特定の市場における競争を著しく制限する可能性のある」ものである場合には事後報告の対象となり、
(b) さらに当該企業結合が「市場独占、または市場支配となる可能性のある」ものである場合に初めて、事前届出（許可）が必要となる。

　そして、ここでいう(a)の「競争の著しい制限」とは、具体的には当該結合の前または後における対象事業者の一市場における売上が10億バーツ以上である場合（同じ支配下に属するグループ会社の売上を含む）とされている（取引競争委員会「合併取引の届出に関する規則、手続、条件に関する告示」(Notification of the Trade Competition Commission of Thailand re: Rules, Procedures, and Conditions for Notification of Merger Transaction, B.E. 2561 (2018)) 3条)。

　また、(b)「市場独占、または市場支配」のうち、「市場独占」とは、特定の市

場において、その製品またはサービスの価格および数量を独自に決定する実質的な力を持ち、売上が10億バーツ以上の唯一の事業者を意味し（取引競争委員会「合併認可の規則、手続、条件に関する告示」(Notification of the Trade Competition Commission of Thailand re: Rules, Procedures, and Conditions for Merger Approval, B.E. 2561（2018）) 3条)、「市場支配」とは、下記に該当する事業者をいう。

1．単独である製品の市場の50％以上の市場シェアを有し、かつ最終事業年度の売上が10億バーツ以上の事業者（単一型）、または
2．市場シェア上位3社の合計市場シェアが75％以上で、かつ当該各社の最終事業年度の売上が10億バーツ以上の場合の当該上位各3事業者（ただし、市場シェアが10％未満の事業者を除く）（複数型）

（取引競争委員会「市場支配力を有する事業者であることの基準に関する告示」(Notification of the Trade Competition Commission of Thailand re: Criteria for a Business Operator with Dominant Market Power) 3条)。

なお、事後報告は企業結合から7日以内に報告を要し、事前届出は許可を得るまでに90日の審査期間（かつ15日の延長可能性あり）を必要とする。

2　上場会社株式の大量保有報告規制

上場会社の株式を取得または処分し、その結果、その議決権数が総議決権の5％の倍数に達する割合に増加または減少した場合には、当該取得者または処分者は、取得または処分の日から3営業日以内に、報告書（Form 246-2）をSECに提出しなければならない。

なお、この場合にも、関係人による株式の保有は取得者または処分者による保有とみなされ（証券取引法258条)、また、公開買付規制において適用されるActing in Concert Rule が同じく適用される（同法246条および前記 Acting in Concert Rule)。

3　上場会社の適時開示規制

上場会社には、SETの規則に基づき、増資、主要株主の異動、重要な法的紛争の発生、重要な資産の取得または処分、子会社の異動、その他株主の利益、投資判断、株価に影響のあるまたはあり得る場合等について、適時開示義

務がある。

4 上場会社株式のインサイダー取引規制

　タイにおいてもインサイダー取引規制が存在し、上場会社のインサイダー情報を知る者が上場会社株式を売買する行為等が規制されている。ここでいうインサイダー情報とは、一般に公開されていない情報で上場会社の株価または株式価値の変動に重要な影響を及ぼす情報をいう（証券取引法239条）。なお、日本では、インサイダー情報に該当し得る重要事実が類型的に定められているが、タイでは、そのような類型的な重要事実は定められていないため、個別具体的に判断することになる。

　また、規制対象となるインサイダー取引とは、概要、(i)インサイダー情報を知りつつ、自己または第三者の利益を図るため、上場株式を購入し、売却し、もしくはデリバティブ契約を締結し（証券取引法242条1号）、または、(ii)自己または第三者の利益を図るため、インサイダー情報の受領者が当該情報を証券取引等に利用するであろうことを知りながらもしくは合理的に知りうべき場合に当該情報を第三者に開示すること（同条2号）、と規定されている。なお、上記(i)については、法令、裁判所または法的権限を有する機関の命令に従って取引を行う場合等、一定の例外事由が存在し、また、上記(ii)については、他者を利する性質を有しない場合およびSECの告示に定める性質を有する場合は除かれる。

　インサイダー取引規制の対象者は上述のとおり上場会社のインサイダー情報を知る者であるが、①上場会社の取締役その他役員、インサイダー情報にアクセスすることができる従業員、監査人やアドバイザー等でインサイダー情報を知ることができる者、SECその他の当局の役員または従業員等でインサイダー情報にアクセスすることができる者、およびこれらの者が支配する法人等は、インサイダー情報を知っているものと推定される（証券取引法243条）。また、②上場会社の発行済株式の5％超の株式を保有する株主、上場会社のグループ会社（親会社、子会社および関連会社）の役員または従業員等でインサイダー情報にアクセスすることができる者、または上記①に掲げる者の近親者等は、その者にとって通常と異なる形で上場会社の株式を取引しまたはデリバ

ティブ契約を締結した場合には、インサイダー情報を知っているものと推定される（証券取引法244条）。

　インサイダー取引規制に違反した場合には、2年以下の禁固、もしくは50万バーツ以上200万バーツ以下の罰金が科され、またはそれらが併科される（証券取引法296条）。

|COLUMN|　署名権限をめぐる日・タイの感覚のずれ
　長きにわたったタイ企業とのM&A交渉がようやくまとまり、株式売買契約書の締結日も決まってほっと一安心。そのようなタイミングで、以下のような会話が交わされることがある。

　タイ側「御社はどなたが株式売買契約書にサインするのですか？」
　日本側「あなた方もご存知の〇〇常務がサインしますよ。」
　タイ側「〇〇常務はサインする権限があるのですか？」
　日本側「〇〇常務は代表取締役ではありませんが、弊社の海外事業を担当していますので、サイン権限があると考えられます。」
　タイ側「会社登記簿にサイン権者として記載されていないのですか。では、会社登記簿上のサイン権者から〇〇常務への本件契約書のサインを委任する委任状のコピーをください。それと会社登記簿に加えて代表取締役と〇〇常務のそれぞれのサイン付きパスポートコピーもください。会社登記簿が日本語の場合には翻訳証明付きの英訳もお願いします。」
　日本側「……。〇〇常務とは本件の交渉で面識もあるし、会社のウェブサイトにも常務取締役として載っているのに、なぜ今さらそのような硬直した対応が必要なのですか？（そもそも社長（代表取締役）にサインをいただくのが大変だから〇〇常務にサインしていただくのに、そんな委任状を作って社長にサインをお願いするのであれば無意味ではないか。）」

　日本の会社法14条1項では「事業に関するある種類又は特定の事項の委任を受けた使用人は、当該事項に関する一切の裁判外の行為をする権限を有する。」とされているため、平取締役や担当部長等でも、社内規程や取締役会決議による担当職務の範囲内の契約書であれば、会社のために当該契約書に署名する権限があるということになる。また、副社長、専務、常務等の肩書が与えられている場合には、同法351条の表見代表取締役の規定の適用もあり得る。

　それに対し、【図表6-1】のように、タイの会社登記簿には、取締役のうち会

社のために署名を行う権限を有する者やその署名方法が明確に記載される。たとえば、「各取締役は単独で署名し社印を捺印することができる。」、「(1)および(2)のうち1名ならびに(3)および(4)のうち1名が共同で署名し社印を捺印するものとする。」などといった具合である。また、民商法には上記の日本の会社法のような規定も見当たらない。そして、実際にもタイ企業では登記された署名権者が署名することが通常であるように見受けられる。

そのため、タイ側としては、相手の会社登記簿で署名権限を確認したいと考え、また会社登記上署名権のない者が署名するのであれば当該契約書の署名行為を明確に委任する委任状を要求して当然といった考えになるようである。

契約交渉が終わってから締結日までにあまり日がない場合に慌てないよう、署名予定者やそれに関して提供すべき書類について早めにタイ側と話しておくのもよいだろう。

第7章　インドネシア

7-1　総　論

　インドネシアは、2023年現在で約 2 億7,900万人と世界第 4 位の人口を擁している[1]。国際連合の World Population Prospects によると、2023年のインドネシアの中位年齢[2]は29.9歳と見込まれている。こうした若い人口分布を背景に、活気ある労働力市場が存在している。また、中間層の拡大によって民間消費が増大しており、国内マーケットが成長していることが、インドネシアの底堅い経済成長率[3]を支える 1 つの要因となっている。

　このように、インドネシアは、生産・消費の両面から企業の注目を集めている新興国である。数値でみると、2022年における日本からの投資金額は35億6,280万米ドル、投資件数は4,220件と、新型コロナウイルスの流行前と同程度の水準を依然として維持している[4]。2022年の上記数字では、日本は投資額ベースでシンガポール（約133億米ドル）、中国（約82億米ドル）、香港（約55億米ドル）に次ぐ第 4 位の投資国となっている。

　このように、日本企業は投資先としてインドネシアに注目しており、今後もインドネシアには現地マーケットの成長に期待する日本企業からの積極的な投資が行われるとみられる。また、インドネシア証券取引所には2023年 3 月28

---

1 ）　Central Intelligence Agency「The World Fact Book」による。
2 ）　人口を同数の 2 つのグループに分ける年齢を指す。
3 ）　インドネシア中央統計局（以下「BPS」という）によれば、インドネシアの実質 GDP 成長率は、2020年は新型コロナウイルスの影響もありマイナス2.07％であったが、2021年には3.69％に回復し、2022年には5.31％まで回復した。
4 ）　BPS の Statistical Yearbook of Indonesia 2023による。

日時点で852の企業が上場しており、直近でも2022年第4四半期には15件の上場がある[5]など、引き続き証券取引所の取引規模も拡大傾向にある。このように、日本企業によるインドネシア進出は今後も拡大すると思われ、その際には、非上場会社・上場会社を問わず、現地企業の買収が重要な選択肢の1つになるものと思われる。

7-2　M&Aの手法および関連する法令・ルールの概観

1　M&Aを規制する主要な法律・規則

　インドネシアにおいてM&Aを規制する主要な法令[6]は、会社法（株式会社に関するインドネシア共和国法2007年第40号）、投資法（投資に関するインドネシア共和国法2007年第25号）および外資規制を含む投資規制の対象となる事業分野を定めているリストを含む大統領令（投資事業分野にかかるインドネシア共和国大統領令2021年第10号（同第49号による改正を含み、以下「大統領令2021年第10号」といい、同大統領令に付属する別紙2および別紙3を「ネガティブリスト[7]」という））、資本市場法（資本市場に関するインドネシア共和国法1995年第8号。金融分野の発展・強化に関するインドネシア共和国法2023年第4号（以下「金融オムニバス法」という）[8]で改訂）およびOtoritas Jasa Keuangan（OJK、金融庁、以下「OJK」

5）　インドネシア証券取引所のウェブサイト（https://www.idx.co.id/en/listed-companies/company-profiles）およびIDX Quarterly Statistics, 4th Quarter 2022による。

6）　インドネシアにおいては、2020年11月2日に雇用創出法（通称オムニバス法）が公布・施行され、会社法・投資法を含む多くの法律がまとめて改正されている。2021年11月25日に、同法を条件付違憲無効とする憲法裁判所の判決が出されたものの、その後の2022年12月30日に、一部例外を除き雇用創出法と基本的に同内容の法律代行政令が新たに公布・施行され、2023年3月21日にインドネシアの国会である人民代表協議会において同政令が承認され、雇用創出法に関する法律代行政令2022年第2号の法律化に関するインドネシア共和国法2023年第6号により正式に法律化されている。ただし、本稿においては、その実質的内容に特段の変更がない限り、参照の便宜上、元となる法令名および条文番号等のみを記載している。

7）　大統領令2021年第10号においては別紙を総称して「ポジティブリスト」と表現されることがあるが、外資規制を定める別紙2および3については、当該リストに記載されていないものについては外資規制が及ばないという意味において、その実質はネガティブリストであるため、ネガティブリストという表現を以下用いる。大統領令2021年第10号は2021年3月4日より施行されている。

という）の規則、ならびに、競争法（独占的行為および不公正な事業競争の禁止に関するインドネシア共和国法1999年第5号）である。投資法および大統領令2021年第10号は、外資規制を含む国内外からの投資規制を規定している法令であり、資本市場法およびその下位規則であるOJK規則は公開会社（定義は**7-3の1**参照）に関連する各種規制を規定している法令である。また、競争法は、日本の独占禁止法に相当する法律である。

さらに、インドネシア証券取引所に上場している会社（以下「上場会社」という）に関するM&Aには、同証券所の規則（以下「証券取引所規則」という）が適用される。

2 M&Aに関する規制の概観およびその手法

(1) 外資規制

投資法上、国内資本のみの出資による会社は、Penanaman Modal Dalam Negeri（PMDN）会社（国内資本会社）とよばれ、外国資本[9]による出資を受けている会社は、Penanaman Modal Asing（PMA）会社（外国資本会社）とよばれる。つまり、外国資本による出資が一部でも入っているインドネシア法人は、投資法上、外国資本会社に分類される。外国資本会社は、外資規制に違反しない限り、国内資本との共同出資（合弁形態）および100％外資のいずれの形態をとることも可能である（投資法1条3項）。

インドネシアにおいては、外国資本による投資は、主に投資法およびネガティブリストにより規制されており、一定の分野については外国資本による投資が禁止され、また、一定の分野については外国資本により保有される資本額の比率（以下「外資比率」という）の上限が定められている。ネガティブリストは、従来のネガティブリスト[10]（以下「旧ネガティブリスト」という）を改定す

---

8) 2023年1月12日に施行されたこの法律により、資本市場法を含む多くの金融関連法がまとめて改正されている。ただし、雇用創出法と同様、その実質的内容に特段の変更がない限り、参照の便宜上、元となる法令名および条文番号等のみを記載している。
9) 「外国資本」とは、外国、外国人、外国法人に加えて、その資本の一部またはすべてを外国、外国法人または外国人が保有しているインドネシア法人を意味する（投資法1条8号）。
10) 投資において参入が認められない事業分野および参入が条件付で認められる事業分野のリストにかかるインドネシア共和国大統領令2016年第44号に付属するネガティブリスト。

る形で2021年3月4日より施行されており、全体的な傾向としては、旧ネガティブリストに比べて外資規制が大幅に緩和されている（**7-4**にて後述する）。

(2) 会社買収手法
① 会社買収手法の概要
　インドネシアにおいて会社の買収に用いられる主な手法としては、既発行株式の取得および新株の取得ならびに吸収合併および新設合併等の組織再編行為[11]や、事業譲渡が挙げられる。
② 公開会社にかかる留意点
　後述のように、対象となる会社が公開会社（上場会社に限られない）の場合、既発行株式の取得が「支配権取得」に該当する場合には、支配権取得を行った者は、当該支配権取得の後に、強制的公開買付けの義務を負う。また、任意に公開買付けを行うことにより既発行株式を取得することも可能である。これに対して、新株の取得の場合、原則として、既存株主に新株引受権が発生するため、新株の取得は、公開会社の買収の手法としては一般的ではない。
　なお、インドネシア法上、買収者が一定数以上の株式を取得した場合に対象会社の少数株主の株式を強制的に取得することができる株式売渡請求権（いわゆるバイアウト権）の制度は設けられていない。

7-3　会社の種類とガバナンス

　本章においては、インドネシアにおける会社の買収について詳論するが、その前提として、インドネシアにおける会社の種類および会社のガバナンスの概要につき本項において触れる。

1　会社の種類

　まず、インドネシアにおける会社の形態としては、会社法に基づく株式会社（Perseroan Terbatas (PT)）および一人会社（Perseroan Perorangan）[12]のほか、合資

---

11)　会社法上は会社分割についても規定があるが、具体的な手続等を定める細則が制定されていないため、手続上不明確な点が多く、実例も少ない。

会社（Commanditaire Vennootschap（CV））（商法[13]19条）、合名会社（Firma）（同法16条）等がある（【図表7-1】）。

　外国資本がインドネシアの会社に投資を行う場合、別途法令が定める場合を除き、当該インドネシアの会社はインドネシア会社法に基づく株式会社の形態によらなければならない（投資法5条2項）。

　インドネシアにおける株式会社は、日本における株式会社と同様に、事業活動を行うために設立された、法人格を有する企業形態であり、その資本は株式に分割され、株主は原則として会社の債務につき有限責任を負担するとされている（会社法1条1項・3条）。

　300名以上の株主を有し、かつ、30億ルピア以上の払込資本を有する会社は、会社法上は Perseroan Publik（会社法1条8項）、資本市場法上は Perusahaan Publik とよばれる（資本市場法1条21項および資本市場分野における事業活動に関する OJK 規則2021年第3号1条18項）。いずれもパブリック・カンパニーという意味である。また、会社法上、公開会社（Perseroan Terbuka）は、パブリック・カンパニー（Perseroan Publik）または株式の公募を行う会社と定義されており（会社法1条7項）、Perseroan Terbuka は、商号の最後に「Tbk」の文字を加えなければならないとされている（同法16条3項）。公開会社（Perseroan Terbuka）は、資本市場法および OJK 規則に基づく規制に服する。

　なお、公開買付等について規定する OJK 規則（OJK 規則2021年第3号）では、公開会社（Perusahaan Terbuka）は、エクイティ証券[14]の公募を行った発行会社または、パブリック・カンパニー（Perusahaan Publik）と定義されており、会社法における公開会社（Perseroan Terbuka）の定義とほぼ同様である。

---

12) 一人会社は、会社法改正に関する政令2021年第8号により新たに認められた会社形態であり、1名の個人により設立された株式会社を指す。なお、一人会社は中小零細企業を対象に認められている会社形態であり、外国資本会社はこの形態をとることはできない。
13) インドネシアの商法（Wetboek van Koophandel）は、オランダ植民地政庁が1847年に制定したものであり、原文はオランダ語である。
14) エクイティ証券とは、株式、転換社債または株式引受権付証券をいう（BAPEPAM 規則 IX-J-1.1条 a 項、OJK 規則2015年第54号）。なお、BAPEPAM 規則とは、2012年末に OJK に監督権限が移管される前に金融行政等を所管していた Badan Pengawas Pasar Modal dan Lembaga Keuangan（BAPEPAM-LK：資本市場・金融機関監督庁）によって制定された規則である。BAPEPAM 規則は、OJK によって新たに規則制定されていない分野については、OJK への監督機能の移行後も適用されている）。

【図表7-1】会社の種類

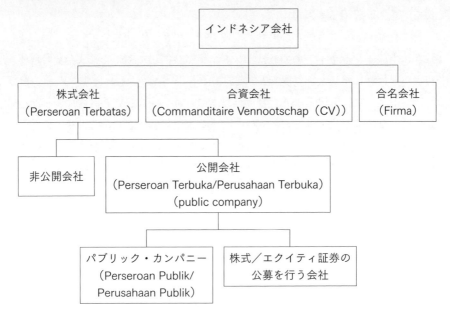

2　ガバナンスの内容

インドネシアの株式会社においては、株主総会、取締役会および監査役会の設置が必要であり、買収においては、各機関の承認等の手続が必要となりうる。以下、会社法上の原則的な各機関の構成および権限等の概要について解説するとともに、公開会社に適用される追加的な規制に関しても解説を加えることとする。

(1) 株主総会
① 権　限

株主総会は、会社法または定款で定められた範囲で、取締役会または監査役会に与えられていない権限を有する（会社法75条1項）。

② 種　　類

株主総会には、年次株主総会と臨時株主総会の2種類がある（会社法78条1項）。

③ 時期および場所、開催方法

年次株主総会は会計年度終了後6カ月以内に開催しなければならない（会社法78条2項）。臨時株主総会は、会社の利益のために必要とみなされるときにいつでも開催することができる（同条4項）。

株主総会は、定款記載の、会社の本店所在地または会社が主な事業を行う場所において開催される（会社法76条1項）。全株主（代理出席を含む）が出席の上、ある議題につき株主総会を開催することに同意する場合には、その他の場所で株主総会を行うことも可能であり（同条4項）、かかる株主総会においては、全員一致により承認の決議を行うことができる（同条5項）。株主総会はインドネシア国内で開催されなければならない点に留意が必要である（同条3項・4項注釈[15]）。

なお、公開会社の場合には、会社の本店所在地、主たる事業を行う場所、主たる事業を行う場所もしくは本店所在地の存在する州の州都、または上場証券取引所で株主総会を行うことが可能である（（OJK規則2020年第15号）11条3項）。

株主総会は、株主が一堂に集まって開催されるのが一般的であるが、電話会議、テレビ会議または株主総会の全参加者が直接お互いを見聞きでき会議に参加できるその他の電子的方法によっても開催することができる（会社法77条1項）。かかる方法により株主総会が開催された場合、株主総会議事録は参加者全員により承認され署名されなければならない（同条4項）。

なお、議決権を有するすべての株主が提案書に署名して賛成した場合、株主総会を開くことなく書面決議を行うことができる（会社法91条）。また、書面決議については、副本形式で作成することも可能であり、署名者がインドネシア国外で書面決議に署名をした場合には、当該署名について、当該国における公証等の手続が必要となる。たとえば、日本で署名される場合には、(a)日本の公証人による公証および公証人の所属法務局長の証明を経て、(b)外務省からア

---

15) インドネシアの法律には、一般的に、本文に合わせて注釈が付されており、注釈は条文の意味を説明している。

ポスティーユを取得する必要がある[16]。

④　招集方法、招集請求権

　株主総会の招集は、取締役会が、原則として、株主総会の開催日の14日前（開催日と通知日を含まない）までに、書留郵便および／または新聞への公告掲載により通知する方法により行われる（会社法79条1項・82条1項・2項）。ただし、議決権付株式を保有するすべての株主が株主総会に出席（代理出席を含む）し、議案が全員一致で承認された場合には、招集通知を省略することができ、かかる決議は有効となる（同条5項）。公開会社の株主総会の招集については、株主総会の開催日の21日前（開催日と通知日を含まない）までに行わなければならない（OJK規則2020年第15号17条1項）。

　さらに、公開会社（Perseroan Terbuka）については、上記に加えて、株主に議題を追加する機会を与えるため、株主総会の招集通知を発送する14日前（公表日と招集通知日を含まない）までに招集を行うことを公表しなければならない（会社法83条・同条注釈、OJK規則2020年第15号14条1項）。かかる公表は、通常、新聞への掲載により行われる。また、公開会社については、OJK規則上、当該公表の5日前（公表日は含まない）までに会議の議題をOJKに提出しなければならない（OJK規則2020年第15号13条1項）。

　株主総会の定足数については⑦にて後述するが、初回の株主総会にて定足数が満たされなかった場合、2回目の株主総会を開催することができる（会社法86条2項）。2回目の株主総会にて定足数が満たされなかった場合、会社は本店所在地を管轄する地方裁判所の長に対して3回目の株主総会の定足数を定めるよう求めることができる（同法86条5項・88条4項・89条4項）。ただし、公開会社の場合には、3回目の株主総会の定足数、決議要件、招集通知日および開催日については、会社の請求により、OJKが決定する（OJK規則2020年第15号21条1項）。

　2回目と3回目の株主総会の招集通知は当該株主総会の開催日の7日前まで

---

[16]　ハーグ条約を批准した大統領規則2021年第2号およびそれを受けて2022年6月4日に施行された法務人権大臣規則2022年第6号により、従前の外務省による公印確認・在日本インドネシア大使館における領事認証に代えてアポスティーユを利用することが可能となっている。

に行われなければならない（会社法86条8項）。また、2回目と3回目の株主総会は、直前の株主総会の10日後から21日後までに行うことができる（同条9項）。なお、公開会社については、OJK規則上、2回目の株主総会についてのみ規定されており、3回目については規定されていない（OJK規則2020年第15号20条1項）。

株主総会招集請求権が、少数株主の権利として認められており、単独でまたは他の株主と併せて全議決権付株式の10分の1（または定款で定める10分の1より小さい割合）以上を保有する株主は、株主総会の招集を請求することができる。また、このほか、監査役会も株主総会の招集を請求することができる（会社法79条2項）。

⑤　議決権

株主は、株主総会における議決権を有する。定款で別途定める場合を除き、1株は1議決権を有する（会社法84条1項）。この点、同項注釈によれば、「定款で別途定める場合」とは、議決権のない株式の発行を定款で定める場合を指し、定款にかかる定めがない場合には、1株は1議決権を有するとされている。

上記にかかわらず、発行会社が自ら保有する自己株式、発行会社の子会社が直接または間接に保有する株式、発行会社が直接または間接にその株式を保有している他の会社が保有する発行会社の株式については、議決権が認められていない（会社法84条2項）。

⑥　出席および議決権の行使

議決権を有する株式を保有する株主は、株主総会に自ら出席しまたは委任状により代理出席することができる（会社法85条1項・2項）。株主は、各議案に係る議決権行使に当たり、複数の議決権につき単一の議決権行使を行わなければならず、また、代理人を複数選任することはできない（同条3項）。株主総会において、当該会社の取締役、監査役および従業員は代理人として議決権を行使することができない（同条4項）。

⑦　定足数および決議要件

株主総会の定足数および決議要件は、以下のとおりである。なお、それぞれの定足数および決議要件について、より高い割合を定款に規定した場合には、当該規定された割合による。

(a) 会社法上の定足数および決議要件

会社法上、株主総会決議は、普通決議、特別決議および特殊決議の合計3種類に分けられる。

普通決議は、取締役、監査役の選任・解任や利益処分の承認等に要求されるものであり、定足数は、全議決権付株式の過半数を有する株主の出席（会社法86条1項）であり、初回の決議における定足数が満たされなかった場合に開催することができる2回目の普通決議の定足数は、全議決権付株式の3分の1以上を有する株主の出席（同条4項）である。普通決議は、株主総会で投票された全議決権の過半数の賛成（同法87条2項）により可決される。

特別決議は、定款変更等に要求されるものであり、定足数は、全議決権付株式の3分の2以上を有する株主の出席（会社法88条1項）であり、初回の決議における定足数が満たされなかった場合に開催することができる2回目の決議の定足数は、全議決権付株式の5分の3以上を有する株主の出席（同条3項）である。かかる特別決議は、株主総会で投票された全議決権の3分の2以上の賛成（同条1項・3項）により可決される。

特殊決議は、会社の全純資産の50％超を構成する資産の譲渡もしくは担保提供（会社法102条）、吸収合併、新設合併、支配権取得、分割、破産、存続期間の延長、清算の承認等に要求されるものであり、定足数は、全議決権付株式の4分の3以上を有する株主の出席（同法89条1項）であり、初回の決議における定足数が満たされなかった場合に開催することができる2回目の決議の定足数は、全議決権付株式の3分の2以上を有する株主の出席（同条3項）である。かかる特殊決議は、株主総会で投票された全議決権の4分の3以上の賛成（同条1項・3項）により可決される。

それぞれの主な決議事項は、【図表7-2】のとおりである。

【図表7-2】主な株主総会決議事項

決議要件	主な決議事項
普通決議	・授権資本枠内における増資（会社法42条2項） ・事業計画の承認（定款に定めのある場合。同法64条2項） ・年次報告書（財務諸表等の内容を含む報告書）の承認（同法69条1項）

	・配当・利益処分（準備金への充当を含む）（同法71条1項） ・取締役および監査役（コミサリス）の選任および解任（同法94条1項・105条1項・111条1項・119条1項） ・取締役および監査役（コミサリス）の報酬の決定（同法96条1項・113条） ・各取締役間の経営上の権限分配（ただし、株主総会で定めない場合、取締役会で定める。同法92条5項） ・監査役会（コミサリス会）による取締役の停職処分の是非の判断（同法106条6項） ・監査役会（コミサリス会）に一定期間、会社の経営を行わせる旨の承認（同法118条1項） ・すべての取締役および監査役（コミサリス）が会社と利益相反関係に立った場合の、会社を代表する第三者の選任（同法99条2項c号） ・独立監査役（コミサリス）の選任（同法120条2項） ・現物出資による新株の引受け（同法34条3項） ・清算人の選任（同法145条2項） ・清算人が作成した報告書の承認（同法152条3項）
特別決議	・定款変更（会社法19条1項、88条1項） ・授権資本額の増加（同法42条1項・2項）・減少 ・減資（同法44条1項） ・自己株式の取得（同法38条1項・2項） ・債務の株式化（DES）（同法35条1項・3項）
特殊決議	・50％を超える会社資産の譲渡および担保提供（会社法102条1項〜5項・89条） ・合併、会社分割、支配権取得、破産申立て、会社の存続期間の延長、解散の承認（同条）

(b)　公開会社の定足数および決議要件

　公開会社の定足数および決議要件については、別途 OJK 規則により特例が定められており、会社法ではなく当該規則が適用される。当該規則においても、普通決議、特別決議および特殊決議の3種類の決議が定められている。

　普通決議は、株主総会に出席した株主の全議決権付株式の過半数の賛成（OJK 規則2020年第15号41条1項(c)）により可決される。

　特別決議は、法務人権省の承認を要する定款の変更（存続期間の延長を除

く）について必要となり、定足数は、全議決権付株式の3分の2以上を有する株主の出席であり、株主総会に出席した株主の全議決権付株式の3分の2超の賛成により決議が可決される（OJK規則2020年第15号42条）。初回の決議における定足数が満たされなかった場合に開催することができる2回目の特別決議の定足数は、全議決権付株式の5分の3以上を有する株主の出席であり（同条(c)）、株主総会に出席した株主の全議決権付株式の過半数の賛成により決議が可決される（同条(d)）。

特殊決議は、会社の全資産の過半の譲渡または全資産の過半に対する借入れのための担保設定、新設合併、吸収合併、支配権取得、解散、破産申立て、存続期間の延長および清算について必要となり、定足数は、全議決権付株式の4分の3以上を有する株主の出席であり、初回の決議における定足数が満たされなかった場合に開催することができる2回目の特殊決議の定足数は、全議決権付株式の3分の2以上を有する株主の出席（OJK規則2020年第15号43条(a)）である。株主総会に出席した株主の全議決権付株式の4分の3超の賛成により決議が可決される（同条(b)）。

⑧ 事後公表

前述のとおり、株主総会の開催後には議事録を作成しなければならない。なお、証券取引所に株式を上場しており、e-RUPS[17]を利用している公開会社は、株主総会開催日から2営業日以内に、株主総会議事録の要旨を少なくとも、(i) e-RUPS提供業者[18]のウェブサイト、(ii)インドネシア証券取引所のウェブサイト、および(iii)当該公開会社のウェブサイトにおいて、インドネシア語および英語（加えて他の言語による公表を行うことも可能）で公表しなければならない（OJK規則2020年第15号51条2項、52条1項）。さらに、株主総会議事録の完全版を株主総会開催日から30日以内にOJKに対して提出しなければならない（OJK規則2020年第15号50条1項）。

---

17) e-RUPSとは、公開会社における株主総会の情報提供・実施・報告に当たり使用されるシステムまたは電子的手段をいう（OJK規則2020年第15号1条5号）。
18) e-RUPS提供業者とは、e-RUPSを提供・運営する事業者をいう（OJK規則2020年第15号1条7号）。

(2) 取締役会
① 構　成
　取締役会は1名以上の取締役から構成される（会社法92条3項ただし、公開会社（Perseroan Terbuka）、公衆からの資金の調達または運用に関する事業を行う会社および公衆に対して社債を発行する会社は、2名以上の取締役を選任しなければならない（会社法92条4項、OJK規則2014年第33号2条1項）。取締役は、株主総会の普通決議により選任される（会社法94条1項）。

② 権限および義務
　取締役会は、会社の目的に従い、会社の利益のために会社を経営する義務を負い（会社法92条1項）、会社法および定款に定められた範囲で、適切であると考えられる方針（専門知識、利用可能な機会（available opportunity）および同業者の慣例に基づく方針をいうとされている）に従い経営を行う権限を有する（同条2項・同項注釈）。

　取締役が2名以上いる場合、取締役間の義務と権限の分配については、株主総会の決議に基づき決定され、かかる決議がなされない場合には取締役会の決議に基づき決定される（会社法92条5項・6項）。そして、会社法、定款または株主総会決議において別途定めがある場合を除き、取締役は、各自、会社を代表する権限を有する（同法98条1項～3項）。

　取締役会は、会社の全純資産の50％超を構成する資産を1事業年度（もしくは定款で別途定めるこれより長い期間）の間に譲渡する場合、または、かかる資産を担保に供する場合には、定款に従った事業活動の遂行として行われる場合を除き、株主総会の承認を得なければならないとされている（会社法102条1項～3項）。

(3) 監査役会（コミサリス会）
① 構　成
　監査役会（コミサリス会）は1名以上の監査役（コミサリス）から構成される（会社法108条3項）。ただし、公開会社（Perseroan Terbuka）、公衆からの資金の調達または運用に関する事業を行う会社および公衆に対して社債を発行する会社は、2名以上の監査役を選任しなければならない（同条5項）。

監査役は、株主総会の普通決議により選任される（会社法111条1項）。

② 権限および義務

監査役会は、経営方針および経営の執行全般について監督を行い、取締役会に対して助言を行う（会社法108条1項）。監査役会は、理由を示すことにより、取締役の職務執行を暫定的に停止することができる（同法106条1項）という権限を有している。

また、定款に規定を設けることにより、取締役会が一定の法的行為を行う際に、監査役会の承認または援助を要するとすることができる（会社法117条1項）。なお、定款にかかる規定が設けられた場合において、監査役会の承認または援助を得ることなく当該法的行為が行われた場合には、当該法的行為の相手方当事者が監査役会の承認または援助がないことにつき善意である場合に限り、当該法的行為は有効となる（同条2項）。

さらに、定款に規定を設けることにより、監査役会は、一定の条件の下、一定の期間、会社の経営を行うことができる（会社法118条1項）。監査役会が、一定の条件の下、一定の期間、かかる経営を行う場合、取締役会の権利、権限および義務に関する規定が、監査役会にも適用される（同条2項）。

監査役が2名以上いる場合、監査役は、監査役会の決定に従って権限を行使する場合を除き、個別にその権限を行使することができない（会社法108条4項）。

このように、インドネシアの株式会社における監査役会は、単なる経営の監視・監督にとどまらない権限を有している場合がある。したがって、インドネシアの株式会社を買収したり、運営するに当たっては、監査役会の権限について慎重な検討を行うことが望ましい。

7-4　外資規制の概要

外国資本がインドネシアの会社を買収する場合には、下記のような外資規制の適用がある。

1　外国資本による出資規制

(1)　投資法に基づく規制

　雇用創出法施行以前は、投資法（法律2007年第25号）[19]およびその下位法令である大統領令2016年第44号（以下「旧大統領令」という）において、国内投資および外国投資双方に適用される投資規制（その中心的な規制である外資規制を含む）が規定されていた。

　具体的には、投資法および旧大統領令において閉鎖事業分野および条件付事業分野として規定されていない事業分野については国内および外国投資が開放されているものとされ（いわゆるネガティブリスト方式の投資規制）、さらに、条件付事業分野については、①中小零細企業または協同組合（総称して「中小零細企業等」）に留保されている事業分野または中小零細企業等とのパートナーシップを組むことが求められる事業分野、②一定の条件のもと投資が認められる事業分野に分類されていた。

　雇用創出法の施行により、投資法の一部も改正され、また、投資法の新たな施行規則として投資事業分野に関する大統領令2021年第10号（同第49号による改正を含む）が施行されており、それに伴い、旧大統領令は廃止されている。

　改正投資法および大統領令2021年第10号では、後記「優先事業分野」の創出の点を除き、旧投資法および旧大統領令における投資規制の大きな枠組みは維持されているが、旧大統領令に規定されていた外資規制の内容が大きく改正されている。

　なお、OJK所管の金融業・銀行業・保険業等の事業分野への外国投資を除き、外国投資を行う際には、投資省／インドネシア投資調整庁（Ministry of Investment/Badan Koordinasi Penanaman Modal/Investment Coordinating Board：以下「BKPM」という）が管轄となる点については旧投資法制下からの変更されていない。

　大統領令2021年第10号では、一定の業種や事業への投資を禁止しているほか、そのような投資禁止業種等に該当しない投資対象として開放される事業を分類している（同3条）。下記①から③の分類に該当する事業分野のリストは

---

[19]　投資法は、外国投資家または国内投資家による投資に関する基本条件を規律するものである。

大統領令2021年第10号の各別紙として添付されている。

① 禁止業種

投資法12条によれば、麻薬の栽培・製造、賭博・カジノ、ワシントン条約別紙1記載の魚の捕獲、サンゴおよびサンゴ礁の利用等、化学兵器製造、工業化学・オゾン破壊物質製造産業の6業種のみが投資禁止業種とされており、その他、一定の事業（国防等[20]）については、中央政府管轄事業分野とされている（以下、投資禁止業種と併せて「投資禁止業種等」）。なお、旧大統領令においては20の業種への国内投資および外国投資が禁じられていた。

② 優先事業分野

優先事業分野とは、投資活動を促進するために大統領令2021年第10号により新たに導入された概念であり、各種投資優遇措置を受けることが可能な事業分野である。大統領令2021年第10号において、国家戦略上優先度の高い事業分野、資本・労働集約度が高い事業分野、ハイテク事業分野、イノベーション関連事業分野等に該当する合計245業種が優先事業分野とされている（大統領令2021年第10号4条および別紙1）。

優先事業分野に該当する場合、Tax Allowance、Tax Holiday、Investment Allowance等の各種税制優遇措置といった経済的なインセンティブのほか、ライセンス取得手続の緩和等の非経済的なインセンティブも与えられうる。大統領令2021年第10号別紙1では、インドネシア標準産業分類コード（KBLI番号）ごとに、得られる優遇措置の内容、優遇措置の対象となる製品、優遇措置を得るための要件が記載されている。

なお、優先事業分野はあくまで投資優遇措置を受けることが可能な事業分野であり、外資規制を中心とした投資規制が適用される事業分野を意味するものではないため、下記③および④の各事業分野に適用される投資規制に服するものとそうではないものの双方が含まれる。

---

[20] 大統領令2021年第10号および同第49号においては国防等に関連する事業分野は中央政府管轄事業分野とされている（同2条3項）。つまり、国防等に関連する事業分野については国内資本会社・外国資本会社共に投資が禁止されている。他方で、大統領令2021年第49号の別紙3においては、（大統領令2021年第10号には記載がなかったが）防衛産業のうち戦車製造等については、条件付投資事業分野として外資49％までの投資が可能ともされており、位置付けについては不明瞭な点が残る。

③　中小零細企業等留保事業分野

　旧大統領令においては、145の事業分野が中小零細企業等に留保されている事業分野または中小零細企業等とパートナーシップを組むことが必要な事業分野として規定されていたが、大統領令2021年第10号では、同種の制限事業分野が106業種にまで縮小されている（同5条および別紙2）。

　大統領令2021年第10号で中小零細企業等に割り当てられている事業分野は、テクノロジーを用いていない事業分野またはシンプルなテクノロジーのみを用いている事業分野、プロセスに特異性があり、労働集約的であり、文化継承的な要素を含む事業分野、および／または土地建物を除く投下資本が100億ルピアを超えない事業分野とされている。また、大統領令2021年第10号においては、外国投資家（外国資本会社を含む）は、土地建物を除く投資額が100億ルピア超の投資（以下「大規模投資」）を行うことが前提とされているため（同7条1項）、中小零細企業等に割り当てられている事業分野については、外国投資家は投資を行うことができない。

　さらに、大規模投資を行う企業が中小零細企業等とのパートナーシップを組めば実施可能とされている事業分野は、業務工程の多くが中小零細企業等により実施される事業分野、および／または、大規模投資を行う企業のサプライチェーンに組み込まれる前提の事業分野とされている。

④　条件付投資事業分野

　旧大統領令においては、350の事業分野が一定の要件のもと投資が認められる事業分野として規定されていたところ、大統領令2021年第10号では、同種の制限事業分野が37業種にまで縮小されている。

　引き続き外資規制等が適用される条件付事業分野としては、たとえば、以下のような事業分野が記載されている。

事業分野	大統領令2021年第10号上の外資規制
新聞・雑誌等の発行	設立時は内資100％、その後（資本市場を通じての）事業拡大のための外資による出資は49％まで可

民間テレビ・ラジオ放送局の設置	設立時は内資100％、その後事業拡大のための外資による出資は20％まで可
国内海上貨物運送業	外資49％まで可
伝統医薬品関連	内資100％

⑤ 外資規制が適用されない事業分野

　上記のとおり、中小零細企業等留保事業分野および条件付投資事業分野として規定されている事業分野は旧大統領令よりも大幅に数が減少していることから、大統領令2021年第10号により多くの事業分野で外資規制を中心とした投資規制が撤廃されている。

(2) 大統領令2021年第10号上の投資規制が適用されない場合

　また、大統領令2021年第10号上、中小零細企業等留保事業分野および条件付投資事業分野として規定されている事業分野であっても、以下の場合には、大統領令2021年第10号に定める投資規制が適用されないものとされている。

類型	適用を免除される範囲
グランドファーザー条項：新たに定められた外資規制が旧法下よりも厳格化した場合に、従来の外資比率を維持したまま事業活動を行うことを認めるもの（但し、大統領令2021年第10号が旧大統領令よりも外国投資家に有利な条件を定めている場合には、大統領令2021年第10号の条件の適用を受ける）	外資規制の適用外（6条4項）（大統領令2021年第10号別紙3のうち「外資●％まで」と記載されているもの）
インドネシアとの二国間投資協定に基づき投資優遇を受けられる場合（但し、大統領令2021年第10号が当該投資協定よりも外国投資家に有利な条件を定めている場合には、大統領令2021年第10号の条件の適用を受ける）	

特別経済特区（Special Economic Zone）において行われる投資	大統領令2021年第10号に定める投資規制のうち条件付投資事業分野に関する規制（同別紙3記載の外資規制以外の投資規制を含む）の適用外（8条1項）
ポートフォリオ取引に該当する投資：一般的には上場会社に対する投資がこれに該当すると考えられている	大統領令2021年第10号に定める投資規制のうち中小零細企業等留保事業分野および条件付投資事業分野に関する規制の適用外（9条）
金融・銀行に対する外資規制	各セクターにおける関連規則に従う（11条2項）

(3) 投資法・ネガティブリスト以外の外資規制・投資規制

　上記の投資法およびネガティブリストに加えて、他の法令において別途外資規制・投資規制が定められている場合がある。

　つまり、インドネシアにおける法令の序列は、憲法、国民協議会決定、法律・法律に代わる政令、政令、大統領令、州規則、県規則、市規則の順番とされている（法令制定に関する法律2011年第12号（法令制定に関する法律の変更に関する法律2022年第13号により最終改正））ため、法律および政令の内容はネガティブリストを定める大統領令の内容に優先する。

　たとえば、建設サービス業に関しては、ネガティブリスト上には外資規制が記載されていないため外資は100％まで投資が可能な事業のようにも読める。しかし、建設サービス法上は外国資本会社がインドネシアで法人を設立する形で建設サービス業を行う場合には、インドネシア企業との合弁企業であることが求められており、また、リスクベースの事業許可実施に関する政令（政令2021年第5号）においては、オフィスビルの建設をはじめ複数の建設業について、外国資本会社が遵守すべき追加的な義務として旧大統領令と同じ外資規制（高度な技術を用いたまたは高リスクの建設サービス業について外資は原則67％まで）が記載されている。そのため、建設サービス業については、建設サービス法および政令2021年第5号に記載の外資規制の内容が適用されることになる。このように投資法・ネガティブリストに記載されていない外資規制が存在しうることには留意が必要である。

また、特定の業種に対する投資については、当該特定業種を所管する行政府等による審査に基づく認可等が必要とされうることに留意する必要がある。たとえば、銀行の支配権取得を伴う買収については、OJKの事前認可が必要とされる（銀行法28条、OJK規則2019年第41号34条1項、2項）。

(4) 種類株式の利用

ネガティブリストその他の法令によって外資比率が制限されている業種において、外国資本は当該制限の範囲内でのみ、対象会社の株式を取得することができる。

そして、当該制限の範囲内において取得できる株式数によっては株主総会における議決権の過半数を確保することができないことがありえ、この場合には当然ながら対象会社の意思決定を支配することができない。このような状況において、外資比率の上限規制の違反を避けつつ、実質的に対象会社の意思決定を支配することを企図して利用されているスキームとして、種類株式を利用するものがある。当該スキームは、外資比率規制が議決権ベースではなく、出資額比率ベースで定められていることに着眼したものである。たとえば、対象会社のインドネシア国内資本会社である株主に議決権のない優先配当権付株式を発行することにより、外国資本による出資額比率を外資比率の制限の範囲内にしつつ、議決権の過半数を確保するように設計する方法がある。しかしながら、投資法は、内資投資家が外国投資家の代わりに株式を保有することを合意することを禁止するいわゆるアンタイ・ノミニー条項（名義株禁止）を規定している（投資法33条）。当該スキームについては、外資比率の上限を定めたネガティブリストまたは同法33条が規定するアンタイ・ノミニー条項の趣旨に違反しないことについて、疑義がないわけではない。かかるスキームを採用する場合には、背景事情によっては、当局の裁量的判断によって将来的にかかるスキームが違法と判断されるリスクがあることを十分に理解する必要がある。

かかるスキームを採用する場合には、背景事情によっては、当局の裁量的判断によって将来的にかかるスキームが違法と判断されるリスクがあることを十分に理解する必要がある。

(5) 上場会社株式に関する取引へのネガティブリストの適用

　大統領令2021年第10号9条は、国内の資本市場を通じて行われるポートフォリオ取引の形で投資が行われる場合、大統領令2021年第10号に定める投資規制のうち中小零細企業等留保事業分野および条件付投資事業分野に関する規制が適用されない旨定めている。

　しかし、大統領令2021年第10号上、「ポートフォリオ取引」について明確な定義は設けられていない。同取引は国内資本市場を通じて行われることから、一般的には、上場会社株式に関する取引を意味するものと考えられているものの、どの程度の数の株式の取得であれば「ポートフォリオ取引」と言いうるのか明確な指針が存在しない状況である。

　そのため、現時点では、上場会社株式に関する取引について、たとえば支配権の移転を伴う場合等も含めて、大統領令2021年第10号に基づく投資規制の適用を一切受けなくなるのか否かについては必ずしも明確ではない点もあり、さらに明確な規則の制定が望ましいように思われる。

2　外国資本会社の最低投資金額・最低資本金額

　外国資本会社の最低投資金額は、原則として土地建物を除いて100億ルピアまたはこれに対応する米ドル相当額であり（BKPM規則2021年第4号12条2項）、また、払込資本も最低100億ルピアまたはこれに対応する米ドル相当額とされている（同条7項）。

　最低投資金額に関する要件は、原則として、外国資本会社が有するビジネスライセンスに記載のビジネスラインごとに（5桁のKBLI番号ごとに）、また、プロジェクトロケーションごとに満たす必要がある（同条2項）。ただし、例外も定められており、たとえば、卸売業については上4桁が共通するKBLI番号ごとに、飲食サービス業については1つの事業場所につき上2桁が共通するKBLI番号ごとに、建設業については1つの事業活動につき上4桁が共通するKBLI番号ごとに、最低投資総額要件を満たす必要があるとされており、また、製造業については1つの生産ラインごとに最低投資総額要件を満たす必要があるとされている（政令2021年第5号189条）。

　事業者は、四半期ごとに、投資活動報告書（LKPM：Laporan Kegiatan Penanaman

Modal）を、投資調整庁に対して提出しなければならないとされている（BKPM規則2021年第5号32条4項）。最低投資額を満たしたか否かは、投資活動報告書から判断される。

7-5　買収のための各手法の手続および内容

1　概　　要

　既存の会社の株式を取得する方法としては、株式譲渡と新株発行・自己株式の処分が考えられる。そして、株式譲渡または新株発行・自己株式の処分により対象会社を買収、すなわち対象会社の経営権を取得する場合、当該行為は、会社法上「支配権取得」に該当し、会社法上、支配権取得に関し必要な手続を行わなければならない。

　加えて、OJK規則2018年第9号（以下「公開会社買収規則」という）上、公開会社（Perusahaan Terbuka）に対する「支配権取得」が実行された場合、原則として、強制的公開買付けを行う必要が生じる。ただし、4(2)で後述するように、強制的公開買付けを行う必要がない例外事由も定められており、たとえば、一部の類型の新株発行により支配権取得が行われた場合には、強制的公開買付けの義務は生じない。また、支配権取得は、OJK規則に従った、任意的公開買付けにより行うこともでき、任意的公開買付けにより支配権取得を行った場合には、強制的公開買付けは不要となる。

　以下では、まず、非公開会社と公開会社それぞれについて株式譲渡の手続および新株発行・自己株式の処分の手続を検討し、支配権取得に適用される規制を検討したうえ、事業譲渡やスクイーズ・アウトの可否および非上場化の手続につき検討する。

2　非公開会社の買収

(1)　非公開会社の株式譲渡（支配権取得に該当しない場合）
① 定款上の手続の履践
　会社法上、株式譲渡の方法については、定款で規定するものとされている

(会社法55条)。また、定款において、株式譲渡の要件として、(a)他の株主の先買権、(b)会社の機関(株主総会、取締役会、監査役会)からの承諾取得、(c)関連当局からの法令に従った承諾取得を定めることができるとされている(同57条1項)。このため、定款を確認の上、これらの要件が定められている場合には、これらの手続を履践する必要がある。

(a) 他の株主の先買権

定款で他の株主の先買権が株式譲渡の要件として定められている場合、譲渡株主が他の株主に対して株式売却の提案をしてから30日以内に他の株主が当該株式を購入しない場合には、譲渡株主は、当該株式を第三者に譲渡することができる(会社法58条1項)。実務上は、株式譲渡を承認する株主総会決議において、他の株主が先買権を放棄する旨決議することも多い。

(b) 会社の機関(株主総会、取締役会、監査役会)からの承諾取得

会社の機関(株主総会、取締役会、監査役会)からの承諾取得が株式譲渡の要件として定められている場合、承諾または不承諾は、当該機関が株式譲渡の承認請求を受領してから90日以内になされる必要がある(会社法59条1項)。当該機関が90日以内に承諾・不承諾の意思表示を行わない場合には、当該機関は承諾を与えたものとみなされる(同59条2項)。当該機関から承諾が得られた場合には、株式譲渡は、承諾の日から90日以内に行われなければならない(同59条3項)。

また、支配権取得に該当するような株式譲渡であれば、対象会社において、別途会社法上株主総会決議が必要とされているが、支配権取得に該当しないような株式譲渡であれば、株式譲渡に関する株主総会決議は、定款上定められている場合のみ必要となる[21]。つまり、会社法上は、定款上の記載がなければ株主総会決議なくして株式譲渡を行うことが可能であるため、インドネシアパートナーと合弁事業を行っているような場合に、インドネシアパートナーが、外国株主の同意を得ることなく株式を譲渡するという事態が生じる可能性も完全には否定できないので、定款上、株式譲渡に株主総会決議等の機関決定が必要である旨を記載しておくことが望ましい[22]。

(c) 関連当局からの法令に従った承諾取得

個別法上、株主変更につき関連当局からの承諾が必要とされている場合を想

定したものである。定款上、株式譲渡の要件とされていない場合であっても、法令に従い、関連当局から承諾を取得する必要がある。

② 譲渡証書の締結

会社法上、株式を譲渡する場合には、譲渡証書を締結しなければならない（会社法56条1項）とされている。この証書については、公証人が作成する譲渡証書および当事者間でのみ作成される譲渡証書のいずれでも可とされている（同項注釈。ただし「支配権取得」に該当する場合には公証人が作成する譲渡証書である必要がある（同法128条2項））。実務上は、公証人が作成する譲渡証書が利用される場合が多い。株式譲渡の効力は、譲渡証書の締結により生じる。

③ 事後手続

株式譲渡後、株式譲渡の当事者は、譲渡証書の原本または写しを会社に対して提出しなければならない（会社法56条2項）。そして、会社の取締役会は、株主変更があった場合には、株主名簿（および特別株主名簿）に、株式譲渡の事実および実行日を記録する。また、会社は、株主の変更につき譲渡日から30日以内に法務人権大臣に届け出なければならない（同条3項）。

株主情報の変更に関する法務人権省への通知は、その後OSSシステムに自動的に反映される。

(2) 非公開会社の新株発行（支配権取得に該当しない場合）

① 株主総会決議

授権資本、引受資本および払込資本の金額は定款必要記載事項である（会社

---

21) もっとも、現在の実務上は、支配権取得に該当しないような株式譲渡の場合であっても、法務人権省への通知に際して、株主構成の変更を承認する株主総会決議に関する公正証書（インドネシア語で作成される、以下同様）の提出を求められることも多く、その結果、株主総会決議が必要となるのが通常である。つまり、株主変更に関する法務人権省への通知に際して、公証人が保管すべき書類としては、(i)株主変更（名称および株式数）に関する証書、および、(ii)株式譲渡証書が挙げられている（法務人権大臣規則2021年第21号12条2項）。公証人によっては、株主変更を承認する株主総会決議が、上記(i)の証書に該当するものとして、支配権取得に該当しないような株式譲渡の場合でも、株主総会決議を要求しているものと考えられる。当該株主総会決議における決議要件は定められていないため本来は普通決議事項と考えられるが、実務上は、事後的に紛争となるような株式譲渡手続に関与することを嫌う公証人の要請等により、全株主が同意していることを求められることもある。
22) インドネシアにおいても、譲渡制限に関する各種合意は、定款のみならず、株主間契約または合弁契約等において詳細に定めを設けることが多い。

法15条1項d号)。授権資本は、株主が会社に対して発行することを授権した資本、引受資本は、株主に引き受けられた資本、払込資本は、株主が会社に対して実際に払い込んだ資本である[23]。

したがって、新株発行に当たっては、定款変更が必要となる。授権資本金額の増加のための定款変更は法務人権大臣の承認を要する(同法21条1項・2項d号)が、引受資本金額および払込資本金額の増加のための定款変更は法務人権大臣への報告で足りる(同条3項)。

定款変更のためには、インドネシア語での公正証書の作成を要し(会社法21条4項)、公正証書をもって定款変更を行っていない場合には株主総会開催後30日以内に公正証書を作成しなければならず(同条5項)、また、法務人権大臣への定款変更の承認申請および定款変更の報告については、当該公正証書の日付から30日以内に法務人権大臣に提出しなければならない(同条7項・8項)。スケジュールを立てるうえで留意が必要である。

また、会社法上、会社の新株発行には株主総会における承認が必要とされている(会社法41条1項)。株主総会は、新株発行について、増加資本の上限金額を承認した上で、新株発行の実行(時期、方法および株主総会で承認された上限金額の範囲内での増加資本の金額の決定を含む)を承認する権限を、最長1年を限度として監査役会に授権することができる(同条2項・同項注釈)。

② 新株発行の場合における既存株主の新株引受権

会社法上、新株発行の場合、原則として、既存の株主はその株式保有割合に応じて新株引受権を有し、会社は、新規に発行する株式と同じ種類を有するすべての株主に対して、新株を株式保有割合に応じて割り当てる旨の申入れをしなければならない(会社法43条1項)。ただし、(a)会社の従業員に対する新株発行、(b)株主総会における承認を得て発行された株式に転換可能な社債またはその他の有価証券の保有者に対して行われる新株発行および(c)株主総会における承認を得て行われる組織再編(合併および支配権取得等を含む)の一環として行われる新株発行に際しては、新株引受権は発生しない(同条3項・同項注釈)とされている。

---

23) なお、株主によって引受けられた株式は全額払い込むことが求められている(会社法31条1項および3項)。

(3) 非公開会社の自己株式の処分（支配権取得に該当しない場合）

会社法上、自己株式の処分には株主総会における承認が必要である（会社法38条1項）。株主総会は、自己株式の処分についても、その実行を承認する権限を、最長1年を限度として監査役会に授権することができ、さらにかかる授権を同期間延長することが認められている（同法39条1項・2項）。

(4) 支配権取得に該当する場合

会社法上、「支配権取得」とは対象会社の経営権が移転することとなる対象会社の株式の取得と定義されている（会社法1条11号）。支配権取得は、対象会社の取締役会を通じてまたは既存株主から直接に行われる既発行株式または新規に発行される株式の取得により行われる（同法125条1項）。会社法上、新株発行により経営権が移転する場合も支配権取得に含まれる。対象会社に対する投資が対象会社の経営権の移転を伴い、会社法上の「支配権取得」に該当する場合、株主総会決議や公正証書による支配権取得証書・株式譲渡証書の締結に加え、以下で説明するように、会社法上の組織再編行為の手続に類した手続が必要となる。また、対象会社の資本関係または業種によって、政府承認を取得する必要が生じる場合がある。なお、公開会社における「支配権取得」の意味については下記4(1)を参照されたい。

① 対象会社の取締役会に対する通知等

新株発行または自己株式の処分による支配権取得が行われる場合、支配権取得を行う者は対象会社の取締役会に対して支配権取得を行う意図につき通知しなければならず（会社法125条5項）、対象会社の取締役会および支配権取得を行う者の取締役会は、監査役会の承認を得て、支配権取得計画を作成しなければならない（同条6項）[24]。

これに対し、既存株主からの株式の譲受けにより支配権取得が行われる場合には、上記通知および支配権取得計画の作成は不要である（会社法125条7項）。

② 公表および従業員への通知

支配権取得が行われる場合、対象会社の取締役会は、株主総会の通知の30

---

[24] 支配権取得を行う会社については、当該会社の設立準拠法および定款で必要とされている手続を取れば足りる。

日前までに、支配権取得計画の概要を少なくとも１紙以上のインドネシア語の日刊全国紙に公表し、会社の従業員に対して書面により通知しなければならない（会社法127条2項・8項）。

③　株主総会決議

対象会社の取締役会は、監査役会の承認を経た支配権取得計画を株主総会に提出し、株主総会の承認決議を取得する必要がある。かかる株主総会決議は、議決権のある全株式の4分の3以上を保有する株主が出席し（代理出席を含む）、株主総会で行使された全議決権の4分の3以上の賛成が得られた場合に可決される（ただし、定款においてより厳格な可決要件が定められる場合は定款に従う）（同法89条1項）。なお、かかる定足数を満たすことができない場合には2回目の株主総会を開催することができ（同条2項）、2回目の株主総会は、議決権のある全株式の3分の2以上を保有する株主が出席し（代理出席を含む）、株主総会で行使された全議決権の4分の3以上の賛成が得られた場合に可決される（ただし、定款においてより厳格な可決要件が定められる場合は定款に従う）（同条3項）。

④　債権者保護手続、株式買取請求権、従業員の退職金受領権

債権者は上記②の公表から14日以内に対象会社に対して異議を述べることができ、かかる異議が解決されない限り支配権取得は実行できないとされている（会社法127条4項・6項・7項）。実務上、債権者から異議があった場合の解決方法としては、債権者との間で債務の弁済方法について交渉の上合意する例がよく見られる。

支配権取得が会社または株主に損害を及ぼすとして支配権取得に反対する株主は、会社に対して株式を合理的な価格で買い取ることを請求する権利を有する（会社法62条1項c号）。

なお、労働法上、雇用者は、支配権取得が行われる場合、従業員との雇用契約を終了することができるが、その場合、従業員は自己都合による退職の場合よりも多額の退職金を受領する権利を有する（労働法（労働に関するインドネシア共和国法2003年第13号）154条A1項・156条2項）点についても、留意が必要である。

⑤ 公正証書の作成

新株発行または自己株式の処分による支配権取得が行われる場合、株主総会による承認後、支配権取得計画の内容を記載した支配権取得証書がインドネシア語で公証人により作成される（会社法128条1項）。支配権取得証書は、法務人権大臣に対して定款変更の届出を行う場合に添付しなければならない（同法131条1項）。

これに対し、既存株主からの株式の譲受けにより支配権取得が行われる場合には、株式譲渡証書がインドネシア語で公証人により作成され（会社法128条2項）、当該株式譲渡証書は、法務人権大臣に対する株主変更の届出を行う場合に添付しなければならない（同法131条2項）。

⑥ 事後の公表

支配権取得実行後30日以内に、対象会社の取締役会は、1紙以上のインドネシア語の日刊全国紙に支配権取得の結果について公表しなければならない（会社法133条1項・2項）。また、法務人権大臣が、対象会社の定款変更にかかる登記および官報での公告を行う（同法132条・29条・30条）。

|COLUMN|　支配権取得の場合の留意点
　　　　　—間接取得／グループ内再編の場合と従業員対応について

　上記2(4)記載のとおり、対象会社の経営権が移転することとなる対象会社株式の取得を行う場合には、会社法上の支配権取得に該当し、株主総会決議や支配権取得証書・株式譲渡証書の締結に加え、新聞公告・従業員通知、債権者保護手続等の会社法上の組織再編行為の手続に類した手続が必要となる。

　対象会社の支配権の間接取得の場合、対象会社自身の株式の移転がないため支配権取得に関する手続の適用がないものと解されている。つまり、対象会社株式を実質的に100％保有する親会社の株式を間接取得することにより対象会社の支配権を取得するような場合は、対象会社において組織再編行為の手続に類した手続を行う必要はない。もっとも、当該親会社がインドネシア法人であるような場合には、当該親会社について会社法上の支配権取得の手続を行う必要がある（なお、当該親会社がインドネシア国外の法人であれば、当該法人の所在国の法律に従って必要な手続を行うことになる）。

　他方で、グループ内再編に伴う株式譲渡の場面（典型的には、日本法人が保有している対象会社株式を同一グループ内のシンガポール法人に移管するような場

面）のように、対象会社自身の株式の移転が想定されているものの、最終親会社には変動がないような場合に、会社法上の支配権取得に関する手続の適用があるか否かについては、実務上も見解が分かれているように見受けられる。支配権の変動はグループ全体で判定するという立場からは、グループ内再編の場合には支配権取得に関する手続は適用されないと解されるのに対して、支配権の変動は各社ごとに判定するという立場からは、グループ内再編の場合であっても、支配権取得に関する手続が適用されると解される。実務上は、いずれの整理もみられるところであるが、支配権移転手続の締めくくりとなる支配権取得証書・株式譲渡証書（公正証書）を作成する公証人の意見・立場を事前に確認することが望ましい。これは、公証人によっては、公正証書を作成するために求める書面が異なり、上記論点をどのように解しているかにより求められる書面内容等についても異なりうるためである。

また、間接取得の場合に、従業員に対する対応をどのように行うかは実務上の検討事項となることも少なくない。間接取得の場合においても、従業員に対しては最終株主の変更について通知をすることが実務上は望ましいとされている。これは、労働法156条において、雇用者は、合併・株主変更等が行われる場合、従業員との雇用契約を終了することができるが、その場合、従業員は自己都合による退職の場合よりも多額の退職金を受領する権利を有するとされている規定の趣旨から、直接株主の変更がない場合であっても従業員に対して権利行使の機会についてより適切な説明を行ったことを形として残しておくことが望ましいと考えられているためである。もっとも、事案によっては、対象会社が非常に多くの従業員を抱えており、このような通知を行うことにより、かえって不用意な労働問題を誘発し、クロージングまでのスケジュールに影響を与える可能性もありうるため、対象会社の実情に合わせて、売主や対象会社と協議の上、個別案件上適切と考えられる対応をとることも考えられる。

3 公開会社の買収

(1) 公開会社の株式譲渡

公開会社の株式譲渡についても、原則として、上記2(1)に記載した会社法の定めが適用される。ただし、資本市場で取引される株式（上場会社株式）の譲渡に関する手続は、別途資本市場法令の定めに従うとされており（会社法56条5項）、上場会社株式の譲渡の場合には、下記公開買付けに関する規制やイン

サイダー取引規制を遵守する形で行う限り、原則として自由に行うことができる。

(2) 公開会社の新株発行

公開会社における新株発行には、既存株主に対してライツを付与する形での新株発行（ライツ・イシューによる新株発行）と既存株主に対してライツを付与しない形での新株発行（第三者割当増資による新株発行）が存在する。既存株主に対してライツを付与するライツ・イシューによる新株発行が原則形態とされている。また、いずれも事前の株主総会の承認が必要である。

ライツ・イシューの要否により、手続やタイムラインが大きく変わってくる。以下、「ライツ」（HMETD：Hak Memesan Efek Terlebih Dahulu）の内容、ライツ・イシューが不要となる場合の要件につき、それぞれ説明する。

① ライツの内容

ライツとは、株主に対して、第三者に先立ち、株式その他の証券等を取得する機会を与える権利を指すとされている（OJK規則2015年第32号（OJK規則2019年第14号により最終改正）（以下「OJK規則2015年第32号」という）1条1号）。

ライツは、（証券取引所に上場されている場合）証券取引所の内外で譲渡することが可能である（同29条）。

ライツは、既存株主に対して持分比率維持の機会を与えることを目的にしている。いわゆる新株予約権とは異なり、その行使を通じて株式価格上昇による利益を得させることを目的とするものではない。そのため、ライツの取引期間は、ライツの交付日から、5〜10日に限定されている（同34条）。既存株主は、当該行使期間内に、ライツを行使して持分比率を維持するか、これを売却して持分比率減少を経済的に補填するかを選択することになる。

② ライツ・イシューが不要となるための要件

OJK規則2015年第32号において、公開会社が、ライツ・イシュー手続によらない形での増資（第三者割当増資）を行うことができる場合として、(a)財務状況の改善を目的とする増資、(b)財務状況の改善を目的としない増資、(c)新株無償割当ての場合が規定されている。以下では、実務上問題になりやすい(a)と(b)につき説明する。

(a) 財務状況の改善を目的とする増資（OJK規則2015年第32号3条ａ）

増資の主目的が、以下のいずれかに該当する会社の財務状況を改善することである場合には、ライツ・イシュー手続によらない形での株式発行を行うことができる（同8Ｂ条）。

- 銀行の場合：インドネシア中央銀行または他の政府機関から、払込資本の100％を超える借入れがある場合、または、関連する政府機関により当該銀行のリストラクチャリングが行われうる状態となっている場合（同8Ｂ条ａ）
- 銀行以外の企業の場合：増資を承認する株主総会日における正味運転資本がマイナスとなっており、かつ、負債が対象会社の資産の80％超となっている場合（同ｂ）
- すべての公開会社について：当該公開会社につき、その関係者[25]に該当しない貸主に対する債務不履行が発生しまたは債務を履行することができない場合で、かつ、（関係者にあたらない）貸主が貸付けの返済の一部として当該公開会社の株式または転換社債を受領することに同意する場合（同ｃ）

(b) 財務状況の改善を目的としない増資（OJK規則2015年第32号3条ｂ）

増資の主目的が、会社の財務状況の改善以外の場合には、従業員・経営陣の持株制度のための発行については5年間、それ以外の場合には2年間の各期間内において払込資本の10％を上限として、ライツを発生させることなく、株式を発行できる（同8Ｃ条）（なお、実務上、かかる払込資本の金額の基準時は、当該増資についての株主総会の承認の際に併せて決定されることとなる）。

ライツ・イシュー手続によらない形での株式発行の場合の株主総会の定足数および決議要件については、原則として、①独立株主、ならびに、②当該決議

---

[25] 「関係者」とは、(i)直系か傍系かを問わず2親等以内の姻族もしくは血族、(ii)ある主体（自然人、会社、組合、アソシエーションその他の組織）とその従業員、取締役もしくは監査役、(iii)1人以上の取締役もしくは監査役を同じくする2つの会社、(iv)直接か間接かを問わず、会社を支配しもしくは会社に支配される主体、(v)直接か間接かを問わず、同じ主体に支配されている会社、または、(vi)会社とその支配株主という関係がある者をいう（資本市場法1条1項）。

を行う公開会社、その取締役、コミサリス、支配株主および主要株主（20％以上の株式を有する株主）と関連性を有しない株主（総称して「非関連株主」）の総議決権の2分の1を超える出席および賛成が必要とされる（出席した独立株主および非関連株主の総議決権の2分の1を超える賛成ではなく、独立株主および非関連株主全体の議決権数が基準とされている）。本定足数および決議要件については、OJK規則2015年第32号の一部を改正するOJK規則2019年第14号により導入されたものであり、比較法的にも厳しい定足数・決議要件が課されているといえる。

(3) 公開会社の自己株式の処分

自己株式の処分についての株主総会の承認は不要とされている（OJK規則2017年第30号18条(b)）。また、公開会社が自己株式を処分する場合、処分の14日前までに自己株式の処分に関する一定の情報を公表し、公表資料と関連書類をOJKに提出しなければならない（OJK規則2017年第30号23条）。

なお、公開会社の自己株式の処分価格については、最低処分価格が定められている。

上場株式の処分の場合、①処分日の前日の証券取引所における終値、または、②処分日前90日間の各日の終値の平均値、のいずれか高い価格を最低処分価格とする。ただし、処分前90日以上の期間内に証券取引所での取引が行われなかった場合または証券取引所により取引が一時的に停止された場合には、(a)鑑定人による公正な市場価格、または、(b)最終取引日もしくは取引が一時的に停止された日から遡って12カ月間の各日の終値の平均値、のいずれか高い価格を最低処分価格とする。

非上場株式の処分の場合、鑑定人による公正価格を最低処分価格とする（OJK規則2017年第30号11条）。

また、公開会社が証券取引所を通じて自己株式を処分する場合、1日に処分できる株式は、会社が買い戻した自己株式の総数の20％が上限とされる（OJK規則2017年第30号26条）。

(4) 支配権取得に該当する場合

公開会社の株式譲渡または新株発行・自己株式の処分により支配権取得を行う場合には、原則として、会社法上の支配権取得の手続である、前記 2(4)記載の手続と同じ手続を履行する必要がある。ただし、公開会社を対象とする支配権取得および公開会社による支配権取得については、別途当該会社の事業分野につき法令が定める場合を除き、当該公開会社の株主総会の決議が不要とされている（会社法89条5項、公開会社買収規則9条）。

また、後述するように株式譲渡または自己株式の処分により公開会社の支配権取得を行う場合、支配権取得の実行後、公開買付義務が発生する。

(5) 公開会社の買収にかかる留意点（利益相反取引）

一般的に、OJK規則2020年第42号において、利益相反（会社に悪影響を及ぼしうる、会社の経済的利益と取締役、監査役または主要株主の個人的経済的利益の相反）に該当する取引を行う場合には、取締役会は、一定の例外を除き、株主総会において独立株主（当該取引につき利益相反がなく、取締役、監査役、主要株主および支配株主ならびにその関係者でない株主）の承認を得なければならないとされている（OJK規則2020年第42号11条1項）。

そして、支配権取得については、主要株主または支配権者[26]と買収者が以下の契約を行う場合、関連当事者取引・利益相反取引に関する資本市場関連法に従う必要があると規定されており（公開会社買収規則11条）、かかる取引につき利益相反がある場合には、株主総会において独立株主の承認を得なければならない。

① 対象会社たる公開会社の相当量の資産を利用することとなる場合
② 対象会社たる公開会社がすでに行った契約または合意を変更することとなる場合
③ 対象会社たる公開会社の標準的業務手続を変更することとなる場合

実務上、LBOローンの案件でよくみられるような、株主の借入れのために公開会社の資産に無償で担保を設定する行為は、利益相反に該当し独立株主の

---

[26] 「支配権者」とは、払込資本の50％超を保有する者または当該会社の経営もしくは方針を直接もしくは間接に決定する権限を有する者を意味する（公開会社買収規則1条4号）。

承諾を要するものと考えられる。

なお、関係者間の取引であっても利益相反がなければ独立株主の承認は不要となるため、たとえば取引の条件が市場の条件と同様である場合等に、独立した第三者からフェアネスオピニオンを取得して、独立株主の承認を得ることなく、かかる取引を行う例が多くみられる。

4 強制的公開買付け

(1) 公開買付けの義務

インドネシアでは、公開会社の支配権取得が行われた場合、原則として、事後に公開買付けを行うことが義務づけられている。公開会社の支配権取得および強制的公開買付けには、支配権取得に関する公開会社買収規則が適用される。

公開会社買収規則上、公開会社の「支配権取得」とは、直接または間接に支配権者の変更をもたらすこととなる行為と定義されており、公開会社の「支配権者」とは、具体的には以下のいずれかを指す（公開会社買収規則1条4号・5号）。

① 公開会社の払込資本の50％超を保有する者
② 公開会社の経営または方針を直接または間接に決定する権限を保有する者

なお、複数の者が特定の目的（支配権取得自体も含む）のために協働する計画、契約または決定を行っている場合（公開会社買収規則1条2号）（以下、かかる場合にこれらの者を「組織グループ」という）には、組織グループの保有する株式または権限をもって支配権取得の有無を判断する。この支配権者の定義と併せると、会社法上の支配権取得の定義よりも規定が詳細である。

支配権取得が行われた場合には、当該支配権取得者は、かかる支配権取得の後に強制的公開買付けの義務を負う（同7条1項b）。

ただし、以下の株式は強制的公開買付けの対象に含まれず、応募があった場合でもこれらの株式につき買付義務は発生しない（同7条1項b号）。

① 買収者とともに支配権取得を行った株主の保有する株式（同号1）
② 買収者から同じ条件にて株式の買取りの申入れを受けた他の株主の保有する株式（同号2）

③ 対象会社の株式につき同時に強制的公開買付けまたは任意的公開買付けを行っている者が保有する株式（同号3）
④ 20％以上の株式を保有する主要株主が保有する株式（同号4）
⑤ 当該対象会社の他の支配権者が保有する株式（同号5）

(2) 強制的公開買付けが不要となる場合

上記のとおり、支配権者の変更が生じた場合、公開買付けの義務が原則として発生する。

ただし、OJK規則2015年第32号に基づくライツ・イシューに基づく新株発行[27]および財務状況の改善を目的とする第三者割当てを行った結果、支配権取得が生じた場合は強制的公開買付けが義務づけられないとされている（公開会社買収規則23条 i 号、j 号）。他方で、財務状況の改善を目的としない第三者割当てにより、支配権取得が生じた場合は強制的公開買付けが義務づけられている（公開会社買収規則26条1項）。

また、間接的な支配権取得については、公開会社の支配権取得が他の公開会社を通じて間接的に行われ、当該他の公開会社の連結計算書類において支配権取得時における支配権取得の対象たる公開会社の当該他の公開会社に対する収入への寄与度が50％未満である場合[28]には、公開買付けは不要であるとされている（公開会社買収規則27条）。さらに、いわゆるクリーピングルールも定められており、従前、ある公開会社の株式を保有していなかった者が、12ヵ月ごとに上場された議決権付株式を10％を限度として取得することにより支配権を取得した場合[29]には、公開買付けは不要であるとされている（同規則23条 b

---

27) 既存株主がライツ・イシュー手続において付与されるライツを行使した結果、支配権を取得した場合は強制的公開買付けが義務付けられないが、既存株主に付与されるライツを第三者が譲り受け、当該第三者がライツを行使することにより支配権を取得するような場合は、強制的公開買付けが義務付けられる（公開会社買収規則23条 i 号注釈）。
28) たとえば、ある公開会社（以下「公開会社A」という）の支配権取得が、他の公開会社（以下「公開会社B」という）を通じて間接的に行われる場合で、かつ、支配権取得時において公開会社Bの連結計算書類における公開会社Aの公開会社Bに対する収益への寄与度が50％未満である場合が、これにあたる。
29) たとえば、2015年にX社の株式を5％取得し、2016年に10％取得して、合計して15％保有し、2017年から2020年まで毎年10％ずつ取得した結果、2020年にX社の支配権を取得した場合、かかる支配権取得につき強制的公開買付けを行う必要はない。

号)。

そのほか、たとえば以下のいずれかの場合等には、強制的公開買付けは義務づけられない（公開会社買収規則23条）。

① 結婚または相続により支配権取得が生じた場合（a号）
② 法的拘束力のある裁判所の判決または命令により支配権取得が生じた場合（e号）
③ 吸収合併、事業分割、新設合併または株主の清算の実行により支配権取得が生じた場合（f号）
④ 任意的公開買付けにより支配権取得が生じた場合（m号）

(3) スケジュール

支配権取得に該当する場合の公開会社の既存株式取得手続（強制的公開買付けの手続）は以下のとおりである（下記【図表7-3】も参照されたい）。なお、公開会社を対象とする支配権取得については、別途当該会社の事業分野につき法令が定める場合を除き、当該公開会社の株主総会決議は不要である（公開会社買収規則9条）。

① 買収予定者による支配権取得交渉についての公表および通知（任意）

前記のとおり、インドネシアでは、日本と異なり、支配権の取得を行った後に強制的公開買付けの義務を負うという法制になっているが、支配権を取得する前段階においても、支配権取得の交渉を行い「支配権者」となることを企図する者（以下「買収予定者」という）が、インドネシア語の1紙以上の日刊全国紙または証券取引所のウェブサイトで当該交渉を公表することも可能である。買収予定者が当該交渉の事実を公表する場合には、対象会社、OJKおよび対象会社の株式が上場されている証券取引所（公表が日刊全国紙を通じて行われた場合）に、交渉について通知することが必要であるとされている（公開会社買収規則4条）。公表および通知を行うこととした場合には、以下の事項につき、公表および通知を行わなければならない（同条3項各号）。

(a) 支配権取得の対象たる公開会社の名称（a号）
(b) 支配権取得の対象たる公開会社の株式取得予定数（b号）
(c) 買収予定者の名称、所在地、電話番号、ファクシミリ番号および業種

(c号)
(d) 買収予定者の保有する株式数（もしあれば）（d号）
(e) 支配権取得の目的（e号）
(f) 公開会社の支配の枠組みにおける、組織グループ内での協働についての計画、合意または決定（もしあれば）（f号）
(g) 支配権取得方法および交渉経過（g号）
(h) 支配権取得についての交渉の内容（h号）

また、かかる公表および通知が行われた場合において、交渉に進捗（支配権取得計画の延期または取消しを含む）があった場合、かかる進捗についてのいかなる情報も、発生後2営業日以内にインドネシア語の1紙以上の日刊全国紙または証券取引所のウェブサイトで公表されなければならず、また、対象会社、OJKおよび証券取引所（公表が日刊全国紙を通じて行われた場合）に通知されなければならない（公開会社買収規則5条2項）。

なお、買収予定者が支配権取得交渉についての公表および通知を行わない旨決定した場合には、買収予定者およびその他の交渉当事者は交渉結果についての情報の秘密を保持しなければならない（公開会社買収規則6条）。

② 支配権取得の実行（支配権取得の効力発生）
③ 支配権取得の実行についての公表およびOJKへの通知

支配権取得を行った当事者（以下「買収者」という）は、まず、支配権取得の実行後1営業日以内に、当該支配権取得をインドネシア語の1紙以上の日刊全国紙または証券取引所のウェブサイトで公表し、さらに、OJKに通知しなければならない（公開会社買収規則7条1項a）。公表および通知すべき事項は以下のとおりである（同条2項各号）。

(a) 取得した株式総数、市場外での相対取得の場合には譲渡株主の名称、1株あたり取得価額、取得総額、総株式数（a号）
(b) 買収者の名称、住所、電話番号、ファクシミリ番号および事業内容、役員構成、資本構成（b号）
(c) 支配権取得の目的（c号）
(d) 買収者が組織グループである場合には、その旨（d号）
(e) 支配権取得を行った者が代理人である場合には受益者（e号）

(f) 買収が関連当事者関係に基づくものである場合には、当該関係性についての説明（f号）
(g) 関連当局による承認が必要となる場合には、当該承認の概要（g号）

④ 公開買付けに関するOJKおよび対象会社に対する通知・書類交付

上記支配権取得の実行の公表後2営業日以内に、買収者は、OJKに対してカバーレター、強制的公開買付けに関する情報についての公告文案およびその他の必要書類を、対象会社に対して強制的公開買付けに関する情報についての公告文案およびその他の必要書類を提出する必要がある（公開会社買収規則12条1項、2項、3項）。

また、OJKから変更または追加情報の提供の要請がある場合、OJKからの要請を受領後5営業日以内に、必要資料を添えて、強制的公開買付けの枠組みについての情報を開示しなければならない（公開会社買収規則13条2項）。

⑤ OJKからの強制的公開買付けを公表することを許可する旨の通知の受領

上記④の受領書類に不備がない場合には、OJKは、買収者に対して、公開買付けを公表して良い旨を通知する。

⑥ 公開買付けの公表

OJKから強制的公開買付けを公表することを許可する旨の通知を受けた場合、買収者は2営業日以内に強制的公開買付け開始に関する公告をインドネシア語の1紙以上の日刊全国紙または証券取引所のウェブサイトで公表しなければならない（公開会社買収規則13条3項、4項）。公表すべき情報は、以下のとおりである（同12条4項）。

(a) 支配権取得の背景（a号）
(b) 株式情報（買付けの対象たる株式数および割合の説明、買収者が直接または間接に保有する対象会社の株式数および保有割合（オプション、配当の受領にかかる権利、株主総会における議決権を含む）、市場外での相対取得がある場合には譲渡株主の名称、1株あたり取得価額、取得総額、取得日）（b号）
(c) 買収者の情報（個人の場合には、氏名、住所、国籍および対象会社との関係（もしあれば）、個人以外の場合には、設立、事業内容、資本構成、取締役会および監査役会の構成、株主構成、受益者ならびに対象会社との関係（もしあれば））（c号）

実務上、設立に関する情報として、設立日や設立文書の承認番号が記載される。
(d)　対象会社の情報（名称、所在地および事業内容）（d号）
(e)　主要株主または支配権者と買収者との間の利益相反となりうる取引の有無（e号）
(f)　強制的公開買付けの情報（買取価格およびその計算方法、公開買付期間、支払いに関する規定、買取方法ならびに強制的公開買付けにつき必要な承認または政府より指定された条件（もしあれば））（f号）
(g)　強制的公開買付けにおける代理機関および／または資本市場サポート専門家の名称および住所のリスト（g号）
(h)　その他の重要な情報（支配権取得にかかる訴訟の内容（もしあれば）、買収者が強制的公開買付けを行うための十分な資力を有していることについての情報、および強制的公開買付けの枠組みにかかる情報開示につき誤認を生じさせないために必要な追加情報）（h号）

⑦　公開買付期間の開始
　公開買付けに関する公表の翌日から始まる30日間に公開買付けを行う（公開会社買収規則14条a）。

⑧　公開買付期間の終了

⑨　決済／売買代金の送金
　買収者は、上記公開買付期間の終了後遅くとも12日以内に金銭を支払って公開買付けにかかる取引を実行する（公開会社買収規則14条b）。応募株主は、応募株式を、買収者が指定したカストディアンに交付するものとされている（同15条1項）。

⑩　OJKへの事後報告
　買収者は、公開買付けにかかる取引の終了後5営業日以内に、OJKに取引結果を報告する（公開会社買収規則16条1項）。

　支配権取得交渉についての公表（任意）から、強制的公開買付けの手続の終了までをまとめると、通常【図表7-3】のようなスケジュールとなる。

【図表7-3】強制的公開買付けのスケジュール（モデル）

	手続	日程
①	買収予定者による支配権取得交渉についての公表および通知（任意）	T以前
②	支配権取得の実行（支配権取得の効力発生）	T
③	支配権取得の実行についての公表およびOJKへの通知	T＋1営業日（②から1営業日以内）
④	公開買付けに関するOJKおよび対象会社に対する通知	T＋3営業日（③から2営業日以内）
⑤	OJKからの強制的公開買付けを公表することを許可する旨の通知の受領	T＋1〜2週間（以下「P」とする）[30]
⑥	公開買付けの公表	P＋2営業日頃（⑤から2営業日以内）
⑦	公開買付期間の開始	P＋3営業日頃（⑥の翌日）
⑧	公開買付期間の終了	⑦から30日目 （以下、公開買付期間終了時を「Q」とする）
⑨	決済／売買代金の送金	Q＋12日（⑧の後遅くとも12日以内）
⑩	OJKへの事後報告	Q＋12日＋5営業日 （⑨の後遅くとも5営業日以内）

(4) 買付対価および価格

強制的公開買付けの対価の種類は、金銭のみである（公開会社買収規則14条b）。

また、強制的公開買付けの最低買付価格は、以下のとおり定められている。

① 上場株式の直接・間接取得による支配権取得の場合（公開会社買収規則17条a、d）

最低買付価格は、以下の日までの直近90日間の各日の最高値の平均値、または、支配権取得取引における買収価格のいずれか高い方

---

[30] ただし、OJKが当該通知を発する期間について明確なガイドラインはない点に留意が必要である。

(a) 同7条1項aに基づく支配権取得公告（上記【図表7-3】中③の「支配権取得の実行についての公表およびOJKへの通知」）の日
(b) 同4条2項に基づく交渉に関する公告（買収者が支配権取得交渉に関する事前公告を行う場合、上記【図表7-3】中①の「買収予定者による支配権取得交渉についての公表および通知（任意）」）の日
(c) OJK規則に基づく情報公告の日（ライツ・イシュー手続を通じて支配権取得が生じた場合）
(d) OJK規則に基づく情報公開の日（財務状況の改善を目的としない第三者割当てにより、支配権取得が生じた場合）
② 上場株式の直接・間接取得による支配権取得だが、支配権取得または支配権取得交渉の事前公告前、直近90日間において、株式が証券取引所で取引されていないか、証券取引所での取引が一時停止されている場合（公開会社買収規則17条ｂ、ｅ）

最低買付価格は、証券取引所で最後に取引された日または一時取引停止の日から遡って12カ月間の一日の取引額最高値の平均または支配権取得取引における買収価格のいずれか高い方（なお、間接取得の場合は前者のみ）

③ 非上場株式の直接取得による支配権取得の場合

(a)鑑定人による公正価格、または、(b)当該支配権取得における取得価額（もしあれば）のいずれか高い価格を最低買付価格とする（公開会社買収規則17条ｃ）。

④ 非上場株式の間接取得による支配権取得の場合

鑑定人による公正価格を最低買付価格とする（公開会社買収規則17条ｆ）。

(5) 再譲渡義務

支配権取得後に実施した強制的公開買付けの結果、買収者が対象会社の払込資本の80％超を構成する株式を保有することとなった場合、買収者は、強制的公開買付けの実行後2年以内に、一般株主の株式保有割合が20％以上となるよう、その保有株式を第三者に対して再譲渡しなければならない（公開会社買収規則21条1項、3項）。

また、強制的公開買付けを実施する前に行われた支配権取得の結果、買収者

が対象会社の払込資本の80％超を構成する株式を保有することとなった場合、2年以内に、少なくとも強制的公開買付けの実施時に取得した株式の保有割合と同等数の保有株式を、第三者に対して再譲渡しなければならない（同21条2項、3項）。

5　任意的公開買付け

(1)　概　要

強制的公開買付けの発動事由に該当しない場合においても、OJK規則2015年第54号に従い任意的公開買付けを行うことは可能である。任意的公開買付けでは、任意に必要条件や特別の条件を付することができる。

(2)　スケジュール

任意的公開買付けの手続の流れは、概要以下のとおりである。

①　任意的公開買付けの届出および公表

任意的公開買付けを行う者（以下「買付者」という）は、任意的公開買付届出書をOJKに提出し、その写しを対象株式が上場されている証券取引所、対象会社および公開買付期間中当該対象株式に利益を有するその他の当事者に送付しなければならない（OJK規則2015年第54号3条）。任意的公開買付届出書に記載すべき事項は、以下のとおりである（同規則同号4条）。

(a)　対象会社の名称および所在地（a項）
(b)　任意的公開買付けの対象たるエクイティ証券にかかる情報（公開買付価格、公開買付期間、手続を含む）（b項）
(c)　任意的公開買付けの必要条件および特別の条件（c項）
(d)　対象株式が上場されている証券取引所の名称（d項）
(e)　後記(3)に従い計算される株式の価格（e項）
(f)　買付者および公開買付けに関連している関係会社の名称、所在地および国籍、ならびにそれらが破産宣告を受けたことがあるか、取締役または監査役として会社を破産させたことにつき有罪の判決を受けたことがあるか、金融分野での犯罪につき有罪判決を受けたことがあるか、裁判所または管轄当局から有価証券に関連し事業活動の停止を命じられたことがある

か（f項）
(g)　買付者が対象会社またはその関連会社との間で最近3年間に有した関係、契約および重要な取引（売買契約、代理人関係、経営委任関係を含む）についての説明（g項）
(h)　買付者による公開買付けの実行に必要な資金の調達についての陳述およびこれを補強する会計士、銀行または証券会社による意見（h項）
(i)　公開買付けの目的および公開買付けの実行後の対象会社の資本構造、配当政策または経営変革にかかる計画（i項）
(j)　買付者が直接または間接に保有する対象会社の有価証券の数および保有割合（オプション、配当その他の利益を受領する権利、株主総会での議決権を含む）の説明（j項）
(k)　買付者から公開買付けにかかる防衛または推奨を行うために報酬を得ている者の名称および所在地のリスト（もしあれば）（k項）
(l)　公開買付けに関し必要な承認または政府から指定された前提条件についての説明（もしあれば）（l項）
(m)　公開買付けについての記述に誤認を生じさせないために必要な追加情報（m項）

　任意的公開買付届出書の提出と同日に、上記の任意的公開買付届出書に記載されたすべての情報を、インドネシア語の日刊紙2紙以上（うち1紙は全国紙）にて公表しなければならない。新聞以外のマスメディア（マスメディアとは、新聞、雑誌、映画、テレビ、ラジオその他の電子媒体または手紙、パンフレットその他の100人超の人に配布される印刷物を指す（OJK規則2015年第54号1条2項））で任意的公開買付けについて公表することもできる（同規則同号5条1項・2項）。

　かかる公表がなされた後は、OJKの承認を得ない限り、公開買付けを撤回することはできない（OJK規則2015年第54号6条）。

　また、買付者は、かかる公表の15日前から公開買付期間が終了するまでの間、公開買付けの対象となるエクイティ証券の売買を行うことを禁止され（OJK規則2015年第54号27条）、また、買付者およびその関係者は、かかる公表の前まで公開買付けの計画について秘密を保持する義務を負う（同規則同号31

条)。

② 任意的公開買付届出書の効力発生

任意的公開買付届出書は、必要条件がすべて満たされた届出書がOJKにより受領された日の15日後もしくは届出者による最終の訂正の提出完了後15日後、またはOJKから訂正もしくは追加情報の必要がない旨連絡を受けた時点で、効力を発生する（OJK規則2015年第54号7条）。

実務上は、届出書の効力発生を確実に確認するため、OJKから訂正または追加情報の必要がない旨の連絡を受けるのが通例である。

③ 公開買付期間の開始

任意的公開買付届出書の効力発生後2営業日以内に公開買付期間が開始する（OJK規則2015年第54号17条1項）。OJK長官による別途の決定がある場合を除き、公開買付期間は最低30日間であるが、90日まで延長が可能である（同条2項）。

④ 公開買付期間の終了

⑤ 決済／売買代金の送金

公開買付けにかかる取引は、公開買付期間終了後12日以内に実行されなければならない（OJK規則2015年第54号18条）。

なお、公開買付けへの応募数が任意的公開買付届出書に記載された買付予定数を上回った場合、買付者は、各応募株式数に応じて、各応募者に対し株数を割り当てなければならず（OJK規則2015年第54号23条）、また、買付者は、かかる割当ての終了後30営業日以内に、割当ての公正性について、会計士を選任して特別監査を行わせ、OJKに報告を行わなければならない（同規則同号24条）。

⑥ 公開買付結果のOJKへの事後報告

買付者は、公開買付実行後10営業日以内に結果をOJKに報告しなければならない（OJK規則2015年第54号34条）。

任意的公開買付届出書の提出から、任意的公開買付けの手続の終了までをまとめると、【図表7-4】のようなスケジュールとなる。

【図表7-4】任意的公開買付けのスケジュール（モデル）

	手続	日程
①	任意的公開買付けの届出および公表	T
②	任意的公開買付届出書の効力発生	T＋15日
③	公開買付期間の開始	T＋15日＋2営業日 （②から2営業日以内）
④	公開買付期間の終了	T＋45日＋2営業日 （公開買付期間が30日の場合）
⑤	決済／売買代金の送金	T＋57日＋2営業日 （④終了後遅くとも12日以内）
⑥	OJKへの事後報告	T＋57日＋12営業日 （⑤から10営業日以内）

(3) 買付対価および価格

任意的公開買付けにおける買付価格は、上場株式の場合、①任意的公開買付けの公表前90日間の各日の高値の平均値（任意的公開買付けの公表前90日以内に、その対象会社の証券取引所での株式や新株予約権の取引が不可能だった場合には、それらの最終取引日から遡って12カ月間の各日の高値の平均値）、または、②任意的公開買付けの公表前180日以内において、当該買付者が提示済みの公開買付価格の最高値（もしあれば）のいずれか高い価格以上の価格を最低買付価格とする（OJK規則2015年第54号13条a項・b項）。

非上場株式の場合、①鑑定人による公正価格、または、②任意的公開買付けの公表前180日以内において、当該買付者が提示済みの公開買付価格の最高値（もしあれば）のいずれか高い価格を最低買付価格とする（OJK規則2015年第54号13条c項・d項）。

任意的公開買付けにおいては、金銭のほか有価証券（公開買付けを行う外国会社の株式を含む）[31]を対価とすることが可能である。この場合には、応募者が

---

31) 「有価証券」とは、約束手形、コマーシャル・ペーパー、株式、社債、債務証書、投資信託受益証券、有価証券に関する先物取引やデリバティブと定義されている（資本市場法1条5項）。

他の有価証券と金銭の受領のいずれかを選択できることとしなければならない（OJK規則2015年第54号21条）。

6　その他の買収手法（事業譲渡）

インドネシアにおいて非公開会社の買収を行う場合、対象会社の株式取得ではなく、まずインドネシア国内に新たな会社を設立した上で、対象会社の事業の全部（または一部）を当該新設会社へ譲渡する手法が用いられることがある。この手法は、対象会社に税務その他の潜在債務が存在するリスクが認識される場合、かかるリスクを可能な限り避けることを企図して検討される場合が多い。ただし、原則として対象会社の取得している許認可を新設会社へ移すことはできず、当該許認可をとり直す必要が生じうること、資産譲渡時に課税が生じうること等のデメリットもあるため、取引ごとに慎重な検討が必要である。

会社が全純資産の50％を超える資産を他の会社へ譲渡する場合、譲渡会社の株主総会の特殊決議が必要となる（特殊決議の内容は、前記7-3の2(1)⑦を参照）。

7　スクイーズ・アウト（完全子会社化）

インドネシアにおいては、少数株主の同意なく、少数株主の株式を強制的に取得し、これにより当該株主を排除する権利またはスキームはないと解されている。

8　上場会社の非上場化手続

証券取引所規則I-Iによれば、上場会社による非上場化の申請は、上場期間が5年以上の場合にのみ可能であり（証券取引所規則I-I.Ⅲ.2.1.1条）、この場合、当該上場会社の株主総会における独立株主の承認（独立株主全体の議決権数を基準として、過半数による承認）が必要である（同規則Ⅲ.2.1.2条およびOJK規則2021年第3号64条1項）。

非上場化を希望する場合、上場会社は、証券取引所に、非上場化の理由および目的、買主候補者ならびに株式の買取予想価格について記載した、非上場化計画を提出し、1紙以上の全国日刊紙にて公表を行ったうえ、株主総会におけ

る独立株主による承認を得なければならない（証券取引所規則 I-I.Ⅲ.2.2条）。そして、株主総会における独立株主による承認後、当該上場会社またはその指定する者は、株主総会において非上場化の提案に反対した株主から株式を買い取った上（同規則Ⅲ.2.1.3条）、株主数を50名未満またはOJKにより指定される数にしなければならない（OJK規則2021年第3号64条1項b号）。買取価格は、①額面価額、②通常の市場における公表前2年間の株価の最高値（一定の調整要素を加味したもの）に、2年間の投資収益率を一定のプレミアムとして加えた金額または③独立した鑑定人による公正価格のうち、最も高い金額を最低金額とする必要がある（同規則Ⅲ.2.1.4条）。

そして、非上場化は、OJKによる証券取引所またはインドネシア証券集中保管機関（日本の証券保管振替機構に相当する機関）に対する指示に基づき、証券取引所が非上場化を承認し、それを公表した後に効力を発生する（証券取引所規則 I-I.Ⅲ.2.2.7.3条、OJK規則2021年第3号64条4項・5項）。

7-6　M&Aをめぐるその他の主要な規制

1　公開会社に関する大量保有報告規制

株主が払込資本5％以上の株式保有割合を有する場合、その株式保有割合と変動について、取引を行った日から5営業日以内に、OJKに報告しなければならない（OJK規則2017年第11号2条および資本市場法87条）。報告書は公開され、またOJKにおいて謄写可能である（同規則同号8条）。

上記の報告書には、少なくとも、①提出者である株主の名称、所在地、国籍、②会社名、売買された株式の数および取引前後の株式数、③売買価格、④取引を行った日、⑤取引の目的、⑥保有形態（直接または間接）、および⑦間接保有の場合、実質的所有者確認のため、株主名簿に登録されている株主に関する情報、が記載されている必要がある（OJK規則2017年第11号7条）。

大量保有報告規制の対象となる株式はEmiten、すなわち、資本市場法に規定された方法によって証券の公募を行う者（自然人、会社、組合、アソシエーションその他の組織）（資本市場法1条14項、以下「発行体」という）またはパブ

リック・カンパニー（Perusahaan Publik（すなわち、300名以上の株主を有し、かつ、30億ルピア以上の払込資本を有する会社）（同条21項およびOJK規則2021年第3号1条18項））の株式である。

2 開示規制

(1) OJK規則

　発行体またはパブリック・カンパニー（Perusahaan Publik）は、その有価証券届出書[32]が効力を有している場合、株式の価格または投資家の判断に影響を及ぼしうる事象に関する重要な情報について、その事象が発生した後速やかに、OJKに報告を行いかつ公表しなくてはならない（資本市場法86条1項b号[33]）。公表は、①発行体またはパブリック・カンパニー（Perusahaan Publik）のウェブサイトでインドネシア語（外国語を含める場合は英語も含める必要がある）にて掲載するとともに、②会社が上場している場合はその上場する証券取引所のウェブサイトまたはインドネシア語の1紙の全国版新聞紙に掲載して行う必要がある（OJK規則2015年第31号4条1項）。OJK規則のひな型に沿って作成する。
　株式の価格または投資家の判断に影響を及ぼしうると合理的に判断される事象や重要情報は、OJK規則において例示列挙されており（OJK規則2015年第31号6条）、支配権取得はこれにあたるとされている（同条k号）。

(2) 証券取引所規則

　インドネシア証券取引所に上場している株式会社については、定期報告書、臨時報告書および業績開示書類を証券取引所に提出する必要がある（証券取引所取締役会令2022年第66号Ⅱ.1条）。上場会社やその連結子会社に生じた、当該

---

[32] 有価証券届出書（Registration Statement）とは、発行体またはPerusahaan Publikが提出する必要のある書類であり、発行体は有価証券届出書の効力が生じなければ公募を行うことができない（資本市場法70条1項）。

[33] 従前、資本市場法86条1項b号およびOJK規則2015年第31号2条1項・3項により、対象事象が発生してから2営業日以内にOJKに報告し、かつ公表するよう求められていたところ、金融オムニバス法による改正により、さらに迅速な報告・開示が求められるようになった（なお、OJK規則は金融オムニバス法による改正の対象となっていないものの、金融オムニバス法と上記のOJK規則を含む施行規則との間に不整合が生じる場合には、金融オムニバス法が優先するものとされている）。また、資本市場法86条3項注釈によれば、OJKが市場のニーズを踏まえつつ適切な期限を別途定めることとされている。

上場会社の株価や投資家の判断に影響を与えうる重大な事象、情報や事実については、それらが生じた後 2 営業日以内に臨時報告書を提出しなければならない（同令Ⅲ.2.1条）。さらに、上場会社の株価や投資家の投資判断に影響を与えうるニュースが、証券取引所に報告されていないもしくは部分的にしか報告されていないにもかかわらず、全国レベルのマスメディアで報じられた場合、または当該ニュースにより証券取引所へ報告された内容が正確でなかったことが判明した場合、上場会社は、直ちに、遅くとも 1 取引日以内に、当該報道の全部または一部についての正確性に関する釈明を提出しなければならない（同規則Ⅳ.2.2条）。公開会社買収規則に規定される、上場会社の支配権取得の計画がある場合、これにかかる情報も臨時報告書の提出義務の対象となる（証券取引所規則Ⅲ.2.11条）。

3　インサイダー取引規制

　資本市場法により、発行体またはパブリック・カンパニー（Perusahaan Publik）の内部者[34]として、会社の内部者情報[35]を保有している者は、当該会社の株式または当該会社と取引を行っている会社の株式を、それぞれ売買してはならない（資本市場法95条）。

　また、内部者は、他の者に影響力を及ぼして当該株式を売買させることや、当該内部者情報を、当該株式の売買にその情報を利用すると合理的に考えられる者に対し提供することが禁止されている（同法96条）。これらの規制に反した場合、5 年以上15年以下の懲役および50億ルピア以上1,500億ルピア以下の

---

[34]　「内部者」とは、ⅰ監査役、取締役もしくは従業員、ⅱ主要株主、ⅲその地位や職務上もしくは業務上の関係により内部者情報を入手できる個人、ⅳ過去 6 カ月以内に上記ⅰ～ⅲのいずれかに該当していた者を指す（資本市場法95条注釈）。なお、従前、特段の制限を受けることなく適法に内部者情報を取得した外部者は規制の対象から除外されていたが、金融オムニバス法による改正により、そのような者についても、取得した情報が内部者情報であることを知っていて然るべきであった場合は規制対象に含まれることとなった（資本市場法97条）。
[35]　「内部者情報」とは、内部者が保有しており、未だ公になっていない重要情報（株式の価格または投資家、潜在的な投資家もしくは当該情報に利害を有するその他の者の判断に影響を及ぼしうる情報）を指す（資本市場法95条注釈）。特定の情報が規制対象となるか否かは、（バスケット条項は存在するものの）個別に列挙された重要事実および軽微基準への該当性を検討する日本法とは異なり、上記の定義に沿って実質的に判断されることとなる。

罰金に処せられうる（同法104条）。

インサイダー取引規制の対象が上場会社に限られない点については、留意が必要である。

4　競争法

企業は、独占的行為または不公正な事業競争に該当する可能性のある支配権取得を行ってはならないものとされており（競争法28条2項）、支配権取得を行った結果、①資産総額（下記にて算定される）が2兆5,000億ルピアを超える場合、または、②売上総額（下記にて算定される）が5兆ルピアを超える場合（ただし、銀行業の場合は資産総額が20兆ルピアを超える場合）には、取引の効力発生日から30営業日以内に、インドネシア事業競争監視委員会（Komisi Pengawas Persaingan Usaha、以下「KPPU」という）に届け出なければならない（同法29条、政令2010年第57号5条1項〜3項）。上記「取引の効力発生日」、つまり30営業日の起算日は、企業結合の類型によって異なる。たとえば、支配権の移転を伴う株式取得の場合は、支配権移転に伴う株主変更に関する通知を法務人権大臣が受領した日とされている（KPPU規則2023年第3号4条1項）。日本を含め諸外国の多くは、一定規模以上の合併、株式取得等に関しては取引実行前に届出を行い、承認（クリアランス）を得られるまで取引実行を待機しなければならないという法的義務（届出・待機義務）を課すところも多い中、インドネシアでは、届出・承認は、取引実行後でよいとされているのが特徴的である。ただし、関連会社[36]間での支配権取得には、こうした届出義務は適用されない（同政令7条・同条注釈）。

届出の対象となる取引は、吸収合併、新設分割に近い行為および支配権の移転を伴う株式取得に加えて、一定の場合の資産譲受けも含まれる。すなわち、資産譲受けのうち、対象資産に対する支配権の移転を伴うもので、かつ、資産取得者の一定の市場における支配権を向上させるものについては、株式取得等と同様、上記届出要件（資産・売上要件）を満たす場合には、届出義務を負う

---

36)　「関連」とは、ⅰ直接・間接に支配（後掲（注37）を参照）関係にある会社間の関係、ⅱ直接・間接に同一の者に支配される2つの会社間の関係、または、会社と支配株主の関係をいう（政令2010年第57号7条注釈））。

ものとされている（KPPU規則2023年第3号2条）。

また、国外取引（インドネシア国外当事者による取引）の場合は、当事者のすべてが、インドネシアにおいて資産または売上げを有している場合に、届出の対象となるものとされている（同規則3条および11条）。

企業結合に関する届出義務を遵守しなかった場合、1日ごとに10億ルピアの罰金が科される。当該罰金は最大250億ルピアまで累積する（競争法47条2項g、政令2010年第57号6条）。

上記資産総額／売上総額は、買収者および対象会社の資産／売上げ、ならびにこれらが直接・間接に支配[37]する事業体、またはこれらを直接・間接に支配する事業体の資産／売上げの合計額を基準として算定される（政令2010年第57号5条4項）。

従前は資産要件については全世界での資産高合計が、売上要件についてはインドネシア国内での売上高合計が基準とされていたが、KPPU規則2023年第3号により、資産要件についてもインドネシア国内での資産高合計を基準とする形に変更されている（同規則7条2項および8条2項）。

KPPUは、届出後、3営業日以内に提出書類を確認し、その後90営業日以内に、当該支配権取得が独占的行為または不公正な事業競争に該当するかを審査し、意見を決定するものとされている（政令2010年第57号9条1項・2項、KPPU規則2023年第3号16条3項・18条2項）。

上記の届出要件を満たす支配権取得を行おうとする場合には、事業者[38]はKPPUに事前相談を行うことができる（政令2010年第57号10条1項およびKPPU規則2023年第3号44条）。このとき、KPPUは事前相談申請を受理してから90日以内に審査を行うこととされている（政令2010年第57号11条3項）。ただし、事前相談を行った場合でも、事後届出の際にKPPUに審査権限が留保されてい

---

37) 「支配」とは、株式数または議決権ベースでの保有割合が50％を超えていること、上記保有割合が50％以下であっても、当該事業体の経営方針や経営について影響を与えまたは決定することができることのいずれかを指すとされている（政令2010年第57号5条4項b号注釈）。
38) 「事業者」とは、単独で、または経済上のさまざまな事業活動を行うための契約に基づき共同して、インドネシア共和国の法域内に設立され所在地を有するもしくは事業活動を行う個人または団体（法人格の有無にかかわらない）を指す（KPPU規則2010年第11号1条9項）。

る（同令9条および11条4項）ことに留意する必要がある。

　また、KPPU規則2023年第3号により、同規則が施行された2023年3月31日以降、オンラインでの届出が認められることとなった。

　さらに、従前、届出に関する手数料は不要だったものの、同規則により当該手数料が新たに課されることになっている。具体的には、たとえば、支配権の移転を伴う株式取得の場合においては、買収者および対象会社（ならびにこれらが直接・間接に支配する事業体およびこれらを直接・間接に支配する事業体）の、インドネシアにおける資産または売上げのいずれか少ない方の0.004％（最大1億5,000万ルピア）とされている。

5　個人情報保護法

　インドネシアでは、2022年10月17日付けで個人情報保護に関する法2022年第27号が施行されており、買収等により個人情報の移転が生じる場合、当該個人情報の主体に対し事前に通知しなければならないものとされている（同法48条）。現時点ではどのような態様にて通知を行えばよいのかを含め、詳細について実務上の指針がない状況である。

第8章　フィリピン

8-1　総　論

　フィリピン経済は、コロナ禍から回復し、実質GDP成長率は堅調な拡大を続けていた2019年以前の水準に戻っている。フィリピンの実質GDP成長率は、2020年はコロナ禍の影響によりマイナス9.5％を記録したものの、その後、2021年は5.7％、2022年は7.6％を記録し、他のアジア新興国と比較しても高い伸び率を示している。フィリピンにとって日本は重要な輸出入相手であり、また日本による対フィリピン投資額も2021年は、シンガポール、オランダに続く3位である[1)2)]。

　もっともフィリピンも他のアジア新興国の例にもれず、非常に広範な外資規制を課しているため、従前のフィリピンに対する投資形態は合弁や国内会社へのマイノリティ出資が中心であった。しかし、2022年には小売業や公共サービス業について外資規制が緩和されるなど、規制緩和へ向けた動きがみられ、今後はフィリピンへの投資手段としてマジョリティ出資による支配権の獲得を検討する場面が増加してくる可能性がある。そして対象となる国内会社が上場している場合は、フィリピンにおける上場会社にかかる法規制に従う必要がある。

1）　日本貿易振興機構（JETRO）の統計および外務省のウェブサイトによる。
2）　他のアジア新興国と比較してのフィリピンの特色として、英語が公用語として国民に広く普及しているため、言語面での障壁が相対的に低いことも、日系企業による対フィリピン投資が活発な一因となっているといえる。

8-2 M&Aの手法および関連する法令・ルールの概観

1 M&Aに関する主要な法令・ルールの概観

フィリピンにおける会社[3]のM&Aに関連する主要な法令としては、改正会社法（Revised Corporation Code of the Philippines, Republic Act No. 112321[4]）、および証券規制法（The Securities Regulation Code, Republic Act No.8799）がある。また、対象会社が上場会社等の場合には、証券規制法上の公開買付義務等の特別ルールや、フィリピン証券取引所（The Philippines Stock Exchange：以下「PSE」という）の規則、およびガバナンス・コード[5]の適用にも留意が必要となる。また、外国投資家によるフィリピンにおけるM&Aに対しては外国投資法（The Foreign Investment Act of 1991, Republic Act No. 7042, Republic Act No. 11647）[6]等による外国投資規制が適用され、また、銀行業、石油業、鉱工業、保険業、通信業等の特定の分野については各種業法に基づく規制が存在する。

2 M&Aの手法の概観

フィリピンにおける買収の主な手法としては、①株主からの株式の取得、②新株引受け、③資産譲渡、および④吸収合併・新設合併が挙げられる。このう

---

3) 本章では株式会社のみを対象としている。以下特に明記がない限り、本章における会社に関する記述は株式会社を前提とするものとする。
4) 改正会社法は、2019年2月23日に施行されている。
5) ガバナンス・コードは証券取引委員会（Securities and Exchange Commission）による通達により定められており、①上場会社に適用されるCode of Corporate Governance for Publicly-Listed Companies（SEC Memorandum Circular No.19, series of 2016。以下「ガバナンス・コード（上場会社）」という。）、②公開会社と登録発行体に適用されるCode of Corporate Governance for Public Companies and Registered Issuers（SEC Memorandum Circular No.24, series of 2019。以下「ガバナンス・コード（公開会社および登録発行体）」という。）、③証券取引委員会から二次ライセンスの許諾を受けている会社等に適用されるRevised Code of Corporate Governance（SEC Memorandum Circular No.6, series of 2009。以下「修正ガバナンス・コード」という。）がある。
6) 正式名称は「外国投資の促進、フィリピンにおいて事業を運営する企業体の登録手続の策定等に関する法律（An Act to Promote Foreign Investments, Prescribe The Procedures for Registering Enterprises Doing Business in The Philippines, and for Other Purposes）」。

ち、手続の簡易さ、および税務上の理由等から株式取得が最も一般的に利用されているが、銀行業や通信業等の特定の業界においては合併がより多く利用されている。

8-3　会社の種類とガバナンス

1　会社の種類

(1)　株式会社／非株式会社

フィリピンにおける会社の形態としては、大別して、株式会社（stock corporation）と非株式会社（non-stock corporation）が存在し、ともに会社法による規律を受ける（改正会社法3条）。株式会社は「株式の形に分割された資本を有し、かかる株式の保有者に、保有株式に応じて、配当または剰余金の割当てを分配する権限を有する会社」と定義され、非株式会社はそれ以外のすべての会社と定義されている。非株式会社は解散の場合を除き、その収入を配当として持分権者、受託者、役員等に分配することは一切できない（同法86条）。株式会社および非株式会社のいずれの場合も、会社は株主（株式会社の場合）または持分権者（非株式会社の場合）から独立した法人格を有し、株主または持分権者はその払込金または出資金に限定された有限責任を負う。なお、改正前会社法においては、会社の存続期間は最長50年とされていたが、改正会社法においては、存続期間を無期限とすることが可能となった[7]（同法11条）。

(2)　公開会社

株式会社のうち、①発行する有価証券が証券取引所（PSEに限らず、外国の証券取引所を含む）に上場され、または②資産が5,000万フィリピンペソを超え、かつ、発行する株式等を100単位以上保有する者が200名以上存在する会社は、公開会社（public company）とされる（2015証券規制法施行規則3.1.16）。公

---

[7]　なお、改正会社法の施行時点で設立されている会社については、発行済株式の議決権の過半数の決議を行った上で証券取引委員会に対して存続期間を維持することを通知しない限り自動的に存続期間は無期限となる（改正会社法11条）。

開会社は証券規制法における公開買付義務およびその他の規制の対象となる（同規則19.2）。

(3) 報告義務会社

公開会社、または発行する有価証券（securities）の売却につき証券取引委員会に登録を行った会社は報告義務会社（reporting company（2015証券規制法施行規則3.1.19））に該当し、原則として証券取引委員会への継続開示・適時開示義務を負う（同規則17.1）。

(4) 閉鎖会社

株式会社のうち、基本定款（articles of incorporation）において①株主の数が20名を超えない一定の人数に限定されること、②発行済株式について一定の譲渡制限が課せられていること、および③当該会社が上場または株式の公募を行わないことを規定している会社は、閉鎖会社（close corporation（改正会社法95条））に該当し、所有と経営の分離の程度が低いことを前提とする特別な規定が置かれている[8]。ただし、(a)上記要件を満たす会社であっても、発行済株式にかかる議決権の3分の2以上を閉鎖会社以外の会社により保有されている場合には、閉鎖会社とはみなされず、また、(b)鉱業・石油業を営む会社、証券取引所、銀行、保険会社、教育機関等は閉鎖会社として設立することができない（同条）。

(5) 一人会社

一人会社（one person corporation）は株主が一人の会社である（改正会社法115条以下）。一人会社においては、社名、定款、取締役等について特別の規制が適用されるが、一人会社の株主は、自然人、trust および estate に限定されており（改正会社法116条）、法人が株主になることはできない。

なお、一人会社以外の会社は、株主の人数は最低2名とされる（2019年第16

---

8) たとえば、閉鎖会社においては、定款により、会社の業務運営を取締役会ではなく株主が行うとすることができ（改正会社法96条）、また、会社設立前の株主間の合意と会社の定款が矛盾する場合、当該株主間の合意が優先するとされる（同法99条1項）。

号通達（SEC Memorandum Circular No. 16, series of 2019））。

(6) 会社以外の企業形態

フィリピンにおける、会社以外の企業の主な形態としては、個人事業体（sole proprietorship）およびパートナーシップ（partnership）が存在する。個人事業体は、１名の個人により所有・運営される企業であり、当該個人が無限責任を負い、個人と企業が分離されていない形態である。パートナーシップは、２名以上の者が、利益を分配することを目的として資金、資産、役務を出資する内容の契約を締結することによって成立する（民法（Civil Code）1767条）。パートナーシップは、各組合員から独立した法人格を有し（同法1768条）、①全パートナーが無限責任を負うジェネラル・パートナーシップ（general partnership）、②１名以上のパートナーが無限責任を負い、その他のパートナーが出資額に責任が限定される有限責任パートナーとなるリミテッド・パートナーシップ（limited partnership）に分類される。

2 会社法上のガバナンスの概要

フィリピンの株式会社のガバナンスおよび経営については、あらゆる種類の会社に共通するルールとして改正会社法が適用され、上場会社等については、さらに証券規制法、およびガバナンス・コードが適用される（後記３参照）[9]。

(1) 株主総会
① 開催時期等

株主総会は、毎年１回開催される定時株主総会、および必要に応じて開催される臨時株主総会がある。定時株主総会は、毎年、附属定款（by-laws）で定める開催日、または附属定款で開催日を定めていない場合は取締役会が指定する

---

[9] このほか、コーポレート・ガバナンスに関する規制として、(i)証券規制法施行規則における財務諸表の作成、様式および記載内容ならびに独立監査役の資格および報告義務等に関する規定（証券規制法施行規則68・68.1）、(ii)銀行、金融会社（finance companies）、保険会社等に対するフィリピン中央銀行（The Central Bank of the Philippines）および保険庁（The Office of the Insurance Commission）の監督、関連業法におけるコーポレート・ガバナンスに関する規制等がある。

4月15日後のいずれかの日に開催されるものとされ、臨時株主総会は必要に応じ、または附属定款で定められた場合に開催される（改正会社法49条）。附属定款で別途定める場合を除き、定時総会については総会の21日前[10]、臨時株主総会については総会の1週間前までに、それぞれ株主名簿上の全株主に対しEメールその他証券取引委員会が許容する方法により招集通知を送付する必要がある（同条）。証券取引委員会のガイドライン[11]により、附属定款で定める場合、または過半数の取締役の決定により、株主が開催場所において参加することができない場合には、テレビ会議や電話会議等の遠隔通信により株主総会に参加し、議決権を行使することができる（改正会社法49条・57条）。

② 決議要件

株主総会の定足数は、会社法に規定された一定の重要事項および附属定款に別途規定した場合を除き、発行済株式（outstanding capital stock）[12]の過半数の議決権を有する株主またはその代理人による出席とされる（改正会社法51条・57条）。株主総会における普通決議は発行済株式の議決権の過半数に相当する株主の賛成により成立し、会社の一定の重要な行為については発行済株式の議決権の3分の2に相当する株主の賛成による特別決議が必要とされる[13]。また、一定の重要な事項については、反対株主の株式買取請求権（appraisal right）が認められている[14]。

---

10) 2020年第3号通達（SEC Memorandum Circular No. 3, series of 2020）により、全ての会社は定時総会の21日前までに招集通知を送付することが義務付けられている。
11) 2020年第6号通達（SEC Memorandum Circular No. 6, series of 2020）。
12) 改正会社法上、「法的拘束力のある引受契約に基づき引受人または株主に対して発行された株式（自株式を除く）」と定義される（改正会社法173条）。
13) なお、会社が無議決権株式（no-voting shares）を発行している場合、原則として当該無議決権株主は議決権を行使できないが、基本定款・附属定款の変更、増減資、新設合併・吸収合併等一定の重要事項については例外的に議決権を行使できるものとされる（改正会社法6条）。
14) (i)株主または特定の種類の株式に関する権利に変更や制限を加える内容等の定款変更、(ii)会社の資産の全部または実質的に全部の譲渡その他の処分、(iii)吸収合併および新設合併、(iv)会社の主たる目的以外の目的での投資の際、これらに反対する株主が自己の保有する株式を公正な価格で買い取ることを請求できる権利をいう（改正会社法80条）。

【図表8-1】主な株主総会決議事項

普通決議事項	取締役の報酬（改正会社法29条）、経営委任契約の締結（同法43条）、附属定款の採択、変更（同法45条・47条）、任意解散（債権者に影響を与えない場合。同法134条）
特別決議事項	基本定款の変更（改正会社法15条）[注]、取締役の解任（同法27条）、利益相反取引等の承認（同法31条・33条）、増減資・社債の発行（同法37条）、新株引受権の排除（同法38条）、会社の全部または実質的に全部の資産の売却・処分等（同法39条）、本来の会社の目的以外の目的への投資等（同法41条）、株式配当（会社法42条）、吸収合併（merger）または新設合併（consolidation）（同法76条）、任意解散（債権者に影響を与える場合。同法134条）

（注） 閉鎖会社における基本定款の変更のうち、変更が閉鎖会社の要件である定款の規定（前記1(4)参照）にかかる場合等一定の場合には、議決権数ではなく発行済株式数の3分の2以上の賛成が必要であるとされている（改正会社法102条）。

なお、会社法上の主な株主総会決議事項は、上記【図表8-1】のとおりである。

(2) 取締役、取締役会およびその他役員

株式会社の事業活動および資産の管理は原則として取締役会によって行われる（改正会社法22条）。取締役の任期は1年間であり、各取締役は自らの名義で会社の株式を最低1株保有することが義務付けられている（同条）。取締役の選任は株主総会の決議によって承認されるが、この決議にあたっては累積投票によるものとされる（同法23条）。

取締役は、選出後直ちに法定の役員（corporate officer）である社長（president）、財務役（treasurer）および秘書役（secretary）を選任する必要があり、社長は財務役または秘書役を兼務することは許されず、また、財務役は取締役以外から選任できるが、社長は取締役から選任しなければならない（改正会社法24条）。上記以外の役員については、附属定款において任意に規定することができる。

また、取締役の最低人数要件および居住要件は存在しない。他方、秘書役はフィリピン居住者かつフィリピン国籍保有者でなければならないとされており、また、財務役についてもフィリピン居住者でなければならない（同法24

条)。上記以外にも、反ダミー法（後記8-4の1⑷参照）その他の法令等において、取締役、その他の役員および従業員についての居住要件および国籍要件が課せられる場合があるため、留意が必要である。

なお、公益性を有する会社[15]の取締役の20％以上は、独立取締役とする必要があり（改正会社法22条）、また、法令遵守担当役員（compliance officer）を選任する必要がある（改正会社法24条）。

定時取締役会は、附属定款で別途規定する場合を除き、原則として毎月開催するものとされ、臨時取締役会は社長が招集した時または附属定款で規定する時に開催するものとされる[16]（改正会社法52条）。取締役会においては、基本定款または附属定款によって要件が加重されている場合を除き、原則として基本定款所定の取締役の過半数の出席が定足数とされ、また、通常は出席取締役の過半数の賛成が決議要件とされる（同条）。役員の選任については、出席取締役ではなく全取締役の過半数による賛成が必要とされる（同条）。なお、テレビ会議や電話会議等の遠隔通信による取締役会への参加も可能である（同条）。

改正会社法は、取締役の報酬、忠実義務違反、取締役およびその他役員と会社との間の契約の扱い、取締役が複数の会社の取締役を兼務する場合の当該会社間の契約の扱いおよび取締役の背任行為についての一般的なルールを定めている（改正会社法29条～33条）。

なお、上記の定めにかかわらず、閉鎖会社（前記1⑷参照）においては、定款により、会社の業務運営を取締役会ではなく株主が行うとした場合には（前掲（注8）参照）、会社法の各条項の適用との関係では株主が取締役とみなされ、取締役と同様の義務を負うとされている（改正会社法96条）。また、閉鎖会社においては取締役による単独の行為が広く認められるなど、個々の取締役に対し広範な裁量が付与されている（同法100条）。

---

[15] 公益性を有する会社とは、証券規制法17.2条の対象となる会社（フィリピン証券取引委員会に証券の登録を行った会社、上場会社、または、資産が5,000万フィリピンペソ以上かつ発行する株式等を100単位以上保有する者が200名以上存在する会社をいう）、銀行等の一定の金融機関、または、フィリピン証券取引委員会が定めるその他の公益性を有する会社をいう（改正会社法22条）。

[16] なお、取締役会の招集通知は、原則として取締役会の2日前までに行う必要がある（改正会社法52条）。

3 上場会社等のガバナンス規制

(1) ガバナンス・コード

上場会社については、ガバナンス・コード（上場会社）が適用され、公開会社（Public Companies）および登録発行体（Registered Issuer）には、ガバナンス・コード（公開会社および登録発行体）が適用され、会社法上のルールに加えて、これらのガバナンス・コードの規定が適用される[17]。以下では、主としてガバナンス・コード（上場会社）について説明を行うが、その内容の多くは、ガバナンス・コード（公開会社および登録発行体）においても採用されている[18]。

① コンプライ・オア・エクスプレインとプリンシパル・ベース・アプローチ

ガバナンス・コード（上場会社）は、いわゆるコンプライ・オア・エクスプレイン（Comply or Explain）のアプローチをとっており、ガバナンス・コード（上場会社）を遵守する必要はないが、毎年のガバナンス・レポートにおいて、遵守の有無、不遵守および不遵守の理由を記載する必要がある。

また、ガバナンス・コード（上場会社）は、原則（Principles）、推奨（Recommendations）および説明（Explanations）というプリンシパル・ベース・アプローチで規定されており、具体的な対応は各会社の実情に応じて判断することとされている。

---

[17] なお、ガバナンス・コード（上場会社）およびガバナンス・コード（公開会社および登録発行体）の制定前は、修正ガバナンス・コードが、上場会社、公開会社および登録発行体に適用されていた。ガバナンス・コード（上場会社）およびガバナンス・コード（公開会社および登録発行体）の制定後は、上場会社、公開会社および登録発行体には修正ガバナンス・コードの適用はないが、証券取引委員会から二次ライセンス（secondary license（二次ライセンスとは、金融会社、投資会社、事前許可が必要な会社、ブローカー、ディーラーおよびPSE等、証券取引委員会の直接の監督下にある会社が、同委員会の監督下にある事業を行うために必要とされるライセンスである。なお、一般的に、証券取引委員会への会社の登録のために必要となるライセンスは一次ライセンスとよばれる。））の許諾を受けている会社等には引き続き修正ガバナンス・コードが適用される。

[18] ガバナンス・コード（公開会社および登録発行体）においては、①非業務執行取締役が同時に取締役を務めることができる公開会社および登録発行体は10社以下とされていること（ただし、3社以上の上場会社の取締役を務めている場合には5社以下となる）、②取締役会における独立取締役（Independent directors）の人数は最低2人または取締役の3分の1のいずれか多い人数とされていること、③取締役およびオフィサーが当該会社の株式に係る取引を行った場合、取引後5営業日以内に会社への報告すること、④株主総会の招集通知は遅くとも株主総会開催日の21日前までに行うこと等、ガバナンス・コード（上場会社）よりその内容が一部緩和されている。

② 取締役会のガバナンスへの責任

ガバナンス・コード（上場会社）においては、取締役会の構成について、(i)取締役会は多様な専門性を持つ取締役で構成されること、(ii)取締役の過半数は非業務執行取締役[19]とすべきこと、(iii)取締役のトレーニングを行うべきこと、(iv)取締役のダイバーシティに関するポリシーを策定すべきこと、(v)秘書役は取締役会の構成員ではなく、法令遵守担当役員とは別の者が務めること、(vi)法令遵守担当役員は取締役会の構成員ではなく、シニア・バイス・プレジデント以上の役職が務めること、(vii)独立取締役（Independent directors）は最低3人かつ取締役の3分の1を占め、かつ、独立取締役の在任期間は最大9年とすること、(viii)取締役会の議長とCEOは原則として別の者が務めること等が規定されている。

また、取締役会は、取締役のサクセッションプラン、取締役やオフィサーの報酬、取締役の指名、関連当事者との取引等についてのポリシーの策定、経営陣のパフォーマンスの評価等を行うことも求められる。

取締役会は特定の役割を担う委員会を設置することが求められ、具体的には、監査委員会（Audit Committee）、コーポレート・ガバナンス委員会（Corporate Governance Committee）、取締役会リスク監督委員会（Board Risk Oversight Committee）、関連当事者取引委員会（Related Party Transaction Committee）を会社の実情に応じて設置することが求められる。

その他、取締役会は毎年実効性評価を行うこと、ビジネス行動倫理に関するポリシー（Code of Business Conduct and Ethics）を策定すべきこと等が求められる。

③ 開示および透明性

開示および透明性に関する事項として、情報開示方針および手続を確立すること、取締役およびオフィサーは当該会社の株式に係る取引を行った場合取引後3営業日以内に会社へ報告すること、取締役および重要な業務執行者については、その経験、資格および潜在的な利益相反を評価するために重要な情報を開示すること、取締役および業務執行者の報酬決定の方針および手続ならびに報酬額を開示すること、関連当事者取引その他非日常的な取引に係る方針を開

---

[19] なお、非業務執行取締役が同時に上場会社の取締役を務めることができるのは5社までとされる。

示すること、重要な資産の取得または処分について開示を行い、独立した者が取引価格の公正性の評価を行うこと、ガバナンス・マニュアルに会社のコーポレート・ガバナンスの方針、プログラムおよび手続を定め、会社のウェブサイトで公開し、かつ、規制当局に提出すること、会計監査人について適切な選任や効果的な監督を行うこと、継続性に関係する非財務的情報を開示すること、メディアやアナリスト等を介した開示も検討すること等が求められる。

④ 内部統制およびリスクマネジメント

内部統制およびリスクマネジメントに関する事項として、事業規模、リスク特性およびオペレーションの複雑性を考慮した内部統制システムおよびリスクマネジメントフレームワークを有すること、独立した監査機能を有すること、最高監査責任者（Chief Audit Executive）および最高リスク管理責任者（Chief Risk Officer）を設置すること等が求められる。

⑤ 株主との戦略的な関係の構築

株主との戦略的な関係の構築に関する事項として、ガバナンス・マニュアルおよびウェブサイトにおいて株主の基本的な権利について開示すること、株主総会の招集通知を遅くとも株主総会開催日の28日前までに行うこと、株主総会における投票結果は株主総会開催日の翌営業日に公表し、株主総会議事録は5営業日以内にウェブサイトで公表すること、会社内紛争（intra-corporate disputes）を友好的かつ効果的に解決するための裁判外紛争メカニズムを利用可能とすること、インベスター・リレーションズ・オフィスを設置すること等が求められる。

⑥ ステークホルダーへの責任

ステークホルダーへの責任に関する事項として、会社の様々なステークホルダーを認識するとともに協力を促進すること、ステークホルダーの公正な取扱いおよび保護についての方針およびプログラムを確立すること、ステークホルダーが会社と対話を行い権利侵害に対する救済を得るための手続を採用すること、従業員に企業の目標やガバナンスへの積極的な参加を促す方針等を確立すること、腐敗防止に関する方針およびプログラムを採用すること、内部通報に関するフレームワークを確立すること、事業と社会の相互依存を認識し重視するとともにその互恵関係を促進すること等が求められる。

(2) PSEのガバナンス・ガイドライン

上場会社については、ガバナンス・コード（上場会社）を遵守することに加えて、PSEのガバナンス・ガイドラインが適用され、同ガイドラインを遵守することが推奨されている。

ガバナンス・ガイドラインは、①事業戦略の構築、②適切かつ機能的な取締役会の構成、③強固な内部監査・統制システムの維持、④事業上のリスクの管理、⑤財務報告・外部監査機能の充実、⑥少数株主の権利の保護、⑦国際標準の情報開示・透明性の確保、⑧労働者等の権利の尊重、⑨関連当事者間取引・インサイダー取引の禁止、⑩法令遵守の促進という項目ごとに、具体的な行為規範を示している。

ガバナンス・ガイドラインは法的拘束力を有さないが、上場会社は同ガイドラインの遵守の状況に関する報告書を毎年PSEに提出することを要求され、遵守できていない項目については、その理由も記載すべきこととされている。なお、同報告書の内容はPSEのウェブサイトで公開される。

8-4 外国投資規制

1 参入規制

(1) 外国投資法による規制

外国投資家によるフィリピン国内における投資については外国投資法が適用される。

外国投資法は、原則として外国投資家によるフィリピンの法人・企業体の持分の100％の取得を認めているが、ネガティブリスト（Foreign Investment Negative List）に規定された分野については、外資の参入が制限されている[20]。

ネガティブリストは、憲法および特別法に基づいて外国投資が制限される分野を記載した《リストA》、および安全保障、公衆衛生、中小企業の保護等を

---

20) なお、前記8-3の2(2)のとおり、取締役は会社法上、自らの名義で会社の株式を最低1株保有することが義務付けられているため、外国資本の参入が完全に禁止される分野に従事する会社については、外国人が取締役となることはできない。

理由に、外国投資が制限される分野を記載した《リストB》に分けられる（外国投資法8条・15条）。《リストA》は憲法および特別法の改正があった場合、そのつど修正され、《リストB》は、2年に1度を上限として大統領命令によって改訂することができるものとされる（同法8条）。

なお、外国投資法上、外資規制の適用に関し、外国投資家とは、フィリピン国民（Philippine national）以外の者をいうとされ、フィリピン国民とは、①フィリピン市民（citizen of the Philippines）、②フィリピン市民により組成される組合もしくは団体、③発行済株式および議決権の60％以上をフィリピン市民によって保有されるフィリピン法人、または④受益者の60％以上がフィリピン市民である年金、退職金、離職給付等の信託ファンドを指すとされている（同法3条(a)）。よって、上記③により、フィリピン法人であっても、その発行済株式または議決権の40％超を非フィリピン市民が保有する場合には、外国投資家として扱われ、その結果、外国投資法上の外資規制が及ぶ点に留意が必要である。

第12次外国投資ネガティブリスト[21]に記載された、外資の参入が規制される主な分野は、【図表8-2】のとおりである。

【図表8-2】ネガティブリスト概要

〈リストA〉

外資比率の上限	事業分野
0％ （外資の完全禁止）	(i) レコーディングとインターネットビジネスを除くマスメディア[注1] (ii) 専門職（ただし、法令により一定の条件のもとで認められる場合を除く）[注2] (iii) 払込資本金額が2,500万フィリピンペソ未満の小売業[注3] (iv) 協同組合（ただし、フィリピン国籍を有していた自然人による投資を除く） (v) 民間探偵・警備事業または組織 (vi) 小規模鉱工業

---

21) 第175号大統領命令（Executive Order No. 175）、2022年6月27日成立。

	(vii) 群島内、領海内、排他的経済海域内の海洋資源の利用、河川・湖・湾・潟での天然資源の小規模利用
	(viii) 闘鶏場の所有、運営、経営
	(ix) 核兵器の製造、修理、貯蔵、流通(注4)
	(x) 生物・化学・放射線兵器および対人地雷の製造、修理、貯蔵、流通(注5)
	(xi) 爆竹その他花火製品の製造
25％以下	(i) 雇用斡旋（国内・国外いずれで雇用されるかを問わない）
	(ii) 防衛関連施設の建設契約
30％以下	(i) 広告業
40％以下	(i) 共和国法9184号施行規則23.4.2.1(b)、(c)および(e)におけるインフラプロジェクトの調達
	(ii) 天然資源の探査、開発、利用(注6)
	(iii) 私有地の所有（ただし、フィリピン国籍を喪失した自然人であってフィリピン法において契約を締結する能力を有する者を除く）(注7)
	(iv) 公益事業の管理、運営。(注8)(注9)(注10)
	(v) 外交官、その扶養者その他の一時的な居住者、または、短期の高水準の技術取得（ただし、Batas Pambansa 232号第20条における正式な教育システムを構成するものを除く）のための、宗教団体および宣教師以外により設立された教育機関(注11)
	(vi) 米、とうもろこし産業(注12)
	(vii) 国有・公営・市営企業への材料、商品供給契約(注13)
	(viii) 深海漁船の運営
	(ix) コンドミニアムユニットの所有
	(x) 民間ラジオ通信ネットワーク

（注1） インターネットビジネスとは、メッセージを送信するキャリアとしてのインターネットアクセスプロバイダーを意味し、情報やメッセージを創出する者ではないとされている（DOJ Opinion No. 40, 1998）。

（注2） ネガティブリストの別紙においては、相互主義（reciprocity）のもと、フィリピン人が当該専門職に就くことが認められている国の国民のみ従事することが認められている専門職や企業活動として営むことに外資規制が課される専門職が列挙されている。

（注3） 以下の条件を満たす小売業については、100％の外国資本が認められる（外国投資法5条）。
　(a)外国小売業者の払込資本金額が2,500万フィリピンペソ以上であること、(b)外国小売業者の所在する国においてフィリピン小売業者の参入を禁止していないこと、かつ、(c)複数の店舗を有する場合には、1店舗当たりの払込資本金額が1,000万フィリピンペソ以上であ

ること。
(注4)　国内における投資も禁止されている。
(注5)　国内における投資も禁止されている。
(注6)　フィリピン大統領が承認する資金／技術援助契約に基づく場合、100％の外国資本が認められる。
(注7)　フィリピン国籍を喪失した自然人であってフィリピン法において契約を締結する能力を有する者は、自己使用の目的で、都市においては5,000㎡以下または地方においては3ヘクタール以下の私有地の取得が認められる。
(注8)　外国人投資家は、その出資比率の範囲で公益事業を行う会社等の決定機関に参加できる。また、公益事業を行う会社等の業務執行を行う役員（Executive and managing officers）は、フィリピン市民である必要がある。
(注9)　「公益事業」とは、(1)配電、(2)送電、(3)石油および石油製品パイプラインシステム、(4)海港、および(6)公共交通機関のいずれかを公共のために運営、管理または制御する公共サービスと定義される。
(注10)　発電、競争力のある市場に対する電気の供給その他公益事業の定義に含まれない事業またはサービスを除く。
(注11)　教育機関の管理や経営はフィリピン市民のみが実施できる。
(注12)　100％の外国資本は、事業開始から30年以内に外国投資家が60％以上の株式をフィリピン人に譲渡することを条件として認められる。
(注13)　フィリピン人に対して同様の権利を与える国の建設業者または入札業者のみに契約が与えられる。

〈リストB〉

外資比率の上限	事業分野
40％以下	(i)　火器（拳銃、散弾銃など）、火器の部品および弾薬、火器の使用もしくは製造に必要な器具もしくは道具、火薬、ダイナマイト、起爆剤、爆発物製造時に使用する材料、望遠鏡、赤外線照準器など、フィリピン国家警察（PNP）の許可を要する品目の製造、修理、保管、流通 (ii)　危険薬物の製造、流通 (iii)　サウナ、スチーム風呂、マッサージクリニックなど、公共の保健および道徳に影響を及ぼす危険性があるため、法により規制されているもの (iv)　レース場の運営など、すべての賭博行為。ただし、フィリピン娯楽賭博公社と投資契約が結ばれており、かつフィリピン経済区庁の認定を受けている事業は除く。 (v)　払込資本金額20万米ドル未満の国内市場向け零細・小規模企業（ただし、以下に掲げる国内市場向け零細・小規模企業については、払込資本金額10万米ドル未満） 　(i)　科学技術省（DOST）が定める先端技術に関するもの

| | (ii) Innovative Startup Act（Republic Act No. 11337）に基づき、主管庁である貿易産業省、情報通信技術省または科学技術省からスタートアップ企業またはスタートアップ企業支援機関として承認されているもの |
| | (iii) 直接雇用の従業員の過半数かつ15人以上がフィリピン人であるもの |

(2) その他の参入規制

上記の外国投資法による規制に加え、一定の業種に関しては、個別の国内法令、ガイドライン等により一定の参入規制が課されている場合がある。たとえば、フィリピンで建設業に従事するには、建設業の免許を発行するフィリピン建設業免許委員会（Philippine Contractors Accreditation Board）から免許の発行を受ける必要があるが、一定のプロジェクトに係る建設等を除き、建設業の免許の申請はフィリピン国籍保有者が個人で行うか、または持分の60％以上をフィリピン国籍保有者が保有する会社等が行う必要がある。しかし、2020年3月に出された最高裁判決（Philippine Contractors Accreditation Board v. Manila Water Company）においては、このような建設業の外資規制は違法かつ無効であるとされており、今後の動向を注視する必要がある。

(3) 出資比率の算定方法
① 証券取引委員会の通達

証券取引委員会は、2013年5月20日付の通達[22]により、上記のような法律および憲法上必要とされるフィリピン国民による出資比率については、取締役選任に必要な議決権株式の数のみならず、株式（議決権の有無を問わない）の数においても必要な比率を満たさなければならないものとした。これは2012年10月に出された Gamboa vs Teves 事件の最高裁判決[23]を受けたものであり、この通達の立場は2016年11月22日付で出された Roy vs Herbosa 事件の最高裁判決においても支持されている。

---

22) 2013年第8号通達（SEC Memorandum Circular No. 8, series of 2013）。

② Control TestとGrandfather Rule

　外国人による出資において外資規制への配慮から、下記【図表8-3】のように、合弁会社を二層（以上）にして、外国人がそれぞれに対して外資規制の枠内でマイノリティ出資をするスキームがとられることがある。このようなスキームにおける出資割合の算定方法については、会社の直接の株主であるフィリピン国民の出資割合が60％以上であれば、当該会社をフィリピン国民とみなし、当該会社による出資すべてをフィリピン国民による出資として算出するのが一般的な考え方である（Control Test）。もっとも、Control Testの結果、形式的には外資規制に違反していないとしても、フィリピン国民に実質的な利益や支配が帰属しているか疑わしいケースの場合には、会社の直接の株主ではなく、さらに上のレベルの株主に遡り、フィリピン国民による間接的な出資割合に基づき判断する考え方（Grandfather Rule）がとられることもあるため、注意が必要である（Narra Nickel Mining and Development Corp. v. Redmont Consolidated Mines Corp 事件）[24]。また、外国人の出資が完全に禁止される分野においてもGrandfather Ruleが適用される。

---

23)　本判決は、香港の法人（Gamboa）が、フィリピン国内最大の通信事業会社PLDT（Philippines Long Distance Telephone Company）の株式の取得を図ったところ、これが憲法の定める公益事業である通信サービスにおける外資出資比率規制（上限40％）に違反するのではないかが争われた事件である（G.R. No. 176579, October 9, 2012）。具体的には、PLDTは議決権株式のほか無議決権株式を発行していたところ、かかる株式取得後におけるGamboaのPLDTに対する出資比率について、(ⅰ)無議決権株式を含む全種類の発行済株式の合計数を基準とした場合40％未満であったが、(ⅱ)議決権を有する発行済株式数のみを基準とすると40％を超えていた。この点について、最高裁は、出資比率の要件は、普通株式、無議決権株式などの株式の種類ごとにそのすべての種類について満たされる必要があると判断して、Gamboaによる買収が憲法違反にあたると判断した。

24)　同事件においては、カナダの法人とフィリピンの法人が、天然資源の採掘事業を行う合弁会社に対し、図表8-3のように中間会社を用いたスキームで出資を行っていたところ、当該出資スキームが天然資源の採掘事業における外資出資比率規制（上限40％）に違反するかが争われた（G.R. No. 195580, April 21, 2014, January 28, 2015）。当該事案においては、Control Testを適用した場合の外資の出資比率は40％以下、Grandfather Ruleを適用した場合の外資の出資比率は40％超であり、Control Testが適用される場合には外資規制違反とはならないが、Grandfather Ruleが適用される場合には外資規制違反となる事案であった。最高裁は、通常はControl Testを適用して出資割合を判断すれば足りるが、本件において、フィリピン法人は、中間会社に対する出資金の払込みを実際には行っておらず、カナダ法人が合弁会社に対する出資金の99％を実質的に負担している点に着目し、フィリピン国民に実質的な利益や支配が帰属しているか疑わしいとして、Grandfather Ruleを例外的に適用し、外資規制違反と判断した。

【図表8-3】 Control Test と Grandfather Rule

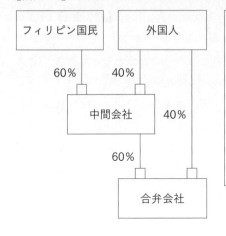

① Control Test における出資比率
　フィリピン国民：60％
　外国人：40％
　（注）フィリピン国民の出資が60％である中間会社は、フィリピン国民とみなされる。

② Grandfather Rule における出資比率
　フィリピン国民：60％×60％＝36％
　外国人：40％×60％＋40％＝64％

(4) 反ダミー法

　反ダミー法（Anti-Dummy Law）[25]は、外国投資法等の法令に基づく国籍要件および外資規制の実効性を確保するため、以下に記載する外資規制の潜脱等を行った者に対し、5年以上15年以下の懲役刑および潜脱された権利の価値に相当する額（潜脱により得られた収益額を原則とするが、5,000フィリピンペソを下回らない）の罰金刑を科している。

① 外国資本の所有制限の潜脱を目的として、自身の名義または国籍を利用させた者、および当該行為によって利益を得た外国人（反ダミー法1条）
② 外国資本の所有制限の潜脱を目的として、虚偽にフィリピン国籍保有者による最低限の株式または資本の保有要件が満たされていることを装う者（反ダミー法2条）
③ 法令上、フィリピン国籍保有者、またはフィリピン国籍保有者が資本の60％以上を保有する会社のみが行使または享受できる権利、フランチャイズ、特権、所有権もしくは事業（以下「保護権利等」という）を自己の名義もしくは支配下において保有する個人もしくは会社等であって、上記の

---

[25] コモンウェルス法第108号（Commonwealth Act No. 108）。正式名称は「一定の権利、フランチャイズまたは特権の国有化に関する法律の回避行為を罰する法律（An Act to Punish Acts of Evasion of The Laws on The Nationalization of Certain Rights, Franchises or Privileges）」。

国籍要件を満たさない個人または会社等に対して、(a)保護権利等の使用を許諾し、(b)保護権利等を賃借、移転、または譲渡し、または(c)保護権利等のマネジメント、運用、管理または支配への関与[26]を認めた者、および故意によりこれらの行為の計画、実行または違反を援助、補助、または教唆した者（反ダミー法 2 A 条）。

上記③(c)の結果、外資出資比率規制の存在する事業に従事する会社については、外国人が取締役、従業員等の立場で、経営に関与することが反ダミー法違反となりうる点に留意が必要である。ただし、この点に関しては、反ダミー法上、（外資参入が完全に禁止されるのではなく）出資比率上限により外国資本の出資が部分的に制限されている分野においては、当該出資比率上限割合に応じた割合に相当する人数の外国人取締役が就任すること自体は認められている（反ダミー法 2 A 条）。

2　海外送金規制

フィリピンでは原則として外国為替取引は自由に行うことができるが、一定の外国ローン・保証、およびフィリピン国内の投資にかかる配当金、収益、回収金をフィリピンの銀行システムを利用して国外に送金する場合、フィリピン中央銀行による事前承認（外国ローンや保証の場合）または事前登録（投資にかかる送金の場合）がそれぞれ必要となる。なお、投資にかかる送金についての事前登録を行うためには、当該投資のための金銭がフィリピンの銀行システムを利用してフィリピン国内に送金され、フィリピンペソに換金されていることが必要とされる。

8-5　買収のための各手法の手続および内容

1　概　要

フィリピンにおける買収の主な手法としては、①株主からの株式の取得、②

---

[26]　報償の有無、および役員、従業員、または労働者のいずれの地位に基づく関与かを問わない。

新株引受け、③資産譲渡、および④吸収合併・新設合併が挙げられる。このうち、手続の簡易さ、および税務上の理由等から株式取得が最も一般的に利用されているが、銀行業や通信業等の特定の業界においては合併がより多く利用されている。

上場会社については、改正会社法上の手続のほか、証券規制法等に基づく開示義務および公開買付義務等に関する規定の適用があり、また、銀行・保険業、通信業等の一部の規制業種については、監督官庁の事前承認等の手続が、別途必要とされる場合がある。また、非上場会社の場合には、対象会社の基本定款、附属定款および対象会社が締結している契約等において、株式の譲渡や支配権の異動等にかかる手続が求められる場合も存在するため、留意が必要である[27]。

2 既発行株式取得

(1) 概　　要

株式取得を通じて対象会社の株式を取得する場合、株券の引渡しまたは裏書によって当事者間では株式譲渡が有効となるが、対象会社および第三者に対しても株式譲渡が有効となるためには、かかる株式譲渡を行ったことについて対象会社の株主名簿へ登録することが必要となる（改正会社法62条）。

なお、株式譲渡を行う際には印紙税（documentary stamp tax）、株式譲渡税（stock transfer tax）[28]またはキャピタルゲイン課税（capital gain tax）[29]を支払う必要があり、内国歳入法（The National Internal Revenue Code No. 8424）上、かかる株式譲渡にかかる株主名簿への登録を行うためには、内国歳入庁（The Bureau of Internal Revenue：以下「BIR」という）から納税証明書（Tax Clearance Certificate）、および電子登録資格証明書（Electronic Certificate Authorizing Registration）の発行を受け、対象会社に提出する必要があるとされるところ、BIR歳入通達2023年第023号（BIR Revenue Memorandum Circular No. 023-2023）では、一度の取引に関

---

27) たとえば、対象会社の定款等において、先買権（first refusal right）、売却参加請求権（tag along right）または共同売却請求権（drag along right）等が規定されている場合がある。
28) PSEに上場している株式の譲渡の場合、原則として売却価額の0.6％相当額の税が課される。
29) PSEに上場している株式以外の株式の譲渡の場合、譲渡益の15％相当額の税が課される。

する電子登録資格証明書は、必要書類の提出から、7営業日以内に発行されなければならないと定めている。

　なお、株式譲渡において株式の対価を現金ではなく譲受人の株式とすることもできる。ただし、対価となる譲受人の株式が新たに発行された株式である場合には、譲渡人は、株式譲渡の対象となる株式[30]の価額の評価について証券取引委員会の承認を得る必要があることに留意が必要である。

(2) 公開買付制度
① 強制的公開買付け

　公開会社の株式を取得しようとする者が単独または共同[31]で、以下に該当する公開会社の株式の取得を行う場合には、公開買付け（強制的公開買付け、mandatory tender offer）を行うことが義務付けられる（2015証券規制法施行規則19.2）。

(a) 公開会社の発行済株式数の35％以上の株式または取締役会を支配するのに十分な発行済株式を1回もしくは12カ月以内の複数の取引により取得する場合または1もしくは2以上の株主から取得する場合

(b) 35％未満の株式取得であっても、取得の結果、取得者の株式保有割合が公開会社の発行済株式数の50％を超える場合[32][33]

　なお、強制的公開買付けに至らない場合であっても公開会社の株式の15％以上を1回または12カ月以内の複数の取引により取得する場合は、証券取引委員会に申告する必要がある（2015証券規制法施行規則19.2.1）。また、強制的公開買付けの基準に該当するにもかかわらず取得者が公開買付けを行わない場合、証券取引委員会は当該取得を無効としたうえで、取得者に改めて公開買付

---

30) 証券取引委員会の承認を得る必要があるのは売却対象株式の評価であって、買主が対価として発行する買主株式の評価については証券取引委員会の承認は不要とされている。
31) なお、共同保有者の範囲については証券規制法および判例上明確な定義は存在しない。
32) たとえば、すでに対象会社の30％の株式を保有している者が、25％の追加取得を企図した場合、当該取引による取得は35％未満であるものの、取得の結果その者の保有割合は55％となって50％を超えることから、当該取得は強制的公開買付けの対象となる。
33) なお、すでに50％超の株式を保有している株主が35％未満の株式を追加取得する場合、2015証券規制法施行規則の文言上、取得者が追加取得時点で50％超の株式を保有しているか問題とされていないため、かかる場合にも強制的公開買付けの適用があると考えられる。

けを行うことを命ずることができる（後記⑤(d)参照）。

強制的公開買付けは株式の間接取得の場合にも適用があるとされている。すなわち、公開会社の株式を保有している会社（公開会社か否かを問わない）の株式を取得する場合であって、当該取得の結果、当該会社の保有分を含めて、公開会社に対する保有割合が上記基準に該当する場合には強制的公開買付けを行う必要がある[34]。

なお、強制的公開買付けが必要とされる株式取得は、公開買付けの終了前に実行することはできない。

② 強制的公開買付義務の免除事由

上記①記載の基準を満たす場合であっても、以下のいずれかに該当する場合、強制的公開買付義務が免除される（2015証券規制法施行規則19.3.1）。

(a) 未発行の授権資本株式（unissued capital stock）からの新株発行の引受け（ただし、引受けによって、取得者の株式保有割合が当該新株発行後の総株式数の50％を超える場合または取締役会を支配するのに十分な株式保有割合となる場合を除く）

(b) 授権資本株式の増加を伴う新株発行の引受け

(c) 公開会社の債務者または債権者が株式を取得する場合で、適式に設定された担保権の実行に伴う取得

---

[34] 間接取得の場合における強制的公開買付規制について、(i)公開会社の親会社以外の公開会社の株式保有者の株式を取得する場合にも適用があるか、および(ii)強制的公開買付けの基準の該当性を判断するための保有割合の算出方法については法令上必ずしも明らかではない。この点、裁判例（Cemco Holdings, Inc. vs. National Life Insurance Company of the Philippines Inc., G.R. No. 171815, August 7, 2007）において、公開会社である Union Cement Corporation（以下「UCC」という）の株式の17％、および UCC の株式を60.51％保有する非公開会社である Union Cement Holdings Corporation（以下「UCHC」という）の株式の9％をそれぞれ保有する Cemco Holdings, Inc.（以下「Cemco」という）が、UCHC の株式の51％を追加取得した事案について、裁判所は、Cemco による UCC 株式に対する強制的公開買付けを命じた。判決では、上記論点のうち(i)については明確に言及されていないが、(ii)については、UCHC 株式の追加取得によって、UCHC を通じた Cemco の UCC 株式に対する間接保有比率が約36％まで増加し、17％の直接保有分と合わせて約53％保有することになる旨言及されており、Cemco の間接保有分（約36％）について、UCHC 株式の保有割合（60％）に、UCHC が保有する UCC 株式の保有割合（60.51％）を乗じて計算することを前提としている。もっとも、本事例では算出方法は当事者間で争点となっておらず、裁判所が算出方法の適否について特段判断を行わずに事実認定をしているため、今後裁判所が異なる計算方法を採用する可能性は否定できない点につき留意が必要である。

(d) フィリピン政府が実施する民営化に伴う取得
(e) 裁判所の監督下での会社更生に関連した取得
(f) 市場を通じた取得
(g) 吸収合併または新設合併に伴う取得

③ 任意的公開買付け

強制的公開買付けの条件に該当しない場合であっても、少数株主から広く株式を取得することを目的として、任意で公開買付け（任意的公開買付け、voluntary tender offer）を行うことができる。もっとも、任意的公開買付けを行う場合にも、強制的公開買付けと同様の手続的規制に服すると解されていることに留意が必要である。

④ 部分的公開買付け／全部買付義務

買付者は、買付後の株式保有割合が発行済株式の50％を超えない範囲において、買付予定株式数の上限を設定して部分的公開買付けを行うことができるものとされ、買付後の買付者の株式保有割合が発行済株式の50％を超える場合には、買付者はすべての応募株式を買い付ける義務を負う（2015証券規制法施行規則19.2.5）。部分的公開買付けにおいて買付予定株式数を上回る数の株式の応募があった場合、買付者は、公開買付期間中に各株主から応募のあった株式のうち、買付予定株式数の株式につき各株主から按分比例により買い付けなければならない（同規則19.2.2）。

⑤ 公開買付けの手続

(a) 買付期間／タイムテーブル

【図表8-4】公開買付けスケジュール（モデル）

日程	手続
Y (注)	・公開買付けの意図を新聞に公表 ・公開買付届出書を証券取引委員会に提出 ・公開買付届出書を対象会社、PSE等対象会社株式が上場する証券取引所に送付
X	・公開買付けの開始 ・公開買付けの期間および条件を新聞に1度目の公告
X＋1日	・公開買付けの期間および条件を新聞に2度目の公告

X + 2 日	・公開買付けの期間および条件を新聞に3度目の公告
X + 20営業日	・買付期間の終了（最短の場合） 　（ただし、買付予定株式数、買付対価等に変更が生じた場合、当該変更の通知の日から少なくとも10営業日の間、公開買付期間は継続）
Y + 60営業日	・買付期間の終了（最長の場合） 　（ただし、買付予定株式数、買付対価等に変更が生じた場合、当該変更の通知の日から少なくとも10営業日の間、公開買付期間は継続）
公開買付終了 + 4営業日	・応募株式の決済（上場株式）
公開買付終了 + 10営業日（最長の場合）	・応募株式の決済（上場株式以外） ・応募株式の返却 ・公開買付けの結果を証券取引委員会に報告

（注）　Yは、「強制的公開買付けが義務付けられる株式の取得に関する交渉を取締役会が決定してから5営業日以内、または公開買付けの開始の30営業日前」を意味する。

　買付者は、強制的公開買付けが義務付けられる株式の取得に関する交渉を取締役会が決定してから5営業日以内、または公開買付けの開始の30営業日前に、対象会社の株式を取得する意図について、フィリピンにおいて一般に流通している新聞に公表を行い、同日中に証券取引委員会に対して当該公表文の写しを提出しなければならない（2015証券規制法施行規則19.5）。なお、買付者は、上記公表の時点において、公開買付けの実行に必要な資金を確保している必要がある（同項）。

　買付者は、公開買付届出書[35]および附属資料を証券取引委員会に提出し、対象会社およびPSE（PSE上場株式の公開買付けの場合）等対象会社株式が上場する証券取引所に送付する必要がある（2015証券規制法施行規則19.6）。

　公開買付届出書には、買付者および対象会社に関する情報、取得の対象となる株式等、公開買付けの対価の種類および価額、公開買付期間、公開買付けの目的ならびにその他の公開買付けの条件等につき、具体的な情報を記載する必

---

35)　証券取引委員会の定める Form 19-1の様式による。

要がある（2015証券規制法施行規則19.7.1）。また、上記附属資料として、①すべての重要な買付条件を記載した正式な買付申込書、②株式等の買付者または買付者の受託者（depository）への譲渡方法を記載したレター（transmittal letter）、ならびに③当該公開買付けに関連して、買付者が公表し、または株主等に送付したプレスリリース、広告、レターおよびその他の文書の提出が求められる（同規則19.1.9）。

買付者は、公開買付開始日およびその後2日間にわたり、フィリピンにおいて一般に流通している新聞2紙に、公開買付けの期間および条件について公告を行う必要がある（2015証券規制法施行規則19.8.1）。

買付者は、公告または株主に通知した情報に重要な変更が生じた場合、速やかに当該変更について合理的な方法で株主に通知するものとされる（2015証券規制法施行規則19.8.2）。

公開買付期間は原則として買付けの開始から20営業日以上、買付けの意図が公表された日[36]から60営業日以内で設定しなければならない（2015証券規制法施行規則19.9.1.1）。また、買付予定株式数、買付価格等の変更を行った場合、当該変更の通知の日から少なくとも10営業日の間は公開買付けを継続するものとされる（同規則19.9.1.2）。買付者は、当初の買付期間満了前に、証券取引委員会の事前の許可を得て、プレスリリースその他の公表手段による通知を行うことによって、公開買付期間を延長することができる（同規則19.9.9）。なお、公開買付期間延長の通知においては、通知日時点における応募株式数を開示する必要がある（同項）。

買付者は、買付終了日から10営業日後までに証券取引委員会に修正公開買付届出書を提出して公開買付けの結果を報告しなければならない（2015証券規制法施行規則19.6.3）。また、公開買付者は、買付終了日より10営業日以内に、公開買付けの対価を支払わなければならない（同規則19.9.7。ただし、上場株式の公開買付けの場合には買付終了日から4営業日以内）。

　　(b)　公開買付価格

証券規制法および2015証券規制法施行規則においては、公開買付価格の下

---

36)　公開買付けの開始日ではない点に注意。

限および対価の種類[37]について一般的な制限は設けられていないが、以下の条件を遵守する必要がある。

  i 買付価格はすべての株主に対して均一でなければならない（2015証券規制法施行規則19.9.8.2）。
  ii 上記 i の帰結として、公開買付期間中に買付価格の引上げを行った場合、引上前に応募された株式についても、引上後の買付価格を支払わなければならない（2015証券規制法施行規則19.9.6）。
  iii 買付後の株式保有割合が発行済株式の50％を超える場合には、買付価格について、独立したフィナンシャルアドバイザー等のフェアネス・オピニオンを取得する必要がある（2015証券規制法施行規則19.2.5）。
  iv 強制的公開買付けの場合、買付価格は買付者が過去6カ月間に対象会社の株式に対して支払った最も高い価格とする（2015証券規制法施行規則19.9.2）。
  v 買付価格の支払いを有価証券の譲渡または発行によって行う場合、当該有価証券の価格は公正に評価されなければならない（2015証券規制法施行規則19.9.2）。

(c) 条件付公開買付け、公開買付けの撤回

証券規制法およびその他の関連法令において、前記④の買付予定株式数の上限を除き、公開買付けの成立に一定の条件を付すことについて明確な規定は設けられていないが、2015証券規制法施行規則の文言上、条件付きの公開買付けが予定されているものとも考えられる[38]。もっとも、条件付公開買付けに関する明確な規定が存在しないことに鑑み、条件付公開買付けを検討する際は、証券取引委員会と事前相談を行うことが望ましい。

また、証券規制法およびその他の関連法令において、公開買付けの撤回の可否、時期、方法等について明確な規定は存在しないため、公開買付けの撤回を

---

37) 買付者の株式（新株および保有する自己株式を含む）を対価とすることも許されるが、買付者の新株を公開買付けの対価とする場合、対価となる新株の価値算定について証券取引委員会の確認手続を経る必要があることに留意が必要である。
38) たとえば、公開買付けが撤回または不成立となった場合の取扱いについて定める2015証券規制法施行規則19.11は、「公開買付けが公表されたが、何らかの点において条件が成就せず、当該公開買付けが撤回され、または公開買付期間が経過した場合」と定めている。

検討する場合は事前に証券取引委員会その他関連当局への事前相談を行うことが望ましい[39]。なお、買付者は撤回後10営業日以内に応募株式を返還しなければならないとされ（2015証券規制法施行規則19.9.7）、また、公開買付けを撤回した場合、撤回から6カ月間、対象会社に対する新たな公開買付け、および強制的公開買付けが義務付けられる株式取得を行うことはできない（同規則19.11）。

なお、株主は、公開買付期間中、および買付者による応募の受諾前の場合、公開買付けの開始から60営業日後以降であればいつでも応募を撤回することができる（2015証券規制法施行規則19.9.4）。

(d) 罰　　則

買収者が強制的公開買付けの要件を満たすにもかかわらず、公開買付手続を経ずに公開会社の株式を取得した場合、証券取引委員会は訴えに基づき、当該株式取得を2015証券規制法施行規則に違反するものとして無効とし、改めて公開買付手続を行うよう命じることができる（2015証券規制法施行規則19.13）。また、かかる株式取得が改正会社法の違反にあたる場合、かかる違反に適用される罰則にも服することになる。

3　新株発行

(1) 概　　要

新株発行を通じて対象会社の株式を取得する場合、改正会社法上、以下の場合を除き、原則として全株主が、保有株式数に応じて新株引受権（preemptive right）を有することに留意が必要である（改正会社法38条）。

① 基本定款で新株引受権が排除されている場合
② 当該株式が、法令上、公募増資または最低浮動株比率の維持が要請される際に発行される場合
③ 当該株式が、会社の目的のために必要な資産の取得の対価として、または既存の契約上の債務の返済に充てるために、発行済株式の3分の2以上の株主の賛成を得たうえで発行される場合

---

[39] 2015証券規制法施行規則制定後に市場証券規制部に照会したケースでは、公開買付けの期間の満了前であれば、その旨を証券取引委員会に通知することにより、いつでも公開買付けの撤回を行うことができるとされたようである。

なお、上場会社の場合、基本定款で新株引受権を排除していることが通常である。また、公開会社においては、前述のとおり、授権資本株式の枠内の新株発行の引受けの場合であっても、引受後の取得者の株式保有割合が新株発行後の総株式数の50％を超える場合や取締役会を支配するのに十分な株式保有割合となる場合、強制的公開買付義務は免除されない（2015証券規制法施行規則19.3.1.1（前記2(2)②(a)ただし書））。このほか、現物出資による新株発行の場合、現物出資財産の価額について証券取引委員会の承認を得る必要がある。

なお、改正会社法上、株式の公正価額（fair value）を下回る価格で新株発行を行うことは認められておらず、かかる新株発行を決議した取締役会において、知ったうえで異議を述べなかった取締役は、新たに発行された株式の発行時における公正価額と発行価格の差額分について、発行会社または債権者に対し株主と連帯して損害を賠償する責任を負う（改正会社法64条）。

さらに、上場会社が、1回または最初の公表から12カ月以内の複数の取引により、既発行株式の10％以上35％以下の議決権付株式を特定の者に発行する場合、追加上場に関するPSEの規則が適用される。PSEは、ライツ・オファリング、またはパブリック・オファリングが先に実行されない限り、原則として、このような関連当事者による上場株式の取得を認めていない。

(2) 手　　続

会社が未発行の授権資本株式から新株を発行する場合、株主総会決議は不要である。会社の授権資本株式の増加を伴う新株発行の場合、これに伴う定款変更につき、取締役会決議、株主総会の特別決議、および証券取引委員会の承認が必要である（改正会社法15条・37条）。定款変更の効力は、証券取引委員会の承認があった時点、または会社の責めに帰さない事由により証券取引委員会が何らの行為も行わなかった場合には、承認申請時から6カ月を経過した時点で発生する（同法15条）。授権資本株式の増加の際、少なくとも増加資本株式の25％に相当する株式を引き受ける必要があり、引き受けた株式の価額の25％について出資の払込みが必要とされる（同法37条）。

なお、新規に発行される株式については、原則として株式の額面200フィリピンペソごとに2フィリピンペソの印紙税が課せられる。

対象会社が保有する自己株式を処分する場合、当該処分は取締役会によって決定された合理的な価格によって行うこととされるが、一般に新株発行に関する規制は適用されない（改正会社法9条）。

4 その他の買収手法

(1) 資産譲渡[40]

会社のすべてまたは実質的にすべて[41]の資産（のれんを含む）の売却または処分には、取締役会決議、および株主総会の特別決議による承認が必要である（改正会社法39条）。かかる資産譲渡への反対株主は保有する株式を公正な価格で買い取るよう要求することができる（株式買取請求権、同法39条・80条）。対価の種類については、条文上限定がなく（同法39条）、資産譲渡契約、譲渡証書（Deed of Assignment）が資産譲渡のための必要書類となる。また、登記または登録が必要な資産（土地、コンドミニアムのユニットなど）の譲渡については当該登記または登録のために電子登録資格証明書が必要になるところ、前記2(1)のとおり、電子登録資格証明書の発行は、BIR歳入通達2023年第023号において必要書類の提出から、7営業日以内と定められている。

なお、①商品、備品、製品、食糧または原材料、②すべてまたは実質的にすべての事業、③事業で使用されるすべてまたは実質的にすべての設備・備品について、売却、移転、担保権設定（mortgage）、または譲渡が行われる場合（ただし、①については、日常的取引・通常業務の範囲に属さない場合に限られる）、これらの行為を行う者の債権者の保護の観点から、原則として、バルクセール法（The Bulk Sales Law, Act No. 3952）が適用される（バルクセール法2条）[42]。バルクセール法が適用される場合、上記の行為を行う者は、代金受領前にその相手方に対して、上記の行為を行う者の全債権者の名前、債務額等を記載した書面を

---

40) 改正会社法39条は資産譲渡についての規定であるが、実質的には日本会社法上の事業譲渡と類似の取引を想定しているものと思われる。
41) 資産の売却または処分によって会社の事業継続または事業目的の達成が不可能となる場合、当該売却または処分は会社の資産の実質的にすべての売却または処分であるとみなされる。
42) ただし、本文記載の行為を行う者がその債権者からバルクセール法の適用を放棄する旨の書面を受領している場合は、同法の適用はない（同法2条ただし書）。

提出し、かつ当該書面を商務局（the Bureau of Commerce）に登録しなければならない（同法3条・9条）。また、上記の行為を行う者は、かかる書面に記載された全債権者に対し、上記の行為が実行される日の10日前までに、取引の対価および条件を通知する必要があり（同法5条）、かつ受領した代金を按分して債権者に支払わなければならない（同法4条）。同法に違反する取引は無効とされるほか（同条）、同法に違反して譲渡等を行った者は刑事罰の対象となる（同法11条）。

また、不動産の売却は、一般に売却額または公正な市場価格のいずれか高い額を基準として1.5％の印紙税の対象となる。売却対象である資産が事業で使用されている場合、譲渡益には一般に通常の所得税が課せられる。当該資産が事業で使用されていない場合、資本的資産（capital asset）とされる不動産は、売却額もしくは公正な市場価格のいずれか高い額を基準として6％のキャピタルゲイン課税の対象となる。もっとも、譲渡会社が譲渡対象資産と引換えに取得会社の株式を取得して、支配権を取得する場合には、免税取引（tax-free exchange）に該当するものとされる。

また、資産の取引については、売却額もしくは公正な市場価格のいずれか高い額を基準として最大0.75％の地方譲渡税（local transfer tax）についても課税対象となる。

資産譲渡の規定を利用して、①取得者の自社株式を対価として対象会社の全資産を取得者が取得し、②対象会社を清算し、会社財産の分配を通じて対象会社が取得した取得者の株式を対象会社の株主に分配する、擬似吸収合併（de facto merger）が一般的に行われている[43]。かかる方法によれば、吸収合併に関する厳格な法令上の要件・手続が課せられないというメリットがある。もっとも、清算会社の財産の分配にはBIRの納税証明書の取得が必要であるが、その取得には1〜2年を要する場合がある。

---

[43] 外国会社の株式を対価とすることが許されるかについては、法令上必ずしも明らかではない。このような取引を検討する場合は事前に証券取引委員会その他関連当局への事前相談を行うことが望ましい。

(2) 吸収合併／新設合併

　合併はフィリピン会社のみが行えるので、外国会社が合併を利用してフィリピン会社を買収する場合には、フィリピンに受け皿となる会社を設立し、当該会社と対象会社を合併させることになる。会社が吸収合併・新設合併を行う場合、当事者となる会社の取締役会決議、および株主総会の特別決議が必要とされる（合併計画の変更についても同様。改正会社法75条・76条）。対価の種類は、条文上限定がないが（同法75条）、一般的には、存続会社または新設会社の株式のみを対価とすることが多い（ただし、後記(3)①のとおり、現金対価の合併事例も存在する）。合併計画（同法75条）、当該吸収合併・新設合併が改正会社法に違反しないことについての証券取引委員会による証明書（同法78条）が吸収合併・新設合併のための必要書類となる。

　吸収合併計画または新設合併計画には、次の事項を含む、一定の情報が記載されていなければならない。すなわち、①吸収合併または新設合併の当事会社の名称、②吸収合併または新設合併の条件および実行方法、③存続会社の定款変更に関する記載（吸収合併の場合）または新設会社の定款の記載事項に関する記載（新設合併の場合）、ならびに④その他吸収合併または新設合併に関して必要または望ましい事項を記載するものとされる（改正会社法75条）。合併に反対する株主は株式買取請求権を有し、保有株式を公正な価格で買い取ることを要求することができる（同法76条・80条）。吸収合併または新設合併は、上記の証券取引委員会による証明書の発行によって効力が生じる（同法78条）。

　証券取引委員会の市民憲章（Citizen's Charter）によれば、証券取引委員会による申請処理期間は約80営業日であることに留意が必要である。

　なお、吸収合併・新設合併の場合、免税取引（tax-free exchange）に該当するものとされる。

(3) スクイーズ・アウト／非上場化

① スクイーズ・アウトの可否

　フィリピン法上、少数株主のスクイーズ・アウトに関する特別な規定は存在しない。この点、過去には、現金対価合併、または株式併合を行った後に端数の株式を現金で取得する方法によりスクイーズ・アウトを行った事例も存在す

るようである。もっとも、これらの方法によるスクイーズ・アウトについては、その法的有効性について疑義がないわけではなく、これまでその法的効力が裁判所で判断されたこともないので、実際にこのような取引を検討する場合には、関連当局への事前相談など慎重な対応が必要と考えられる。

② 非上場化

PSE 上場会社が以下の条件を充足し、かつ非上場化によって投資家の利益が害されないと PSE が判断した場合、PSE は、当該 PSE 上場会社からの申請により、その任意的非上場化を認めるものとされる（PSE 非上場化規則、Rules on Delisting, PSE）。

(a) 上場会社の現取締役の多数が、非上場化に賛成したこと

(b) 非上場化の申請に先立って、会社の全株主に対して非上場化の提案を、PSE の満足する形式で通知したこと

(c) 非上場化の効力発生日より60日以上前までに、提案された公開買付けの条件とともに、非上場化の申請を PSE に提出したこと

(d) 株主名簿上の全株主に対し公開買付けが行われ、上場会社が当該公開買付けの条件が経済的観点から公平であることを示したフェアネス・オピニオンまたは株価算定報告書を PSE に提出したこと

(e) 非上場化の提案者が、公開買付後に対象会社の発行済株式の95％以上を取得していること

(f) 非上場化を申請する上場会社について未払の手数料および罰金がないこと

8-6　M&Aをめぐるその他の主要な規制

1　開示義務

(1) 大量保有報告規制

報告義務会社の株式等（equity securities）について、直接または間接に 5 ％超[44]の株式を取得して株式の実質的保有者（beneficial owner）となった者は、取得日より 5 営業日以内に取得に関する報告書[45]を当該報告義務会社、証券取引

委員会、および当該株式が PSE に上場されている場合は PSE に提出しなければならないとされる（証券規制法18条、2015証券規制法施行規則18.1）。当該報告書には、①取得者、取得した株式の詳細、②対象会社の事業の支配を目的とする取得の場合には、会社の事業・機関構成に重要な変更を生じる取得者の計画の詳細、③譲渡、合弁、借入れ、オプション等の株式の契約に関する情報等を記載する必要がある（証券規制法18.1条）。

報告書の提出義務者は、当該報告書の記載事項に変更が生じた場合、当該報告義務会社、証券取引委員会、および PSE 上場株式等の場合は PSE に通知しなければならない（証券規制法18.2条）。

上記において、実質的な保有とは、原則として直接または間接に、何らかの契約、取決め、合意、関係その他を通じて議決権を保有していること[46]または投資上の利益を得、もしくは権限を有すること（当該株式の処分または処分を指示する権限を有する場合を含む）を指すものとされる（2015証券規制法施行規則3.1.2）。

(2) その他の開示
① 適時開示

報告義務会社は、投資家の投資判断に影響を与えると合理的に予想される一定の重要な事実または事象が生じた場合、当該事実・事象につき、臨時報告書[47]の提出を含む開示を行う必要がある（証券規制法17.1条(b)、2015証券規制法施行規則17.1.1.1.3(a)）。

これらの開示を行う場合、報告義務会社は、問題となる事実または事象につき、(a)報道機関を通じて速やかに公表するものとし、(b) PSE 上場会社の場合、当該事実または事象の発生から10分以内[48]に、かつ報道機関を通じた公表

---

44) 証券取引委員会がより低い比率を別途定める場合もあるものとされる。
45) SEC Form 18-A の様式による。
46) 議決権の行使を指図する権限を有する場合も含む。
47) SEC Form 17-C の様式による。
48) いわゆる10分ルールといわれるものであり、実務上、オンライン開示システムの利用などによる対応の努力がなされているものの、現実には必ずしも厳密に遵守されないケースもみられるとのことである。

に先立って、PSE に開示の上、その写しを証券取引委員会に送付するものとし、また、(c) PSE 上場会社でない場合、当該事実または事象の発生から5日以内に証券取引委員会に臨時報告書を提出しなければならない（ただし、実質的に同様の情報がすでに証券取引委員会に報告されている場合を除く（2015証券規制法施行規則17.1.1.1.3(b). 1 ～ 3 ））。

② PSE開示規則に基づく開示

PSE 上場会社は、PSE 上場規則により、上述の証券規制法および2015証券規制法施行規則に基づく開示義務を負うほか、開示を行うことが法令違反を構成する場合など一定の例外を除き、重要な情報、決定事実、発生事実等について、情報の受領または決定・事実の発生から10分以内[49]に開示を行うことを義務付けられている（PSE 開示規則4.1条）。

2　インサイダー取引規制

(1) 概　要

証券規制法は一定のインサイダー取引の規制を定めており、インサイダーが発行会社の重要な未公開情報を知りながら[50]当該発行会社の有価証券を売買すること、当該情報を伝えた場合に株式を売買するであろうことを認識し、または信じるにつき合理的理由がある者に対して当該情報を伝えることは、一定の例外[51]を除き違法とされる（証券規制法27.1条・27.3条）。

---

49) 前掲（注48）参照。
50) 未公開の重要な事実が発生した後、当該事実が公表されかつ当該事実が市場に織り込まれるのに要する合理的な時間が経過する前に、インサイダー、その配偶者、または二親等以内の親族が当該発行会社の株式の売買を行った場合、当該売買は重要な未公開情報に基づく内部者取引であると推定される。ただし、売買を行った者が、当該売買当時に未公開情報を知らなかったことを示すことによって、かかる推定を覆すことができる（証券規制法27.1条）。
51) ①インサイダーが、当該未公開情報を上記のような関係を通じて入手したものではないことを証明した場合、または、②インサイダー（またはその代理人）と取引を行った相手方が特定されている場合であって、インサイダーが、(i)当該相手方に当該未公開情報を開示したこと、もしくは(ii)当該相手方が当該未公開情報を保有していると信じる合理的理由があったことを証明した場合。

(2) インサイダーおよび重要な未公開情報の範囲

証券規制法は、「インサイダー」を①発行会社自身、②発行会社の支配権[52]を有する者、公開会社の取締役、役員、その他同様の役職にある者、③発行会社との現在・過去の関係を通じて、当該会社または当該会社の有価証券に関する未公開の重要な情報を入手できる者または入手できた者、④発行会社または発行会社が発行する有価証券に関する重要な未公開情報を入手することができる政府職員、証券取引所、清算機構（clearing agency）、および自主規制機関（self-regulatory organization）の取締役・役員、ならびに、⑤上記の者から重要な未公開情報を取得した者と定義している（証券規制法3.8条）。

また、重要な未公開情報（material non-public information）とは、①一般に未公表の情報で、公表された場合、市場がかかる情報を織り込むための合理的な時間が経過した後に、株式の市場価格に影響を与えうる情報、または、②合理的な者の観点から、株式の売買、保有の判断の際に重要と考えられる情報を指す（証券規制法27.2条）。

(3) 公開買付けに関するインサイダー取引規制

公開買付けが開始され、または開始されようとしている場合において、当該公開買付けに関する重要な未公開情報を保有する買付者以外の者が、当該情報が未公開であり、買付者（もしくはその代理人）、対象会社、または対象会社のインサイダーから取得された情報であると認識し、または信じるにつき合理的理由がある場合、かかる者が当該対象会社の株式等の売買を行うことは違法とされる（証券規制法27.4条(a)(i)）。また、買付者（もしくはその代理人）、対象会社、または対象会社のインサイダーが、第三者による上記証券規制法27.4条(a)(i)の違反を生じさせる結果となる可能性がある場合において、公開買付けに関する重要な未公開の情報を当該第三者に伝えることは、違法とされる（同条(a)(ii)）。

---

[52] 「支配権」の内容について、証券規制法上は定義されていないが、2015証券規制法施行規則上は、「企業の財務・経営上の方針を決定し、企業の活動による利益を得る権限」と定義され、50％超の議決権を直接・間接に有している場合には、かかる支配権の存在が推定されるとされている（同規則3.1.8）。

(4) インサイダー取引規制違反の効果

上記のインサイダー取引規制に違反して取引を行った者は、証券取引委員会による行政罰[53]（証券規制法54.1条）および刑事罰（同法54.2条）の対象になるほか、当該インサイダー取引の対象となった発行会社の株式の売買と同時期に当該株式の売買を行った投資家に対し民事責任を負う（同法61条）。

3 競争法における企業結合規制

2015年8月8日に施行されたフィリピン競争法（Philippine Competition Act, Republic Act No. 10667）[54]は、競争制限的企業結合に関する事前審査制度を定めており、一定の規模を超える合併や会社等の買収を行う場合には、最終契約の締結前にフィリピン競争委員会（Philippine Competition Commission）に対して事前通知を行う必要がある（フィリピン競争法17条、フィリピン競争法施行規則4条2項[55]）。この事前通知を行わない場合、当該合併や買収等は無効となり、また、当事者は当該合併や買収等の金額の1％から5％に相当する金額の制裁金を課されることになる（フィリピン競争法17条）。

事前通知が行われてから30日間は待機期間とされ、当該合併や買収を行うことができず、また、フィリピン競争委員会がより詳細な審査を行う場合には最大で60日間待機期間が延長される（ただし、待機期間が合計で90日間を超えることはない）。審査の結果、当該合併や買収等に競争法上問題があると判断された場合には、フィリピン競争委員会は当該合併や買収等の中止、変更等を命じることができる（フィリピン競争法施行規則4条6項）。なお、事前通知は当該合併や買収等に係る最終契約の締結後30日以内に行う必要がある（2017年企業

---

53) 具体的には、罰金、報告義務会社の役員の欠格事由などの行政罰が定められている。
54) 正式名称は、「競争制限的協定、市場支配的地位の濫用または競争制限的企業結合の禁止、フィリピン競争委員会の設立、およびこれらに対する予算の割当を伴う国家競争政策に関する法律（An Act Providing for a National Competition Policy Prohibiting Anti-Competitive Agreements, Abuse of Dominant Position and Anti-Competitive Mergers and Acquisitions, Establishing the Philippine Competition Commission and Appropriating Funds therefor）」。
55) 正式名称は、「共和国法第10667号（フィリピン競争法）を施行するための規則（Rules and Regulations to Implement the Provisions of Republic Act No. 10667（Philippine Competition Act））」。

結合手続に関するフィリピン競争委員会規則（2017 PCC Rules on Merger Procedure）2.1条）。

　事前通知が必要となる取引要件における金額の閾値については、2018年3月1日付の通達[56]に基づくフィリピン競争法施行規則の改正により、毎年3月1日に、フィリピン統計局（Philippine Statistics Authority）の前年の名目国内総生産の成長に係る正式な推計を指標として使用して自動的に修正されるため、留意が必要である。2023年3月1月時点の事前通知が必要となる取引要件は、原則として、(i)買収者または被買収者のいずれかについて、その属する企業グループの直近の財務書類等におけるフィリピンの年間売上高または資産が70億フィリピンペソを超え、かつ、(ii)当該取引の規模[57]が29億フィリピンペソを超える取引である。なお、会社の議決権等を取得する取引の場合、原則として、当該取引の結果、議決権等の35％超（当該取引の前に35％超を保有している場合には50％超）を保有する取引について事前通知が必要となる（フィリピン競争法施行規則4条3項）。また、合弁会社を組成する場合には、合弁会社に出資等される資産の額または当該資産による売上高が29億フィリピンペソを超える場合に事前通知が必要となる。

　事前通知が必要となる取引を行う当事者は、通知を行う前にフィリピン競争委員会に事前相談を行うことができる（フィリピン競争法施行規則4条4項）。

56）　2018年第1号通達（PCC Memorandum Circular No.18-001）。
57）　当該取引の規模は、原則として資産の額と売上高によって決定されるが、当該資産がフィリピンに所在するか否か、取引の類型等により、判断基準は異なる。

第8章 フィリピン

|COLUMN| フィリピンの財閥と合弁事業

　フィリピンの経済においては、10グループ程度の財閥が大きな存在感を有している。フィリピンの財閥は、スペイン系のアヤラ・グループを除き、その多くが中華系の財閥であるとされる。

　大手財閥のサンミゲル・グループは、国内ビール市場において高いシェアを誇るサン・ミゲルビールなどの食品事業を柱とするコングロマリットであり、発電、インフラ、石油事業なども行っている。また、小売事業を中核とするSMグループは、大規模ショッピングモールを運営し、傘下にはフィリピン最大の銀行のBDOユニバンクもある。また、スペイン系財閥のアヤラ・グループも存在感がある。最も歴史のある財閥であり、政治・経済の古くからの中心地であるマニラのマカティ地区の都市開発を行うなど不動産事業に強みを持つ。

　このようにフィリピンの経済においては財閥が大きな存在感を有するため、日系企業のフィリピン進出においても財閥の協力を求めることが少なくない。実際、多くの日系企業が財閥と合弁事業その他の提携の形でフィリピンに進出しており、たとえば、上記で紹介したサンミゲル・グループのビール製造会社のサン・ミゲル・ブルワリーには、キリンホールディングスが出資しており、SMグループはファーストリテイリングとの提携により多数のユニクロ店舗を運営している。アヤラ・グループも三菱商事との提携のほか、日系の金融機関や自動車メーカーとも合弁事業を行っている。

　日系企業が財閥と合弁事業を行う理由としては、フィリピン経済における財閥の影響力や人脈の活用が目的であることが多いが、フィリピンの外資規制を遵守するために財閥と合弁を行うケースも散見される。フィリピンの外資規制については8-4で説明しているとおりであるが、一定の産業や土地所有の場合等において外資規制が存在し、フィリピン人の出資が必要となるため、合弁事業に慣れている財閥が合弁パートナーの有力候補となる。

　合弁事業にあたっては、合弁パートナーとの間で合弁契約の協議・交渉を行う必要があり、フィリピン進出においては、特にこうした合弁事業に慣れているフィリピン財閥企業との交渉において難しい局面に直面し、粘り強い交渉が求められる場面もある。

第 9 章　ミャンマー

9-1　総　論

　ミャンマーは、2011年以降、テイン・セイン大統領（当時）が推進した開放政策と2016年に発足した民主政権下での投資法（Myanmar Investment Law）および会社法（Myanmar Companies Law）を含む投資法制の近代化への取り組みにより、着実な経済成長を達成し、日本企業の投資先として注目を集めてきた。しかしながら、2020年の新型コロナウイルスの感染拡大により、経済活動の大幅な停滞を余儀なくされたことに加え、2021年2月の政変（国家緊急事態宣言の発出によるミャンマー国軍の政権掌握）により、ミャンマーへの新規投資は一気に冷え込むことになった。国家緊急事態宣言は、2023年4月末現在も存続しており、引き続きミャンマー国軍が政権を掌握し続けている。ミャンマー情勢の見通しは引き続き不透明であり、ミャンマーへの新規投資が活発化するにはある程度の時間を要することが見込まれる状態にある。

　なお、投資法制自体は、投資法（2016年成立、2017年4月より運用開始）および会社法（2017年成立、2018年8月より施行）により、近代化はほぼ完了している。2023年4月末現在でも依然として当局の運用がどのように行われるのかが不透明な分野が残ることも否定できないが、M&A取引に関する規制の基礎的な枠組み自体は相当程度確立したといいうる[1]。他方で、2021年の政変以降は新規投資がほぼ全面的に停止してしまっていることもあり、投資規制に関する関係当局の実務運用についても特筆すべきアップデートが見られない状態が

1）　ミャンマーの法制の詳細については、武川丈士＝眞鍋佳奈＝井上淳『ミャンマー法務最前線――理論と実務〔第2版〕』（商事法務、2017）を参照されたい。

続いている。

　上記のとおり2020年以降は政治経済情勢の停滞が続いているミャンマーであるが、従前は、日本企業による独資または合弁での進出が相次いでおり、本格的なM&A取引も行われてきた[2]。ミャンマー情勢の見通しは、政変から2年以上を経た2023年4月末現在も引き続き不透明であると言わざるを得ないが、国として成長ポテンシャルを引き続き有していることは間違いない。近い将来、ミャンマーの政治経済情勢が安定し、新規投資の動きが回復するとともに、投資規制をめぐる実務運用についての議論も活発化することを期待したい。

9-2　M&Aの手法および関連する法令・ルールの概観

1　M&Aを規制する主要な法令の概観

　ミャンマーにおいてM&Aを規制する主要な法令は、会社法および投資法（これらに関連する下位の法規範を含む。）である。会社法には、M&Aに関連する規定として、株式の譲渡や株式の割当てに関する規定等がある。他方で、合併その他組織再編に関する条項は事実上存在しない点が特徴である[3]。

　ミャンマーにおけるM&Aに関して、上場会社の株式の取引および非上場会社の株式の公衆に対する募集に関する規制である証券取引法（Securities Exchange Law）も適用がありうる。また、企業結合規制との関係では、競争法（Competition Law）についてもその適用が問題となりうる。しかしながら、ミャンマーにおけるM&A取引は、非上場会社を対象とするものがほぼすべてであり、証券取引法の規制が問題となることは現時点でほぼ想定し難いのが実情で

2）　たとえば、ユニ・チャーム株式会社は、2013年3月22日に、同社の子会社であるUni-Charm (Thailand) Co., Ltd.を通じ、ミャンマーの女性用生理品および乳児おむつの製造・販売大手Myanmar Care Products Limitedの88％の株式を保有するシンガポールの持株会社CFA International Paper Products Pte. Ltd.の発行済普通株式総数の100％の取得、およびMyanmar Care Products Limitedの発行済普通株式総数の10％の取得を公表した。当事務所は、この取引にユニ・チャーム株式会社のカウンセルとして関与した。

3）　会社法は、裁判所の監督の下で様々な形態の組織再編手続を行うScheme of Arrangementと呼ばれる手続を明記しているものの、実務上、会社分割等の日本法でみられるような組織再編は利用されていない。

ある。競争法については、施行後2年以上を経た2018年に監督機関である競争委員会が設置され、同委員会が不服申立てを受けた調査を行うなど徐々に運用が開始されていたが、その後の政治経済情勢の混乱もあり、2023年4月末時点で企業間結合規制に関する具体的基準が未制定であるなど、実質的な運用がなされるまでにはまだ時間がかかる状況にある。これらの現状に鑑みれば、証券取引法と競争法については、M&A取引との関係で主たる規制とは言い難いことから、下記**9-6**において概要を紹介するに留めている。

2　M&Aの手法の概観

ミャンマーでは、実務上活用可能な合併その他の組織再編が存在しない状況にあるため、採りうるM&Aの手法は、①株式譲渡、②株式の割当ておよび③事業譲渡に限られる。ミャンマーにおけるM&Aにおいては、これらの限られた選択肢の中で、投資対象となる企業の状況や事業内容を踏まえて、問題となる外国投資規制の下でどのようなM&Aの手法や手続を採るかを検討する必要がある。

9-3　会社の種類とガバナンス

1　会社法における会社の種類

会社法において、会社の種類は、社員の責任の形態に応じて、①有限責任株式会社（company limited by shares（株主の責任が、定款により、株主が保有する株式のうち未払いの金額に限定される会社。会社法6条(a)項(i)））、②有限責任保証会社（company limited by guarantee（社員の責任が、会社の清算の際に拠出する額として定款に定められた金額に限定される会社。同項(ii)））および③無限責任会社（unlimited company（社員の責任を限定しない会社。同項(iii)））に分けられる。

このうちミャンマーで最も一般的な形態は、日本の株式会社に相当する①有限責任株式会社である。有限責任株式会社は、(a)非公開会社（private company（次のいずれの要件も満たす会社をいう。(i)会社と雇用関係にある者が株式を保有する場合を除き、株主数が50名以下であること、および(ii)会社の株式、社債またはそ

の他の証券の公衆に対する募集を禁じていること。なお、非公開会社は、定款において株式の譲渡に制限を付することができる。会社法1条(c)項(xxv)))および(b)公開会社（public company ((a)以外の会社。同項(xxviii)））に分けられる。以上をまとめると【図表9-1】のようになる。

【図表9-1】会社の種類

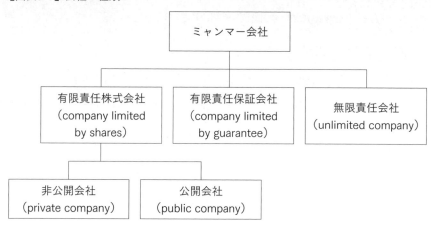

2　ガバナンスの概要

ここでは、ミャンマーにおけるM&Aに関する説明の前提として、ミャンマーにおける外国投資の文脈で実務上一般的に利用されている会社形態である非公開の有限責任株式会社（companies limited by shares）のコーポレート・ガバナンスの概要（株主総会、取締役、取締役会および監査人の概要）について触れることとする。

(1)　株主総会

株主総会の種類としては定時株主総会と臨時株主総会があるが、定時株主総会は、会社設立後18カ月以内に開催し、その後は暦年（calendar year）ごとに最低1度、かつ前回開催時から15カ月以内に開催しなければならない。なお、会社法上、定時株主総会は、監査済財務書類（貸借対照表および損益計算書等）

の総会への提出期限との関係で、直前の会計年度の終了から9カ月以内に開催しなければならない旨の要請が定められている（会社法260条(a)）点についても留意が必要である。株主総会の招集は、原則として取締役会が都度決定する。また、株主にも少数株主権として株主総会の招集請求権が認められている（会社法151条(a)項(ix)）。

取締役が株主総会を招集する場合、原則として、会日の21日前までに書面で各株主に対して通知する必要がある。ただし、当該株主総会で招集通知を受領する権限を有するすべての株主が同意をすれば、通知期間を短縮し、かつ株主が適当と考える方法により通知することも可能である（会社法152条(a)項(i)）。

株主総会の定足数は、定款で別段の定めがない限り2名であり、出席株主の頭数によって計算される（会社法151条(a)項(ii)）。

会社法における株主総会の決議には、普通決議（Ordinary Resolution）および特別決議（Special Resolution）の2種類がある。このうち、普通決議は、出席株主の過半数の賛成が得られた場合に成立する（会社法1条(c)項(xx)）。可否同数の場合には議長が決定するのが会社法上の原則であるが、このような議長の決定投票権は定款で排除可能である（同法152条(b)項(i)(D)）。特別決議は、出席株主の4分の3以上の賛成が得られた場合に成立する（同法1条(c)項(xl)）。それぞれの主な決議事項は、【図表9-2】のとおりである。

【図表9-2】主な株主総会決議事項

普通決議事項 （Ordinary Resolution）	株式の分割および併合、減資および自己株式の取得、取締役の選任および解任、監査人の選任、会社役員への利益の供与等
特別決議事項 （Special Resolution）	定款変更、商号変更、会社の種類の変更、新たな種類株の発行、選択的な減資および自己株式の取得、株式の権利の内容の変更、第三者による株式取得への経済的支援（financial assistance）の供与（公開会社の子会社ではない非公開会社を除く。）、解散等

(2) 取締役

すべての会社は、1名以上の取締役を選任しなければならない。取締役の数の上限については明文の規定はない。なお、取締役の選任は、株主総会の普通

決議事項である（会社法155条、173条(a)項(ii)参照）。

取締役の資格については、会社法上に規定が置かれており、年齢を含む一般的な適格要件（18歳以上であること、正常な精神状態にあること等）（会社法175条(b)項〜(e)項））が定められている。また、取締役の居住要件として、取締役のうち少なくとも1名がミャンマーの「居住者」（永住者または12カ月間において183日以上ミャンマー国内に滞在する者）（同法1条(c)項(xix)）でなければならない（同法4条(a)項(v)）とされていることに留意が必要である。また、会社の定款において、会社の株式を一定数保有していることを取締役の資格として定めることも可能である（同法175条(a)項）。

(3) 取締役会

各取締役は、定款に従い、いつでも取締役会を招集することができる（会社法145条(a)項）。会社法上、取締役会の開催については、各取締役に合理的な招集通知を行わなければならない旨を規定するのみであり（同項(i)）、招集通知の記載内容や、通知期間などについて具体的な定めは置かれていない。また、取締役会の開催頻度に関する明文の定めもない。開催場所についても明文の定めはないが、必ずしも会社の本店所在地で開催される必要はなく、ミャンマー国内外を問わずその他の場所で開催することも可能である。

取締役会の定足数は、定款で別途定めない限り、2名である（会社法145条(a)項(iii)）。決議要件は出席取締役の過半数の賛成である（同項(iv)）が、定款で異なる定めとすることも可能である。可否同数の場合には、取締役会の議長が決定するのが会社法の原則であるが、このような取締役会議長の決定権は定款で排除することも可能である（同条(c)項）。

(4) 監査人（auditor）

監査人は、株主総会に提出する貸借対照表および損益計算書を監査する（会社法280条(b)項参照）こととされ、計算書類の会計監査権限を有する一方、業務監査権限を有しないものと解されている。この点で原則として会計監査権限および業務監査権限を有する日本の会社法上の監査役とは異なる。つまり、監査人は、むしろ日本の会社法上の会計監査人に性格の近い機関といえる。

監査人は、定時株主総会において普通決議により選任される（会社設立後の最初の監査人のみ取締役会決議により選任可能である）。任期は翌年の定時株主総会までの1年間とされている（会社法279条(b)項および(f)項）。そのため、毎年の定時株主総会において、翌年の定時株主総会に提出する財務書類の監査を担当する監査人を選任することが必要とされている（会社法146条(b)ⅲおよび279条(b)）。

9-4 外国投資法制

1 ミャンマーにおける投資規制の枠組み

(1) 概　要

内資・外資を問わず、ミャンマーにおけるすべての投資活動に適用がある投資規制として投資法が制定されている。同法の施行細則として、投資規則（Myanmar Investment Rules）のほか、ミャンマー投資委員会（Myanmar Investment Commission）（以下「MIC」という。）により税制優遇措置に関するZoning規定（MIC Notification No. 10/2017）、地方政府への権限移譲基準（MIC Notification No. 11/2017）、税制優遇措置の対象業種リスト（MIC Notification No. 13/2017）および制限業種リスト（MIC Notification No. 15/2017）が制定されている。ミャンマーにおけるM&Aの実施に際しては、投資先企業の実施事業が外国投資規制の適用を受けるか、受けるとしてどういった内容の規制が課されるかという点についての確認および検討が必須となる。また、投資先企業が投資法に基づくMICの投資許可（以下「MIC許可」という。）やMICによるEndorsementを取得している場合には、M&A取引との関係でMICに対する手続が必要となる可能性がある。

(2) 投資法下での投資規制の全体像

投資法では、事業の類型を、①投資禁止業種、②MIC許可の取得が必要な業種、③制限業種、および④連邦議会の承認が必要な業種の4種類に分類し、それぞれについて一定の規制が定められている。業種の分類およびそれぞれに適用される規制の概要は【図表9-3】のとおりである。このうち、②MIC許可

の取得が必要な業種については詳細を(3)で説明する。③制限業種の詳細は(4)で説明するほか、外資参入規制に関する項目を下記2で説明する。

【図表9-3】投資法における投資規制の概要

分類	概要	対象業種
投資禁止業種	内資・外資を問わずその実施が禁止される業種	① ミャンマー国内に危険または有害な廃棄物をもたらす可能性のある事業 ② 研究開発の目的以外で、栽培や品種改良のための技術、薬品、植物や動物の種類・物品等で検査中または未認可のものをミャンマー国内に持ち込む可能性のある事業 ③ ミャンマー国内の各民族の伝統的な文化や慣習に影響を与える可能性のある事業 ④ 公衆に危害を加える可能性のある投資事業 ⑤ 自然環境や生態系に重大な影響を与える可能性のある事業 ⑥ 法律で禁止されている物品の製造やサービスの提供を伴う事業
MIC許可の取得が必要な業種	内資・外資を問わず実施に当たってMIC許可の取得が必要な業種	① 国家にとって戦略的に重要な事業 ② 資本集約的な事業 ③ 環境・社会に深刻な影響を与える事業 ④ 政府の所有する土地・建物を使用する事業 ⑤ 別途政府が定める事業
制限業種	事業の実施に際して、外資規制や関係省庁の承認等、一定の制限・条件が付される業種	① 連邦政府のみが実施可能な事業 ② 外資の実施が禁止される事業 ③ ミャンマー内資との合弁でのみ外資が実施可能な事業 ④ 関係省庁の承認を要する事業
連邦議会の承認が必要な業種	MIC許可の取得が必要な業種のうち、特に重要な事業について、連邦議会の承認が必要とするもの	国家および国民の安全、経済、環境および社会的利益に重大な影響を与えうる重要な投資事業[4]

なお、投資事業は、上記いずれか1つの分類にのみ該当するというわけではなく、複数の分類にまたがる場合もありうる。つまり、事業の内容によっては、MIC許可が必要であり、かつ、関係省庁の承認が必要な制限業種にも該当する、というような形で、複数の規制の適用を受ける場合もありうることに留意する必要がある。

(3) MIC許可の取得が必要な業種

投資法に基づくMIC許可を取得することが必要な業種の具体的な内容は、投資規則において【図表9-4】のとおり規定されている。

【図表9-4】MIC許可の取得が必要な事業

類型	内容
① 国家にとって戦略的に重要な事業	(1) 技術（情報、コミュニケーション、医療、バイオまたは類似の技術）、交通インフラ、エネルギーインフラ、都市開発インフラおよび新都市開発、天然資源、メディアへの投資であり、予定投資額が2,000万米ドル超のもの (2) 当局によるコンセッション等の契約に基づく投資であり、予定投資額が2,000万米ドル超のもの (3) 国境地域または紛争地域への外資または内資の投資で予定投資額が1,000万米ドル超のもの (4) 国境をまたぐ外資または内資の投資で予定投資額が1,000万米ドル超のもの (5) 州または管区をまたぐ投資 (6) 主として農業関連目的でなされ、かつ1,000エーカーを超える土地を占有する投資 (7) 主として非農業関連目的でなされ、かつ100エーカーを超える土地を占有する投資

4) その具体的な内容について、投資規則や制限業種リスト等に特段の規定はなされていない。投資法上は、MIC許可の発行に際して、MICが連邦議会に対して承認を求める、という建付けの規定となっているため、投資家側が連邦議会に対して何らかの手続を行うことは想定されておらず、MICがその判断に基づいて連邦議会に承認を求める手続を採ることが想定されていると考えられる。結果として、その要否はMICの判断に委ねられており、投資家側では何が連邦議会の承認を必要とする事業であるかを事前に把握することができないという状態にある。

② 資本集約的な事業	予定投資額が1億米ドル超のもの
③ 環境・社会に深刻な影響を与える事業	(1) 環境影響評価が必要となる可能性が高い事業 (2) 環境保全法等により保護地域または生態系保全地域に指定されている地域、エコシステムをサポートする地域として特定されている地域、文化遺産・自然遺産、文化的な記念碑、および未開発の自然区域への投資 (3) 以下の土地を占有または使用する権利を含む投資： 　(i) 土地収用等により100人以上の移転または100エーカー以上が収用対象となる 　(ii) 対象地が100エーカー以上で、土地利用や天然資源のアクセスに影響を及ぼす 　(iii) 対象地が100エーカー以上で、当該土地の権利につき、投資と抵触するような紛争が存在 　(iv) 上記以外の場合で、100人以上の土地利用の権利に悪影響を与える
④ 政府の所有する土地・建物を使用する事業	政府が保有する土地・建物を利用する場合（ただし、単に政府がGrantその他の土地の権利を保有している場合、5年以下のリースの場合、および既にMIC許可を受けている者からのサブリースを受ける場合は除く。）

　なお、MIC許可の取得が必要な上記4類型のうち、「③環境・社会に深刻な影響を与える事業」の1つである「(1)環境影響評価が必要となる可能性が高い事業」については、環境影響評価の実施等について規定する環境保全法（Environmental Conservation Law）およびその下位規範である環境影響評価手続（Environmental Impact Assessment Procedures）が多岐にわたって規定している。

(4) 制限業種

　投資法に定める制限業種は、その実施に関して一定の制限・条件が付されている類型である。【図表9-3】記載のとおり、①連邦政府のみが実施可能な事業、②外資の実施が禁止されている事業、③ミャンマー内資との合弁でのみ外資が実施可能な事業、および④関係省庁の承認を要する事業の4つの類型に分類されている。これらの各類型の具体的内容は、制限業種リストにおいて細か

く規定されており、その総数は200を超えるものとなっている[5]。下記2で詳述するとおり、投資法上の制限業種に関する規定の一部が、外資参入に関する規制として定められているものである。ミャンマーにおけるM&Aの検討に当たっては、投資対象事業が投資法に定める制限業種に該当するかどうか（該当する場合どの類型に当たるか）という点についてまず確認した上で、適用を受ける外資規制の中でどのようなスキームを採ることが可能かを考えていくことになる。

2　外資参入に関する規制

前述した投資法に定める投資規制のうち、制限業種に関する規定の一部が外資参入に関する規制である。また、直接的に外資参入規制として規定されたものではないが、その内容として実質的に外資による投資に関する規制として機能するものとして、不動産譲渡制限法（Transfer of Immovable Property Restriction Law）に基づく、外資による不動産に関する一定の権利取得の禁止がある。以下それぞれについて検討する。

(1) 投資法
① 外資の実施が禁止される事業

ミャンマー内資のみが実施可能な事業類型である。当該事業類型については、ここでいう「外資」の実施が禁止されるという場合の「外資」とは何を意味するかという点が問題となる。この点、投資法では、会社法における内資・外資の区別を準用する形で定義されている。そして、会社法においては、外資（ミャンマー国民以外の自然人およびミャンマー内資会社以外の法人）が35％を超えて持分を保有する場合に限り、当該会社を「外資会社（Foreign Company）」と定義しており、外資による持分が35％以下の会社はミャンマー内資会社に分類されることになる。これらを踏まえると、投資法および会社法においては、外資保有比率が35％以下の会社は、投資法を含むあらゆる投資規制との

---

[5] 投資企業管理局（Directorate of Investment and Company Administration）のウェブサイトにおいて、制限業種のリストが公表されている（https://www.dica.gov.mm/sites/dica.gov.mm/files/document-files/20170410_eng_42.pdf 参照）。

関係でミャンマー内資会社としての取扱いを受ける（つまり、外資による実施が禁止される事業であっても、35％までであれば外資は出資することができる）という統一的な整理がなされることが志向されていたといえる。

しかしながら、2018年8月に会社法が施行されて以降の実際の運用では、会社法に定める「外資会社」に関する外資持分比率（35％）にかかわらず、各監督官庁が独自の基準を定めている例も存在する。そのため、M&Aの実施に関連して、投資対象事業に実際に適用される投資規制を検討するに際しては、個別の関連規制に基づく監督官庁の運用を確認することが必要となる場合もあることに注意しなければならない。なお、投資対象事業がこちらの類型に該当する場合には、原則としてM&A取引の結果の外資持分比率が所定の範囲に制限されることになる点に留意が必要である。

② ミャンマー内資との合弁形態でのみ実施が認められる事業

外資単独で実施することは認められず、その実施に際してはミャンマー内資との合弁形態であることが必要とされる事業類型である。この場合の「合弁形態」である、ミャンマー内資と外資による合弁会社の外資持分比率は、80％を上限とすることが定められている。そのため、投資対象事業がこちらの類型に該当する場合、原則としてM&A取引の結果の外資持分比率が80％までに制限される点に留意が必要である。

③ 関係官庁の承認が必要な事業

実施に際して関係官庁の承認の承認が必要とされる事業類型である。こちらの規制は、実施主体が内資であるか外資であるかを問わず適用されるものであるため、厳密には外国投資に関する規制ではない。ただ、監督官庁の運用において外資の参入に関して一定の規制を設けている可能性があり、事実上の外資規制として運用されうるものであることを踏まえ、外資参入規制の一つとして挙げている。なお、このような関係官庁の運用は、明文上の根拠なく独自の運用基準に基づくものが大半であることから、その実態については関係官庁に確認を行うことが不可欠となる。

投資対象事業がこちらの類型に該当する場合、M&Aの検討に際しては、そもそも外資による持分保有が可能であるのか、可能であるとして持分比率の制限はあるのか、および想定しているM&A取引の実施に際してどういった手続

が必要かといった点について確認する必要がある。

(2) 外国人による不動産に関する権利の取得についての規制

　直接的な外国投資規制として定められたものではないものの、実質的に外資参入に関する規制として機能しているものとして、不動産譲渡制限法に基づく、外資による不動産の所有権の取得および1年を超える賃貸借の禁止が挙げられる。こちらの規制により、外資が1年を超える長期間の土地利用権を確保するためには、その例外として、投資法に基づき、MIC許可またはMICによる土地利用許可（Land Rights Authorization）を受けることにより最長50年（および10年間の延長が2回まで可能）の長期リースを設定するという対応が必要となる。

　なお、不動産譲渡制限法の適用を受ける「外資」は会社法の定義とは必ずしもリンクしていない。不動産譲渡制限法の規定上は、「ミャンマー人が会社の支配権または持分の過半数を有していない会社」が適用対象となるとされている。そのため、同法を字義どおり解釈すれば、外資持分が50％未満である限りは不動産譲渡制限法の適用を受けないということになるはずである。しかしながら、2023年4月末現在、実務上このような（不動産譲渡制限法の字義に則した）解釈が採用可能かについては必ずしも明確になっていない。実務上は、少なくとも会社法に定める「外資会社」（外資持分が35％超の会社）に該当しなければ不動産譲渡制限法の制限に服さない、という扱いが確立しつつある。他方で、会社法では、不動産譲渡制限法の適用対象となる「外資」は、会社法における「外資会社」の定義に関わらず、不動産譲渡制限法の定義に従うべき（つまり、「ミャンマー人が会社の支配権または持分の過半数を有していない会社」を適用対象とすべき）ことが規定上明記されている。しかし、会社法が志向する運用はこれまでに実現しておらず、今後の課題として残っている状態にある。

3　日緬投資協定

　投資法に基づく参入規制の例外となりうるものとして、日緬投資協定（投資の相互の自由化、促進および保護に関する日本国政府とミャンマー連邦共和国政府との間の協定）の活用についても検討する[6]。

同協定には、ミャンマー政府は、ミャンマー国内において日本の投資家とミャンマーの投資家を同等に取り扱わなければならないとする、いわゆる内国民待遇に関する規定が置かれている。当該規定に基づき、内国民待遇に関して明示的な留保対象となっている事業を除き、原則として、日本企業に対してはミャンマー人およびミャンマー企業と同等の取扱いとすることが義務付けられているものと解される。したがって、留保対象外の事業については、日本企業は、前述したような投資法に基づく外資参入規制の適用を受けずに進出すること（たとえば、ミャンマー内資との合弁形態でのみ実施が認められる事業についても、日本企業による外資100％の形態で進出すること）が認められるべきであるとの主張も可能と考えられる。

このように、理論上は、日本企業は、日緬投資協定に基づく外資規制の緩和を受けうる可能性がある。他方で、同協定を活用した実際の進出事案や、同協定に基づくミャンマー政府側との議論の実例はこれまでに把握していない。そのため、実際上同協定をどのように活用するかという点については、まだ今後の実務の蓄積を待つ必要があると考えられる。ミャンマー政府側との議論も必要となるところであり、日本政府関係機関とも十分な連携を取った上での対応が期待される。

4　ミャンマー経済特区法

M&Aという文脈からはやや離れるが、ミャンマーへの新規投資という観点からは、2014年に制定されたミャンマー経済特区法（Myanmar Special Economic Zone Law）（以下「SEZ法」という。）に基づき、日本の支援を受けて開発されたティラワ経済特区への進出も検討対象となる。

SEZ法の最大の特徴は、経済特区（SEZ）においては、他の法律（たとえば、前述した投資法や不動産譲渡制限法を含む外国投資に対するさまざまな規制、輸出入や為替管理に関する規制および労働法など）に優先して適用されるため、

---

6) なお、日本政府間の合意としては、日緬投資協定に加え、2020年8月1日に日・ASEAN包括的経済連携協定の第一改正議定書が発効している。ただ、同改正議定書の内容として、少なくとも外国投資に関する規制の緩和に関しては、投資法に基づく外資規制や、日緬投資協定による外国投資への開放約束を超える規制緩和が合意されているようには見受けられない。そのため、実務的な影響は限定的なものと思われる。

新規投資の場面では、投資法等の関係規制に基づくSEZ外への進出とは別の投資ルートとして機能するという点にある。

9-5　買収のための各手法の手続および内容

　前述のとおり、ミャンマーにおけるM&Aの手法としては、①株式譲渡（既発行株式の取得）、②株式の割当て（新株の取得）および③事業譲渡の3つが考えられるところである。このうち、①および②については会社法に定める株式譲渡および新株発行の規定が問題となる。他方、③については会社法に規定はなく、譲渡対象事業に関する資産等を個別に移転していくことが必要になる。以下、順に検討する。

1　株式譲渡（既発行株式の取得）

　会社法上、株式の譲渡は、以下の手続により行われ、株主名簿に譲受人が登録されることで効力を生ずると解されている[7]。なお、会社は、株式譲渡がなされた日から21日以内に、投資企業管理局（Directorate of Investment and Company Administration）（以下「DICA」という。）の運営する電子登録システム（Myanmar Companies Online）（以下「MyCO」という。）への入力を通じて、DICAへの登録を行わなければならない（会社法86条）。

（i）譲渡人および譲受人より、以下の書面を会社へ提出。
- 株式譲渡証書（譲渡人および譲受人双方が署名し、ミャンマー印紙税法に基づき算出される印紙税額（譲渡価額の0.1％）の印紙を貼付したもの）
- 譲渡される株式に対応する株券（旧株券）
- 株式譲渡によって、外資が株式を取得することについての宣言書（譲渡人または譲受人のいずれかが署名したもの）

（ii）会社において、株券および株主名簿について以下の対応を行う。
- 旧株券を廃棄した上で、新たな株券を発行し、譲受人へ交付

7）　しかしながら、会社法に規定に沿った形で適切に株主名簿を作成している会社はきわめて少数であるのが実態である。株主名簿が未作成の場合、厳密には、会社法上有効に株式を保有する株主は存在しないことになる。

● 譲受人を株主として株主名簿に登録

　株式譲渡に関する留意点としては、対象会社が MIC 許可または MIC による Endorsement を受けている場合には、株式譲渡の実施について MIC への通知を行う必要（過半数の株式が譲渡される場合は MIC の事前承認を受ける必要）があるということが挙げられる。なお、投資法の下では、対象会社の株主であるシンガポール等の第三国の法人（第三国 SPC）の株式を譲渡する場合（間接譲渡の場合）についても、MIC への通知や MIC からの事前承認の取得が必要と規定されているが、MIC は、第三国 SPC の株式譲渡による間接的な譲渡については、投資法に基づく規制は適用されない（つまり、間接的に過半数保有者が変更される場合であっても MIC の事前承認を受けることを要しない）旨の見解を示している[8]。必ずしも投資法等の明文の規定に沿った解釈ではないものの、上記の MIC の見解に依拠する限り、過半数の株式譲渡に関しても MIC の事前承諾プロセスを省略可能という点で第三国 SPC を通じた投資スキームを採ることのメリットがあるといえる（ただし、この運用は変わりうる可能性があることに留意が必要である。）[9]。

2　株式の割当て（新株の取得）

　会社法では、定款で別途定めない限り、新株の発行（増資）は取締役会決議により実施可能である。新株発行に関する取締役会決議後、新株の引受人からの発行価額の払込を受けて、新株の発行を行う、というのが通常の手続の流れである。なお、株式譲渡の場合と同様、新株発行についても株主名簿への記載をもって株式の発行が有効となるとされていることから、新株発行と同時に、発行会社において、引受人への株式の割当てについて株主名簿へ記載する必要がある[10]。また、新株発行についても、株式発行日から21日以内に、MyCO へ

---

8) かかる見解に基づき、第三国 SPC を通じて間接的に過半数の株式が譲渡される場合に、MIC の事前承諾を得るために申請書を提出しようとしても、そもそも MIC において当該申請を受理しない運用が採られている。そのため、条文の規定内容との整合性はともかく、事実上、MIC からの事前承認を取得することができない状態にあるのが実態である。
9) MIC との関係の他、事業上の目的や税務上のメリットその他の理由から第三国 SPC を介した投資スキームの選択もありうるところである。
10) このような会社法上の要請があるにもかかわらず、適切に株主名簿を作成している会社は少数に留まる実態があるのは前述のとおりである。

の入力を通じて、DICA への登録を行わなければならない。

　新株発行時の留意点として、発行価額の支払を現金以外で行ういわゆる「現物出資」の場合に関する会社法上の規制が挙げられる。新株発行に際して現物出資を受け入れる会社は、取締役会において、現物出資対象資産の現在価値を検討の上、これが株式発行額に見合うものであることについて取締役会決議を行い、かつ、当該検討に用いた資料・根拠を保存しなければならないとされている。日本企業による M&A 取引においては、日本企業側の新株の引受が現物出資により行われるケースは多くないと思われるが、持分の希薄化を避ける観点から、ミャンマー側の既存株主により、現物出資による新株引受が併せて行われる可能性がある。その場合の現物出資に際しては、上記の規制が問題となる点、留意が必要である。

　なお、現行の会社法の下では、優先株等の種類株を用いた投資スキームの構築も可能となっている[11]。前述のとおり、投資法に定める外資参入規制の適用を受ける事業については、外資による株式保有が一定の比率までに制限される場合がある。このような事業に関する M&A においては、日本企業には優先株を新規発行して割り当てることにより、議決権や持株数に基づく外資持分比率を所定の割合以下としつつ、日本企業側で持分比率以上の配当受領権を確保するというスキームを採ることも理論上は考えられる。このようなスキームが実務上採りうるものであるかは今後関係当局との議論により確認する必要があるが、1 つのオプションとして検討に値するものであると思われる。

3　事業譲渡

　ミャンマーでは、日本法と異なり、会社法上、有機的一体としての事業の譲渡に関する、いわゆる「事業譲渡」の規定は置かれていない。そのため、事業譲渡の実施に際しては、当該事業に関する資産、契約、許認可、従業員等を個別に移転する手続が必要となる。通常、このような資産等の移転に関しては、譲渡人と譲受人との間で資産譲渡契約が締結され、個別の資産譲渡取引とし

---

11)　旧会社法でも種類株の発行を前提とした規定は置かれていたものの、発行手続や種類株の権利内容等、実際に発行するために必要な様々な規制が明確ではなく、事実上種類株の発行は不可能な状態にあった。

て、譲渡対象の事業に関する特定の資産、契約、許認可および従業員等が譲受人に移転する旨が規定される。このような資産譲渡取引の実施についての手続は会社法上特に明記されていないが、定款上特に規定がない限り、対象会社の取締役会決議により行うことが通常である。

前述のとおり、これまでのところ、ミャンマーでは合併や会社分割等の組織再編行為が実務上利用可能な形では運用されていない[12]ため、既存会社の事業を別の法人（受皿会社）が承継する場面では、受皿会社が既存会社より上記の方法で事業を譲り受けるという方法を採ることが必要になる。事業譲渡の対価は、金銭のほか、受皿会社の株式を交付することによる支払も考えられる。後者の方法を採る場合、受皿会社は、事業譲渡の対価として新株を既存会社に対して発行することになる。このケースでは、既存会社は受皿会社に対して現物出資を行うことになるため、現物出資の実施に際しての取締役会決議に係る前述の規制に留意が必要である。

なお、前述のとおり、不動産譲渡制限法により、外資会社については不動産の所有権の取得および1年を超える賃貸借の禁止という規制が適用される。そのため、受皿会社が外資会社の場合には、この規制違反とならないように留意が必要である。たとえば、既存会社が不動産を所有して譲渡対象の事業を営んでいる場合、当該不動産の所有権は既存会社に残さざるをえず、受皿会社は既存会社から当該不動産の賃借を受けて事業を実施していくことになる。

9-6　買収に関連するその他の主要な規制

ミャンマーにおける固有の問題として、ミャンマー国軍による2021年2月の政権掌握とその後の抗議活動に対する武力弾圧等を理由とする欧米からの経済制裁や国際的な批判の高まりが挙げられる。これらはM&A取引に関する法

---

[12] 裁判所の監督の下で様々な形態の組織再編手続を行うScheme of Arrangementと呼ばれる手続が会社法上明記されているが、実務上採用可能なスキームとして確立していないのが現状である。なお、ミャンマーでは2020年3月に倒産法（Insolvency Law）が施行（国際倒産に関する章を除く。）され、新たに会社再生型の倒産手続が導入された。実務運用がどのようになるかは2023年4月末現在においてもなお未知数であるが、今後は、Scheme of Arrangementが会社再生の文脈で活用されることが期待される。

的な規制という性質ではないが、ミャンマーにおいてM&A取引を行うに当たっては十分な配慮を行う必要がある論点であることから、下記**1**で2023年4月末現在の状況と留意すべき点について検討する。

また、現時点では問題となる可能性は低いものの、今後のミャンマーにおけるM&Aの取引状況や法令の運用状況によっては取引の実行に当たって詳細な検討が必要になりうるものとして競争法および証券取引法がある。これらの概要について下記**2**および**3**で検討する。

1 ミャンマーに対する経済制裁

(1) 米国・英国およびEUによる経済制裁

米国によるミャンマーに対する経済制裁は、1997年以降、米国財務省外国資産管理局（The Office of Foreign Assets Control of the U.S. Department of the Treasury）が管理する制裁対象者の一覧であるSDNリスト（Specially Designated Nationals and Blocked Persons List）掲載者に対する一連の経済制裁が長らく存在していたが、民主化の進展を受けて2012年以降徐々に緩和がなされ、2016年には全面的に解除された。しかし、2021年2月の政変を受けて、2021年3月以降、ミン・アン・フライン国軍最高司令官およびその家族並びにこれらの者の関係企業をSDNリストに追加したことを皮切りに、ミャンマー国軍関係者とその関係企業を中心に、徐々に制裁対象となる個人および法人の範囲を拡大してきている。2023年4月末までにSDNリストに掲載された個人および法人は多数にのぼり、U.S. personが、これらの個人または法人と取引を行うことが禁止されている。

英国によるミャンマーに対する経済制裁は、2018年制裁および資金洗浄防止法（The Sanctions and Anti-Money Laundering Act 2018）およびその下位規則に基づき、制裁対象者として指定された者に対する、資産凍結措置と渡航禁止措置（制裁対象者が個人の場合）という形で定められている。なお、資産凍結措置は、制裁対象者の資金移動や、制裁対象者に対する物品販売やサービス提供を含む非常に幅広いものとして定義されているため、制裁対象者との取引は幅広く禁止されることになる。英国は、2021年2月の政変を受けて、米国とほぼ足並みを揃える形で制裁対象者の範囲を徐々に拡大してきている。

第 9 章　ミャンマー

　EU によるミャンマーに対する経済制裁は、さまざまな法的根拠に基づいて行われてきたが、2013年以降は、徐々に緩和が進められ、ミャンマー国内で使用される武器および兵器等の提供の禁止（いわゆる武器禁輸措置）のみが定められていた。しかし、EU も、2021年2月の政変を受けて、2021年3月、武器禁輸措置に加え、制裁対象者として別途指定する者に対する資産凍結措置と渡航禁止措置（制裁対象者が個人の場合）を課すことを公表した。資産凍結措置が制裁対象者との取引一般を広く禁じるものである点は上記の英国による経済制裁と同じであり、EU についても、2021年3月以降、2023年4月末までに徐々に制裁対象者の範囲を拡大してきている。

　なお、米国の経済制裁措置の名宛人となっている「U.S. person」は「米国民、永住者、米国法に基づいて設立された法人または米国在住の自然人」と定義されている。そのため、日本企業が主体となって行う M&A は、米国制裁の対象者（SDN リストに掲載された個人または法人）が取引に関与したとしても、制度上、当該日本企業が直接米国制裁の対象となる可能性は高くないと考えられる。ただ、米ドル送金の実施に際しては、「U.S. person」に該当する米国銀行がコルレス銀行として関与することが一般的であるところ、制裁対象者が関与する取引においては、米国銀行から米ドル送金の取扱いが拒絶されることが通常である[13]。このように取引の決済通貨として米ドルを使用することに極めて大きな困難が伴う結果、制裁対象者が関与する取引は事実上極めて困難となっている実態がある。また、取引の決済に関する上記のような問題が解決できた場合でも、制裁対象者が関与する取引を行うことについてのレピュテーションリスクの問題が残る点には留意が必要である。

　英国および EU の制裁の人的適用範囲は基本的に同じであり、①英国／EU 加盟国の国籍を有する自然人、②英国／EU 加盟国の法律に基づいて設立された法人、および③事業の全部または一部が英国領内／EU 領内で行われた事業について当該事業を行った法人と規定されている。そのため、英国および EU

---

[13]　米国制裁上明文で禁じられている制裁対象者を直接の送金先とする取引だけでなく、当該取引に制裁対象者の一定の関与があるにとどまる場合（たとえば、送金先の取締役に制裁対象者が含まれる場合などが考えられる。）、制度上は必ずしも米国銀行による取引が禁じられるわけではないのにもかかわらず、米国銀行が送金の取扱いを拒絶するケースが頻繁にみられる。

の制裁についても、日本企業が主体になって行うミャンマーでのM&A取引が対象となる可能性は低いといえる。英国およびEUの制裁については、米国制裁と比較して、法的に決済に支障が及ぶ事態は多くないとも考えられるが、金融機関の自主的な判断の結果、決済に事実上の支障が生じることはあり得る。また、制裁対象者が関与する取引の場合、その実施に関するレピュテーションリスクがあり得る点は同様に留意する必要がある。

(2) M&A取引との関係で留意すべき点

米国・英国およびEUによる経済制裁との関係において、ミャンマーでの日本企業によるM&A取引の場面で、日本企業が適用対象となる可能性は低いと考えられることは前述のとおりである。そのため、これらの経済制裁に基づき、日本企業が何らかの法的責任を問われることは通常想定し難いように思われる。

ただ、法的責任とは別の論点として、ミャンマーにおけるM&A取引の実施に起因して、当該企業の国際的なレピュテーションや米国・英国・EU等でのビジネスに与える影響についても検討することが望ましい。この点については事案ごとの判断とならざるをえないが、当該取引の内容、取引相手方、対象会社の性質、当該企業の業種や国際的な展開・活動状況、他の企業の対応状況などを総合的に検討するべきである。2023年4月末現在、欧米諸国の制裁対象者との取引は、当然に厳しい批判の対象となることは避けられない情勢にある。それだけでなく、ミャンマー国軍に利益が及ぶ可能性のある取引については、その可能性が間接的なものに留まる場合であっても国際的な批判の対象となる可能性が十分にあり得ることは特に留意が必要である。

2　競争法

ミャンマーの競争法は、2015年に成立し、2017年2月より施行された。主たる規定のうち、M&A取引との関係で問題となる可能性のあるものとして企業間結合規制が定められている。

競争法の企業間結合規制において規制対象となる「企業間結合」には、①合併、②事業の組織的な統合、③事業譲渡、④合弁、および⑤その他競争委員会

が別途指定する形式の結合が該当すると定められている。これらの「企業間結合」は、質的基準および量的基準に基づく規制に服し、これらの基準を超える場合、企業結合後の事業が中小企業の規模に留まる場合や、当該企業結合が輸出振興等に有益な効果がある場合等、一定の例外を除き当該取引の実施は禁止される。このうち、量的基準については、市場シェアの具体的数値について競争委員会が別途定めることになっているものの、2023年4月末時点で未制定の状態にある。また、企業間結合規制に関する事前届出手続についても特に規定は置かれていない。このような状況であるため、2023年4月末時点では競争法に基づく企業間結合規制は実際の運用がなされていない状態にある。2017年2月の競争法施行以降、競争委員会による運用が活発に行われた時期も一定期間あったものの、2021年2月の国家緊急事態宣言の発出とその後の政治的な混乱もあり、2023年4月末現在、量的基準の具体的内容を含む細則の整備に関して特段の進捗は見られない状態が続いている。

3　証券取引法

　ミャンマーの証券取引法は、上場会社株式の売買や、株式を含む有価証券の公衆に対する募集に関する規制を定めるものとして2013年に制定された。M&A取引との関係では、公開会社または上場会社の買収の場面で問題となりうる。ヤンゴン証券取引所は、2016年3月に開設され、2023年4月末時点において7社が上場している。従前、ヤンゴン証券取引所における外資会社、外国人による株式の取得は禁止されてきたが、2020年3月に解禁され、各上場会社が外資規制や資本政策に基づいて決定する割合まで取得することが認められている。今後、ヤンゴン証券取引所へ上場する会社がどこまで増えるかという点も関わってくるところではあるが、将来的には上場会社に対するM&Aが行われ、証券取引法の規定が問題となる可能性はあるように思われる。なお、現在の証券取引法上、公開買付けに関する規定は置かれていない。

|COLUMN|　ミャンマー中央銀行（Central Bank of Myanmar）による外国為替取引規制（2023年4月末現在の状況）

　2021年2月の政変以降、ミャンマーへの外国直接投資がほぼ全面的に停止したことにより、ミャンマー国内における外貨不足が急激に進行した。ミャンマー

中央銀行（Central Bank of Myanmar）（以下「CBM」という）は、外貨不足の進行とそれに伴う現地通貨の急落への対応として、2021年8月以降、管理相場制の導入等の様々な施策を打ち出してきた。その一環として、2022年4月3日には、Notification第12/2022号において、①銀行口座に保有されている外貨の現地通貨への強制兌換（「強制兌換措置」）、および②外貨の国外送金の事前承認（「国外送金規制」）といった措置を公表した。これらに加え、CBMは、③ミャンマー国内における外貨送金取引も原則として禁止する（「国内送金規制」）旨を明らかにしており、結果として、ミャンマーの内外を問わず、外貨建ての送金取引は極めて制限されている状態にある。

　これらの外国為替取引に関するCBMによる施策は、M&A取引を規制することを意図して導入されたものではないが、ミャンマーでの事業実施やミャンマーへの新規投資に甚大な影響が及ぶものであるため、概要を紹介する。なお、下記の情報は2023年4月末の状況に基づくものである。CBMにより頻繁にその内容の変更が行われてきた過去の経緯に照らし、それ以降の変更があり得る点は留意されたい。

(1) 強制兌換措置

　ミャンマーの国内事業者が現地の外貨取扱銀行の口座に有する外貨については、所定の期間内に、CBMの定める参照レートにより、ミャンマーチャットへ強制的に転換される。このような強制兌換措置には一定の例外が認められている[14]ものの、例外に該当しない事業者においては、その意向にかかわらず保有外貨が強制的にミャンマーチャットに転換されてしまうという事態が実際に生じている。当該措置の例外となる事業者の範囲も頻繁に変更されている状況にあり、現地口座での外貨保有という事業遂行上きわめて重要な基本的な前提に懸念が生じている状態にある。

---

14)　【強制兌換措置の主な例外】

MIC許可を受けている企業、ティラワSEZ管理委員会より投資認可を受けている企業、外資持分が35％超の企業（「免除事業者」）	保有外貨全額が対象外
輸出業者	輸出代金として受領した外貨のうち35％が対象外（受領から30日間に限る）
免除事業者または輸出業者から外貨を受領した者	受領した外貨全額が対象外（受領から30日間に限る）

(2) 国外送金規制および国内送金規制

　ミャンマーから国外への送金については、その目的や性質、金額の多寡を問わず、その実施に際して外国為替監督委員会（Foreign Exchange Supervisory Committee）（以下「FESC」という）の事前承認を受ける必要がある。現地の銀行関係者によれば、当局の実務運用もある程度固まっており、特に大きな金額の送金を除き、FESCによる事前承認は一定数出されているようである。他方、送金額が大きい場合には事前承認が得られるかどうかが依然として不透明であり、輸入取引などの外貨送金が絡む取引や、国外の株主への配当の支払などに関する大きな障害になっている実態がある。

　また、ミャンマー国内における外貨建てでの銀行送金は原則として禁止される。公表されている関係資料上は特に明記されていないものの、CBMまたはFESCの事前承認を得た上であれば実施可能であると思われる。ただ、この点が明確にされていないこともあり、ミャンマー国内での外貨建て決済がワークするのかどうかが不透明な状態にある。

第10章　バングラデシュ

10-1　総　論

　バングラデシュは、2008年以降、縫製業および関連産業の進出が相次いでいたが、約1億7,000万の人口を擁し、人口増加率も高い消費者市場として、近時も引き続き内需関連企業の進出も増加傾向にある。バングラデシュに進出している日本企業は、2021年12月時点で324社[1]であり、周辺国に比べて決して多いとはいえないが、進出企業数は増加傾向にある。2020年には、新型コロナウイルスの影響もあり対内直接投資額が大幅に落ち込んだものの、2021年の対内直接投資額は新型コロナウイルスの流行前と同水準に回復している。安価で豊富な労働力と、潜在的な消費者市場としての魅力を背景に、今後も、進出企業の増加が見込まれる。

　日本企業がバングラデシュに進出する際には、製造業であればインフラの整備された工場用地の確保や原材料・部品の現地調達などが課題となり、内需関連企業の場合には、バングラデシュにおけるビジネス環境を踏まえた販売網の確保などが課題となることが多い。日本企業によるバングラデシュ進出に当たっては、外資規制上、独資による子会社設立が可能な事業分野も多いが、これらの課題を踏まえ、すでにインフラが比較的整備された工場を有している、または一定の販売網を有している現地パートナーとの合弁や、バングラデシュ企業の買収（M&A）も有力な選択肢となりうる。

　なお、日系企業によるバングラデシュにおける近年の著名な買収事例とし

---

[1]　日本貿易振興機構（JETRO）ダッカ事務所調べ。

て、2018年には、日本たばこ産業株式会社（JT）が現地市場シェア２位のアキジグループのたばこ事業を1,243億タカ（当時約1630億円）で買収した事例がある。

10-2　M&Aの手法および関連する法令・ルールの概観

　バングラデシュ企業を対象とするM&Aの手法としては、既発行株式の譲受けまたは新株発行（後記10-5の１および２参照）、事業譲渡（後記10-5の３参照）、ならびに、合併等の組織再編（後記10-5の４参照）が挙げられる。ただし、後述するように、外国企業は合併等の組織再編の直接の当事者となることはできないため、外国企業がM&Aを行う場合には、既発行株式の譲受け、新株発行または事業譲渡を用いることが多い。

　これらのM&Aを検討するに当たり、最も基本的な法律は会社法（Companies Act, 1994）[2]であり、同法においては、株主総会および取締役会の権限といった会社運営の基本的事項のほか、株式譲渡、新株発行や組織再編等に必要な手続等が定められている。

　また、上場会社の株式の取得については、バングラデシュ証券取引委員会（Bangladesh Securities and Exchange Commission）の定める各種規則に従う必要があるほか、証券取引所が定める上場規則[3]に従う必要がある。

　さらに、外国企業である日本企業がバングラデシュ企業の株式を取得するためには、バングラデシュ外国為替管理法（Foreign Exchange Regulation Act, 1947）および同法に基づき制定される諸規則に従う必要がある。これらの規則の内容は、バングラデシュ銀行が発行する外国為替取引ガイドライン（Guidelines for Foreign Exchange Transactions）にまとめられている。

---

2)　なお、バングラデシュは、英国のコモンローの法体系を採用しており、バングラデシュ会社法には、インド会社法と類似の規定も多い。
3)　ダッカ証券取引所上場規則（Dhaka Stock Exchange (Listing) Regulations, 2015）、チッタゴン証券取引所上場規則（Chittagong Stock Exchange (Listing) Regulations, 2015）その他諸規則に従う必要がある。なお、これらの上場規則は、従前の上場規則に、新規上場・再上場申請や上場廃止などの上場に関する諸手続のほか、上場会社が遵守すべき一定のコンプライアンスルール（計算書類の監査、株主総会の方法、継続開示・適時開示義務等）を具体的に規定するなどの変更を行い、2015年に新たに制定されたものである。

このほか、対象会社が輸出加工区内の企業である場合には、バングラデシュ輸出加工区庁法（Bangladesh Export Processing Zones Authorities Act, 1980）、バングラデシュ私有輸出加工区法（Bangladesh Private Export Processing Zones Act, 1996）およびバングラデシュ輸出加工区庁（BEPZA）が定める各種規則・ガイドラインに従うことが必要となる[4]。

以上に加え、バングラデシュ企業に対する投資の際に必要な許認可に関連して、ワンストップ・サービス法（One-stop Service Act, 2018）の施行に基づき、バングラデシュ投資開発庁（Bangladesh Investment Development Authority）、バングラデシュ経済区庁（Bangladesh Economic Zones Authority）、バングラデシュ輸出加工区庁およびバングラデシュ先端技術区庁（Bangladesh Hi-Tech Park Authority）がそれぞれの所管における許認可の申請を集約している。投資家は、所管行政庁に対して許認可の申請および必要書類の提出を一括して行うことで、必要な許認可を取得することができる。

なお、バングラデシュは、そもそも法令等の内容が明確でない場合も多いため、実際の案件の遂行に当たっては、関連する政府当局に解釈を確認する必要が生じることも多い。

|COLUMN| バングラデシュ経済区法

　バングラデシュに進出する日本企業は、これまで、比較的インフラが整備され、投資環境も整備された輸出加工区（EPZ）内に進出するケースが多かったが、ダッカ、チッタゴン近郊の輸出加工区には、近年輸出加工区に空きがない状態が続いている。かかる状況を踏まえ、バングラデシュでは、経済区（economic zone（EZ））および特別経済区（special economic zone（SEZ））の設置が進められている。

　EZおよびSEZに関する基本法であるバングラデシュ経済区法（Bangladesh Economic Zones Act, 2010）によれば、EZおよびSEZは、輸出加工区のように輸出のみを目的とするものではなく、国内向け製品の製造等にも用いることができる。また、EZおよびSEZ内の企業には特恵関税の適用、輸出加工区と同等の財政上の優遇措置、税法・外国為替法その他の適用除外などの恩典が付与されるとされている[5]。バングラデシュ経済特区庁（Bangladesh Economic Zones

---

4) 輸出加工区内に進出する企業には、一部関税の免除、特恵関税の適用、配当に対する課税の免除、送金規制の緩和等の優遇措置が設けられている。

Authority）主導の下、同法に基づき97のEZが設置されており、2022年12月には、国際協力機構（JICA）との共同事業として、日本向け経済区（Japanese EZ）がナラヤンガンジ県アライハザール地区で操業を開始した。また、SEZとしてはサブラング観光特別経済区（Sabrang Tourism SEZ）、モングラ特別経済区（Mongla SEZ）、ダッカ特別経済区（Dhaka SEZ）等が存在する。EZおよびSEZの設置が進み工場用地の不足等が解消されれば、日本企業を含む外資系企業のさらなる進出にも寄与すると思われる。

10-3　会社の種類とガバナンス

1　会社法における会社の種類

　会社法において、会社の種類は株主の責任に応じて大きく有限責任会社（limited company）および無限責任会社（unlimited company）の2種類に分けられる。有限責任会社は、株式有限責任会社（company limited by shares）と保証有限責任会社（company limited by guarantee）に分けられ、さらに株式有限責任会社は、非公開会社（private limited company）、公開会社（public limited company）および2020年の会社法改正により導入された一人会社（one person company）に分けられる。非公開会社とは、附属定款（Articles of Association）上、①株式譲渡制限の定め、②株主数を2名から50名以下に限る旨の定め（ただし従業員を除く）、および③株式または社債の引受公募を禁ずる旨の定めがある会社をいい、公開会社とは、非公開会社に該当しない会社（すなわち、附属定款において、上記①ないし③の定めのうちいずれか1つでも欠けている場合の会社）をいう（会社法2条(1)項(q)・(r)等）。公開会社は、7名以上の株主が必要となる（同法5条）ほか、商号の末尾に「PLC」と表記する必要がある（同法11条）。なお、上記の定義に従うと、証券取引所に上場している上場会社は必然的に公開会社であることになる。また、一人会社とは、自然人1名を株主とする会社をいい（同法2項(1)(b)(b)）、商号の末尾に「OPC」と表記される（同法11条）。非公開会

5）　現時点ではSEZ固有の恩典に係るガイドラインは策定されていないため、EZおよびSEZ内の企業に対する恩典の内容は同様である。

社においては、払込資本金の額に関する制限はないのに対し、一人会社においては、払込資本金の額は250万タカから500万タカとする必要がある（同法392条）。以上をまとめると、【図表10-1】のようになる。

また、かつては、証券取引委員会通達に基づき、外国資本会社（foreign owned companies）および外国投資を受けている合弁会社（joint venture companies with foreign investment）を除く非公開会社においてその払込資本金が4億タカを超えた場合、6カ月以内に公開会社に転換をする義務が存在した[6]ものの、証券取引委員会が上記に代わる新たな通達を発出したことにより、現在はかかる義務はなくなっている[7]。

以下では、バングラデシュにおけるM&Aを検討する際に、前提としておさえておくべき公開会社および非公開会社[8]のコーポレートガバナンスの概要について触れることとする。最後に上場会社特有のガバナンスについても簡単に解説する。

【図表10-1】会社の種類

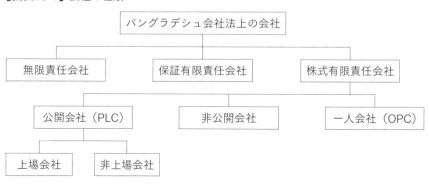

---

6) Securities and Exchange Commission, Notification dated 5 May 2010（SEC/CMRRCD/2006-159/36/Admin/03-44）およびSecurities and Exchange Commission, Notification dated 11 June 2015（SEC/CMRRCD/2009-193/170/Admin/60）による。
7) Securities and Exchange Commission, Notification dated 20 June 2019（SEC/CMRRCD/2009-193/224/Admin/95）による。
8) 公開会社および非公開会社のほか、2020年会社法改正により、株式有限責任会社（company limited by shares）の一種として一人会社が導入されているが、上記のとおり株主が自然人であることが必要であることを踏まえると、日本企業のバングラデシュにおけるM&Aに際しては、引き続き公開会社または非公開会社を利用することが原則になると思われる。

2　ガバナンス

(1)　株主総会

　株主総会の種類は、定時株主総会と臨時株主総会があり[9]、定時株主総会は、会社設立後18カ月以内に開催され[10]、その後は暦年ごとに最低1度、かつ前回開催時から15カ月以内に開催しなければならない（会社法81条）[11][12]。

　株主総会の招集は、原則として取締役会が決定する。また、10％以上の株式を有する株主にも少数株主権として臨時株主総会の招集請求権が認められている（会社法85条(2)項(a)）。

　株主総会の招集通知は、定時株主総会および臨時株主総会のいずれについても開催日の21日前までに行う必要がある（会社法85条(1)項(a)・(b)）。ただし、①定時株主総会については当該株主総会で議決権を行使できる株主全員の書面による同意がある場合、②定時株主総会以外の株主総会については、総株主の議決権の95％以上の議決権を有する株主の書面による同意がある場合には、招集通知の期間を短縮して株主総会を開催することが可能である（同項(a)(i)・(ii)）。

　株主総会決議の定足数は、定款で別段の定めを置かない限り、株主数6名以下の非公開会社においては2名、株主数7名以上の非公開会社においては3名、その他の会社については5名となる（会社法85条(2)項）。加えて、定時株主総会以外の株主総会においては、総株主の4分の3以上の出席が必要とされている（同法87条(1)項）。

　会社法における株主総会の決議要件は、普通決議（ordinary resolution）、特別決議（extraordinary resolution）および特殊決議（special resolution）の3種類がある。

　普通決議は、出席株主の議決権の過半数の賛成が得られた場合に成立する。

---

9) 公開会社においてはこのほかに、事業開始から1カ月経過後かつ6カ月以内に開催される法定株主総会（statutory meeting）がある（会社法83条）。
10) 当該期間内に第1回の定時株主総会を開催する場合には、会社の設立日の属する年およびその翌年に定時株主総会を別途開催する必要はない（会社法81条(1)項）。
11) なお、上場会社の場合には、基準日または株主名簿の閉鎖日から45営業日以内に定時株主総会を開催しなければならない（ダッカ証券取引所上場規則24条(1)項、チッタゴン証券取引所上場規則24条(1)項）。
12) 定時株主総会においては、5％以上の株式を有する株主に議案提案権が認められている（会社法85条(1)項(h)）。

特別決議および特殊決議は、出席株主の議決権の4分の3以上の賛成が得られた場合に成立する[13]。

株主総会の決議は、挙手の方式によることが原則とされるが、要請がある場合には投票形式により行われる（会社法87条(5)項）。なお、議決権の計算方法については、通常、附属定款において定められるが、実務上は、附属定款において、出席株主の頭数によって議決権を計算する旨が規定されることが多い。

株主総会における主な決議事項および決議要件は、【図表10-2】のとおりである。

【図表10-2】主な株主総会決議事項

普通決議事項	取締役の選任（会社法106条）、監査役の選任（同法210条）等
特別決議事項	株主である取締役（shareholder director）の解任（会社法106条）、債務超過による事業継続の停止の決定（同法286条）、会社清算に伴う債権者と会社の間の合意事項の決定（同法311条）、裁判所の監督のもとでの任意解散（同法316条）、任意解散の場合の債権者への弁済または債権者との和解等の承認（同法330条）等
特殊決議事項	商号の変更（会社法11条）、基本定款上の事業目的の変更（同法12条）、附属定款の変更（同法20条）、資本金の減少（同法59条）、未払分の資本金について払込みを受けない旨の決定（同法74条）、取締役の責任の無限化（同法76条）、経営代理人（managing agent）[注]に対する報酬に関する選任書類に規定された内容以外の報酬の決定（同法119条）、政府指定の検査役（inspector）による検査の実施（同法197条）、検査役の選任（同法207条）、監査役の解任（同法210条）、公開会社から非公開会社への組織変更（同法232条）、裁判所による解散（同法241条）、任意解散（同法286条）等

（注）経営代理人とは、原則として取締役の指揮命令の下、会社との契約により会社の事業運営等を行う者をいう（会社法2条(1)項(1)）。

---

[13] 2020年会社法改正前は、招集通知の発出時期について、特別決議の場合には開催日の14日前まで、特殊決議の場合には開催日の21日前までとされている点で、両者の間には差異があったものの、同改正により、いずれも21日前までの招集通知が必要となった。したがって、現行会社法上、特別決議および特殊決議は概念としては区別されているものの、両者の間の手続上の差異はなくなっていると考えられる。

(2) 取締役

取締役の数は、原則として2名以上とする必要があるが、公開会社またはその子会社については3名以上とする必要がある（会社法90条(1)項・(2)項）。マネージング・ディレクター[14]（managing director）の任期は最長5年で、再選が可能である（同法110条）。なお、公開会社の取締役については、少なくともその3分の1はローテーションにより退任する必要がある（同法91条(2)項）。各取締役は、少なくとも会社の株式を1株保有する必要があるが（同法97条）、株主の nominee として選任された取締役については、かかる株式を保有する必要はないと解されている。なお、取締役について国籍要件または居住要件は定められていない。

取締役の選任は株主総会普通決議事項であり、株主である取締役（shareholder director）の解任は特別決議事項とされている。

また、公開会社または公開会社の子会社のマネージング・ディレクターは、他の会社のマネージング・ディレクターまたは支配人を兼任できないとされている（会社法109条）。

(3) 取締役会

取締役会は、3カ月に1度、かつ年に4回以上開催する必要がある（会社法96条）。取締役会の決議要件、開催場所等について会社法は明文の定めを置いていないが、附属定款に規定することにより、ビデオ会議または電話会議による実施も可能と解されている。

(4) 監査役

会社法に基づき、すべての会社は監査役（auditor）の設置が義務づけられており、監査役の任期は1年である（会社法210条(1)項）。監査役は基本的に会計監査権限を有するものであり、よって日本の会社法における会計監査人に性格の近い機関といえる。監査役は、金融報告委員会に登録されたバングラデシュの勅許会計士（chartered accountant）または会計事務所であることが必要とされ

---

[14] マネージング・ディレクターとは、会社の重要な業務執行権限を有する取締役をいう（会社法2条(1)項(m)）。

ている（同法212条(1)項）。監査役の選任は株主総会の普通決議事項であり、解任は株主総会の特殊決議事項とされている（同法210条）。

(5) 秘書役

バングラデシュでは日本にはない機関として秘書役がある。非上場会社の場合には、秘書役の設置は任意であるが、秘書役協会登録者、勅許会計士など一定の要件を満たす者であることが必要である。秘書役の主な業務は、株主総会、取締役会等の各種議事録の作成、管理、株主名簿等の管理、その他総務・法務に関する事項について管理することである。

(6) 上場会社特有のガバナンス

バングラデシュの証券取引所に株式を上場している会社は、証券取引委員会が、投資家の利益を保護し、健全な資本市場を維持するために定めたコーポレート・ガバナンス・ガイドライン（Securities and Exchange Commission, Notification dated 3 June 2018（SEC/CMRRCD/2006-158/207/Admin/80）：以下「ガイドライン」という）を遵守する必要がある。以下、特徴的な規定について概説する。

① 取締役会

上場会社の取締役会は、5名以上20名以内の取締役により構成されなければならず（ガイドライン1(1)）、取締役会を構成する取締役のうち、少なくとも5分の1は独立取締役（independent director）[15]でなければならない（同1(2)(a)）。独立取締役の任期は3年で、1度に限り任期を延長することができる（同1(2)(e)）。但し、かかる延長された任期の満了後、1任期（3年間）以上の期間を空ければ同一の者を再度独立取締役に任命することも可能である（同号）。

また、取締役会の議長、最高経営責任者およびマネージング・ディレクターは別の取締役がそれぞれ行わなければならない（ガイドライン1(4)(a)）。

② 最高財務責任者、経営取締役、内部監査人、秘書役

上場会社は、最高経営責任者またはマネージング・ディレクター、最高財務責任者、内部監査人および秘書役をそれぞれ選任することが必要とされる（ガイドライン3）。これらの者の職務内容、責任および義務は、取締役会により定

③ 監査委員会

　上場会社は、取締役会の下部組織（sub-committee）として少なくとも3名の取締役により構成される監査委員会を設置する必要がある（ガイドライン5(2)(a)）。監査委員会は、取締役会が財務諸表の正確性および公正性を担保し、良好な経営監視体制を整えることを補佐することとされ、その職務内容の詳細は取締役会により定められる（同5(5)）。なお、監査委員会の委員のうち少なくとも1名は独立取締役でなければならないとされているほか（同5(2)(b)）、すべての委員が財務知識（financially literate）を有し、委員のうち少なくとも1名は会計または財務管理の経験を10年以上有する者であることが必要とされる（同5(2)(c)）。また、取締役会は監査委員会の議長を1名、独立取締役から選任する必要がある（同5(3)）。

　監査委員会は、一義的には取締役会に対して報告義務を負うが（ガイドライン5(6)(a)）、会社の財務状況および事業の結果に重大な影響を与える事項について取締役会に報告し、是正を求めたにもかかわらず不合理に拒絶された場合には、当該事項を証券取引委員会に報告するものとされている（同5(6)(b)）。

15）　独立取締役の要件としては、当該会社の発行済株式総数の1％以上を保有していないこと、スポンサー（sponsor）でないこと、またはスポンサー、取締役もしくは発行済株式総数の1％以上を保有する当該会社、兄弟会社、子会社もしくは親会社の株主との間で親族関係その他の家族関係にないこと、直近2事業年度において当該会社の役員（executive）ではなかったこと、会社またはその関連子会社との間に金銭上の関係（pecuniary relationship）であるか否かを問わずその他何らの関係もないこと、証券取引所の構成員（member）、取締役または役員（officer）等でないこと、証券取引所の構成員もしくはTREC（Trading Right Entitlement Certificate）保有者または資本市場における仲介業者の株主または取締役（独立取締役等を除く）ではないこと、現在または過去3年間に当該会社の内部監査業務に従事した法定監査人、特別監査を実施した監査法人もしくはガイドラインの遵守状況について認証を行った専門家のパートナーまたは役員（executive）でないこと、5社以上の他の上場会社の独立取締役を兼任していないことおよび一定の前科による欠格事由等が定められているほか（ガイドライン1(2)）、会社経営、専門的職務について少なくとも10年間の経験を有し、当該会社による財務、規制および会社関係法令等への適合性を確保することができ、事業に重大な貢献ができる知識のある個人であること等が必要とされる（同1(3)(a)〜(d)）。従前のガイドラインでは、かかる職務経験の詳細は規定されていなかったが、改正後のガイドラインでは、かかる職務経験の具体的内容が明記されている。

10-4　外資規制の概要

1　出資比率等の規制

　バングラデシュにおいては、以下に記載する一定の禁止業種および規制業種に対する規制を除いて、外国企業による直接投資に関して出資比率等の規制はない（外国為替取引ガイドライン第9章 Section 1 の 1）。

　まず、禁止業種（reserved industries）といわれる一定の業種（武器・弾薬等の軍事産業、原子力、有価証券の印刷および造幣、森林保護区における植林および伐採に関連する産業等）に関しては、国防その他の理由により、外国企業による直接投資は出資比率を問わず禁止されている。

　また、国家の安全や資源の安定的な確保および供給、経済・文化への影響等を理由として、金融業、保険業、電力事業、通信事業、海運業、物流業、大規模インフラ事業といった一定の業種[16]（規制業種（controlled industries））に関しては、政府当局の事前承認や出資比率の制限といった規制が業種ごとに定められることになっている。たとえば、保険業に関しては、一定の条件の下で外資の出資比率が60％までとされているほか、海運・物流業に関しては、外国企業の出資比率は40％までとされている。また、通信事業については、バングラデシュ通信規制委員会（Bangladesh Telecommunication Regulatory Commission）が Telecommunication Act に基づいて発行したガイドライン（Regulatory and Licensing Guidelines for Nationwide Telecommunication Transmission Network）によれば、全国通信ネットワーク・オペレーター事業（Nationwide Telecommunication Transmission Network（NTTN）Operator Business）を営む法人に対する外国企業の出資比率は最大で60％とされている。他方で、2020年6月に国家デジタルコ

---

[16]　深海での漁業、金融業、保険業、電力事業、天然ガス・石油・石炭その他の鉱物資源の採掘・供給事業、大規模なインフラ事業（高架・高速道路、モノレール、経済区域、内国輸送・倉庫に関連する事業等）、原油の精製（潤滑油のリサイクル・精製）、天然ガスその他の鉱物資源を使用する中規模および大規模な工業、通信事業（携帯電話、固定電話）、衛星サービス、航空輸送業、海運業、港湾業、VOIP/IP 電話サービス、沿岸部で採取される重金属を使用する工業が挙げられる。

マース指針が公布され、いわゆるイーコマース事業についてローカル企業との合弁事業を行うに際しての外資規制が撤廃されたといった最近の動きもある。

2　株式譲渡および新株発行における非居住者に対する規制

前記1で述べた出資比率等に関する規制のほか、バングラデシュ非居住者[17]に対して新株発行を行う場合には、商業登記所（Register of Joint Stock Companies and Firms）が当該新株発行を承認した日（後記10-5の2参照）から14日以内に、認可銀行（authorised dealer）を通じてバングラデシュ銀行本社外国為替投資部（Foreign Exchange Investment Department, Bangladesh Bank, Head Office）に対して所定の事項を通知する必要がある（外国為替取引ガイドライン第9章 Section 1 の 2 .(A)）。なお、対価として外貨を払い込む場合には、株式の発行前に当該外貨をタカに換金しなければならない。

バングラデシュ非居住者が、当事者の一方または双方となる非上場会社の株式譲渡の場合も、商業登記所が、当該株式譲渡を承認した日（後記10-5の1参照）から14日以内に、認可銀行を通じてバングラデシュ銀行本社外国為替投資部に対して所定の事項を通知する必要がある（外国為替取引ガイドライン第9章 Section 1 の 2 .(B)）。

バングラデシュ非居住者がその保有する株式を売却する場合、上場株式の場合には、当該株式の市場株価を超えない範囲であれば、売買代金の海外送金について、バングラデシュ銀行の事前承認は不要とされる。他方、非上場会社株式を売却する場合、売買代金の海外送金にはバングラデシュ銀行の事前承認が必要となる（外国為替取引ガイドライン第9章 Section 1 の 3）。かかる場合、純資産価格を超える金額の海外送金は原則として認められない。

3　その他の問題点

前記1記載のとおり、バングラデシュにおいては、他のアジア諸国と比べ、比較的緩やかな外資規制が採られているといえるが、その一方で、従前、外国企業の進出によるバングラデシュ国内産業への影響を懸念する国内の民間団体

---

[17] 非居住者には、自然人だけではなく、非住居者に支配・保有されている企業、社団、支店、駐在事務所等も含まれる。

等から、外国企業の進出に対して抵抗する動きも見られていた。

　たとえば、2012年には民間団体から外資規制に対する当局の適正な対応を求める訴訟が提起され、同年9月に、裁判所から商業登記所に対して、海運業や不動産業等の一定の業種に関し、登記の承認を差し止める旨の命令がなされた（なお、当該命令はその後裁判所への不服申し立てにより取り消された）。また、一定の業種においては、輸出加工区外において保税ライセンスを取得するために必要な書類が所属する民間団体から速やかに取得できないといった実務上の問題も報告されていた[18]。

　もっとも、近年はかかる外国企業の参入に対する反対の動きは弱まっており、バングラデシュ政府も、外国企業に対する差別や別異取扱いを撤廃するための施策を打ち出すなど、外国企業の進出受け入れに積極的な姿勢を見せている。

10-5　M&Aの手法と関連する規制

1　株主間での株式の譲渡による買収

(1)　概　　要

　バングラデシュの会社の株式を譲渡により取得するためには、非公開会社であれば対象会社の取締役会決議により当該譲渡の承認決議を得る必要がある。そのうえで、譲渡承認に必要な取締役会議事録、株式譲渡証書（instrument of transfer of shares）、譲渡対価全額の支払いを証する書面、印紙税の支払いを証する書面等を商業登記所に提出し、商業登記所の承認を得る必要がある。

　対象会社の株主名簿への登録は、譲渡人または譲受人のいずれかが、会社に対して、譲渡人および譲受人双方により署名され、適式に印紙税（譲渡価額の1.5％相当額が課税される）が貼付された株式譲渡証書とともに申請することによって行われる（会社法38条(1)項・(3)項）。

---

18)　たとえば、衣服製造業においては、保税ライセンスの取得のために、業界団体であるバングラデシュ縫製品製造業・輸出業協会（Bangladesh Garment Manufacturers an d Exporters Association）に加入し、同協会からライセンスの届出に必要な書類を取得する必要があるが、当該団体への加入自体が遅滞しており、結果として事業の開始が遅延するといった問題が報告されている。

対象会社の認証のある株式譲渡証書は、当該株式譲渡証書の当事者の株式の所有権について一応確からしい（prima facie title）証拠であるとされる（会社法39条(1)項）。

(2) 株式大量取得および買収規則[19]

バングラデシュにおいて、一定割合以上の上場株式を取得する場合には、証券取引委員会が制定する株式大量取得および買収規則（Bangladesh Securities and Exchange Commission（Acquisition of Substantial Shares & Takeover）Rules 2018）に従うことが必要となる。

具体的には、市場内・市場外の取引を問わず上場会社の発行済株式総数の10％以上の株式を取得する場合、買付者は、買付者の名称、国籍を含む識別情報、対象会社株式の保有状況、買付者の対象会社株主又は取締役等との関係、当該買付けに関連して締結済みの契約書・覚書等の条件、買付予定株式数、買付予定日等を記載した申告書を、証券取引所に事前提出する必要がある。また、買付者が対象会社の創業者、取締役等である場合には、別途提出が義務付けられている届出書の概要を記載することも必要となる。かかる申告は、株式売買仲介業者またはマーチャント・バンカーを通じて行い、証券取引所による審査に服するものとされている（以上につき、株式大量取得および買収規則別紙1）。

なお、買付けの対価の基準・規制に関する明文の規定は置かれていない。

(3) スクイーズ・アウト（完全子会社化）

バングラデシュにおいても、会社法上、少数株主排除のための以下のようなスクイーズ・アウト手続が定められている。

まず、買付者は、買付者が対象会社株式を対象会社の株主から取得する旨のスキームまたは契約（以下「買付提案」という）を提示し、買付提案の日から120日以内に、4分の3以上の株主によってかかる買付提案が承認された場

---

19) 以下で説明する株式大量取得および買収規則については、規制の内容それ自体が曖昧であるうえ、解釈の分かれる論点もある。そのため、実務上は、必要に応じて証券取引委員会に照会を行うことも多い。

合、120日の期限経過後60日以内であればいつでも、買付提案に応じない他の株主に対して、当該株主が保有する株式の取得を希望する旨通知することができる（会社法230条(1)項）。

　かかる通知がなされた場合、買付提案に不服のある株主は、30日以内に裁判所に対して不服を申し立てることができる。かかる期間内に不服申立てがなされない場合には、買付提案の通知日から１カ月後（かかる期間内に不服申立てがなされた場合には、裁判所がかかる不服申立てを棄却した後）に、買付者は、対象会社に対して買付提案の通知の写しを送付するとともに、買付けの対価を支払う。対象会社は、これを受けて株主名簿の書換えを行い、株主に対して受領した対価を支払う（会社法230条(2)項～(4)項）。

　以上の手続により、少数株主を排除することが可能とされている。なお、会社法230条に定めるスクイーズ・アウト手続は、外国会社にも利用可能と解されている。もっとも、上場会社については、2015年の証券取引所の上場規則改正により、任意の非上場化手続が定められたが、任意の非上場化には、当該会社の株式について直近１年間取引がないこと、または取締役等一定の株主が90％超の株式を有していること、株主総会において４分の３の賛成を得ることなどの要件に加え、非上場に伴い、少数株主に対する買付けの申込みに対して払込済株式の99％に相当する株主がこれに応じることなどが要件とされており（ダッカ証券取引所上場規則52条、チッタゴン証券取引所上場規則52条）、その利用の要件は極めて厳格であり、どの程度実効性のある制度となっているかは定かではない。

2　新株発行（第三者割当増資）

　バングラデシュの会社を対象とするM&Aを行う場合、今後の成長のための資金を確保すべく、第三者割当の方法による新株発行が検討されることも多い。第三者割当増資を行うためには、原則として取締役会による新株発行および割当決議が必要とされる（会社法155条(2)項）。ただし、授権資本枠の拡大を伴う増資の場合には、当該授権資本枠の増加について株主総会の承認を要する（同法53条(2)項）[20]。

　取締役会決議により第三者割当増資を行った場合には、当該第三者割当に係

る新株発行の日から60日以内に、新株発行を承認する取締役会議事録、株式割当報告（form XV, return on allotment）、割当新株の引受払込金全額の払込みを証する証明書等を商業登記所に提出して商業登記所の承認を得る必要がある。

なお、日本の会社法と同様に、現金の払込みに加えて、現物出資も出資方法として認められており（会社法151条(1)項(d)）、外国から輸入する資本財を対価とすることもできる[21]。

このほか、新株発行により、払込済みの資本金の額が一定額以上となる場合には、非上場の会社であっても証券取引委員会の承認が必要となる。具体的には、資本金の額が非公開会社については１億タカ、公開会社については１千万タカを超える場合には、事前に証券取引委員会の承認が必要となる。

3 事業譲渡

バングラデシュでは、日本法と異なり、会社法上、事業譲渡に関する特段の規定はない。したがって、事業譲渡の場合に必要な手続は事業譲渡契約の内容によって決せられることとなるが、通常は、対象会社の取締役会決議が必要となる。また、譲渡対象となる資産について、個別の移転手続も必要となる。

4 合併等の組織再編

バングラデシュでは、会社法において、他の英国法系の国と同様、裁判所の承認等を条件に、柔軟な組織再編等を行うことが認められている（arrangements and compromises（会社法228条・229条））。対象会社が、株主の総議決権の４分の３以上の議決権を有する株主および債権額比率で４分の３以上の債権者の承諾と、裁判所の認可を得た場合には、他の会社と合併することも可能である。ただし、会社法に基づく組織再編等の当事者となることができるのは、会社法に

---

[20] 授権資本枠を拡大する場合には、かかる株主総会の日から15日以内に商業登記所への登記を行う必要がある（会社法56条(1)項）。

[21] なお、外国から輸入する資本財（capital machinery）を対価に株式を発行する場合には、事前のバングラデシュ銀行の承認は不要とされているが、バングラデシュ税関のクリアランスを取得した上で、商業登記所が当該株式発行を承認した日（前記**10-4の２参照**）から14日以内に、外国為替取引ガイドラインに従い、かかるクリアランスその他の関係書類をバングラデシュ銀行本店為替管理部に提出する必要がある。

基づき登録されている会社とされ、外国会社はこれに含まれないことから、現行の会社法の下においては、外国会社を直接の当事者とする合併等によりバングラデシュの会社と統合等をすることはできない。

10-6　M&Aに関連するその他の主要な規制

1　適時開示規制

　バングラデシュにおいては、ダッカ証券取引所上場規則、チッタゴン証券取引所上場規則のそれぞれが、上場会社に対し、一定の重要事実の適時開示義務を課している。

　具体的には、支配権の変更や株式価値に重大な影響を与える情報（Price Sensitive Information）、役員の変更等の投資判断に影響を及ぼす重大な事項の変更が適時開示の対象となる重要事実に該当する（ダッカ証券取引所上場規則33条・34条・38条等、チッタゴン証券取引所上場規則33条・34条・38条等）。なお、いわゆる軽微基準は明示的には定められておらず、個別事案に応じて判断する必要があると解されている。

2　インサイダー取引規制

　バングラデシュにおいては、インサイダー取引は、証券取引委員会が制定するインサイダー取引禁止規則（Securities and Exchange Commission（Prohibition on Insider Trading）Rules 1995）および上記各証券取引所上場規則により規制されている。

　これらの規則によれば、取締役、監査役、従業員、主要株主等、規則に定められる一定の内部者は、投資家一般に知られていない重要情報に基づき上場有価証券の取引を行ってはならないとされ、各証券取引所は、すべての重要情報が開示されていないと判断した場合は、当該会社の上場有価証券の取引を30日間（最大15日間の延長が可能）中断させることができるとされている[22]。

---

22)　ダッカ証券取引所上場規則50条、チッタゴン証券取引所上場規則50条参照。

内部者がインサイダー取引禁止規則に違反した場合、証券取引委員会により、所定の罰金が科されうるほか、インサイダー取引により取得した株式の没収または移転禁止、名義書換の禁止等が命じられる可能性がある。また、違反者が株式売買仲介業（broker stock dealer）のライセンスを有している場合には、当該ライセンスが停止または剥奪される。

3　企業結合規制

バングラデシュにおいては、現在のところ、一定の株式取得その他の企業結合についての届出義務や競争に悪影響を及ぼす株式取得その他の企業結合を制限する企業結合規制は存在しない。

なお、独占的地位の濫用や不公正な取引の防止等を定めた競争法（Competition Act）は、2012年に施行され、同法5条に基づき競争委員会（Bangladesh Competition Commission）が組成されているが、同法は企業結合に係る規制を定めていない。

第11章 トルコ

11-1 総　論

　トルコは、ヨーロッパ市場に近接していることはもちろんのこと、今後の新興市場の中心となりうる中近東・北アフリカ、中央アジア・コーカサスといった地域の中心に位置し、これら経済圏に市場を抱える地政学的にも非常に重要な国である。

　トルコの2021年のGDP成長率は11.0％、2022年のGDP成長率は5.6％であり、近年、トルコの経済は高い成長率を記録している。1人当たりGDPも2022年時点で10,655米ドルであり、今後のさらなる経済発展が期待される。外国からトルコに対する投資は、2016年以後低迷していたが、2021年には6年ぶりに対内直接投資が前年比で増加しており、日本企業の投資も増加している[1]。

　トルコは、従来より親日国であることが知られており[2]、また、トルコ人労働者の勤労意識は高く、高品質の労働力が得られること等から、日本企業にとって魅力のある投資先であると思われる。今後、日本企業による投資が加速することが期待される[3]。

---

1) 日本貿易振興機構（JETRO）の作成する統計資料に基づく。
2) 1890年9月16日に、日本への特使を乗せたトルコの船エルトゥールル号が和歌山県串本沖で遭難した際に、日本側が献身的に救助を行ったことが、両国の友好的関係を築く契機となったとされており、また、1985年のイラン・イラク戦争時には、日本大使の要望に応えてトルコ大使がトルコ航空機を派遣し、テヘランから日本人を救出している。
3) なお、日本とトルコの間では、現在、経済連携協定（EPA）が交渉中であり、仮にEPAが成立すれば、日本企業による投資にとってはさらなる追い風となる。

11-2　M&Aの手法および関連する法令・ルールの概観

　トルコにおいて外国企業が実務上利用する主なM&Aの手法は、大きく、株式譲渡、株式の発行（第三者割当増資）および事業譲渡に区別することができる。

　株式譲渡の手法は、まず、非公開会社の場合と公開会社の場合に区別して検討する必要があり、公開会社の場合には、後述する公開買付規制が適用されることになる（なお、公開会社および非公開会社の定義に関しては、11-3の1(3)にて後述する）。また、対象会社が買収者に対して新たに株式を発行すること（第三者割当増資）により買収者が株式を取得する方法も、実務上用いられている。事業譲渡は、対象会社の資産および負債が、個別の承継手続を経ることなく、包括的に承継される手法である。

　これらのM&Aに関する基本的な規律としては、まず、会社形態を問わずすべての会社に適用されることとなるトルコ商法（Turkish Commercial Code：以下「トルコ商法」という）が挙げられる。かかるトルコ商法には、株式譲渡や株式の発行に関する規律、およびガバナンスに関する規律等が規定されている。また、トルコ商法以外にも、公開会社に適用される資本市場法（Capital Markets Law：以下「資本市場法」という）やその下位規範（以下に説明するコミュニケ（communiqué）とよばれる各種規則等を含む）も重要となる。さらに、後述する外資規制や企業結合規制等も、M&Aを行う際には重要な規律となる。

11-3　会社の種類とガバナンス

1　会社の種類

　外資企業がトルコにおいて実務上多く利用する会社形態は、株式会社（Joint Stock Company）および有限会社（Limited Liability Company）である。

　これらの会社は、いずれも出資者が有限責任のみを負う部分で共通する（トルコ商法329条・602条）が、以下のような違いがあり、出資目的に応じて形態

を選択する必要がある。

(1) 株式会社

株式会社は、株主と取締役の区別が後述の有限会社に比べてより明確に規定されている会社形態である（「ガバナンスの概要」は、**2**で後述する）。

株式会社は、後述する有限会社と比較して、より大規模な事業を行う場合等に適している。また、資本市場法に基づいて株式の公募を行うことは、株式会社に対してのみ認められている。

株式会社の最低資本金は、5万トルコリラに設定されている（ただし、授権資本制度[4]を採用している会社では、10万トルコリラに引き上げられている）（トルコ商法332条）。株式の種類としては、記名株式と無記名株式があり、それぞれ譲渡の方法が異なる（後述**11-4**参照）（同法486条）。また、有限会社と異なり、株主数の制限はない（一人会社（株主が1名の会社）の設立も認められる（同法338条））。

なお、持株会社、電気通信ライセンスを保有する会社、銀行、金融機関、保険会社等については、株式会社でなければなることができない。

(2) 有限会社

有限会社は、前述の株式会社形態と比較し、より小規模な事業等を行う場合に適している。たとえば、会社の経営に関しても、出資持分を有する社員が直接、会社の業務執行を担当する権利義務を負う（ただし、社員でない第三者を執行者として選任することも可能である）。また、株式会社形態と異なり、社員数も最大で50名までしか認められない（トルコ商法574条）。さらに、持分譲渡に際しては、定款で別段の定めがない限り、社員総会での承認が必要とされてい

---

[4] トルコにおける授権資本制度とは、株式発行を株主総会の承認を経ずに取締役会の裁量で行うことができる制度である。非公開会社の場合、取締役会が裁量で株式を発行することができる期間の上限は5年間、授権資本額の上限は授権時点の株式資本額の5倍までである（授権資本制度に関する原則を定めるコミュニケ5条）。公開会社の場合、取締役会が裁量で株式を発行することができる期間の上限が5年間であることは同様であるが（資本市場法18条）、取締役会に対して株の発行の裁量を与えることにつき、トルコ資本市場委員会の承認を得なければならない（同法16条）。

る（同法595条）。最低資本金も、株式会社形態より低い１万トルコリラに設定されている（同法580条）。

(3) 公開会社と非公開会社の区別

株式会社は、さらに公開会社と非公開会社とに区別される。公開会社には、証券取引所に株式を上場している会社のみならず、株主数が500名を超える株式会社が含まれる（資本市場法16条）。後述するように、公開買付規制等の公開会社のみに適用される法規制も存在することから、かかる概念の区別が重要となる（以下、「公開会社」と記載している部分は、上記の意味を有するものとする）。

前述のとおり、トルコにおいては複数の会社形態が存在するものの、多くの外資企業に利用されている会社形態は株式会社である。そのため、以下では、原則として、株式会社形態を前提に説明を加えることとする。

2　ガバナンスの概要

以下では、トルコにおける M&A に関する説明の前提として、株式会社におけるガバナンスの概要について触れることとする。

トルコ商法では、株式会社における主な機関として、株主総会、取締役および取締役会が規定されている。また、一定の要件を満たす大規模な企業を対象とする独立監査の制度が規定されている。以下、それぞれの概要を説明する。なお、公開会社に関しては、以下に記載するトルコ商法上の規律に加えて、トルコ資本市場委員会（Capital Markets Board）が定めるコーポレート・ガバナンスに関するコミュニケ[5]等の規律が適用されるが、それらの規律については、トルコ商法上の規律を解説した後に補足的に触れることとする。

(1) 株主総会

株主総会は、株式会社の組織、事業および経営に関する重要事項を決定する権限を有する。具体的には、他の機関に委任することのできない株主総会の権限として、①定款の変更、②取締役の選任および解任、③監査人の選任、④財

---

5) 2011年12月30日に発行された Communiqué No.IV-56が廃止され、新たに2014年に Communiqué No.II-17- が発行されている。

務諸表および年次報告の承認、⑤剰余金の配当の決定、⑥会社の解散、⑦会社の重要な資産の譲渡等が挙げられる（トルコ商法408条）。

定時株主総会は、各会計年度の終了後3カ月以内に開催しなければならないのに対し、臨時株主総会は、必要に応じていつでも招集することが可能である（トルコ商法409条）。株主総会を開催する場合には、開催日の2週間前までに招集しなければならないこととされている（同法414条(1)）。なお、株主総会は、オンライン上のプラットフォームを用いて開催することも可能であり、かかる方法により開催した株主総会は、法律上、物理的に株主総会を開催した場合と同様に取り扱うことが可能である（同法1527条）。

株主総会における定足数は、初回の株主総会においては株式資本の4分の1の株主の出席であるが（トルコ商法418条）、初回の株主総会において当該定足数が満たされない場合で、第2回の株主総会が開催される場合の定足数に関する法律上の定めは存在しない。株主総会の決議は、株主総会に出席している株主の議決権の過半数の賛成により可決されるが（同条）、特定の議題については、【図表11-1】のとおり定足数および決議要件が加重されている。

【図表11-1】株主総会における定足数および決議要件

議　題	定足数（初回）	定足数（第2回）	決議要件
国籍の変更	全株主の出席	全株主の出席	全株主の同意
株主の付随的義務の増加			全株式資本の4分の3の同意
活動範囲の変更（定款変更を伴う）	全株式資本の4分の3の出席	全株式資本の4分の3の出席	全株式資本の4分の3の同意
法形式の変更	—	—	出席株主の議決権の3分の2の同意（ただし、全株式資本の3分の2以上である必要） （有限会社への法形式の変更に伴う株主の付随的義務の増加の場合については全株主の同意）

種類株式の創設	全株式資本の4分の3の出席	全株式資本の4分の3の出席	全株式資本の4分の3の同意
解散	全株式資本の4分の3の出席	全株式資本の4分の3の出席	全株式資本の4分の3の同意
株式の譲渡制限の設定	全株式資本の4分の3の出席	全株式資本の4分の3の出席	全株式資本の4分の3の同意
その他の定款変更	全株式資本の2分の1の出席	全株式資本の3分の1の出席	出席株主の議決権の過半数の同意
減資	全株式資本の4分の3の出席	全株式資本の4分の3の出席	全株式資本の4分の3の出席
合併	―	―	出席株主の議決権の4分の3の同意かつ全株式資本の過半数の同意
社債の発行	全株式資本の4分の3の出席	全株式資本の4分の3の出席	全株式資本の4分の3の同意
清算時の全資産譲渡	全株式資本の4分の3の出席	全株式資本の4分の3の出席	全株式資本の4分の3の同意

(2) 取締役および取締役会

　株式会社においては、取締役会を設置しなければならない（トルコ商法359条）。取締役会の権限としては、①会社の代表権、②会社の組織機構の決定、③財務、会計、監査等の履行、④署名権限を有する者等の選任、⑤会社関係書類の保管、⑥財務諸表・事業報告等の準備、⑦株主総会の招集、⑧債務超過の場合の裁判所への通知等がある（同法375条）。

　取締役会は、1名以上の取締役により構成されることとされており、取締役には、自然人のみならず法人（たとえば親会社）も就任することができる（トルコ商法359条）。取締役の任期は3年であり、再選も可能である（同法362条）。また、在任中の取締役は、株主総会によっていつでも解任されうる。なお、電話会議やビデオ会議の方法によって取締役会を開催することも可能である（同法390条）。取締役会の定足数は、全取締役の過半数の出席により満たされ、また、取締役会の決議は、出席取締役の過半数の賛成により可決される（同条）。

(3) 独立監査

　一定の要件を満たす大規模な企業に関しては、法定の独立監査の対象になる。すなわち、以下の3つの基準のうちの2つ以上を満たす会社は、独立した監査法人または独立したフィナンシャルアドバイザー等による独立監査を実施しなければならない（トルコ商法397条、2022年11月30日付 Decree on the Determination of the Companies Subject to Independent Audit）。

① 総資産が7,500万トルコリラ以上であること
② 年間の売上高が1億5,000万トルコリラ以上であること
③ 従業員が150名以上であること

(4) **上場会社に対して適用される規律**

　以上のトルコ商法上の規律に加え、上場会社に関しては、トルコ資本市場委員会が定めるコーポレート・ガバナンスに関するコミュニケの規律等が適用されることになる。

　コーポレート・ガバナンスに関するコミュニケは、会社の規模に応じて、上場会社を①時価総額が30億トルコリラ超であり、かつ浮動株の平均時価総額が7億5,000万トルコリラ超である上場会社、②時価総額が10億トルコリラ超であり、かつ浮動株の平均時価総額が2億5,000万トルコリラ超である上場会社、および③その他の上場会社の3種類に区別している。このうち、①の分類に該当する上場会社については、同コミュニケにおいて定められているコーポレート・ガバナンス指針のすべてを遵守することが必要とされる（同コミュニケ5条）[6]。同指針には多岐に渡る内容が規定されているが、以下、その主な内容の1例として、取締役に関する規律を記述する。

　取締役の員数については、トルコ商法においては、前述のとおり1名で足りることとされているのに対し、コーポレート・ガバナンス指針においては、対象となる上場会社では少なくとも5名は必要とされている（同指針4.3.1条）。また、対象となる上場会社の取締役は、3分の1が独立取締役である必要があり、また、かかる独立取締役の員数は、いかなる場合においても2名以上とす

---

6) これに対し、②および③の分類に該当する上場会社については、当該コーポレート・ガバナンス指針の遵守について、一定の例外が設けられている。

ることが必要とされる（同指針4.3.4条）。

　独立取締役の基準の主な内容としては、①過去5年間において会社またはその関連者等との間で雇用、株式保有または重要な取引等の関係がないこと、②過去5年間に会社の重要な仕入先との間で雇用等の関係がないこと、および③同一人物が、会社または当該会社の支配株主が経営の支配力を有している会社3社以上の独立取締役の地位になく、また、上場会社5社以上の独立取締役の地位にないこと等が定められている（コーポレート・ガバナンス指針4.3.6条）。また、過去10年以内に6年を超えて取締役を務めた者は、独立取締役となることができない（同条）。

　このような独立取締役の選任が必要となる上場会社においては、①監査委員会、②コーポレート・ガバナンス委員会、③早期リスク発見委員会および④指名報酬委員会を設置し、このうち監査委員会については独立取締役のみで構成されなければならず、また、すべての委員会について、独立取締役が議長を務めなければならない（コーポレート・ガバナンス指針4.5条）。

11-4　M&Aの手法と関連する規制

1　M&Aの手法

(1)　非公開会社の株式譲渡

　非公開会社の株式を譲渡する場合、当該対象株式が記名株式か無記名株式かによって区別する必要がある。

　株式会社の記名株式の譲渡の場合、株券への裏書および譲受人に対する株券の交付が必要となる。また、株式の払込みが完了していない場合には、譲渡に際して取締役会の決議が必要となる（トルコ商法491条）。他方、無記名株式の場合には（なお、無記名株式は、株式の払込みが完了している場合のみ発行可能である（同法484条・486条））、株券を交付することで足りる（同法489条）。なお、公開会社の株式の譲渡を行う場合には、別途公開買付規制に従う必要があるが、この点は後述する。

(2) 事業譲渡

　事業譲渡の概念は、トルコ商法上は明確には定義されていないものの、他の法律や一定の判例等によりその概念が認められている[7]。それらによれば、必ずしも事業のすべての権利義務を承継させる場合のみならず、事業の「主要な部分」(essential part) の譲渡を企図する場合[8]には、事業譲渡に該当するものとされている。

　仮に事業譲渡に該当した場合には、譲受人は、個別資産に関する譲渡等の手続を経ることなく、譲渡資産・負債を包括的に承継することとなる。ただし、事業譲渡に該当する場合、トルコでは、日本の法制とは異なり、譲渡人は譲渡される負債に関して、その後[9]、2年間は譲受人と連帯して責任を負うこととなる（トルコ商法202条）。また、仮に当該負債に関していまだ弁済期が到来していない場合には、当該弁済期が到来した後2年間、当該連帯責任を負うこととなる。これらに反する当事者の合意に関しては、当事者間では有効であるものの、当該負債の債権者に対しては対抗できない[10]。

(3) 株式の発行（第三者割当増資）

　実務上、M&Aの手法の1つとして、特定の第三者に対する株式の発行も用いられている。ただし、トルコ商法上、各株主は、新たに株式が発行される場合に、株式割合に応じた優先的な引受権を有するため、特定の第三者にのみ株式を割り当てるためには、株主総会における一定の決議を経るか、各株主から当該引受権の放棄を受けることが必要となる。そのため、規模の大きい株式会

---

7) たとえば、Code of Obligation や Labor Code 上には、事業譲渡の概念が規定されている。
8) ただし、どのような場合に主要な部分（essential part）の譲渡に該当するかに関しては、現時点において必ずしも明示的な解釈は存在していない。
9) 厳密には、Code of Obligation 202条によれば、譲受人は、事業譲渡に際し、債権者への通知または商業登記官報（Turkish Trade Registry Gazette）での公告が必要とされており、これらのいずれかを行った日を起算日として年間を計算することとなる。
10) 前述のとおり、何が事業譲渡に該当するかに関する明示的な解釈が確立しているわけではないため、仮に当事者が事業譲渡ではなく、個別資産の譲渡を企図しているような場合には、当事者の意図に反して事業譲渡に該当してしまい、前述した年間の連帯債務等を負担することのないよう留意する必要がある。その場合、少なくとも当事者間における合意として、仮に事業譲渡に該当することになった場合でも、当該年間の連帯債務等については一定の制限を加えるといった合意がなされることもある。

社の場合に第三者割当を利用することは一般的ではなく、むしろ家族企業のような規模の小さい会社との間でM&Aを行う場合に検討される手法である。

2 公開会社の株式譲渡（公開買付規制）

前述のとおり、公開会社の株式を譲渡する場合には、トルコ商法上の株式譲渡の規制のみならず、以下のような公開買付規制の適用を受けることとなる。なお、当該公開買付規制は、株式を証券取引所に上場している会社のみならず、公開会社に対して適用される。トルコでは、公開買付けが強制される強制的公開買付けと、任意に公開買付けを実施する任意的公開買付けの2種類の公開買付けが存在するため、以下、それぞれについて概観する。

(1) 強制的公開買付け
① 公開買付けの義務

トルコにおいては、買収者が、手段のいかんを問わず、単独または共同保有者（persons acting in concert）とともに、直接または間接に、トルコの公開会社の経営支配権（control）を確保する株式または議決権を取得した場合は、公開買付けを行わなければならない（公開買付けに関するコミュニケ Serial II, No.26.1：以下「公開買付けコミュニケ」という）11条）。なお、保有株式数の変動がなくとも、株主間の合意により、経営支配権の異動が発生する場合にも、公開買付の義務が生じる（公開買付けコミュニケ11条）。

ここでいう「経営支配権」とは、対象会社の株式資本または議決権の50％超に相当する株式を直接または間接に保有する場合や取締役の過半数を選任できる種類株式を保有する場合等を意味するとされている（公開買付けコミュニケ12条）。なお、対象会社の親会社の支配権の取得を通じて間接的に対象会社の支配権を取得する場合には、親会社およびその関係会社が対象会社に対して保有する株式を合算して経営支配権の有無が判断される。

② 公開買付けが不要となる場合

前述のとおり、経営支配権を確保する株式を取得した場合、原則として公開買付けの義務が発生するが、以下の場合は、公開買付けの義務が発生しないこととされている（公開買付けコミュニケ14条）。

(a) 対象会社のすべての株主を対象として行われた任意的公開買付けを通じて対象会社の経営支配権を取得する場合
(b) 経営支配権を獲得するための契約について株主総会の承認があり、かつ、株主総会で反対した株主に買取請求権が与えられている場合
(c) 株式を取得した後に、買収者が50％以下の議決権を保有しており、当該株式取得の以前から対象会社の経営支配権を有していた株主と対等またはそれ以下の立場で[11]対象会社を支配する場合
(d) 当該株式取得の以前から種類株式の保有により経営支配権を有している株主が、対象会社の資本または議決権の50％以上に相当する株式を取得する場合
(e) 対象会社の経営支配権を有していた株主で、その資本または議決権の保有割合が50％未満に低下した株主が、第三者に対象会社の経営支配権が移転する前にその資本または議決権の50％以上に相当する株式を再取得する場合
(f) 同じ自然人または法人によって支配されているグループ内で対象会社の経営支配権を付与する株式および議決権を移転する場合
(g) 経営支配権の変動によりスクイーズ・アウトおよびセルアウト権が発生する場合
(h) 既存株主に希薄化防止のための新株引受権が付与される新株発行を行う場合において、既存株主が当該新株引受権を行使した結果、支配権の変動が生じるとき
(i) 当該株主のコントロールが及ばない事象に基づき支配権の異動が生じた場合（他の株主の議決権の停止、減資による株式の償還、定款変更により、種類株式の内容が変更される場合、自己株式取得等）

なお、公開買付けの義務が生じない場合、支配権を取得した株主は、支配権を取得した日から少なくとも2営業日以内に、公開買付けの義務が生じない理由等を公表する必要がある。

---

11) 両株主が同じ人数の取締役を派遣している状態を意味する。

また、トルコ資本市場委員会は、以下の場合、公開買付けの義務を免除することができる[12]（公開買付けコミュニケ18条）。なお、これらの理由に基づく免除が認められるか否かは、トルコ資本市場委員会の裁量に基づく任意の判断となる。

(a) 財政難に直面している対象会社の財政状態を強化するために必要とされる財政構造の変化をもたらすために、対象会社の株式または議決権の取得を行う場合（対象会社に対する新たな資金の投入等が条件とされる場合もある）
(b) 公開買付けの義務を生じさせている株式の一部を、トルコ資本市場委員会が認めた期間内に、処分するかまたは処分することを誓約する場合（この場合、当該期間中に、対象会社の取締役の変更等をしてはならない）
(c) 親会社の経営支配権の変更が、その親会社が株式を保有している対象会社の経営支配権を取得することを目的とするものではない場合（親会社による対象会社への出資が、その親会社の貸借対照表における総資産の10％を超えていないこと等を考慮して当該規定に基づく例外が認められる場合もある）
(d) 民営化の枠組みの中で行われる国有会社の株式の売却の場合
(e) 合併により経営支配権の変更が発生し、かつ、合併に反対した株主の株式の買取りが行われる場合
(f) 中央登録システム（Centralized Registration System）に登録された株式のうち、銀行に対して担保として差し入れられた株式が、担保契約に従って、担保権者たる銀行に取得された場合（銀行が当該株式を売却する場合にも例外が認められる場合もある）
(g) 対象会社の株式を保有する資格要件を満たしていない株主が当該株式を売却する場合
(h) 既存株主が相続、相続財産の分割その他法令上の義務に基づいて経営支配権の変更が生じる場合

---

12) かかる公開買付けの義務の免除の申請は、トルコ資本市場委員会に対し、当該義務が生じた日から6営業日以内に行う必要があるものとされている（公開買付けコミュニケ18条）。

③ スケジュール

強制的公開買付けを実施する場合、買収者は、経営支配権の変更を生じさせる株式取得の実行によって強制的公開買付けの義務が生じた日から6営業日以内に、トルコ資本市場委員会の承認を得るための申請を行わなければならない（公開買付けコミュニケ13条(1)）。そして、買収者は、当該申請に対するトルコ資本市場委員会による承認から6営業日以内に公開買付けを開始しなければならない（同条(3)）。

また、買収者は、公開買付けの義務が発生した日から2カ月以内に公開買付けを開始しなければならない（公開買付けコミュニケ13条(2)）[13]。公開買付けが開始されない場合、公開買付けの対象となる株式価値の合計額を上限とする罰金が科せられる可能性がある。なお、公開買付期間は10営業日以上20営業日以内と規定されている（同条(3)）。

④ 買付対価および価格

公開買付けの対価の種類は、原則として現金であるが、株主の書面同意を得て対価の全部または一部を有価証券とすることも可能である（公開買付けコミュニケ5条(2)）。なお、公開買付けの対価を有価証券とする場合は、当該有価証券は、証券取引所で取引されている有価証券である必要がある（同条）。

公開買付けの対価の算定方法は、対象会社の株式が証券取引所に上場されているか、また、対象会社の株式が間接的に取得されるかによって異なる（公開買付けコミュニケ15条）。

上場会社である対象会社の株式を直接取得する場合、公開買付けの価格は、以下の価格を下回ってはならない（公開買付けコミュニケ15条(1)）。

(a) 強制的公開買付けの義務を生じさせる株式取得の公表日から過去6カ月の株式の加重平均価格
(b) 公開買付けの義務を生じさせる株式の取得から過去6カ月の間に買収者または共同買収者が支払った最も高い価格

また、非上場会社である対象会社の株式を直接取得する場合、公開買付けの価格は、以下の価格を下回ってはならない。

---

[13] もっとも、2カ月以内に公開買付けが開始されない場合、トルコ資本市場委員会は、公開買付開始時期の延期を認めることがある。

(a) トルコ資本市場委員会規則に従って作成された株式価値算定書により決定された価格（種類株式間の内容の違いを考慮して算定されるものとする。）
(b) 公開買付義務を発生させる事実が生じた日から過去 6 カ月間に公開買付者または共同取得者によって支払われた価格のうち最も高い価格

また、対象会社の経営支配権を間接的に取得する場合、公開買付けの価格は以下の価格を下回ってはならない。
(a) （非上場企業に関しては、）トルコ資本市場委員会規則に従って作成された株式価値算定書により決定された価格（当該種類株式間の内容の違いを考慮して算定されるものとする。）
(b) 公開買付義務を発生させる事実が生じた日から過去 6 カ月間に公開買付者または共同取得者によって支払われた価格のうち最も高い価格
(c) （上場企業に関しては、）当該公開買付けの原因となった株式取得に係る取引が公表される前の過去 6 カ月間の加重平均価格

なお、公開買付けの対価は、トルコリラでなければならない。公開買付けの価格が外貨によって決定される場合、トルコ中央銀行が公表する二つの為替レート（①当該公開買付けの原因となる株式取得日の為替レート、または②公開買付開始日の為替レート）のいずれか高い方によりトルコリラに換算された金額が公開買付けの価格となる（公開買付けコミュニケ17条）。

(2) 任意的公開買付け
① 概　　要
公開会社の株主または第三者は、公開会社の株式の全部または一部について、トルコ資本市場委員会に対して申請することにより、任意で公開買付けを実施することができる（公開買付けコミュニケ20条(1)）。
任意的公開買付けが行われた場合、対象会社の取締役会は、任意的公開買付けに関する意見（公開買付者の計画が対象会社の事業、雇用等に与える影響等を含む）を公表しなければならない（公開買付けコミュニケ21条(1)）。
なお、買収者は、トルコ資本市場委員会に対して前述の申請を行った場合で

も、実際の公開買付手続が開始されるまでの間、対象会社の株式への公開買付けの申込みを取り下げることができる（公開買付けコミュニケ20条(2)）。

②　スケジュール

任意的公開買付けを実施する場合、買収者は、前述のとおり、トルコ資本市場委員会に対して申請を行うことになるが、かかる申請に関連するトルコ資本市場委員会の決定が出た場合は、当該決定から6営業日以内に公開買付けを実施しなければならない（公開買付けコミュニケ20条(7)）。任意的公開買付けの公開買付期間は10営業日以上20営業日以内と規定されている（同条(6)）。

③　買付対価および価格

任意的公開買付けの対価の種類については、前述の強制的公開買付けの場合と同様に、公開買付けコミュニケ5条(2)が適用される。

任意的公開買付けの場合における価格の決定方法については、公開買付けコミュニケにおいては明示的な規定がないものの、トルコ資本市場委員会は、過去に、任意的公開買付けの価格は、その申請に関する公表前の数カ月間の加重平均価格の最も高い平均額を下回らないことが必要であるとの決定を出している[14]。

(3)　スクイーズ・アウト（完全子会社化）

直接または間接に公開会社の98％以上の議決権を保有する株主は、少数株主をスクイーズ・アウトすることができる（資本市場法、スクイーズ・アウトおよびセルアウト権に関するコミュニケ Serial II No.27.3（以下「スクイーズ・アウトコミュニケ」という））[15]。具体的には、98％以上の議決権を保有することとなった株主は、スクイーズ・アウトを行う場合には、セルアウト権の行使期間である2カ月が経過した後、3営業日以内に対象会社に対してスクイーズ・アウトの申込みを行わなければならず、当該申込みを行わなかった場合、スクイー

---

[14]　たとえば、トルコ資本市場委員会の週刊公示（weekly bulletin）No. 2011/7において公表された Trabzon Futbol İşletmeciliği Ticaret A. Ş. に関する決定等が挙げられる。

[15]　なお、トルコ商法も90％以上の株式資本および議決権を保有している株主についてスクイーズ・アウト制度を設けているが（トルコ商法208条）、公開会社の場合にはトルコ商法のスクイーズ・アウト制度は適用されず、資本市場法のスクイーズ・アウト制度が適用される（資本市場法27条(3)）。

ズ・アウトの権利は失われることとなる（スクイーズ・アウトコミュニケ5条6項）。スクイーズ・アウトの対価は、(i)対象会社が、イスタンブール証券取引所（Borsa Istanbul）の BIST Star 市場の上場会社の場合、スクイーズ・アウト権が発生した事象が公表された時点から過去1カ月の株式の加重平均価格または株式価値算定書により決定された価格となり、(ii)対象会社が BIST Star 市場に上場していない会社の場合、スクイーズ・アウト権が発生した事象が公表された時点から過去6カ月の株式の加重平均価格または株式価値算定書により決定された価格となる（スクイーズ・アウトコミュニケ6条2項）。

　また、株主がスクイーズ・アウト権を取得した場合（すなわち、98％以上の議決権を保有することとなった場合）、その旨および CMB の関連規則に従って作成した株式価値算定書の要約を公表する必要がある。当該公表後、残りの少数株主は、2カ月以内にスクイーズ・アウト権を有する株主に対して自らが保有する株式を売り渡す権利（セルアウト権）を有する（スクイーズ・アウトコミュニケ5条1項）。なお、セルアウト権の対価の額は、上記スクイーズ・アウトの対価と同様である（スクイーズ・アウトコミュニケ6条3項）。

11-5　M&Aに関連するその他の主要な規制

1　外資規制

　トルコは、外資の誘致に積極的な国であり、外国資本が出資する場合であっても、一部を除き、内資と平等に取り扱われることが明記されており（トルコ通貨価値の保全に関する外国投資法 Decree No. 32）、外資による投資に際して当局からの事前許可は必要ない。したがって、外資企業は、一部産業を除き、トルコ会社に対して、100％を上限とする出資をすることが可能である。

　このように外資による出資には寛容であるが、外資企業による不動産の保有が制限されている点には留意が必要である。すなわち、別途特別規定が存在しない限り、外資企業がトルコの不動産を直接保有することが禁止されている。外資企業が不動産を保有するためには、トルコにおいて不動産保有目的会社を設立して不動産を取得する方法か、不動産をすでに保有しているトルコ会社を

買収する方法があるが、いずれも当局による許可が必要となる。

2 開示規制等

(1) トルコ商法上の開示規制

トルコ商法では、ある会社が、他の会社の株式を直接保有および間接保有を含め、一定以上取得した場合または売却等によって一定以下の保有割合となった場合（5％、10％、20％、25％、33％、50％、67％および100％が閾値として指定されている）には、当該取引の実行後10日以内に、当該他の会社および商取引登録所に報告しなければならない（トルコ商法198条）。当該規定は、公開会社、非公開会社を問わず適用される。また、当該規制の対象となる取得行為については、会社が発行するアニュアルレポート、ウェブサイトに公表しなければならない。

(2) 公開会社に対する規制

前述した商法上の規制とは別に、資本市場法および関連するコミュニケ（重要事実の開示にかかるコミュニケ[16]等）において、公開会社に対して各種開示義務が課せられている。M&A関連の行為に関しては、たとえば以下のような事項について開示が義務づけられている。

① 支配権の異動：会社経営の支配権に直接的または間接的に何らかの変更が生じた場合
② 主要株主の異動：ある株主による直接保有および間接保有を含めて計算した会社の株式保有割合または議決権保有割合が基準（5％、10％、15％、20％、25％、33％、50％、67％、95％）を超えた場合または基準を下回った場合
③ 取締役等による株式取得または売却：ある会社の取締役、シニアマネージャー等会社の重要な意思決定に関与する従業員による株式取得または売却が同一暦年内で25万トルコリラを超えた場合
④ イスタンブール証券取引所（Borsa Istanbul）において大量の株式が売却

---

16) The Communiqué on Principles regarding Public Disclosure of Material Events；Serial：Ⅷ, No：39.

された場合
⑤　その他投資家による投資判断または株式の価値に対して影響を与える事項

3　企業結合規制

　トルコ競争保護法上、一定の売上高を有する企業同士のM&Aについては、トルコ競争当局に対して、事前に届出を行い、競争当局の許可を求めなければならない[17]。届出を行った後30日間は、待機期間としてM&Aの実行が禁止される[18]。30日間の審査期間中にトルコ競争当局が詳細な審査が必要と判断した場合には、当事会社に対して詳細審査に入る旨の通知を行う（30日間の待機期間において何らの通知がないことは当該届出にかかる取引が許可されたことを意味する）。詳細審査の期間は最大6カ月間まで延長される。

　株式譲渡の場合、以下のいずれかに該当する取引は届出が必要となる（コミュニケNo. 2010/4）。
①　当事会社すべてのトルコ売上高合計が7億5,000万トルコリラを超え、かつ、当事会社のうち少なくとも2社のトルコ売上高がそれぞれ2億5,000万トルコリラを超えること
②　当事会社のうち1社の全世界売上高が30億トルコリラを超える場合

　ただし、上記①の2億5,000万トルコリラの基準は、(i)トルコ国内で運営または研究開発活動を行っているか、または、(ii)トルコ国内の利用者に対してサービスを提供しているハイテク企業の買収には適用されない。

---

17) 関連する主な法制は、Law No. 4054 on Protection of Competition（Law No. 4054）およびCommuniqué No. 2010/4 on Mergers and Acquisitions Requiring the Approval of the Competition Board（Communiqué No. 2010/4）である。なお、Law No. 4054は近年の改正で企業結合審査における効果的な競争に対する著しい阻害の基準（SIECテスト）が採用されている。従前は、支配力のテスト（dominance test）により判断されていたが、これに加えて、競争を著しく阻害する可能性のある取引も当局によって禁止されうることになった。SIECテストの施行に関する規則は、本書執筆時点においていまだ公表されていない。
18) 待機期間中にトルコ当局が当事会社に対して必要情報の提供を要請した場合には、回答を提出するまでの期間、待機期間が中断する。したがって、届出の受理から当局による許可までの合計期間が、多くの事例で6週間から8週間程度かかる点に留意が必要である。

4　インサイダー取引規制

　トルコにおいてもインサイダー取引規制が存在する。すなわち、資本市場法上、非公開の情報で、資本市場の商品・その価値または投資家の投資判断等に影響を与える可能性のある情報に基づき、買い注文もしくは売り注文を出すことまたは注文を変更すること等がインサイダー取引として禁止され、違反した者には、3年以上5年以下の懲役または不当に得た利益の2倍の額を下回らない額の罰金が科される（資本市場法106条）。

　インサイダー取引の違反主体としては、職業上の義務の履行に際して前述の情報を得ることができる立場にいる者、発行主体である会社またはそのグループ会社の管理職にある者、発行主体である会社またはそのグループ会社の株式を保有している者等が該当する（資本市場法106条a項～e項）。

5　契約書に関する規制

(1)　印紙税

　トルコにおける印紙税の税率は課税文書の種類によって異なるところ取引形態によっては、取引金額の0.948％の印紙税が課されるため、取引金額によっては印紙税が非常に高額になりうる。

　もっとも、2016年8月9日に施行された法律により、株式会社における株式譲渡契約や有限会社における持分譲渡契約については、印紙税が免除されることとされた。

　また、印紙税額には上限が設けられており、毎年1月に改定されるが、2023年の上限額は、契約書1通につき10,732,371.80トルコリラ（執筆時現在の換算レートで約7,400万円）となっている。

　なお、トルコ国外で締結された契約書は、原則として課税対象にならないが、①当該契約書をトルコの公的機関に提出する場合、②トルコ所在の第三者に当該契約上の地位を譲渡等する場合、③トルコにおいて、当該契約書の条項に基づき便益を享受する場合には印紙税が課されることとされており、特に、③に関しては非常に広く解釈されるため、単に契約締結地をトルコ国外にすれば印紙税を免れるものではなく、③への該当可能性を慎重に検討する必要がある。

(2) 言　語

　トルコ法に基づき設立された法人が、トルコ法人またはトルコ人とトルコ国内で契約を締結する場合、契約はトルコ語で作成する必要がある[19]。実務的には、トルコ法人が外国企業の子会社である場合、トルコ語と英語を併記した契約書を用いることで対応するケースが少なくないが、トルコ語と英語の内容に齟齬がある場合には、トルコ語の内容が優先する。

> |COLUMN|　親日の国、トルコの魅力
>
> 　トルコは親日の国であると言われる。1890年のエルトゥールル号遭難事件や1985年のトルコ航空による邦人救出は日本とトルコの友好を示すエピソードとしてよく語られており、また、実際にトルコ人と話してみると、日本に親近感を持っているトルコ人が少なくない。ケバブなどのトルコ料理や世界遺産のカッパドキアなど、トルコは日本にとって身近な国となっている。
>
> 　また、トルコは、近隣市場へのアクセスが良く、この地理的優位性に着目してトルコに統括拠点を置いて周辺国の市場へ展開する企業もある。
>
> 　このように親日であり、地理的優位性を有するトルコは、日系企業にとっても投資先として魅力のある国の１つではあるが、中東のイスラム教の国ということもあり、その投資環境に不安を持つこともある。確かにトルコはモスクや礼拝、食事などあらゆる場所でイスラム社会を感じることできる国であり、また、言語も日本人にはなじみのないトルコ語である。
>
> 　しかし、意外にもビジネスの場面においてイスラム教の影響はほとんどない。これは、政教分離原則に基づく世俗主義によりイスラム法が採用されておらず、トルコの法律の母法が日本と同じ大陸法であることや、トルコは長年にわたりEUへの加盟を目指していたため、EUと同水準の法制度を整備していることが理由と考えられる。実際、トルコ企業とのM&Aにおいても、契約書は欧米のM&Aで利用されるような内容の英文の契約書で締結されることが多く、他の新興国でみられるようなその国特有の規制を考慮した条項はあまりみられない。
>
> 　親日の国トルコは投資先として独特な魅力を有する国である。

19）　トルコ語の強制使用に関する法律（法律番号805）。準拠法をトルコ法以外の法律としてもこの規制を免れることはできない。なお、契約書をトルコ語で作成せず、当該規制に違反した場合には、契約は無効となるとする見解があるが、これに反対する見解も有力である。

第12章　スリランカ

12-1　総　論

　スリランカは、長年にわたった内戦が2009年5月に終結した後、経済の成長が続いていたが、2022年春に国際金融市場で債務不履行に陥って以降、深刻な経済危機に陥っており、2023年4月現在、立て直しのために債権国との交渉や国内の構造改革が進められているところである。スリランカに進出している日本企業は、約130社（2022年6月時点）[1]とまだ比較的少ないが、スリランカの地理的条件を活かして中東やアフリカ地域への輸出も視野に入れた製造業等の進出が期待されている。

　スリランカの法制度は、英国法を基礎としており、外形上は比較的整ってはいるが、外国企業の進出事例が十分に蓄積していないこともあり、その運用や解釈には不明確な面もある。また、他の新興国同様に外資規制も存在しているが、その規制および対象となる事業の種類は必ずしも広くはない。

12-2　M&Aの手法および関連する法令・ルールの概観

　外国企業がスリランカ法人を対象としてM&Aを行う際の手法としては、主に、対象会社の株式取得（後記12-5の1参照）、合併（後記12-5の2参照）および事業譲渡（後記12-5の3参照）が挙げられる。上場している公開会社の株式を取得する場合には、一定の場合に公開買付けを行うことが義務づけられる

---

[1] 日本貿易振興機構（JETRO）ウェブサイト（https://www.jetro.go.jp/world/asia/lk.html）より。

（後記12-5の1(3)参照）。また、公開買付けの結果、対象会社の議決権の90％以上を取得した場合には、株式売渡請求権を行使することにより、対象会社を完全子会社化することも可能である（後記12-5の1(4)参照）。

　これらのM&A手法を規律する最も基本的な法律はスリランカ会社法（Companies Act, No.07 of 2007：以下「会社法」という）であり、会社法には、ガバナンスに関する規律のほか、上記手法によりM&Aを行う際の手続等が規定されている。また、上場している公開会社については、Company Take-overs and Mergers Code 1995（以下「買収コード」という）が適用され、この中で公開買付けの要件や手続等のほか、大量保有報告規制についての定めが置かれている。さらに、上場会社が遵守しなければならないルールとしては、コロンボ証券取引所のListing Rules（以下「上場規則」という）があるほか、スリランカ証券取引法（Securities and Exchange Commission of Sri Lanka Act, No.19 of 2021：以下「証券取引法」という）では、上場会社の株式に関するインサイダー規制が規定されている。

　これらに加えて、スリランカ法人に対するM&Aに際しては、他のアジア新興国と同様、外資規制等の観点からの検討も必要となる。

12-3　会社の種類とガバナンス

1　会社法における会社の種類

　スリランカの会社法において、会社の種類は、有限責任株式会社（limited company）、無限責任株式会社（unlimited company）および有限責任保証会社（company limited by guarantee）の3種類に分けられている（会社法3条1項）。このうちスリランカで最も一般的な形態は、日本の株式会社に相当する有限責任株式会社である。そして、有限責任株式会社は、非公開会社（private company）と公開会社（public company）とに分かれる。非公開会社とは、定款上、①発行有価証券の公募禁止の定め、および②株主数を50名以下に限定する定め（ただし従業員を除く）のある会社をいい（同法27条）、公開会社は、非公開会社でない有限責任株式会社をいう。

以上をまとめると【図表12-1】のようになる。

なお、会社設立に際して最低資本金額の定めはない。

次項では、スリランカにおける M&A を検討する際に、前提として理解しておくべき非公開有限責任株式会社および公開有限責任株式会社のガバナンスの概要を紹介することとする。なお、特段の記載のない限り、以下で説明する事項は、非公開有限責任株式会社および公開有限責任株式会社に共通した規律である。

【図表12-1】会社の種類

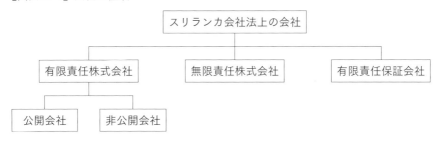

2 ガバナンス

(1) 株主総会

株主総会の種類には、定時株主総会と臨時株主総会がある。定時株主総会は、会社設立後18カ月以内に開催され[2]、その後は、暦年ごとに最低1回、かつ会社の貸借対照表の日付から6カ月以内で前回開催時から15カ月以内に開催しなければならない（会社法133条1項）。臨時株主総会の招集は、原則として都度取締役によってなされる（同法134条1項）。また、合わせて議決権割合の10％以上を有する2人以上の株主は、株主総会の招集を請求することができる（同法136条(b)）。

取締役会が定時株主総会を招集する場合、原則として、会日の15営業日前までに書面により各株主に対して通知をする必要がある（会社法135条1項

---

2) 当該期間内に定時株主総会を開催する場合には、会社の設立年に第1回の定時株主総会を開催する必要はない（会社法133条2項）。

(a))。もっとも、当該定時株主総会に出席して議決権を行使する権限を有するすべての株主が同意をすれば、通知期間を短縮することが可能である（同条3項(a)）。また、取締役が臨時株主総会を招集する場合、原則として、会日の10営業日前までに書面により各株主に対して通知をする必要がある（同条1項(b)）。この場合も、当該臨時株主総会に出席して議決権を行使する権限を有する株主の議決権割合において95％以上の同意があれば、通知期間を短縮することが可能である（同条3項(b)）。

株主総会の定足数は、各会社の定款で別段の定めがない限り、公開会社では3名、非公開会社では2名であり、出席株主の頭数によって計算される（会社法136条(c)）。

会社法における株主総会の決議要件としては、普通決議（Ordinary Resolution）および特別決議（Special Resolution）の2種類がある。

普通決議は、出席株主の過半数の賛成を得られた場合に成立する（会社法529条1項）。特別決議は、出席株主の75％以上の賛成を得られた場合に成立する（同法143条1項(a)）。なお、定時株主総会における特別決議に関しては、当該定時株主総会において決議は特別決議としてなされる旨を少なくとも15営業日前に通知することが必要となる（同項(b)）。

それぞれの主な決議事項は、【図表12-2】のとおりである。

また、当該議案に対して投票権限を有する株主の85％以上の署名があり、かつ、これらの株主が有効な議決権の85％以上を保有している場合、株主総会の書面決議が可能である（会社法144条1項）。

【図表12-2】主な株主総会決議事項

普通決議事項	利益配当の承認（会社法56条）、監査役の選任・不再任（同法154条・158条）、取締役の選解任（同法204・206条）、取締役の報酬の決定（同法216条）等
特別決議事項	会社の商号変更（会社法8条）、新定款の採用・定款の変更（同法15条）、減資（同法59条）、株主の一切の権利の変更（同法99条）、重要な取引（同法185条）、合併（同法241条）、破産申立て（同法319条）等

(2) 取締役

取締役は、原則として1名いれば足りるが、公開会社については2名以上とする必要がある（会社法201条）。

取締役の選任および解任は、株主総会の普通決議事項である（会社法204条2項・206条1項）。会社法上、取締役の居住要件・国籍要件および任期に関する明文の規定はない。

また、取締役に任命されうるためには年齢要件があり、18歳未満の者は、取締役として任命される権利を有さず（会社法202条2項(a)）、70歳以上の者は、公開会社および公開会社の子会社である非公開会社の取締役として任命される権利を有しない（同法210条1項）。

なお、取締役会は、適切と考える任期を定めて、取締役をマネージング・ディレクター（managing director）として任命することができる（標準定款[3]31条1項）。

(3) 取締役会

会社法上、取締役会の手続や定足数に関する明文の規定は存在せず、それらは各会社の定款の規定に委ねられている（会社法215条）。

標準定款によれば、取締役や会社秘書役（後記(5)参照）は、定款の規定に従って取締役会を招集することができる（標準定款25条1項）。また、スリランカに居住する取締役には取締役会の24時間前までに取締役会の招集通知が送付されていなければならない（同条2項）。取締役会の定足数は、取締役の過半数であり（同27条1項）、各取締役は決議に際してそれぞれ1票を持ち、可否同数の場合は議長が決定権を有する（同28条1項・2項）。取締役会の決議は、投票の過半数の賛成がある場合等に成立する（同条3項）。

(4) 監査役

会社は、毎定時株主総会において、監査役を選任しなければならない（会社

---

[3] 標準定款とは、会社法に添付されている定款のサンプル（First Schedule）を指す。会社がこの標準定款の内容を除外したり、修正したり、これと矛盾する内容を有する定款を採用しない限り、標準定款の内容が会社の定款として効力を有することとなる（会社法14条）。

法154条1項)。任期は、次回の定時株主総会までとされているが（同項(a)）、原則として再任される（同法158条1項）。監査役は、スリランカ勅許会計士協会の協会員であるか登録監査役でなければならない（同法157条1項）。

(5) 会社秘書役

スリランカには、日本にない機関として会社秘書役という機関が存在する。すべての会社は、会社秘書役を置かねばならず（会社法221条1項）、その選任および解任の権限は取締役会が有する（同条4項）。会社秘書役は、株主総会および取締役会の議事録等の法定書類の作成および管理が主な役割である。

(6) 上場会社特有のガバナンス

スリランカの唯一の証券取引所であるコロンボ証券取引所に株式を上場している会社は、同証券取引所の上場規則を遵守する必要がある。

以下、特徴的な規定を概説する。

① 取締役会

コロンボ証券取引所に株式を上場している公開会社の取締役会には、少なくとも、2名または取締役総数の3分の1に相当する人数のうちのいずれか多い方の人数の非業務執行取締役（non-executive director）がいなければならない（上場規則7.10.1)。すなわち、上場している公開会社には、少なくとも2名の非業務執行取締役が必要となる。

また、取締役会が2名の非業務執行取締役から構成されている公開会社においては、この2名の非業務執行取締役はいずれも独立取締役（independent director）でなければならない。それ以外の場合には、少なくとも、2名または非業務執行取締役の3分の1に相当する人数のうちのいずれか多い方の人数の独立取締役がいなければならない（上場規則7.10.2a)。なお、独立取締役の定義については、たとえば、取締役就任直前の2年間に当該上場会社の従業員であった場合や取締役就任直前の2年間に当該上場会社と重要な取引関係を有していた場合や相当数の当該上場会社の株式を保有している場合はいずれも独立取締役とはみなされない等、独立取締役とはみなされない類型を列挙する形で間接的に規定されている（同規則7.10.4)。

② 報酬委員会

　上場会社は、報酬委員会を設置しなければならない（上場規則7.10.5）。報酬委員会は、業務執行取締役やCEOまたはそれと同等の地位にある者に支払うべき報酬額を提案する機能を果たす（同規則7.10.5.b）。そして、報酬委員会は、少なくとも2名の独立非業務執行取締役か、またはその過半数が独立取締役である複数の非業務執行取締役のいずれか多い方によって構成されなければならない（同規則7.10.5.a）。なお、上場会社が2名の取締役しか有していない場合は、報酬委員会は、2名の独立非業務執行取締役によって構成されなければならない（同）。

③ 監査委員会

　上場会社は、監査委員会を設置しなければならない（上場規則7.10.6）。監査委員会は、会社の財務書類がスリランカ会計基準を遵守しているか、会社が会社法の財務報告要件等を遵守しているか、会社の内部統制やリスク・マネジメント体制がスリランカ監査基準を遵守しているかをチェックし、会社の外部監査人の独立性や働きを評価し、外部監査人の選任および解任や報酬等につき提案する機能を果たす（同規則7.10.6.b）。監査委員会も報酬委員会と同様、少なくとも2名の独立非業務執行取締役か、またはその過半数が独立取締役である複数の非業務執行取締役のいずれか多い方によって構成されなければならない（同規則7.10.6.a）。上場会社が2名の取締役しか有していない場合に、監査委員会が2名の独立非業務執行取締役によって構成されなければならないとされる点（同）も報酬委員会と同じである。

12-4　外資規制の概要

1　外資規制の概要

　スリランカは東南アジア、南アジア諸国の中では、比較的緩やかな外資関連法を有する国であり、スリランカ憲法157条は、投資保護条約・合意の安全を保証しているなど、外国投資家にとっての投資環境は整備されているといえる。

　外国企業による投資に関する主な法律としては、①1978年スリランカ投資

委員会法（Board of Investment of Sri Lanka Law, No.4 of 1978）、②外国為替法（The Foreign Exchange Act, No.12 of 2017：以下「外国為替法」という）、③会社法等がある。ここでは、主に②外国為替法について解説した上、スリランカにおける土地取得に関する制限についても触れる。

2　外国為替法による外国投資規制

外国為替法およびこれを受けた同規則（Foreign Exchange Control Regulations No 20451232/56 2017.11.17：以下「外国為替規則」という）では、①外国投資が認められない業種、②出資割合に応じてスリランカ政府の承認を必要とする業種、③スリランカ政府または該当事業への海外投資を管轄する法的・行政機関の承認を必要とする業種が定められている。その他は、④外国投資が自由な業種となる。

① 外国投資が認められない業種

以下の業種については、外国投資が認められていない（外国為替規則SCHEDULE Ⅱ 3条（Regulation 2(b)））。

(a) 質屋業
(b) 沿岸漁業
(c) スリランカ国外に居住する者の出資による資本金額が500万USドル未満の小売業

② 出資割合に応じてスリランカ政府の承認を必要とする業種

以下の業種については、外国資本の比率が40％を超える場合に、各投資案件ごとにスリランカ投資庁（BOI）からの承認を得る必要がある。40％を超えない投資については、BOIの自動承認が付与される（外国為替規則SCHEDULE Ⅱ 4条1項（Regulation 2(b)））。

(a) スリランカからの輸出で、国際的に定められた割当制限の対象である輸出財の製造
(b) 茶・ゴム・ココナッツ・ココア・米・砂糖・香辛料の栽培および一次加工
(c) 再生不可能な自然資源の採掘および一次加工
(d) スリランカの木材を使用する林業
(e) 遠洋漁業

(f)　マスコミ
　(g)　教育産業
　(h)　貨物輸送
　(i)　旅行代理店
　(j)　海運代理業
③　スリランカ政府または該当事業への海外投資を管轄する法的・行政機関の承認を必要とする業種

以下の業種については、スリランカ政府または該当事業への海外投資を管轄する法的・行政機関の承認を必要とする（外国為替規則 SCHEDULE Ⅱ 4 条 2 項（Regulation 2 (b)））。なお、スリランカ政府または管轄の法的・行政機関が定める出資割合を上限とする。この規制に該当する場合については、潜在的投資家支援のため、承認は速やかに付与されると言われている。
　(a)　航空運送業
　(b)　沿岸海運業
　(c)　産業促進法 (Industrial Promotion Act, No.46 of 1990) の別紙 2（Second Schedule）に記載されている以下の産業事業
　　　ａ．武器・弾薬・爆発物・軍用車両・軍用設備・軍用機・その他軍用装備品を生産する産業
　　　ｂ．毒物・麻薬・アルコール類・危険薬物・危険毒物・危険有害物質・発癌性物質を生産する産業
　　　ｃ．貨幣・硬貨・有価証券証書類を作成する産業
　(d)　宝石の大規模・機械化採掘業
　(e)　宝くじの胴元業
④　外国投資が自由な業種

上記①から③以外の業種については、外国投資について特段の制限はない。
⑤　その他──送金

スリランカの外国為替法上、外国為替を要する国際取引の分類に入るサービスに対する支払いは自由に許可されており、スリランカ国内の共同事業のパートナー（外国のパートナー）に利益を送金すること、および株主（外国投資家）に配当金を送金することは、事前に外国為替管理の許可を取得することなく、

公認取引業者である商業銀行を通じて、特に条件を付されることなしに認められる。ただし、当該取引が規制上の要件を満たしていることを示す補完書類の提出が義務づけられている。

3　土地所有規制

スリランカでは、外国人、スリランカ以外の法律に基づいて設立された外国企業、または会社法に基づきスリランカで設立された企業であっても株式の50％以上を外国人あるいは外国企業に保有されている企業は、土地譲渡禁止の適用対象となり、これらの者への土地譲渡は原則として禁止されている（土地譲渡制限法（Land（Restrictions on Alienation）Act, No.38 of 2014）2条1項）。ただし、外国企業にも、国有地・民有地ともに最長99年間のリース物件として土地の取得が認められている（同法5条1項）。なお、2015年まではリース賃料の合計の15％に当たる土地リース税が課税されていたが、2016年より撤廃された。

上記の土地譲渡禁止については適用除外があり、2013年1月1日から土地譲渡制限法の発効日（2014年10月29日）までの間においてスリランカで10年以上の操業歴がある外国企業、戦略的開発プロジェクトとして認定・承認された銀行、金融、保険、海運、航空、先端技術またはインフラ開発プロジェクトに従事する外国企業、また、国際的な商業活動を行い、グローバル拠点もしくは地域拠点を配置もしくは移転する、または支店を開設する外国企業等には土地譲渡禁止は適用されない（同法3条）。

12-5　買収のための各手法の手続および内容

1　株式の取得

(1)　概　　要

スリランカ法人の買収方法としては、買収者が対象会社の株式を取得する手法が最も典型的である。その中でもよくみられるのは、対象会社の既発行株式を取得する方法である。この点については後記(2)以下で記載する。他方で、対

象会社が新規に発行する株式を買収者が取得する方法がとられることもあり、この場合には、通常、対象会社と買収者との間で株式引受契約が締結され、その株式引受契約の中に、株式の引受けに関する諸条件が規定されることとなる。

(2) 既発行株式の取得

対象会社を買収する手法として最も一般的な形態は、対象会社の株式を相対で譲り受ける方法である。

非公開会社は、定款に①発行有価証券の公募禁止の定め、および②株主数を50名以下に限定する定め（ただし従業員を除く）のある会社を意味するため（前記12-3の1参照）、会社法上は、非公開会社の株式の譲渡を制約する規定はない。もっとも、対象会社の定款上、対象会社の株式の譲渡に制約が課されている場合には、当該制約に従い所定の手続を経る必要がある。スリランカにおいて、非公開会社の定款に譲渡制限に関する規定が設けられていることは一般的であるため、非公開会社を株式譲渡の方法により買収する場合には、この点に留意する必要がある。また、会社法上、適切な譲渡証書が会社に交付されない限り、会社は当該株式譲渡を登録することはできないものとされている（会社法73条）。

他方で、上場会社株式を取得する場合、後記(3)で記載する公開買付規制の適用がある場合を除き、株式譲渡がコロンボ証券取引所の立会場（trading floor）で行われる限り、特段の制約はない。もっとも、立会場外で上場会社の株式を譲渡する場合には、証券取引委員会（Securities and Exchange Commission of Sri Lanka）の承認を得る必要がある。

(3) 公開買付規制

上場している公開会社の株式を取得する場面においては、買収コードに基づき、①買収者が、1つの取引または一連の取引により、株式取得時において、共同保有者（a person acting in concert）が保有または取得する株式と合わせて、対象会社の議決権の30％以上に相当する株式を保有することとなる場合、あるいは、②共同保有者が保有する株式と合わせて対象会社の議決権の30％以上50％以下に相当する株式を保有している買収者が、12カ月間に対象会社の

議決権の 2 ％超に相当する株式を取得する場合には、買収者は強制的公開買付けを行わなければならない（買収コード31条(1)）。

ここでいう共同保有者とは、対象会社の支配権[4]を取得するために、本人との合意（非公式なものを含む）によって、対象会社の株式取得を通じた協力をする者と定義され、親会社、子会社、孫会社、親会社または子会社が20％以上の株式を保有する会社、および会社の取締役は、共同保有者に含まれる（買収コード37条）。

強制的公開買付けを行う場合、原則としてその対価は現金でなければならず、有価証券を対価とする場合には、現金もその対価の選択肢として含めなければならない（買収コード31条(3)）。そして、買付価格は、買収者およびその共同保有者が、過去12カ月間に買付対象と同一の種類の株式の対価として支払った最高価格を下回ってはならないものとされている（同）。

(4) スクイーズ・アウト（株式売渡請求権）

少数株主を排除するためのスクイーズ・アウトの制度として、公開買付けと組み合わせて用いられる手法が、会社法246条に規定される株式売渡請求権である。

具体的には、対象会社の株主に対する公開買付けに基づき、対象会社の議決権の90％以上を取得した買収者は、当該取得時から 3 カ月以内に、議決権付株式を保有するすべての株主に対して、法律に定められた方法で、当該議決権付株式を取得する意向を通知することによって、これらの株式を強制的に取得することができる。取得対価は公開買付けにおける買付価格を下回ってはならないものとされ（会社法246条(1)）、株式売渡請求権を行使した買収者は、上記通知を行った日から 1 カ月経過した日に、この取得対価を対象会社に対して交付し、対象会社の会社秘書役は、強制的に取得される株式を保有する株主に対して、当該対価を不当に遅れることなく交付しなければならない（同条(3)・(4)）。なお、上記通知を受領した株主は、通知を受領した日から14日以内に裁判所に異議申立てを行うことができ、裁判所は、この申立てを適切と認めた場

---

[4] 支配権の意味は法定されておらず、解釈に委ねられている。

合には、株式売渡請求に反する命令を出すことができるものとされている（同条(1)）。

2 合　併

　スリランカでは、会社法上、合併（amalgamation）の手法を用いることにより、対象会社を買収することができる。日本と同様、合併には、新設合併と吸収合併の2種類が存在する。

　会社法は、合併当事会社の資本関係に応じて、合併の手続を2つのパターンに分けて規定している。すなわち、ある会社がその直接もしくは間接の完全子会社と合併する場合、または、ある会社の直接もしくは間接の完全子会社同士が合併する場合には、略式合併（short form amalgamation）として簡易な手続での合併が認められ（会社法242条）、その他の場合の通常合併（long form amalgamation）と区別されている（同法239条・240条・241条）。とりわけ、略式合併の場合には、通常合併の場合と異なり、各合併当事会社による合併を承認する株主総会特別決議を経る必要がない点、また、その一方で、合併承認に賛成した取締役が、会社法に記載された条件が充足されている旨の意見および当該意見に至った理由を記載した証明書（certificate）に署名することが求められている点が重要である。

　また、通常合併の場合には、合併を承認する株主総会において反対の議決権を行使した株主は、会社に対して、その保有する株式の買取りを請求することができる点にも留意が必要である（会社法93条・94条）。

3　事業譲渡

　スリランカにおいては、事業譲受の方法により、対象会社を買収するケースも多くみられる。とりわけ、買収者が対象会社の一定の資産や事業の取得にのみ関心がある場合には、この手法が利用されることが多い。

　事業譲受を行う場合、譲渡人（対象会社）と譲受人（買収者）は、譲渡価格や対象事業に関する譲渡人の表明保証等の契約条件を記載した事業譲渡契約を締結することが一般的である。

　事業の譲受に際しては、「重要な取引」（会社法185条）に該当する場合や定款

に定めがある場合に、取締役会や株主総会における機関決定を得る必要があるほか、監督官庁からの承諾等が必要となる場合があり、その場合には、これらの承諾等を取得しなければならない。

12-6　M&Aをめぐるその他の主要な規制

1　競争法

スリランカの競争法としては、消費者庁法（Consumer Affairs Authority Act, No.9 of 2003）がある。消費者庁は、1名の議長と3名の常勤委員等により構成される。

消費者庁の業務は、不公正な取引からの消費者の保護、競争力ある価格の商品やサービスへのアクセスの確保、不公正な取引慣行、制限的な取引慣行、その他消費者からの搾取的行動の是正が中心であり、消費者保護法としての側面が強い。消費者庁法には、企業間の合併等に対する直接的な規制は定められておらず、企業間の合併等が同法に基づく不公正な取引慣行に該当するような場合に、その適用が問題となる。

消費者庁は、非競争的な慣行が広く行われているかにつき調査を行う権限がある。よって、合併が計画されている段階においては、いまだ「広く行われている」状態ではなく、調査の対象にはならないと解されている。

なお、上場会社の合併については、買収コードの適用があることに留意する必要がある。

2　上場会社株式の大量保有報告規制

スリランカの大量保有報告規制は、証券取引法の下に定められる買収コードにおいて規定される。具体的には、コロンボ証券取引所に上場する会社の株式または議決権の10％以上を自らまたは共同保有者（その定義は前記**12-5**の**1**(3)参照）とともに取得した場合、当該取得について、対象会社、証券取引委員会およびコロンボ証券取引所に対して、取得から2取引日以内に通知しなければならない（買収コード36条）。

3　上場会社の適時開示規制

　上場会社の適時開示に関する規制は、コロンボ証券取引所が定める上場規則に規定される。同規則8.1により、上場会社は、証券市場における公平な取引確保のため、未公表の価格感応情報（その定義は後記4参照）が存する場合に直ちにコロンボ証券取引所を通じて開示しなければならないとされている。適時開示が求められる事項は、同規則の別紙8Aに列挙されており、たとえば、その会社の10％以上の議決権の取引があった場合、支配権の変更があった場合、CEOの選任および解任、事業目的の変更、重要性の高い法的手続の開始、一定規模を超える関連当事者取引等が挙げられているが、適時開示が求められる事項は、それらに限られない。

4　上場会社株式のインサイダー取引規制

　スリランカのインサイダー取引規制は、証券取引法32条に規定されており、たとえば、以下に該当する者は、上場している証券を取引することを禁止されている。

①　会社の内部者（connected with a company）であって、当該証券についての未公表の価格感応情報（unpublished price sensitive information）を知っている者

②　別の会社の内部者であるものの、当該証券についての未公表の価格感応情報であり、かつ、双方の会社が関与する取引に関する情報を知っている者

③　ある者が、会社の内部者（会社の内部者と信じる合理的根拠がある場合を含む）から直接または間接に情報を知らされた場合であって、その者が当該情報が当該証券についての未公表の価格感応情報であると合理的に知ることができた場合

　証券取引法34条1項において、「会社の内部者」とは、(i)会社または関連会社の取締役、(ii)会社もしくは関連会社の取締役以外の役員もしくは従業員、または会社もしくは関連会社と専門的もしくは業務上の関係がある立場にある者（その者の従業員もしくはその者が取締役である会社が当該関係を有する場合も含

む）であって、当該証券についての未公表の価格感応情報であって職務遂行の過程を除き開示しないことが合理的に期待される情報へのアクセスを有する者、および、(iii)当該証券についての情報へのアクセスを有する者であって、当該情報が未公表の価格感応情報であると知っており、かつ、当該者の義務の遂行過程を除き開示しないことが合理的に期待される者をいうとされる。

「未公表の価格感応情報」は、証券取引法34条2項に定義されており、会社に直接または間接に関係する特定の事項に関する情報であって、その会社の上場証券に精通しているか取引する可能性のある人に一般的に知られておらず、仮に一般的に知られれば当該証券の価格に重大な影響を与える情報とされている。

スリランカのインサイダー取引規制は、上記のように自ら証券の取引を禁止することに加えて、他の者が当該上場証券を取引することを助言（counsel）または斡旋（procure）したり、情報を用いて取引を行ったりすることを禁止される者が、他の者がこの助言または斡旋を行う目的で当該情報を用いることを知りつつ当該情報を伝達する行為も禁止している。

なお、利益を得たり損失を減らしたりする目的によらずに未公表の価格感応情報を用いる行為、破産管財人等によるその誠実な業務遂行過程における取引行為、通常の業務の遂行過程で価格感応情報を取得すると合理的に認められる場合で誠実に通常の業務を遂行する行為等は、インサイダー取引規制によって禁止されていない。

インサイダー取引規制を含む証券取引法の規制に反した者は、2年以上5年以下の禁錮もしくは100万スリランカルピー以下の罰金、またはその両方が科されうる。

第13章　イスラエル

13-1　総　論

　イスラエルは、国土面積は2万2,000平方キロメートルと四国ほどであり、その人口は増加が続いているものの950万人を超えたところであり、市場としては必ずしも大きな規模ではない。また、パレスチナ問題等を背景として、特に2000年代まではビジネスを行うにはリスクがあると考えられた傾向がみられ、現地に進出している日本企業の数も限定的であった。しかし、近年日本とイスラエルのビジネス関係は急速に発展している。

　まず両国政府間では、2017年10月に日・イスラエル投資協定[1]が発効し、二国間の投資を促進し、投資家の権利を保護する法的な枠組みが整えられた。加えて、サイバーセキュリティやデジタルヘルスといった個別分野における協力覚書も締結されている。2022年には、「あり得べき日・イスラエル経済連携協定（EPA）に関する共同研究」の立上げが発表されている。

　このような政府間の交流も背景としつつ、民間レベルにおける取引や投資活動が活発になっている。中東のシリコンバレーとも呼ばれ、毎年多数のスタートアップが次々に誕生するエコシステムをもつイスラエルの先端技術に着目し、オープンイノベーション等を目指した日本企業による投資や買収、連携が加速している。イスラエル企業への投資を目的としたベンチャーファンドやコーポレートベンチャーキャピタル（CVC）の設立も相次いでいる。現地に進出している日系企業は近年大幅に増加して85社に[2]、在留邦人は1,253人に上っ

---

[1] 正式名称は、「投資の自由化、促進及び保護に関する日本国とイスラエル国との間の協定」。

ている[3]。

　イスラエルは、とりわけIT、フィンテック、サイバーセキュリティ、自動車、医療、農業・食品といった分野における先端技術に強みを有する。新型コロナウイルスにいち早くデジタル技術を活用して対応していたのは記憶に新しい。既存の市場や産業が創造的に破壊されるディスラプションが進行するビジネス環境の下、業種を問わず多くの日本企業がイスラエルに熱い眼差しを向けているのである。

　こうした動きは日本企業に限られたものではもちろんなく、むしろ日本企業は出遅れ感が否めない。イスラエルとのビジネスは、成熟社会を迎えた日本の企業が世界でさらに飛躍を遂げるために必要なピースの1つとなる可能性を秘めており、その重要性は今後ますます増加していくと考えられる。

13-2　M&Aの手法・M&Aを規制する法令等

　イスラエル企業を対象とするM&Aの手法としては、既発行株式の譲受けまたは新株発行、事業譲渡、および合併等の組織再編が挙げられる。

　これらのM&Aを検討するにあたり、最も基本的な法律は会社法（Companies Law, 5759-1999）であり、同法においては、公開会社と非公開会社の概念や株主総会および取締役会等のガバナンスに関する規定に加えて、株式譲渡、新株発行や組織再編等に必要な手続等が定められている。

　上場会社の株式の取得については、証券法（Securities Law, 5728-1968）のほか、公開買付規則（Securities (Purchase Offer) Regulations, 5760-2000）等の証券関連規則に従う必要がある。上場会社の株式の取得の中でも、相当数の株式を取得しようとする場合は、かかる規則に加えて、公開買付規則および会社法が定める公開買付けに関する手続を履践する必要がある。このように、イスラエルの上場会社の株式取得については、会社法にも公開買付けに関する定めが置かれているのが特徴的である。

2）　出所：外務省「海外進出日系企業拠点数調査（2021年調査結果（令和3年10月1日現在））」。
3）　出所：外務省「海外在留邦人数調査統計（令和4年（2022年）10月1日現在）」。

外国企業である日本企業がイスラエル企業の株式を取得する際には、特定の事業分野や活動に適用される個別の法令によって、イスラエルの市民や居住者が一定割合以上支配していることがライセンス付与の条件とされていることがある点に留意が必要である。イスラエルにおいては、外国投資等に関する一般的な規制を定めた法令は存在しないため、個別の法令が課している条件や制限の内容を確認する必要がある。

13-3　会社の種類とガバナンス

1　会社の種類

　イスラエルにおける企業形態には、会社やパートナーシップといったものが存在する。会社は、公開会社（public company）と、非公開会社（private company）に分類される。公開会社とは、株式が取引所に上場されている会社、株式が証券法に定義される目論見書に基づいて公募された会社、または株式が外国の法令に従い海外で公募された会社のことを指し、非公開会社とは、公開会社以外の会社のことを指す（会社法1条）。非公開会社の株主数は一般に50名以下とされ、50名を超える場合には財務諸表の登録等の追加的義務が生じる（同法175条(a)参照）。また非公開会社であっても、その発行する社債が取引所に上場されている場合、社債が証券法に定義される目論見書に基づいて公募された場合、または社債が外国の法令に従い海外で公募された場合（かかる会社を、以下「社債発行会社」という）には、公開会社と同様の制約に服する。
　会社の株主の責任は、定款に記載することで、有限責任とすることも、無限責任とすることも可能である（会社法35条(a)）。

2　ガバナンス

(1)　株主総会

　会社は、前年度の定時株主総会（annual meeting）から15カ月以内に次の定時株主総会を開催しなければならない（会社法60条(a)）[4]。
　定時株主総会においては、会社の計算書類および取締役会からの報告に関す

る協議を議題として付議しなければならないほか、取締役・監査役の選任、その他定款で記載した事項等を議題として付議することができる（会社法60条(b)）。取締役会は、臨時株主総会（special extraordinary meeting）の開催を決定することも可能である[5]。

株主総会の招集通知は、非公開会社の場合には、定款に別途定めがある場合を除き、株主総会の45日前から7日前までの間に行う必要がある（会社法67条）。招集通知は所轄官庁の定める方法により公告しなければならない（同法69条(a)）。

株主総会の開催方法について、非公開会社の場合には、すべての参加株主がリアルタイムで通信可能であれば、定款に別途定めがある場合を除き、どのような通信手段を用いて開催してもよい（会社法77条）。

株主総会の定足数は、株主総会の開始時刻から30分以内に、議決権を合計25％以上保有する株主が2名以上出席していることである（会社法78条(a)）。ただしかかる定足数の規定は株主が1名の会社には適用されない（同法78条(c)）。

株主総会における決議事項は、定款の変更、取締役会が決議できない決議事項、監査役の選任・解任、社外取締役の選任、利益相反取引の承認、資本金の増減、合併等の事項である（会社法57条）。株主総会決議は、別途法令・定款で定められていない限り、出席者の過半数決議で議決される（同法85条）。

なお、非公開会社において、議決権のある株主全員の同意があれば、株主総会の招集を省略して決議を行うことができる（会社法76条）。

---

[4] 非公開会社である場合、定款にその旨定めれば、監査役の選任が必要な場合を除き、定時株主総会の開催を省略することが可能である。ただし、株主または取締役が要求した場合には開催が必要となる（会社法61条(a)）。定時株主総会の開催を省略した場合には、毎年1回、定款の規定がなければ定時株主総会を開催しなければならない最終の日までに、計算書類を株主に送付する必要がある（同法61条(b)）。

[5] 非公開会社の場合には、取締役会は、①1名の取締役、②発行済株式の10％以上を保有する株主および議決権の1％以上を保有する1名以上の株主、または③議決権の10％以上を保有する株主からの請求がある場合には、臨時株主総会を開催する必要がある（会社法63条(a)）。公開会社の場合には、①2名の取締役または取締役の4分の1以上、②発行済株式の5％以上および議決権の1％以上を保有する株主、または③議決権の5％以上を保有する株主からの請求がある場合には、臨時株主総会を開催する必要がある（同法63条(b)）。

(2) 取締役

非公開会社では原則として取締役が最低 1 名いれば足りる（会社法93条・219条(b)）。公開会社および社債発行会社たる非公開会社においては取締役の人数の制限は特にないが、最低 2 名の社外取締役（outside director）[6] が必要である（同法219条(c)・239条(a)）。かかる社外取締役のうち最低 1 名は会計財務の専門知識がなければならず、残りの者も専門家としての資格が必要である（同法219条(c)・240条(a1)）。

取締役の選任は、定款に別途定めがある場合を除き、定時株主総会において行われ[7]、株主総会によって何時にても解任することができる（会社法230条(a)）[8]。

取締役の任期は、定款に別途定めがある場合を除き、選任後の最初の定時株主総会までである[9]。

非公開会社においては、定款に別途定めがある場合を除き、法人も取締役になることができる（会社法235条）。当該法人は、当該法人の代わりに取締役として行動する個人を選任する（同法236条(a)）。

6）社外取締役となる資格を有する者は、イスラエルに居住している個人で、取締役として選任される資格のある者である（会社法240条(a)）。ただし、その発行する株式または社債が海外で公募されたり海外の取引所に上場している場合には、かかる居住要件は不要である。①選任時点または選任前の 2 年間で会社やその支配株主と繋がり（雇用関係等）のある個人や（同法240条(b)）、②取締役たる地位と利益が相反する地位や事業を行っている場合（同法240条(c)）、③すでに別の会社の社外取締役となっている場合（同法240条(d)）、④イスラエル証券当局のメンバーや、証券取引所の取締役会の構成員や従業員である場合（同法240条(e)）には、社外取締役として選任されない。

7）社外取締役の選任は、株主総会において行われるが、①過半数決議の際、投票に参加した非支配株主または個人的利害関係のない株主の過半数の投票が含まれていること、または②非支配株主または個人的利害関係のない株主による反対票が、総議決権の 2 ％を超えないこと（会社法239条(b)）が必要である。なお「支配権」とは会社の事業活動を指揮監督する権限（単に取締役その他の地位を保有していることによる権限は除く）をいい、当該会社の議決権または取締役もしくはジェネラル・マネージャーを選任する権限の50％以上を有している場合は、かかる支配を有しているものとみなされる（証券法 1 条）。

8）ただしかかる取締役が株主総会において自己の立場を表明する合理的な機会が与えられていることが前提である（会社法230条(a)）。また、社外取締役の解任は、法令上規定されている一定の事由が存在する場合（イスラエル外の裁判所における贈収賄に関する有罪判決、忠実義務違反等）に限定される（同法245条(b)）。

9）社外取締役の任期は 3 年であり（会社法245条(a)）、一定の要件を満たした場合には、定款で別途制限している場合を除き、任期を 2 回まで各 3 年間延長することができる（同法245条(a1)）。

公開会社および社債発行会社たる非公開会社は少なくとも1名のジェネラル・マネージャー（general manager）を選任しなければならない。複数のジェネラル・マネージャーを置くこともできる（会社法119条(a)）。社債発行会社ではない非公開会社においても、ジェネラル・マネージャーを1名以上選任することができるが、選任しない場合には、取締役会が会社を運営する（同法119条(b)）。ジェネラル・マネージャーは、定款に別途定めがある場合を除き、取締役会で選任・解任される（同法250条）。ジェネラル・マネージャーは、取締役会の定める方針の範囲内で会社の日常的な運営について責任を負うほか（同法120条）、取締役会の監督の下、会社法および定款によって他の機関に付与されていないすべての経営上の権限を有する（同法121条(a)）。

(3) 取締役会

取締役会は、少なくとも年に1回（公開会社および社債発行会社たる非公開会社においては3カ月に1回）開催されなければならない（会社法97条）。

定款に別途定めがある場合を除き、定足数は取締役の過半数の出席である（会社法104条）。

定款に別途定めがある場合を除き、取締役会は、参加取締役がリアルタイムに通信できる限り、どのような電気通信手段を用いて開催してもよい（会社法101条）。

取締役会における決議事項は、会社の行動計画の決定、財務状態の確認、組織・報酬制度の決定、社債の発行、計算書類の準備・承認、株主総会への報告、ジェネラル・マネージャーの選任・解任、利益相反取引等の承認、株式等の発行、配当の実施等、公開買付に対する意見等が存在する（会社法92条(a)）。これらの権限は、原則として、ジェネラル・マネージャーに委任できない（同条(b)）。

公開会社および社債発行会社たる非公開会社においては、定款に別途選任方法が記載されている場合を除き、取締役会は取締役の中から1名議長を選任しなければならない（会社法94条(a)）。社債発行会社ではない非公開会社においては、議長の選任は任意であり、議長が選任されない場合、定款に別途定めがある場合を除き、各取締役が取締役会の招集や決議事項の決定につき権限を有す

る（同条(b)）。

　取締役会の決議要件は、定款に別途定めのない限り過半数の取締役の同意であり、可否同数の場合には、定款に別途定めがある場合を除き、議長が決定権を持つ（会社法107条）[10]。

　なお、定款に別途定めがある場合を除き、取締役全員の同意があれば、取締役会の開催を省略して決議を行うことができる（会社法103条(a)）。

　また、取締役会は、取締役によって構成される委員会を設置することが可能である（会社法110条）。公開会社および社債発行会社たる非公開会社においては、監査委員会（audit committee）の設置が必要とされている（同法114条）[11]。監査委員会の役割は、会社の事業運営に関する不備の指摘・是正提案、および監査委員会の承認が必要な事項についての検討などである（同法117条）。

(4) 監査役

　会社は、毎年の計算書類を監査し、意見を表明するための監査役（auditor）を選任する必要がある（会社法154条(a)）[12]。

　監査役は、毎年の定時株主総会において選任され、任期は次の定時株主総会までである。ただし、定款にその旨の定めがある場合には、自らが選任された定時株主総会から最長3年後の定時株主総会まで任期を延長することができる（会社法154条(b)）[13]。

　監査役は、株主総会において解任することができる（会社法162条(a)）。ただし、公開会社または社債発行会社たる非公開会社において監査役の解任が決議事項となる場合には、監査役がその意見を株主総会において示す合理的な機会が与えられた後に、監査委員会の意見が株主総会において明らかにされる必要

---

10)　もっとも、多くの会社は定款においてかかる議長の決定権を排除する規定を置いているようである。
11)　監査委員会の人数は3名を下回ってはならず、かつ社外取締役は全員構成員とならなければならない（会社法115条(a)）。取締役会の議長、会社に雇用されている取締役、支配株主等は監査委員会の構成員となることはできない（同条(b)・(c)）。
12)　ただし、売上高が所定の額に満たない非公開会社の場合、株主総会において監査役を置かない旨決議することができる（会社法158条(a)）。
13)　前述の定時株主総会が開催されない非公開会社の場合、監査役の任期は最初の監査が完了したとき、または定款にその旨の定めがある場合は3回目の監査が完了するまでである（会社法154条(c)）。

がある（同条(b)）。また監査役は会社からの独立性を維持する義務があり（同法160条(a)）、かかる独立性に疑義が生じた場合も所定の手続を経て株主総会において解任の可否が検討される（同法163条）。

公開会社および社債発行会社たる非公開会社の場合には、内部監査役（internal auditor）が取締役会によって選任される。かかる内部監査役の選任の提案は監査委員会が行う（会社法146条(a)）。内部監査役は、会社の行為を法令遵守および適切な経営管理という観点から監査する役割を担う（同法151条）。内部監査役は、取締役会が監査委員会の意見を聞き、内部監査役が自身の意見を取締役会および監査委員会において示す合理的な機会が与えられた後に、取締役会[14]において解任の決議がされた場合を除き、本人の同意なくして解任されず、その地位が停止されることはない（同法153条(a)）。

13-4　M&Aの手法と関連する規制

1　概　　要

前記13-2のとおり、イスラエルにおいて会社買収に用いることができる主な手法としては、既発行株式の譲受けまたは新株発行の取得による方法、事業譲渡、法定合併（statutory merger）、スキーム・オブ・アレンジメント（scheme of arrangement）が挙げられる。それぞれの手法の概要は以下のとおりである。

2　株式譲渡

(1)　非公開会社

① 原　　則

非公開会社（その概念については前記13-3参照）の株式の譲渡について会社法上の制限は設けられていない。もっとも、定款において、株式譲渡を行うための条件を設けることはできる（会社法294条）。

---

[14]　当該取締役会を開催する場合には、定足数は取締役会の構成員の過半数となる（会社法153条(b)）。

② 非公開会社における株式強制買取制度

会社法は、非公開会社につき、所定の要件を充足することを条件として、反対する株主の株式も含めて強制的に取得できる制度を設けている。

非公開会社の株式を強制的に取得しようとする買収者[15]が取得対象とする株式の株主に対してその株式を希望する旨の申出を行った場合に、取得対象株式の80％以上（定款で別段の定めをすることもできる[16]）を保有する株主[17]が、当該申出を受けてから2カ月以内に申出を受諾した場合には、以下の手続を履践することによって、申出を受諾しなかった株主（以下「反対株主」という）が保有する株式も含めて、当該申出に含まれる条件にて取得対象とするすべての株式を取得することができる。

すなわち、上記要件を充足する受諾があった場合、買収者は、申出期間である2カ月の満了時から1カ月後に反対株主に対して、当該反対株主の保有する株式を取得することを希望している旨の通知（以下「取得通知」という）を送ることができ（会社法341条(a)）、買収者がかかる通知を行った場合には、反対株主はその保有する株式を買収者に対して売却しなければならず、買収者は反対株主の株式を買い取らなければならない（同条(b)）。

なお、反対株主は、取得通知がなされてから1カ月以内に、裁判所に対して、株式の強制取得について異議を申し立てることができ、裁判所がかかる異議を認めた場合、買収者は当該反対株主が有する株式を取得することはできない（会社法341条(b)）。買収者による取得は、反対株主による異議が裁判所に係属している場合は、裁判所の判断が下された後に行われる。

(2) 公開会社

① 概　要

公開会社（その概念については前記**13-3**参照）については、原則として、そ

---

15) 対象会社の株式を保有していることは要件とされていない。
16) 会社法の施行前から成立する会社については、この基準を90％とする旨の定款の規定があるものとして扱われる（会社法342条）。
17) (i)買収者の支配権を有する者、(ii)(i)の者または買収者のために行動する者、(iii)(i)および(ii)の者の親族またはそれらが支配する会社は、80％の算定の基礎となる「株主」には含まれない（会社法341条(a)）。

の株式を市場において自由に取引することができる。もっとも、公開会社の株式を市場外で一定割合を超えて取得しようとする場合や支配権の変動を伴うような取得を行おうとする場合には、公開買付けが強制される旨が公開買付規則に定められている。イスラエルの公開買付規則上、公開買付けは、一般公開買付け、特別公開買付けおよび全部公開買付けに分類されている（公開買付規則1条）。このうち、特別公開買付けおよび全部公開買付けについては、同規則に加えて、会社法にも遵守すべき規則が設けられている。以下、それぞれの概要につき説明する。

② 一般公開買付け

一般公開買付けとは、公開会社の株式を保有する不特定多数の者に対して、証券市場外で、当該株式を売却するよう勧誘する行為のうち、特別公開買付けまたは全部公開買付けに該当しないものをいう（公開買付規則3条(a)）。公開買付規則上、6カ月間の間に5％を超える株式を証券市場外で取得するには、一般公開買付けを行うことによって、すべての株主に対して勧誘を行わなければならない（同規則3条(b)）。当該勧誘の条件は全株主に対して同等のものでなければならない（同規則5条(b)）。一般公開買付けは、買付申出書記載の条件によって行われる（同条(a)）。買付申出書には、買付対象となる株式の詳細（過去の取引価格等）、買付対価の詳細、所定の条件（許認可の取得等）を公開買付けの条件とする場合にはその条件、買付者の情報、買付期間を含む、買付に応募するか否かを判断するために合理的に重要と考えられる情報を盛り込む必要がある（同規則9条(4)項）。

一般公開買付けにおける公開買付け期間は、買付申出書の日付から14日以上とされ、買収者は、期間満了の1営業日前までに所定の方法により通知することにより、買付申出書の日付から60日間までを限度として公開買付け期間を延長することができる（公開買付規則6条(a)・(b)）。

公開買付に応募された株式の数が、買収者が取得を予定していた株式の数を上回る場合には、買収者は、応募した各株主から、按分比例により算出した数（当該株主が応募した株式の数に、買収者が買収を予定していた株式の数を分子、公開買付に応募された全株式の総数を分母とする割合を乗じた数）の株式を取得する（公開買付規則7条(c)）。

③ 特別公開買付け

特別公開買付けとは、買収者が会社の支配権の変動を伴うような数の議決権を取得する場合に要求される公開買付けである（公開買付規則１条、会社法328条）。

具体的には、①当該会社に25％以上の議決権を保有する株主がいない場合においては、買付けの結果、買収者が対象会社の議決権の25％以上を取得する場合、および②当該会社に45％の議決権を保有する株主がいない場合においては、買付けの結果、買収者の持株比率が対象会社の議決権の45％を超えることになる場合には、特別公開買付けの方法によらなければならない（会社法328条(a)）。なお、特別公開買付けが要求されない場合であっても、一般公開買付けの要件を満たす場合は、別途、一般公開買付けが要求されることになる。

特別公開買付けが成立するためには、①勧誘を受けた株主[18]のうち、当該勧誘に対する諾否の意思を表明した者が有する議決権の過半数を有する者による応募がなされ、かつ、②取得者が対象会社の議決権の少なくとも５％を取得することが必要である（会社法331条(b)・332条）。特別公開買付けの場合も、一般公開買付けと同様に、すべての株主に対して勧誘を行わなければならず、勧誘の条件は全株主に対して同等のものでなければならない（公開買付規則５条(a)・(b)）。特別公開買付けが買付申出書記載の条件によって行われるべきことも一般公開買付けと同様であるが（同条(a)）、買付申出書に記載すべき事項は、一般公開買付けの場合よりも多くの事項が法定されており、上述した特別公開買付けが成立するための要件も記載事項とされている。

特別公開買付けにおける公開買付け期間は、買付申出書の日付から21日以上60日以内とされている（公開買付規則６条(a)）。特別公開買付けが行われる場合には、対象会社の取締役会は、勧誘を受けた株主に対して、特別公開買付けに関する意見を表明しなければならない。ただし意見の表明を行うことができない場合にはその理由を示したうえで、意見の表明を差し控えることができる（会社法329条）。

---

[18] (ⅰ)買収者の支配権を有する者、(ⅱ)対象会社の株式の25％以上を有する者、(ⅲ)(ⅰ)および(ⅱ)の者または買収者のために行動する者、(ⅳ)(ⅰ)ないし(ⅲ)の者の親族または(ⅰ)ないし(ⅲ)の者により支配されている会社は、過半数の算定の基礎となる「株主」には含まれない。

特別公開買付けが成立した場合には、買収者は、公開買付け期間の最終日の翌営業日午前10時までに、勧誘を受けた株主に対して、特別公開買付けの結果を通知しなければならない。勧誘を受けた株主のうち、勧誘に対して反対した者および諾否の意を表明しなかった者は、公開買付け期間の最終日から4日以内に、勧誘を受諾することができる（公開買付規則5条(i)、会社法331条(d)）。

勧誘を受けた株主が売却することに同意した株式が、買収者が取得を予定していた株式の数を上回る場合には、特別公開買付けの場合も一般公開買付けの場合と同様に、買収者は、応募した各株主から、按分比例により算出した数の株式を取得する（公開買付規則7条(c)）。

特別公開買付けが成立しない場合、買収者は、前述の基準（25％または45％）を超える議決権を取得することとなる取引を行うことができない。また上記各規制に反して買収者が取得した株式は、買収者が保有する限り一切の権利を有しない（会社法333条(a)）。

④　全部公開買付け

全部公開買付けとは、買収者が対象会社の発行済み株式の90％を超える株式を取得しようとする場合に対象会社の発行済株式のすべてを買収者に取得させる手続である（公開買付規則1条、会社法336条）。買収者が、対象会社の発行済株式の90％超を取得しようとする場合、全部公開買付けの方法によらなければならない（同法336条(a)）。すでに対象会社の株式の90％超を有する者が、さらに対象会社の株式を取得する場合も同様である（同条(b)）。

全部公開買付けにおいて、応募しなかった株主の割合が発行済株式の5％未満である場合は、全部公開買付けが成立する（会社法337条(a)）。全部公開買付けが成立した場合には、買収者は、一部の株式のみを取得することは許されず、対象会社のすべての株式（反対株主が保有する株式も含む）を取得しなければならない。このため、全部公開買付けが成立した場合には、自動的にスクイーズ・アウトが実現されることになる[19]。

全部公開買付けが成立しない場合、買収者は、前述の基準（90％超）を超える株式を取得することとなる取引を行うことができない（会社法337条(b)）。ま

---

19)　全部公開買付けが成立するための法定要件が高いため、後記**13-4**の**5**(7)記載の逆三角合併が用いられる場合も多い。

た上記各規制に反して買収者が取得した株式は、買収者が保有する限り一切の権利を有しない（同法340条(a)）。

買収者の取得価格に異議がある株主は、勧誘の通知を受けてから 3 カ月間、裁判所に対して、取得価格が公正でないとして異議を申し立てることができる（会社法338条(a)）。

全部公開買付けの場合も、一般公開買付けと同様に、すべての株主に対して勧誘を行わなければならず、勧誘の条件は全株主に対して同等のものでなければならない（公開買付規則 5 条(a)・(b)）。全部公開買付けが買付申出書記載の条件によって行われるべきことも一般公開買付けと同様であるが（同規則 5 条(a)）、買付申出書に記載すべき事項は、一般公開買付けの場合よりも多くの事項が法定されており、全部公開買付けが成立するための要件や買収者の取得価格に異議がある株主の権利も記載事項とされている。

全部公開買付けにおいては、一般公開買付けと同様に、公開買付け期間は買付申出書の日付から14日以上とされ、買収者は、期間満了の 1 営業日前までに所定の方法により通知することにより、買付申出書の日付から60日間までを限度として公開買付け期間を延長することができる（公開買付規則 6 条(a)・(b)）。

3　新株発行

取締役会は、授権資本金の額を限度として、新株を発行することができる（会社法288条）。なお、非公開会社においては、新株を発行するに際して、既存株主に対して、株式の保有割合に応じて新株を引き受ける機会を与えなければならず、既存株主が引き受けなかった新株のみを第三者に対して割り当てることができる（同法290条(a)）。

4　事業譲渡

イスラエルにおいては、実務上、会社買収の方法として事業譲渡が用いられることもあるが、会社法は、事業譲渡の定義やそのために必要となる手続について、特に規定を置いていない。当該事業譲渡が会社法268条ないし275条に規定する利益相反取引に該当することにより株主総会が必要とされることがあ

る（同法57条5項）場合や対象会社の定款において別途の定めが置かれている場合を除いて、株主総会決議も必要とされていない。また、非公開会社であるか公開会社であるかにより、特段事業譲渡を行うための手続に法律上の差は設けられていない。

5 合　　併

(1) 概　　要

　会社法は、イスラエル法に準拠して設立された会社間の合併に関する手続を規定している。当該規定は、非公開会社および公開会社の両方に適用される。合併は、後述するスキーム・オブ・アレンジメントとして裁判所が主導する手続の下で行うことも可能であるが、会社法は、裁判所が関与せずに当事者間で合併を行うために必要となる手続を法定している（かかる合併をスキーム・オブ・アレンジメントと区別して、法定合併（statutory merger）と呼ぶ場合がある）。合併に際して、消滅会社および存続会社において必要とされるかかる手続につき、時系列に沿った概要は以下のとおりである。

(2) 取締役会決議

　合併を行うためには、まず各当事会社において、取締役会決議を経る必要がある（会社法314条）。合併の承認にあたっては、取締役会は当事会社の財務状況、特に合併の効力発生後に当該当事会社が債務を返済することができないこととなる合理的な疑いが生じないかを考慮しなければならない（同法315条(a)）。

(3) 合併提案書

　各当事会社において取締役会決議において合併を承認した後、当事会社は、共同して合併提案書を作成の上、これに署名しなければならない（会社法316条）。当事会社は、後述する株主総会招集の日から3日以内に、会社登記局[20]に対し合併提案書を送付しなければならない（同法317条(a)）。

---

[20]　会社登記局（Registrar of Companies）とは、司法省により選任される、会社により提出される書類等を受領し、会社の登記を管理する機関である（会社法36条以下）。

(4) 債権者異議手続

合併消滅会社は、合併提案書を会社登記局に提出してから3日以内に、当該合併提案書を有担保債権者に対して送付しなければならない（会社法318条(a)）。無担保債権者は、合併消滅会社が行う合併提案書にかかる公告によりその内容を知ることができる。

裁判所は、合併消滅会社の債権者からの申立てにより、合併の効力発生後に合併存続会社が債務を返済することができないこととなる合理的な疑いがある場合には、合併の延期または中止を命じることができ、その他、債権者保護のために必要な命令を下すことができる（会社法319条）。

(5) 株主総会決議

合併を行うためには、各当事会社における株主総会決議を経る必要がある（会社法314条・320条(a)）。合併を承認するための株主総会における決議要件は、前記13-3の2(1)記載のとおり、定款に特段の定めがある場合等を除き、原則として過半数決議である（同法85条）[21]。一方当事会社における株主総会決議においては、原則として、①他方当事会社、②他方当事会社の25％以上の株式を有する者、ならびに③①および②の親族等が有する議決権は算入されない（同法320条(c)）。

(6) 合併の効力発生

会社登記局に対して各当事会社から必要書類がすべて提出され、各当事会社における株主総会決議の日から30日を経過し、かつ、合併提案書が会社登記局に提出されてから50日を経過した日に合併の効力が生じる（会社法323条柱書）。

(7) 逆三角合併

上記のとおり、会社法に規定されている合併手続は、イスラエル法に準拠して設立された会社間の合併に関するものであるが、会社法には規定されていな

---

21) 公開会社が、利害関係人等との間で合併を行う場合においては、要件が加重された特別な決議要件が定められている（会社法275条(a)(3)・270条(4)）。

いものの、逆三角合併の手法も適法と考えられている。すなわち、外国企業がイスラエルの会社を買収しようとする場合において、当該外国企業がイスラエル国内に子会社を設立した上で、当該子会社を合併消滅会社、買収対象であるイスラエルの会社を合併存続会社とする合併を行い、当該会社の株主に対して、対価として金銭または当該外国企業の株式を取得させる方法も可能である[22]。逆三角合併の手法は、裁判所によっても適法と認められている。

6 スキーム・オブ・アレンジメント

(1) 概　要

イスラエルでは、合併や会社分割や事業譲渡等の組織再編行為を、法定の手続とは別に、裁判所が主導する手続の下で実施する手続が法律上定められている。具体的には、「アレンジメント（arrangement）」等と呼ばれる計画書が、会社および株主または債権者との間で作成され、裁判所の主導下で、株主総会および債権者集会が開催され、最終的に裁判所による承認を経て、当該計画書に定められた内容の組織再編行為が実現される（会社法350条(a)）。スキーム・オブ・アレンジメントは、もともとは、倒産状態にある会社の再生手続を策定するものとして用いられることが想定されていたが、上述の法定合併が法律上導入されるまで、合併手続を行う目的にも用いられていた。法定合併が導入された以降も、倒産手続とは特に関係のない場面において、組織再編行為を実現するために、実務上、引き続きスキーム・オブ・アレンジメントが用いられている。

(2) 手　続

裁判所は、対象会社、債権者または株主のいずれかによる計画書承認の申立てがなされた場合には、株主総会および債権者集会の招集を命じる（会社法350条(a)）。これらの株主総会または債権者集会において組織再編のための計画書が承認されるためには、出席者が保有する価値の75％（総株式数の75％また

---

[22] 2017年に実行された田辺三菱製薬株式会社によるイスラエルの医薬品会社ニューロダーム社の買収は、かかる手法を用いている（2017年7月24日付、田辺三菱製薬株式会社のプレスリリース参照）。

は負債総額の75％）以上を有する者の賛成が必要である（同条(i)）。当該株主総会または債権者集会において、計画書が承認された場合には、当該計画書が裁判所に提出され、裁判所が諾否を判断する。計画書が裁判所により承認された場合には、当該計画書を会社登記局に提出することにより、当該計画書において想定する組織再編行為の効力が生じる（同条(i)）。

13-5　M&Aに関連するその他の主要な規制

1　外資規制、その他事業活動の制限

イスラエルには、外国投資等に関する一般的な規制を定めた法令は存在しないが、特定の事業分野や活動に適用される個別の法令に基づき、以下のような規制が存在する。

(1)　土地に係る権利の付与または移転

イスラエルでは、イスラエル土地庁（Israel Land Authority）がほとんどの土地を所有しているところ、イスラエル土地法（Israel Lands Law, 5720-1960）により、イスラエル政府またはその関連団体の所有に係る土地について、外国人（Foreigner）[23] に対して権利の付与または移転を行うには、イスラエル防衛省およびイスラエル外務省への諮問の後、土地評議会（Lands Council）の承諾を得ることが必要とされている（イスラエル土地法2A条）。かかる承諾は、5年以上の賃貸借契約のほか、当該土地に係る権利を保有する会社の支配権の移転についても必要である。

(2)　電気通信事業

イスラエルにおいては、電気通信事業のうち一部の事業[24] について、通信法

---

23) イスラエルの市民ではなく、またイスラエルの市民により支配されている会社ではない者をいう。
24) 携帯電話事業、広域の通信事業、海底ケーブル等のイスラエル国外と接続する設備やイスラエルの衛星を通じて提供されるサービスに係る事業等が対象とされている。

(The Communications Law（Telecommunications and Broadcasting）, 5742-1982）およびその関連法令に基づきライセンスが原則として必要とされる。

　また、ライセンスが必要とされる事業に限らず、電気通信事業を営む企業は、イスラエル企業であるか、またはイスラエルにおいて上場している外国企業である必要がある。電気通信事業を営む企業の資本構成に関する一般的規制は存在しないものの、通信大臣は、規則において、またはライセンスの要件として、これらの規制を定めることができる[25]。

　なお、商業放送事業についてライセンスを取得するには、当該事業者の少なくとも26％以上の支配権を、イスラエルの市民または居住者[26]が直接保有している必要がある。

(3) 電気事業、天然ガス事業

　電気事業法（Electricity Sector Law, 5756-1996）により、電気事業に係る一定の活動（電気の生産、管理、送電、供給、取引等）を行うためにはライセンスが必要とされている（電気事業法3条・6条(a)）。かかるライセンスの許諾を受けるためには、イスラエル市民またはイスラエルで登録された会社やパートナーシップであることが必要であるとされているほか、政府当局の裁量により、被許諾者たる会社において、イスラエルの市民や居住者ではない者による一定割合以上の支配権の保有が制限される場合がある。

　また、天然ガス事業法（Natural Gas Sector Law, 5762-2002）により、天然ガス事業に係る一定の活動（天然ガス転送施設の設置・稼働、貯蔵設備の設置・稼働等）を行うためにはライセンスが必要とされている（天然ガス事業法3条）。かかるライセンスの許諾を受けるためには、イスラエル会社法に基づきイスラエルにおいて設立された会社であることが必要であるとされている（同法8条）ほか、政府当局の裁量により、当該会社の事業や日常的経営がイスラエルで行われていることや、当該会社の一定以上の地位にある者がイスラエル市民または居住者であることが許諾の条件とされる場合がある（同法17条(e)）。

---

25) ただし、2023年3月31日現在、これらの規制は定められていない。
26) イスラエルの市民または居住者が支配している会社を含む。

(4) 国防、安全保障

防衛企業法（Defense Corporations Law, 2006）により、防衛産業にかかわる企業について、その支配権の取得やM&A取引の実行等によりイスラエルの安全保障が脅かされると判断された場合、当該企業は防衛企業（Defense Corporation）と認定され[27]、その支配権の取得等に制限がかかる場合がある。

また、防衛輸出管理法（Defense Export Control Law, 2007）により、イスラエル防衛省に登録された防衛産業にかかわる企業は、その支配権の変更について報告を行う必要がある。これは報告義務であって承認を得る必要はないものの、イスラエル防衛省は防衛輸出管理に関して広範な裁量を有していることから、これらの企業の買収等を検討するに際しては、イスラエル防衛省に対して事前の通知を行うのが一般的となっている。

なお、日・イスラエル投資協定において、イスラエルは、防衛産業の分野に関する各種の措置を講ずる権利を留保しており、外国からの投資に対する上限設定やその禁止を行うことも可能である。

他方で、防衛産業以外の分野に関しては、外国からの投資を国家安全保障の観点から一般的に審査することを目的とした法制度は設けられていない。もっとも、一定の業種については外国からの投資を各省庁が審査する仕組みが存在するところ、イスラエル政府は、各省庁が当該審査を行うに際して、各省庁に対して国家安全保障の観点から助言を行う諮問委員会を設置している。ただし、各省庁は当該諮問委員会に対して諮問を行わないことも可能であるほか、諮問委員会からの答申を受けた場合であってもこれに従わないことも可能とされている。現時点では、金融、運輸、通信、インフラ、エネルギー等を所管する各省庁が助言の対象とされている。

(5) 敵国との取引

敵国取引規則（The Trading with The Enemy Ordinance, 1939）に基づき、イスラエルの会社は、敵国（enemy state）とされる一定の国（現時点ではイラン、シリア、レバノンおよびイラク[28]）の居住者またはこれらの国で設立された会社等と

---

27) この認定は、首相、防衛大臣、経済産業大臣によって行われ、どの企業が防衛企業に認定されているかは、一般には公表されていない。

の間で、直接または間接を問わず、いかなる商業取引や投資行為を行うことも禁止されている。加えて、イスラエル防衛省の作成に係るリストに記載されている個人または団体についても、同様に取引等を行うことは禁止されている。

なお、一定の場合には、敵国との商業的活動が許可される場合がある。

(6) 補助金等を受けている会社に係る規制

科学技術に関する事業を営むイスラエルの会社の多くは、イノベーション庁（Israel Innovation Authority（IIA））から補助金等を受領している。これらの会社を非イスラエル居住者が取得する場合には、当局から一定の承諾が必要となる場合がある。また、当該会社のIIAの補助金を活用したノウハウ等をイスラエル国外に移転する場合には、当局からの承諾の取得や当局への一定の金銭の支払いが要求されることがある（後掲Column参照）。

(7) その他の規制等

以上の各規制に加えて、イスラエルでは、外国人か否かを問わず、投資家が投資を行うにつき許可・承諾を得ることが要求されている事業分野が存在するところ、当局による当該許可・承諾の可否の判断の際に、当該投資家が外国人であることが考慮される場合がある。

なお、イスラエル銀行令（Bank of Israel Order）に基づき、一定のイスラエルの会社に対する外国からの投資やイスラエルの通貨が関連する取引については、イスラエル銀行に対して報告する必要があるほか、一定の場合には、外国居住者や金融仲介業者が報告義務を負う場合がある。

2　企業結合規制

(1) 合　併

経済競争法（Economic Competition Law, 5748-1988）上、会社は、以下の条件（経済競争法17条(a)）に該当する合併[29]を行う際には、競争庁長官（Director-General of Competition Authority）への事前届出と事前承諾が必要とされている（同法19

---

28) イラクは敵国とされているが、期間を定めて許可が出されており、この免除は毎年延長されている。

条)。

① 合併の結果、合併会社が、独占事業者（Monopolist）[30]となる場合
② 当事会社の直近の事業年度における合計の売上高が387,350,300シェケル[31]を超える場合、または、当事会社のうち少なくとも2社について、それぞれの直近の事業年度における売上高が2,106万シェケルを超える場合
③ 当事会社のうち1社が合併前の段階においてすでに独占事業者である場合

競争庁長官は、原則として事前届出を受領した日から30日以内に、合併につき承諾するか否か、合併に条件を付すかどうかを当事会社に通知しなければならず、同期間内に通知がない場合には、承諾があったものとみなされる（同法20条(b)）。ただし、競争庁長官は、当該期間を最大120日間まで延長することができる（経済競争法20条(b1)）。

(2) 制限的協定（Restrictive Arrangement）

イスラエルにおいては、原則として制限的協定（当事者のいずれかが、当該協定の当事者間または当事者および第三者間の商業上の競争を除去または減少させる義務を負う協定（経済競争法2条(a)））を行うことは禁止されている。

M&A取引との関係では、当該取引に係る契約において、①競争者間の情報交換（デューデリジェンスの枠組みにおける情報交換も含まれる[32]）、②非競争条項、③従業員、顧客その他のビジネスパートナーに対する勧誘禁止条項、④独占的交渉条項等の規定がある場合には、当該規定が制限的協定に該当しないかにつ

---

29) 「合併」には、ある会社が他の会社の主要な資産、25％超の株式もしくは議決権、25％超の取締役を指名する権利、または、25％超の利益を取得することが含まれる（同法1条）。
30) 独占事業者とは、①その資産もしくはサービスの供給または取得に関し50％超のシェアを有する事業者、または②その資産もしくはサービスの供給または取得に関し重大な市場影響力（significant market power）を有する事業者をいう（経済競争法26条(a)）。もっとも、合併において事前届出・承諾が必要か否かの判断にあたっては、①の要件のみが考慮され、②の要件は考慮されない。
31) 1シェケル＝36.9735円（2023年3月28日現在）。なお、上記金額は直近の消費者物価指数に応じて毎年1月1日付で改訂され、官報および競争庁のウェブサイトにおいて公表されることになっている（経済競争法17条(b)）。
32) この点に関して、イスラエル独占禁止委員により競争者間のデューデリジェンスの方法についてのガイダンスが出されている。

き、厳密な検査に服することになる。その他制限的協定とみられる典型例としては、再販売価格を定めるもの、商品またはサービス購入についての優先交渉権を定めるもの、最優先待遇顧客・供給者条項を定めるもの等が挙げられる。

　前記のとおり、制限的協定は原則として禁止されているところ、例外的に、裁判所の承認を得た場合（経済競争法9条）、かかる承認申請中に一時的許可を取得した場合（同法13条）、一括適用除外に該当する場合等に限り、これを行うことが認められる。

3　インサイダー取引規制

　イスラエルのインサイダー取引は、証券法第8A章により規制されている。同規制は、公開会社（その概念については前記13-3参照）およびその子会社等に適用され（証券法52A条）、かかる会社の内部者による内部情報の使用および内部情報の受領者による当該内部情報の使用が禁止されている（同法52C条(a)・52D条(a)）。

　ここにいう「内部者」とは、当該会社の①取締役、ジェネラル・マネージャー、主要株主（5％以上の株式もしくは議決権を保有する株主または1人以上の取締役を指名できる株主）、その他内部情報を使用した日から6カ月前以内の日に、地位または職務に基づき、内部情報にアクセス可能であった者、②①に当たる者の親族、③①または②に当たる者が支配権を有する法人と定義されている（証券法52A条）。

　また、「内部情報」とは、会社の発展または状態の変化に関する情報その他の会社に関する情報で、公に知られておらず、当該事実が公に知られた場合には、当該会社の有価証券等の価格に重大な変化を生じさせうるものとされており、内部情報の「使用」とは、当該内部情報を占有している間に、①有価証券の売却、購入、転換、もしくは引受け等またはこれらの約束を行うこと、および、②一定の者に対して、内部情報または有価証券等に関する意見を伝達することとされている（証券法52B条(a)・52A条）。

　前記規制に違反したことによって取引行為が直ちに無効となるものではないが（証券法52J条）、違反者には懲役または罰金が科されうる（同法52C条(b)・52D条(b)）。

4　証券法に基づく開示義務

　証券法および報告規則（Securities Regulations（Periodic and Immediate Reports），1970）に基づき、報告会社（reporting body corporate）[33]は、一定の事項が生じた場合にイスラエル証券庁（Israel Securities Authority）に対して、即時報告（immediate report）を行うことが義務づけられており、当該事項を認識した時点から近接した一定期間内に報告を行う必要がある。M&Aに関連しうるものとしては、たとえば以下の場合について開示が義務づけられている。

① 　株式資本が変更された場合（同規則31条）
② 　株主名簿に変更がある場合（同規則31E条）
　　なお、株式の増減が1％未満のときには、月に1回の報告でよいこととされている（同条(b)）。
③ 　会社法に基づく公開会社から非公開会社への変更（同規則31G条）
④ 　取締役会が合併を決定した場合（同規則31K条）
⑤ 　合併承認のための株主総会の結果の報告（同規則37S条）
　　合併を承認するために開催された株主総会から1営業日以内に、当該株主総会における議決権行使の結果を報告することが義務づけられている。
⑥ 　利害関係人の持分の変更（同規則33条）
　　子会社や支配株主[34]など利害関係人に該当する一定の者について、持分の変更が生じる場合に即時報告が必要となる。
⑦ 　支配株主との間の取引（支配株主取引規則（Securities Regulations（Transaction between a Company and a Controlling Shareholder therein），2001）13条）

　前記のように各証券法関連規則に規定されている事項に加えて、投資家が有価証券の購入または売却を判断するために重要な事項について、イスラエル証券庁等から即時報告を要求される場合があり、その場合には当該事項についても即時報告を行う必要がある（証券法36条(e)）。

---

33) 有価証券が目論見書に従って公に募集・売出しされ、かつ現に有価証券が公に保有されている会社、または、有価証券が証券取引所において取引され、もしくは上場されている会社をいう（証券法1条・36条(a)）。
34) 前掲（注7）なお書記載の支配権を保有する者に加え、会社に過半数の議決権を保有する者がいない場合における25％以上の議決権を保有する者が含まれる（会社法268条）。

第13章 イスラエル

|COLUMN|　Israel Innovation Authority のスタートアップ支援制度

　イスラエル政府は多くのスタートアップを支援する制度を設けており、その一つに、本文でも触れた Israel Innovation Authority（IIA）による補助金制度がある。一般的な研究・開発のためのプログラムでは、概ね研究・開発費用の最大50％の助成を受けることができる。

　IIA による助成を受けた企業は、産業における研究開発および技術イノベーション奨励法（Law for the Encouragement of Research, Development and Technological Innovation in Industry, 5744-1984）および IIA の規制に服する。

　具体的には、被助成企業は、原則として、補助金額を上限として、毎年収益の概ね３％～５％（および利子）をロイヤリティとして IIA に対して支払う義務を負う。ノウハウに関連する製品の製造をイスラエル国外に移転する場合、ロイヤリティの額は、最大で補助金額の３倍（および利子）に引き上げられ、適用される率も高く設定される可能性がある。

　また、IIA による助成を受けて研究・開発されたノウハウや知的財産権を国外に移転するには、IIA の事前の同意が必要とされるとともに、最大で補助金額の６倍に相当する移転料（および利子）を支払う必要がある。

　もっとも、IIA は、2016年に、国外の事業者に対する技術のライセンス供与を比較的低廉な額の支払いのもと認めるルールを公表しており、IIA の助成を受けた企業がイスラエル国内に技術を残したままノウハウをグローバルベースで共有しやすくなっている。また、2018年には、年間売上高が２億米ドルを超える多国籍企業を対象に、補助金額の５％から150％（および利子）という比較的低廉なロイヤリティの支払いのもと、技術を当該企業グループ内で共有することを認める制度も設けられた。

　IIA による助成を受けた企業の支配権の変更に際しては、IIA への事前の通知またはその同意が要求される場合があるとともに、投資家は、IIA に対し、当該企業が IIA による助成を受けていることを確認する旨の覚書を提出しなければならない場合がある。

　こうした IIA の補助金に関する義務は、仮に補助金相当額をすべて返済した場合であっても、IIA による同意および移転料の支払いにより、他の企業にノウハウ等が完全に移転するまでは引き続き存続する点に留意が必要である。

　イスラエルのスタートアップに対する投資や買収を行い、その技術を活用するに当たっては、対象会社が IIA による助成を受けているか、受けている場合はロイヤリティや移転料その他の負担を十分に確認し、契約書等において適切な手当てを行うことが重要である。

第14章　アラブ首長国連邦（UAE）

14-1　総　論

　アラブ首長国連邦（以下「UAE」という）は、その地理的優位性や充実したインフラ設備などを活かして、ASEAN、BRICsに次ぐ新たな新興成長経済圏として注目されているMENASA（Middle East（中近東）・North Africa（北アフリカ）・South Asia（南アジア））のハブとしての機能を果たしており、これらの地域における日系企業の代表的な進出地となっている。

　UAEの実質GDP成長率[1]は、2019年は3.4％とプラス成長となったが、2020年は新型コロナウィルス感染拡大の影響を受けてマイナス6.1％と大きく減少した。もっとも、2021年には、2021年10月から開催されたドバイ万博博覧会による観光客の増加等、非石油部門が牽引し、前年のマイナス成長から3.9％のプラス成長となった。2022年以降も新型コロナウィルスの影響が収束に向かうことに伴う更なる経済回復が期待される。なお、近時、UAEは2020年にイスラエルとの間の国交正常化に合意するなど、中東諸国における政治情勢に動きが生じており、中東における事業に及ぶ影響を引き続き注視する必要がある。

　UAEに拠点を置く日系企業の数は331社（2020年10月1日現在）であり[2]、他の新興国と比べて少なくはないものの、日系企業のUAEに対する直接投資金額は、2020年は前年比89億円減少し、72億円と低水準にとどまり、3年連続

1）　本章における実質GDP成長率は日本貿易振興機構（JETRO）の作成する世界貿易投資報告に基づく。
2）　外務省が公表する海外進出日系企業拠点数調査（2021年調査結果）に基づく。

で減少している[3]。新型コロナウィルスの収束により更に経済が回復し、日本企業による投資が増加することが期待される。

14-2　M&Aの手法および関連する法令・ルールの概観

1　オンショア・オフショアの概念

UAEにおけるM&Aの法制を検討する前提として、UAEでは、いわゆる「オンショア」・「オフショア」によって法規制が大きく異なることから、これらを区別して検討する必要がある。

UAEには、外国からの投資を誘致するため、数多くのフリーゾーンが存在し、これらは一般的に「オフショア」と呼ばれる（なお、UAEにおけるフリーゾーンの概要は後記COLUMN参照）。これに対し、フリーゾーン外のUAEの地域は一般に「オンショア」と呼ばれる。オンショアはUAEの連邦法によって統治されているものの、オフショアに関しては、フリーゾーン独自の法律やルールが設けられており、UAEの連邦法は限られた範囲でのみ適用されるという違いがある。そのため、オンショアとオフショアでは規制内容などについて大きく異なっている。以下では、必要に応じてオンショアとオフショアを区別して説明する。

2　M&Aの手法および関連する主要な法令等

UAEにおけるM&Aに用いる主な手法としては、既発行株式・持分の取得、新規発行株式・持分の取得、事業譲渡および合併等が挙げられる。かかる手法のうち、M&Aで最も一般的に利用される手法は既発行株式・持分の取得である。新規発行株式・持分の取得や合併等によるM&Aが行われることは実務上稀である。

これらのM&Aを規制する主要な法令等としては、会社法（Federal Decree-Law No. (32) of 2021 on Commercial Companies）における株式取得・合併や外資規制など

3）　日本貿易振興機構（JETRO）の作成する世界貿易投資報告に基づく。

に関する規律、商取引法（Federal Decree-Law No. (50) of 2022 Issuing the Commercial Transactions Law）における事業譲渡に関する規律、証券・商品委員会（Securities and Commodities Authority）が定める上場会社に関する開示規則（Decision No（3/R）of 2000 Concerning the Regulations as to Disclosure and Transparency：以下「開示規則」という）、競争法（Federal Law No. 4 of 2012 Concerning Regulating Competition）等がある。以上はオンショアにおいて適用される法令等であり、オフショアにおいては、各フリーゾーンがそれぞれM&Aを規制する法令等を独自に設けている。

なお、後記**14-4**の**2**のとおり、オンショアにおける外国企業の出資比率は、一定の分野に属する事業については49％を超えることが認められないため、外国企業である日本企業がオンショアにおけるM&Aを検討するにあたっては、会社法その他の法令等に基づく外資規制に特に留意する必要がある。

14-3　会社の種類とガバナンス

1　会社の種類

(1)　オンショアにおける会社の種類

オンショアにおける主要な会社形態としては、有限責任会社（Limited Liability Company）[4]、公開株式会社（Public Joint Stock Company）[5] および非公開株式会社（Private Joint Stock Company）[6] が存在する[7)8)]。このうち、他の2形態に比して規制が比較的緩やかであることなどの観点から、有限責任会社が実務上最も多く利用されている。

なお、会社以外の形態としては、支店および駐在員事務所を設けることも可

---

4) 2名〜50名のパートナーによって構成され、パートナーは出資金額の範囲内で有限責任を負う会社形態である（会社法71条1項）。なお、1名の自然人または法人が有限責任会社を設立し、保有することも認められている（会社法71条2項）。
5) 5名以上の創業株主（founders）が発行済株式の一部を引き受けており、残りの株式が公開されている会社形態である（会社法105条・107条・117条）。
6) 2名以上の株主によって構成され、すべての株式が非公開である会社形態である（会社法257条1項）。なお、例外的に、1名の株主によって構成される単独所有非公開株式会社（Sole Partnership-Private Joint Stock Company）を設立することも認められている（会社法257条2項）。

(2) オフショアにおける会社の種類

前記のとおり、UAE のフリーゾーンにおいては、それぞれのフリーゾーンが独自の法律やルールを設けており、認められる会社形態もフリーゾーンごとに異なる。フリーゾーンにおいて一般的に利用される会社形態としては、有限責任会社としての性質を有する Free Zone Company が挙げられる。

また、会社以外の形態としては、オンショアと同様に支店を設けることも可能である。

例えば、日本企業が数多く進出するドバイ所在のフリーゾーンの1つである Jebel Ali Free Zone（通称「JAFZA」）において認められる会社形態は、2名以上50名以下の株主による保有が認められる Free Zone Company の他に、株主1名での保有のみが認められる Free Zone Establishment、2名以上の株主により保有され、その株式が証券取引所に上場される Public Listed Company や、JAFZA 内での事業活動は認められないものの、UAE 国外での事業活動や UAE で設立された会社の株式の保有等の一定の活動が認められる Offshore Company が挙げられる。

2 ガバナンス

以下では、オンショアにおける主要な会社形態である有限責任会社、公開株式会社および非公開株式会社のガバナンスの概要を説明する。なお、オフショアにおける会社のガバナンスに関しては、フリーゾーンごとに規制が異なる[9]。

---

7) 2021年9月20日の会社法改正により新たな会社形態として特別買収目的会社（Special Purpose Acquisition Company）と特定目的会社（Special Purpose Vehicles）が導入された。特別買収目的会社は、他社の買収のみを目的として運営される会社として分類することを当局が承認した公開株式会社であり、特定目的会社は、特定のファイナンス業務に関連する債務および資産を当該会社の設立者の債務および資産から分離することを目的として設立する会社と定義されており（会社法1条）、その具体的な運用については別途定められる規則によって規律される（同法4条1項fおよびg）。

8) なお、会社法上認められる他の会社形態としては、合名会社（Partnership Company）および合資会社（Limited Partnership Company）が存在する。

9) 例えば、JAFZA で設立される Free Zone Company については、取締役（director）、マネージャー（manager）、秘書役（secretary）および監査役（auditor）の設置が必要とされている。

(1) 有限責任会社のガバナンス[10]

① パートナー総会（General Assembly）

パートナー総会は、各事業年度終了後4カ月以内に、少なくとも年1回は開催しなければならない（会社法92条）。パートナー総会の招集通知は、原則としてパートナー総会の開催日の21日前までに送付される（同法93条1項）。なお、有限責任会社におけるパートナーは株式会社における株主に相当する概念である。

パートナー総会の定足数は、資本金の50％以上に相当する出資持分を保有しているパートナーの出席である（会社法96条1項）。かかる定足数が満たされない場合には、1回目のパートナー総会から5日以上15日以内に2回目のパートナー総会が開催され、この場合には定足数の要件はなくなる（同条2項）。決議要件は、普通決議と特別決議で異なり、普通決議については、定款で別途要件を加重しない限り、出席したパートナーの出資持分の過半数の賛成によって決議される（同条4項）。他方、特別決議については、出席したパートナーの出資持分の75％以上の賛成による決議が必要とされている点に留意が必要である。

主なパートナー総会決議事項は【図表14-1】のとおりである。

② マネージャー・役員会（Board of Managers）

有限責任会社の経営は1名以上のマネージャーが行う。マネージャーは、定款等で別途定める場合を除き、パートナー総会において選任され、マネージャーが複数いる場合には、役員会を構成することが可能である（会社法83条1項）。マネージャーの解任は、定款等で別途定める場合を除き、パートナー総会において決議する必要がある（同法85条1項）。

役員会は定款で定めた方法により開催・実施される。役員会における決議は、出席したマネージャーの過半数の賛成によって決議され、賛否が同数となった場合には、議長が決定権限を有する（会社法157条1項）。

---

10) 一部の例外を除き、会社法における公開株式会社に関する条文は有限責任会社にも適用される（会社法102条・104条）。

【図表14-1】主なパートナー総会決議事項

普通決議事項	・年次事業報告書および監査報告書の承認（会社法94条1項） ・計算書類の承認（同条2項） ・配当支払（同条3項） ・マネージャー（注）の選任・解任およびその報酬の決定（同条4項・85条1項） ・監査役の選任・解任およびその報酬の決定（同法94条8項・253条1項） ・定款で別途規定する事項（同法94条9項）
特別決議事項	・定款変更（会社法101条） ・増資・減資（同条） ・合併（同法285条1項）

（注）　有限責任会社におけるマネージャーは株式会社における取締役に相当する概念である。

③　監査役

　有限責任会社においては、1年毎にパートナー総会で1名以上の監査役を選任する必要がある（会社法27条1項・102条）。監査役の解任についてもパートナー総会の決議事項である（同法253条1項）。監査役は、会社の会計監査、計算書類の調査、会社と利害関係者間の取引のレビュー、法令および定款の順守の確保等をその職務とする（同法248条）。

④　監督委員会（Supervisory Board）

　パートナーの数が15名を超える場合には、パートナー3名以上によって構成される監督委員会の設置が必要とされ、その任期は3年とされている（会社法88条1項）。監督委員会は、会社の帳簿や書類を調査し、マネージャーに対してその経営に関する報告を求める権限を有している（同法89条）。

(2)　公開株式会社・非公開株式会社のガバナンス[11]

①　株主総会

　株主総会は、事業年度終了後4カ月以内に、少なくとも年1回は開催しなければならない（会社法173条1項）。株主総会の招集通知は、原則として株主総

---

[11]　一部の例外を除き、会社法における公開株式会社の条文は非公開株式会社にも適用される（会社法267条）。

会の開催日の21日前までに送付される（同法174条）。

　株主総会の決議は普通決議と特別決議に分類される。普通決議については、定足数は、別途定款で要件を加重しない限り、全株式の50％以上を保有している株主の出席である。かかる定足数が満たされない場合、最初の株主総会から5日以上15日以内に2回目の株主総会が開催され、この場合には定足数の要件はなくなる（会社法185条）。普通決議の決議要件は、定款で別途要件を加重した場合を除き、出席した株主の過半数の賛成によって決議される（同法188条1項）。他方、特別決議については、定足数は全株式の50％以上を保有する株主の出席であり、決議要件は出席した株主の75％以上の賛成が必要とされる（同法1条）。

　主な株主総会決議事項は、【図表14-2】のとおりである。

【図表14-2】主な株主総会決議事項

普通決議事項	・年次事業報告書および監査報告書の承認（会社法179条1項） ・計算書類の承認（同条2項） ・取締役の選任・解任およびその報酬の決定（同条3項・7項・8項） ・監査役の選任・解任およびその報酬の決定（同条5項・9項） ・配当支払（同条6項） ・取締役・監査役の責任を追及する訴訟の提起（同条8項・9項）
特別決議事項	・定款変更（会社法139条） ・以下の事項（定款により決定権限が取締役会に付与されている場合または会社の目的の範囲内である場合を除く）（同法154条） 　(i)　期間が3年を超える金銭消費貸借契約の締結 　(ii)　会社の資産売却 　(iii)　会社の動産・不動産への担保設定 　(iv)　会社の債務者の債務免除 　(v)　和解または仲裁への合意 ・資本の増加のための新規株式発行（同法196条） ・戦略的パートナー（strategic partner）への新規株式発行（同法225条1項） ・合併（同法285条1項） ・分割（同法296条）

② 取締役・取締役会

取締役会における取締役の人数は、3名以上11名以下でなければならず、その任期は最長3年である（会社法143条1項）。取締役会は、別途定款により多くの回数を定める場合を除き、少なくとも年4回開催しなければならない（同法156条1項）。取締役会の定足数は過半数の取締役の参加である（同条2項）。

取締役会における決議は、出席した取締役の過半数の賛成によって決議され、賛否が同数となった場合には、議長が決定権限を有する（会社法157条1項）。

取締役会は、法令または定款において株主総会の権限とされているものを除き、定款に定められた権限を有する。ただし、前記のとおり、定款において権限が付与されている場合または会社の目的の範囲内である場合を除き、期間が3年を超える金銭消費貸借契約の締結などの一定の行為については、株主総会の特別決議事項となり、取締役会は決定権限を有さない（会社法154条）。

③ 監査役

公開株式会社および非公開会社ともに、1名以上の監査役を選任しなければならない（会社法27条1項・245条1項）。監査役は取締役会が指名し、株主総会によって選任され（同項）、その解任も株主総会によって決議されなければならない（同法253条1項）。その任期は1年であり、最大3期まで連続で再任されることができる（同法245条2項）。監査役は、会社の会計監査、計算書類の調査、会社と利害関係者間の取引のレビュー、法令および定款の順守の確保などをその職務とする（同法248条）。

3　上場会社特有のガバナンス

UAEにおいては、オンショアにアブダビ証券取引所（Abu Dhabi Stock Exchange）およびドバイ金融市場（Dubai Financial Market）という証券取引所が存在する。アブダビ証券取引所およびドバイ金融市場に上場している会社に適用されるコーポレート・ガバナンス・コードとして、Chairman of Authority's Board of Directors' Decision no. (3/Chairman) of 2020 concerning Approval of Joint Stock Companies Government Guide（その後の改正を含み、以下「ガバナンス・コード」という）が存在する。以下では、ガバナンス・コード上の主な規律を紹介する。

ガバナンス・コードの適用を受ける上場会社においては、取締役の過半数は

非業務執行取締役（non-executive board member）[12]かつ独立取締役（independent board member）[13]である必要があり（ガバナンス・コード9.5条）、また、議長を含む取締役の過半数は UAE の国籍を有する者でなければならない（同コード6.4条）。また、取締役会は独立の秘書役（independent secretary）[14]を選任しなければならない（同コード 8 条）。

また、上場会社においては、基本的には取締役会が事業運営を行い、かつ監督する役割を担うところ、ガバナンス・コードにおいては、この経営機能と監督機能を分離するため、主に日常の事業運営や事業戦略を実施することを役割とする業務執行委員会（executive committee）と、業務執行委員会の監督やその構成員の選解任を行う監督委員会（control committee）の２つの機関を設置する機関設計（dual governance structure）を選択することも可能とされている（ガバナンス・コード54条以下）。

さらに、ガバナンス・コードでは、上場会社は指名・報酬委員会（nomination and reward committee）および監査委員会（audit committee）の設置が義務づけられている（ガバナンス・コード59条・60条）。その他にも、上場会社は、リスク管理体制の構築とその運用に関するリスク委員会（risk committee）や技術戦略プランの策定と実行に関する技術委員会（technology committee）といった委員会を任意に設定することもできる（同コード63条・64条）。

なお、ガバナンス・コードの規定に違反した場合には、金銭的制裁や刑事罰等が課されうる（ガバナンス・コード82条）。

---

12) 会社においていかなる役職にも就いておらず、かつ会社から給与（ただし、取締役の職務に対する報酬は除く）を受け取っていない取締役をいう（ガバナンス・コード１条）。
13) 会社、Senior Executive Management（会社の執行役員であり、general manager、executive manager、chief executive officer および managing director を含む）、監査役、親会社、子会社、兄弟会社または関連会社との間で、その判断に影響を与えるおそれのある金銭的または道徳的利益をもたらしうるような関係性を有しない取締役をいう（ガバナンス・コード１条）。ただし、ガバナンス・コードに規定される一定の場合には独立性を失いうる。
14) 会社の経営から独立した機関として、取締役会議事録の作成・管理や取締役会への各種報告等の管理、取締役会で承認された事項について取締役が従っているかの確認等、取締役会を補佐する機関である。

14-4　外資規制の概要

1　外資規制のM&Aへの適用

　かつて UAE においては、事業分野を問わず、新規設立・既存会社への出資のいずれの場合も、オンショアにおける外国企業の出資比率は基本的に49％までに制限されるなどの外資規制が存在した。

　しかし、UAE は、近年、外資規制の緩和方針の下、様々な外資誘致政策を打ち出しており、2020年8月26日には、「投資の促進及び保護に関する日本国とアラブ首長国連邦との協定」（日・UAE 投資協定）が発効し、相手国の投資家による投資促進・許可や内国民待遇・最恵国待遇等が認められた。

　そして、2021年1月2日からは、会社法の改正（Federal Decree Law No.26 of 2020）により、戦略的影響（strategic impact）を有する活動を行う会社を除き、オンショアで設立される法人に関する外資出資割合規制が撤廃され、オンショアにおいても外国企業による100％出資が認められることとなった。

　もっとも、依然として一定の外資規制は存在することから、外国企業が UAE において M&A を実施する際しては、近年の外資規制の改正も踏まえ、オンショアおよびオフショアの外資規制の概要ならびに留意点を把握し、必要に応じて上記の日・UAE 投資協定が活用できるか等も検討した上でスキームを検討する必要がある。

2　オンショアにおける外資規制

　従前、オンショアにおいては、原則として、外国企業はその株式・持分の49％を超えて保有することはできず、ポジティブリストに含まれる122業種に関しては、外国企業による49％を超える割合の出資が可能となっていた。

　UAE 政府は、外資規制緩和方針の下、2020年9月、会社法の外資規制に関する規定を改正し（2022年1月2日施行）、外国企業は、2021年内閣決議第55号によって決定された戦略的影響（strategic impact）を有する活動を行う会社を除き、オンショアにおいても100％出資会社を設立することができるようになっ

た。「戦略的影響（strategic impact）を有する活動」の内容については2021年内閣決議第55号決定（2021年6月1日施行）2条に規定があり、その主な内容は【図表14-3】のとおりである[15]。

【図表14-3】戦略的影響（strategic impact）を有する活動

①　安全保障・防衛活動および軍事的性格を持つ活動
②　銀行、証券取引所、金融会社、保険業
③　貨幣印刷
④　電気通信
⑤　巡礼
⑥　コーラン暗唱
⑦　漁業に関連するサービス

なお、戦略的影響（strategic impact）を有する活動を行う外国企業であっても、所定の要件を満たせば、オンショアにおいて100％出資会社を設立することが認められている。

また、従来、外国企業がUAE国内に支店・駐在員事務所を設立する際には、UAE国民またはUAE会社（以下「UAE会社等」という）をサービスエージェントとして選任しなければならないとされていたが、会社法改正により（Federal Decree Law No.32 of 2021）、戦略的影響（strategic impact）を有する活動を行わないような外国企業の支店・駐在員事務所についてはUAE会社等のサービスエージェント選任の要件についても撤廃された。

このように、UAEの直近の会社法改正により、出資割合以外の面でもオンショアにおける外資規制が緩和されている。

---

15)　なお、戦略的影響（strategic impact）を有する活動を決定した2021年内閣決議第55号の内容は、以下のリンク先の官報に記載されている。https://ded.ae/DED_Files/Files/%D8%A7%D9%84%D9%82%D9%88%D8%A7%D9%86%D9%8A%D9%86%20%D9%88%D8%A7%D9%84%D8%AA%D8%B4%D8%B1%D9%8A%D8%B9%D8%A7%D8%AA%20PDF/cabinet%20resolution%2055-2021.pdf

3　オフショアにおける外資規制

　フリーゾーンにおいて設立される会社については、外国企業の誘致というフリーゾーンの趣旨に照らし、オンショアにおける前記外資規制は適用されない（会社法 5 条 1 項）。したがって、外国企業は、戦略的影響（strategic impact）を有する活動を行うか否かを問わず、フリーゾーンの会社への100％出資が可能である。また、フリーゾーンで設立される支店・駐在員事務所についても、オンショアとは異なり、戦略的影響（strategic impact）を有する活動を行うか否かを問わず、サービスエージェントを選任することは不要である。

　なお、UAE には複数のフリーゾーンが存在するところ、基本的には、異なるフリーゾーンにおいて事業を行うためには、各フリーゾーンで個別にライセンスを取得する必要がある。

　もっとも、2019年 5 月、Dubai Free Zones Council のメンバーは、ドバイにおける一つのフリーゾーンでライセンスを取得した企業は、ドバイの他のフリーゾーンにおいても別途ライセンスを取得することなく事業を行うことが認められる One Free Zone Passport Initiative について初期的な合意に達した。

　当該初期的合意の内容が施行された場合、外国企業が複数のフリーゾーンで事業を行うことがより容易となることが期待される。この初期的合意をはじめ、今後のフリーゾーンにおける事業環境の変化を注視することが重要である。

4　外資規制の回避

　従前オンショアにおける外国企業の出資比率は基本的に49％までに制限されていたことから、株式・持分の過半数である51％以上を UAE 会社等のパートナーが保有するようアレンジするため、実務上、パートナーとなる UAE 会社等と共同してジョイントベンチャーにより事業を行っている例や、外国企業がパートナーを事業に参加させず自ら単独で事業を運営することを望む場合には、かかる外資規制による影響を可及的に抑えるべく、事業自体には関与しないことを前提としたような、いわゆるサイレントパートナーを利用することが検討される例が見られた。しかし、かかるノミニーを利用したスキームの法的性質については、潜脱防止法（Federal Law No. (17) of 2004 Regarding Commercial

Concealment）により法的に認められないといった議論があった点に加え、依然としてその法的性質・取扱いを明示的に述べた現行会社法下での裁判例もなく、その法的安定性は依然として明らかではないことから、外資出資割合規制が原則的に撤廃された現在においては、まずはノミニー以外の出資スキームが検討されるべきであろう。

14-5　M&Aの手法と関連する規制

1　既発行株式・持分の取得

(1) 概　要

UAEにおけるM&A案件としては、非上場会社の買収がその大半を占めるが、その手法として最も一般的に利用されている方法が既発行株式・持分の取得である。以下では、オンショアにおける主要な会社形態である有限責任会社、公開株式会社および非公開株式会社に関して、非上場会社と上場会社に分けて既発行株式・持分の取得の手続を検討する。

なお、オフショアに関しては、それぞれのフリーゾーンにおいて独自のM&Aに関する法律やルールが設けられている。たとえば、ドバイの主要なフリーゾーンの1つであるDubai International Financial Centre（以下「DIFC」という）は、その中にナスダック・ドバイ（NASDAQ Dubai）という証券取引所を独自に有しているところ、ナスダック・ドバイに上場している会社に関する既発行株式の取得取引については、ナスダック・ドバイにおける規制当局であるドバイ金融サービス当局（Dubai Financial Services Authority）が規定するTakeover Rules Moduleにより、イギリスにおける公開買付規制に類似した公開買付規制が導入されており、オフショアにおけるM&Aに関する法令等の中で特徴的なものとして挙げられる。

また、2021年9月20日の会社法改正により新たな会社形態として導入された特別買収目的会社は、他の会社の買収や合併のための資金調達および証券取引所への上場を目的として設立される会社である。証券・商品委員会が定める特別買収目的会社の運用に関する規制（SCA Chairman of the Board Resolution No

01 of 2022 on the Regulations for Special Purpose Acquisition Companies）においては、国内外の上場している公開の持株会社を除く、国内外の営利会社が特別買収目的会社による買収および合併の対象となる会社とされている。今後、UAEにおいては、買収または合併を行った特別買収目的会社による株式公開が促進されることが期待されている。

(2) 非上場会社
① 有限責任会社

　有限責任会社の持分を取得することを希望する者は、定款所定の手続に従い、当該有限責任会社のパートナーからその持分を取得することが可能である（会社法79条1項）。ただし、有限責任会社のパートナーがその持分を既存のパートナー以外の第三者に対して譲渡する場合、既存のパートナーが先買権を有することとされている（同法80条）。したがって、第三者が既存のパートナーからその持分を取得するためには、まず譲渡を希望するパートナーに他の全パートナーに対して譲受人および譲渡の条件を通知させる必要があり、かかる通知の日から30日以内に他のパートナーが先買権を行使しない場合に限り、その持分を取得することができる。

　有限責任会社の持分の譲渡は、監督当局における商業登記（Commercial Register）への登録がなされない限り、当該有限責任会社および第三者に対して効力を生じない（会社法79条1項）。

② 公開株式会社・非公開株式会社

　証券取引所に上場していない公開株式会社または非公開株式会社の株式を取得する場合、いずれについても、かかる株式の取得が当該株式会社の株主名簿に登録される必要がある。すなわち、株式取得について株主名簿への登録がなされない限り、当該株式会社および第三者に対して株式譲渡の効力は生じない（会社法214条1項・265条1項）。

　なお、有限責任会社の場合とは異なり、公開株式会社および非公開株式会社の既発行株式の取得に関しては、既存株主は先買権を有していない。

(3) 上場会社

UAEには、オンショアにアブダビ証券取引所（Abu Dhabi Stock Exchange）およびドバイ金融市場（Dubai Financial Market）という証券取引所が存在する。

オンショアの証券取引所に上場する公開株式会社の株式の取得については、証券・商品委員会（Securities and Commodities Authority）および上場する証券取引所が定める手続に従わなければならないとされている（会社法213条・299条1項）。

この点、オンショアの上場会社については、従前より公開買付け自体は可能であったが、包括的な規制は存在しておらず、事案ごとに規制当局との間で調整が必要であった。しかし、2017年に、証券・商品委員会により、公開買付けに関する包括的な規制として Decision of the Chairman of the SCA Board of Directors No. (18 / R.M) of 2017 Concerning the Rules of Acquisition and Merger of Public Shareholding Companies（以下「TOB規則」という。）が制定された。TOB規則は、アブダビ証券取引所およびドバイ金融市場に上場する公開株式会社の株式の取得について適用される（TOB規則2条）。以下では、TOB規則等に基づく公開買付制度の概要について説明する。

① 公開買付けの適用基準等

TOB規則上、買付者は、その関係者グループ（associated group）[16]および関連当事者（related party）[17]と併せて、証券取引所に上場する公開株式会社の株式

---

16) 以下に列挙する者をいう（TOB規則1条）。
  ① 30％を超える割合の対象会社株式について、直接もしくは間接的に、保有し、影響を及ぼし、または支配することを目的とした合意または取決めを共同で行う者
  ② 自然人およびその未成年の子供、ならびに、当該自然人・未成年の子供のいずれかによって、30％を超える割合でのその資本の保有または支配を通じて、直接もしくは間接的に影響され、または支配されている法人
  ③ 自然人およびその未成年の子供、ならびに、当該自然人・未成年の子供のいずれかによって、5％以上30％以下の割合でのその資本の保有または支配を通じて、直接もしくは間接的に影響され、または支配されている法人（ただし、当該自然人または未成年の子および当該法人との間で、対象会社の株式の30％超について、直接もしくは間接的に、共同で保有し、影響を及ぼし、または支配することに関して合意または取決めを行っていないことを証明した場合を除く）
  ④ 買付者の親族（父母、義理の父母、兄弟姉妹、子供、配偶者およびその子供）（ただし、買付者とその親族との間で、対象会社の株式の30％超について、直接または間接的に、保有し、影響を及ぼし、または支配することを目的とした合意または取決めを行っていないことを証明した場合を除く）

を30％を超える割合で所有することとなる場合には、証券・商品委員会に対して、その株式所有割合と株式取得の意向の有無を通知する必要があり、株式取得の意向がある場合には、他の株主に対してその保有する株式を買い取る旨のオファーを行わなければならないこととされている（TOB規則8条1項）。当該オファーの結果、公開買付期間が終わるまでに株式所有割合が50％超となるような株式の応募がない場合、取引を中止しなければならない（同条3項）。

以上の強制公開買付けの制度は、たとえば、政府機関による買収や関連会社間の株式譲渡、経営難に陥っている会社の再編目的での買収等の一定の取引について、証券・商品委員会が認めた場合には、適用が除外されることとされている（TOB規則4条）。

② 公開買付けの手続

買付者は、公開買付けの実施が必要となる取引を行う場合、対象会社に対してその株式取得の意向表明書を送付する必要がある（TOB規則22条）。

そして、買付者は、他の株主に対して株式買取りのオファーを行う意向がある旨の声明を証券取引所のウェブサイトにて発表しなければならない（TOB規則24条）。買付者は、かかる声明の発表を行う場合、対象会社に対する株式取得の意向表明書の送付から21日以内（ただし、証券・商品委員会により延長されうる）に、証券・商品委員会に対して株式買取りのオファーの承認を求める申請を行う必要があり（同規則28条1項・2項）、証券・商品委員会は、当該申請が行われた日から7日以内に、当該申請の承認または不承認の決定を行うこととされている（同規則29条2項）。

そして、証券・商品委員会から株式買取りのオファーに係る申請について承認を得られた場合、買付者は、証券取引所および対象会社に対して、公開買付けに係るオファーの提案書その他の必要書類を送付することが求められ（TOB規則30条1項）、これを受け、対象会社の取締役会は、当該提案書等の書類に加えて、取締役としての提案に関する意見等を株主に対して通知する必要がある（同規則31条）。

公開買付期間は、対象会社によるオファーの提案書の受領日の翌日から28

17） 対象会社の会長、取締役、Senior Executive Management、従業員ならびにこれらの者が資本の30％超を保有する法人および関連会社等をいう（TOB規則1条）。

日以内（但し、延長された場合には60日以内）とされている（TOB 規則 1 条・32条 1 項）。

　③　スクイーズ・アウト（完全子会社化）

　TOB 規則においては、公開買付けにより対象会社の株式の90％超を所有するに至った買付者は、申請により、証券・商品委員会による承認を条件として、少数株主にその保有する株式を強制的に買付者に売却させることができるスクイーズ・アウトの制度が設けられている（TOB 規則11条 2 項）。この制度を利用することにより、対象会社の株式の90超を取得することができた買付者は、強制的に少数株主から株式を取得し、対象会社を完全子会社化することができることとなる。

2　新規発行株式・持分の取得

(1)　有限責任会社

　有限責任会社が増資を行う場合には、定足数を満たしたパートナー総会の出席者の75％以上の賛成による決議を経なければならないとされている（会社法101条 1 項）。もっとも、実務上は、公証役場から全パートナーの賛成による決議を経ることを要求される可能性がある点に留意が必要である。かかる新規持分の取得に関して、既存のパートナーは新株引受権を有しない。

(2)　公開株式会社・非公開株式会社

　公開株式会社および非公開株式会社においては、株主総会特別決議により新株発行が承認され、その全額の払込みが実施された後、取締役会が、当該株主総会特別決議から 3 年以内に決議することにより、新規株式を発行することが可能である（会社法196条 1 項・ 2 項）。

　公開株式会社および非公開株式会社の株主は、その保有する株式の数の割合に応じて、新株引受権を有する（会社法199条 1 項・201条 1 項）。ただし、その例外として、公開株式会社および非公開株式会社は、株主総会特別決議により、戦略的パートナー（strategic partner）に対して新規株式を発行する旨を決議することができ（同法225条 1 項）、当該決議を受けて、取締役会は、当該決議から 3 カ月以内に、当該戦略的パートナーの会社への株主としての参画に関

して証券・商品委員会が設定した条件等を考慮した上で、当該戦略的パートナーに対してのみ新規株式を発行することが可能である（同法226条1項）。

なお、証券取引所に上場する公開株式会社から新規株式の発行を受けることにより当該株式会社の株式を30％を超える割合で所有することとなる場合には、TOB規則等に基づく公開買付規制の適用を受けると考えられる。

3　事業譲渡

事業譲渡に関する手続は商取引法に規定されており、オンショアの会社については、会社形態を問わず同法が適用される（商取引法1条・11条）。オフショアの会社については、それぞれのフリーゾーンが独自の規制やルールを定めている。

商取引法が適用される事業譲渡は、事業用資産（business assets）[18]の譲渡を意味し、これに該当しない資産の譲渡には以下の商取引法上の手続規制は適用されない。

事業譲渡は、事業譲渡契約その他の書類につき、公証役場において公証を受け、関連する事項につき商業登記簿に登録され、その要旨が公表されなければ効力を生じない（商取引法39条・40条1項）。

また、事業譲渡を行う場合には、商業登記所の担当官により、各首長国所定の手続に従い事業譲渡契約の要旨等が一定期間公表され、債権者は、最終の公表日から10営業日以内に異議を申し立てることができる。異議を述べた債権者は、当該事業を、当事者の合意価格の少なくとも120％以上の価格で買い取ることを申し出ることができる。当該事業は、裁判所の命令により、最も高い価格を提示した債権者に対して売却される（商取引法41条）。

4　合　　併

合併に関する手続は主に会社法に規定されており、オンショアの会社については、会社形態を問わず同法が適用される。オフショアの会社については、それぞれのフリーゾーンが独自の規制やルールを定めている。

---

[18] 事業用資産は、譲渡人のあらゆる商業活動に供される有形・無形資産の集合体をいう（商取引法36条）。

合併を行うためには、合併当事会社間で合併契約を締結し[19]、合併当事会社それぞれにおいて、合併の実施および合併契約案に関する株主総会の特別決議を経なければならない（会社法285条1項・287条1項）。

合併当事会社は、株主総会において合併が承認された日から10営業日以内に、債権者に対して合併を行おうとする旨、合併に異議を述べることができる旨その他の法定事項を通知しなければならない（会社法290条）。異議を述べた債権者は、法定事項の通知を受けた日から30日以内に自己の債権が支払われない場合には、裁判所に対して合併の差止めを求めることができる。かかる場合、合併は、①債権者による異議の取下げ、②裁判所による債権者の異議を認めない旨の決定、または③合併当事会社による債務の支払いもしくは担保の提供のいずれかがなされない限り、実行することができなくなる（同法291条）。なお、有限責任会社に限り、合併に反対するパートナーによる合併当事会社に対する持分買取請求権が認められている（同法289条）。

合併は経済省または証券・商品委員会による承認の対象となり、当該承認が得られた後、合併につき登記が行われる（会社法292条）。

以上に加えて、合併当事会社が公開株式会社である場合には、TOB規則が適用され（TOB規則46条）、同規則に定められる手続に従わなければならない。

具体的には、合併当事会社となる公開株式会社においては、合併の実施に必要な株主総会決議及び取締役会決議を経た上で、合併手続を進める合併委員会（merger committee）を組成して、証券・商品委員会に対して、合併の実施および合併委員会の構成員等に関する承認を得るための申請を行う必要がある。証券・商品委員会は、申請日から20営業日以内に、当該申請を承認するか否かの決定を行う（TOB規則48条）。また、TOB規則では、合併により承継される資産のバリュエーション、債権者への通知や合併に関する登記等に関する各手続について詳細に定められている（同規則49条・50条・51条）。

---

[19] 持株会社が当該持株会社が全額を出資する他の会社と合併を行う場合および持分会社が全額を出資する他の会社の間で合併を行う場合、合併当事会社は、合併契約を締結することなく、合併を実施することができる（会社法288条）。

5　分　割

　2021年9月20日の会社法改正により、公開株式会社による分割が導入された。公開株式会社は、水平分割（分割会社と新設会社の株主および持株比率が同一となる分割）および垂直分割（分割会社の資産・事業の一部を、分割会社が所有することになる新設会社に分離する分割）を実施することができる（会社法295条1項）。かかる分割は、分割後の分割会社の純資産を踏まえた分割会社による株式発行または発行済株式数もしくは1株あたりの株式の価値の調整および分割後の新設会社の純資産を踏まえた新設会社による株式発行により実施される（同法295条2項）。

　分割会社は、分割の理由および資産・負債の分割の方法等を示し、また、分割会社および新設会社の分割後の定款および仮定的な計算書類、監査役による意見書、分割に関する規制の遵守状況等に関する独立した法律コンサルタントの意見書、分割会社および新設会社の分割後の債権者の権利に関する合意等の書類を添付した詳細な分割計画を作成し、株主総会に提示した上で、株主総会特別決議による承認を受ける必要がある（会社法296条）。

　また、分割会社は、分割方法、ならびに、分割会社および新設会社の分割直後の資産および負債の状況ならびに分割後の仮定的な計算書類を含む分割計画について、必要に応じて、経済省または証券・商品委員会による承認を得る必要がある。当該承認が得られた後、分割会社の株式数等の変更および新設会社の設立について登記が行われる（会社法297条）。

14-6　M&Aに関連するその他の主要な規制

1　大量保有報告規制

　開示規則上、自然人（その未成年の子の出資比率を含む）または法人（その関連グループ[20]の出資比率を含む）の出資比率が以下の割合に達した場合には、当該自然人または法人は直ちに対象上場会社が上場する証券取引所に通知しなければならない（開示規制3条）。

① 対象上場会社の株式の 5 ％以上
② 対象上場会社の親会社、子会社、兄弟会社または関連会社の株式の10％以上

さらに、当該自然人または法人は、上記割合に達した後、出資比率が 1 ％増加するごとに、その旨を開示しなければならない（開示規制 3 条）。

2 インサイダー取引規制

アブダビ証券取引所やドバイ金融市場に上場している企業に適用されるインサイダー取引規制に関する主な法令等としては、証券・商品委員会が定める同委員会に関する規則（Federal Law No. 4 of 2000 Concerning the Emirates securities and Commodities Authority and Market：以下「証券・商品委員会規則」という）がある。

証券・商品委員会規則上、株式会社が発行する株式等に関して、当該株式等の市場価格や投資家による投資判断に影響を及ぼす虚偽の情報、声明またはデータを提供することは禁止されている（証券・商品委員会規則36条）。また、株式等の市場価格に影響を及ぼす未開示の情報を利用して、個人的な利益を得ることも禁止されており、かかる規制に反する取引は無効となる（同規則37条）。

さらに、証券・商品委員会規則39条では、会社の会長その他の役員や従業員が、証券取引所で自社の株式を売買する際に、その会社に関する内部情報を利用することも禁止されている。もっとも、これらの者が、自らが証券取引所を通じて売買する株式の数量・価格その他証券取引所が要求する情報を証券取引所を通じて開示し、かつ当該取引について会社の取締役会の承認を得ることを条件に、当該取引は許容されうる（同規則38条）。

3 企業結合規制

2013年 2 月23日に施行された競争法（Federal Law No. 4 of 2012 Concerning Regulating Competition）では、「経済的集中」を行うことにより、当該経済的集

---
20) 上場会社を支配する株式の取得を目的とした合意または取決めにより関連する者（自然人とその未成年の子、当該グループ内の他者が所有または支配する法人を含む。）を指す（開示規則 1 条）。

中の当事者の「関連市場」における合計市場シェアが40％を超える場合には、経済省に対して事前届出を行う必要があるとされている（競争法9条1項、同施行規則7条1項、Cabinet Resolution No. ⒀ of 2016 4条）。

　この点、「経済的集中」とは、組織の資産の所有権・使用権、権利、株式または義務の全部または一部を他の組織に移転（合併または買収）することにより、組織または組織集団が他の組織または組織集団に対して直接または間接的な支配権を持つことを可能にする行為を意味し（競争法1条）、資産譲渡や株式譲渡、合併やジョイントベンチャー等のいずれも、それらの行為により他の組織の支配権を得ることにつながれば「経済的集中」に該当しうる。なお、いかなる場合に他の組織の支配権を得たものと評価されるかは法令上必ずしも明らかではない。

　また、「関連市場」とは、一定の地理的地域における消費者の特定の要望を満たすために、その価格、特性及び用法に基づいて、他の商品・サービスまたはその代替物に置き換えられる可能性がある商品・サービスを指す（競争法1条）。この地理的地域は UAE 市場を意味すると思われ、仮に経済的集中に該当しうる行為を行い、それにより UAE 国外の市場シェアが40％を超えることとなるとしても、UAE 市場の競争環境に影響がないのであれば事前届出は不要であると考えられる（同法3条参照）。

　経済省に対して事前届出を行う必要がある場合、遅くとも経済的集中に該当しうる取引に関する契約書のドラフト完成の30日前までに届出を行う必要がある（競争法9条1項、同施行規則7条2項）。経済省は、届出の受領日から90日（さらに45日まで延長可能）以内に決定を行うこととされている（同法10条2項、同施行規則9条1項）。

　事前届出が必要であるにもかかわらず届出を怠った場合、当該違反に関連する UAE における売上高の2％から5％の罰金または50万ディルハム以上500万ディルハム以下の罰金が科され（競争法17条）、事前届出をしたにもかかわらず経済省大臣からの承認を取得する前に取引を実行した場合は5万ディルハム以上50万ディルハム以下の罰金が科される（同18条）。また、違反した当事者の営業所の3カ月から6カ月の閉鎖（同22条）等の罰則が科される可能性もある。

|COLUMN| 多種多様なフリーゾーン

　前記14-2の1のとおり、UAEには、外国からの投資を誘致するため、数多くのフリーゾーンが存在する。現在、UAEには40を超えるフリーゾーンが存在し、そのうち20超のフリーゾーンがドバイに所在している[21]。これらのフリーゾーンには、特定の産業を問わず、港湾・空港に近接する立地を生かした輸出入の利便性を提供するフリーゾーンや、特定の産業に特化して企業を受け入れ、当該業種のためのサービスを提供するフリーゾーンなどが含まれ、その機能は多種多様である。UAEにおける主要なフリーゾーンは以下の通りである。

名称	首長国	概要
Jebel Ali Free Zone	ドバイ	アラビア海に面する貿易の要となるUAE最古のフリーゾーン
Dubai Airport Free Zone	ドバイ	Dubai International Airport内に立地し、貿易業を中心とした様々な産業の会社が所在するフリーゾーン
Dubai International Finance Centre（DIFC）	ドバイ	金融環境を整備する目的で設置された金融センターとしての役割を担うフリーゾーン
Dubai Internet City	ドバイ	ICT（Internet and Communications Technology）関連の企業に特化したフリーゾーン
Dubai Healthcare City	ドバイ	医療・ウェルネスサービスを提供する企業に特化したフリーゾーン
Abu Dhabi Airport Free Zone	アブダビ	アブダビ国際空港、アルバティーン空港（旧空港）、アルアイン空港それぞれの周辺に立地するフリーゾーン

　フリーゾーンはオンショアで適用される連邦法とは異なる法規制を有しており、さらに、各フリーゾーンがそれぞれ独自の法律やルールを設けているため、認められる会社形態やガバナンス、買収に関して適用される法規制が各フリーゾーンで異なりうる。そのため、フリーゾーン内の企業を対象としてM&A取引を行う場合には、当該フリーゾーンに適用される法規制を踏まえて、どのような手続・制限が適用されるかを個別に検証することが重要となる。

21）　本書執筆時現在におけるジェトロ作成の2020年9月28日付「アラブ首長国連邦の主なフリーゾーン」に基づく。

第15章　カンボジア

15-1　総　　論

　カンボジアは、タイ、ベトナムおよびラオスと国境を接し、その豊富な若年労働力（2023年現在で総人口は約1,686万人、中位年齢は27.1歳と見込まれている[1]）を背景として、特に製造業に係る生産コスト削減のための生産拠点として、近年、日本企業からも注目を集めている（いわゆるチャイナプラス１、タイプラス１）。同国の実質GDP成長率は2019年までの10年間７％前後の比率で推移し[2]、経済成長も目覚ましい。COVID19の影響による減速は見られたものの、2021年以降は徐々に復調の傾向が見られる。

　カンボジアは、ごく一部の例外を除き、外資企業の100％出資による進出が許容されており、外資規制の厳しい近隣諸国に比し、外資規制によって投資が阻害される懸念が少ない点が特徴である。さらに、新投資法（2021年成立）により、一定の要件を満たす適格投資プロジェクト（Qualified Investment Project：QIP）等については、外資企業による投資を奨励しており、QIP等としての登録等の手続を経た場合には、類型によって法人税免除や関税免除等の優遇措置を受けることができる。

　他方、同国は、1975年以降のポル・ポト政権時代に行われた法令の廃止や、法曹を含む知識人の大量虐殺により、基本的な法令の整備が遅れるとともに、法令を運用する法曹実務家の不足が重要な課題となっていた。1996年以降、日本国法務省および国際協力機構（JICA）による法整備支援のもと、民法

1）　国際連合のWorld Population Prospectsによる。
2）　IMF World Economic Outlook Databaseの統計（2022年10月）による。

(2007年成立）および民事訴訟法（2006年成立）をはじめとして基本法の整備が進むとともに、法曹教育も一定の進展を見せているが、依然として法令の解釈・運用が不明確な部分や当局の運用が法令と異なるケースも存在する。

15-2　M&Aの手法および関連する法令・ルールの概観

　カンボジア企業を対象会社とするM&Aにおいて利用可能な手法としては、既発行株式の譲受（後記**15-5**の１参照）、新株発行（後記**15-5**の２参照）、合併（後記**15-5**の３参照）および事業譲渡（後記**15-5**の４参照）が挙げられる。

　カンボジア企業の基本的なガバナンスおよび上記のM&Aの手法については、会社法（Law on Commercial Enterprises：以下「会社法」という）が規定している。

　上場会社の株式の取引については、非政府債券発行・取引法（Law on Issuance and Trading of Non-Government Securities：以下「非政府債券発行・取引法」という）ならびに証券取引委員会（Securities and Exchange Regulator of Cambodia：以下「証券取引委員会」という）および証券取引所（Cambodia Securities Exchange：以下「証券取引所」という）の定める規則等が適用される。もっとも、カンボジアにおいて上場株式取引の歴史は浅く、2023年３月末時点において、証券取引所に株式の上場を行っているカンボジア企業は９社のみである[3]。

　後記**15-5**で詳述するように、会社法上は株主総会決議または取締役会決議のみが要件となっている取引であっても、実務上、当該取引に係る登記・登録を当局に行うに際して、取締役全員または株主全員の署名による決議書面の提出を当局から要求されることがあるため、カンボジア企業を対象会社とするM&A取引においては、会社法その他の法令のみではなく、当局の運用も勘案の上、ストラクチャーを決定する必要がある。

　また、後記**15-6**で詳述するように、カンボジアにおける競争法の成立に伴い、カンボジアの市場における競争を著しく妨げ、制限し、または歪曲する効果を有するもしくは有するおそれのある企業結合が禁止されることとなり、ま

3）　http://www.csx.com.kh/data/lstcom/listPosts.do?MNCD=50101

た、一定の企業結合については取引の実行前に届出を行う必要が生じている。そのため、カンボジア企業を対象会社とするM&A取引を行おうとする場合、取引の実行可能性・スケジュール等の検討に際しては、競争法の観点からの検討も必要となる。

15-3 会社の種類とガバナンス

1 会社法における会社の種類

会社法において、会社の種類は、大きく非公開有限責任会社（private limited company）および公開有限責任会社（public limited company）の２種類に分けられている（会社法１条、85、86条）。非公開有限責任会社は、その定款において株式の譲渡制限を設けることが必要とされ、株式を上場することができない（会社法86条）。一方、公開有限責任会社は、非公開有限責任会社以外の会社であって、株式を上場することができるとされている（同法87条）。なお、非公開有限責任会社のうち、株主が１名のみの会社は単独株主非公開有限責任会社（single member private limited company）と呼ばれ、株主が１名のみである点[4]を除き、単独株主非公開有限責任会社のガバナンスは、株主が２名以上の非公開有限責任会社と共通である。

会社法上、最低資本金についての定めはない。もっとも、保険会社や金融機関など規制の対象となる業種については、業法上、業種ごとの最低資本金の定めが存在する場合があるため、留意する必要がある。

2022年の会社法改正によって、非公開有限責任会社および公開有限責任会社において、会社の文書を受領・保管する秘書役（company secretary）の設置と商業省への登録が必要となった。そして、秘書役は、カンボジアに住所を有する自然人である必要がある（会社法２条、３条）。

なお、会社以外の形態としては、個人事業（sole proprietorship）およびパー

---

[4] 非公開有限責任会社の株主は２名以上30名以下でなければならない（ただし、株主１名の会社も単独株主非公開有限責任会社として許容される）（会社法86条(a)）。これに対し、公開有限責任会社の株主は、２名以上であることが求められ、上限はないと解されている。

トナーシップが存在する。まず、個人事業とは、1人の自然人（個人事業主）からなる形態で、一定の場合には商業省への登録が求められる。個人事業主は、個人事業の債務に全責任を負う（会社法8条の2）。

次に、パートナーシップは、無限責任パートナーシップ（general partnership）と、有限責任パートナーシップ（limited partnership）の2種類に分類されている。前者は、全パートナー（持分権者）が無限責任パートナー（general partner）である。一方、後者は、無限責任パートナーと、出資額までの有限責任のみを負う有限責任パートナー（limited partner）の2種類のパートナーからなる（会社法64条、72条）。

外国企業がカンボジアに投資を行う場合には、一般に会社形態が好まれる。非公開有限責任会社と公開有限責任会社のいずれを用いるかに関しては、金融機関・保険会社等一定の規制業種を営む場合や証券市場に株式を上場する場合には公開有限責任会社であることが法令上求められるが、公開有限責任会社にはより厳しい報告義務等が課せられるため、規制業種を営まず、上場も予定していない場合には、一般に非公開有限責任会社が用いられることが多い。

次項では、カンボジアにおけるM&Aを検討する際に、前提として理解しておくべき単独株主非公開有限責任会社、非公開有限責任会社および公開有限責任会社（上場会社を含む）のガバナンスの概要を紹介することとする。なお、特段の記載のない限り、以下で説明する事項は、全種類の会社に共通した規律である。

2　ガバナンス

(1)　株主総会

株主総会の種類には、定時株主総会（general meetings）と臨時株主総会（extraordinary meetings）がある。定時株主総会は、会社設立後1年以内に第1回定時株主総会を開催し（会社法117条、206条1項）、その後、少なくとも1年に1度（同法117条、206条参照）開催する必要がある。

①　招集手続

臨時株主総会の招集は都度、取締役によってなされる（会社法206条2項）。議決権割合51％以上を有する株主は、臨時株主総会の招集を請求することが

できる（同法207条）。また、法令に沿って招集手続がなされない等の理由により定時株主総会が適切な時期に開催されず、または議決権割合51％以上を有する株主が臨時株主総会の開催を請求したにもかかわらず臨時株主総会が開催されない場合等には、取締役や議決権を有する株主は、株主総会を開催する旨の裁判所の命令を求めることができる（同法208条）。

取締役が株主総会を招集する場合、原則として、開催日の50日前から20日前までの間に書面により各株主・取締役・監査役に対して招集通知を行う必要がある（会社法214条）。招集通知の送付を20日より短縮することはできないと解されている。もっとも、株主が招集通知を受ける権利を放棄した場合（同法215条）や、株主総会が延期されその期間が30日未満である場合、招集通知は不要である（同法214条）。招集通知には、会日、議題、場所、および特別決議事項が審議される場合にはそれが記載されていなければならない（同条2項、3項）。

② 定足数および決議要件

株主総会の定足数は、各会社の定款で別段の定めがない限り、議決権を行使することができる株式の過半数を有する株主または代理人が出席していること（会社法217条）である。

会社法における株主総会の決議要件としては、普通決議（ordinary resolution）および特別決議（special resolution）の2種類がある。

普通決議は、議決権を行使した株主の過半数の賛成を得られた場合に成立する（会社法88条7項）。特別決議は、議決権を行使した株主の3分の2以上の賛成を得られた場合に成立する（同条10項）。

それぞれの主な決議事項は、【図表15-1】のとおりである。

また、当該決議事項に対して議決権を有する全株主の署名により、書面決議が可能である（会社法221条1項）。

開催場所は、原則として取締役会が定めるカンボジア国内の場所である（会社法205条1項）。ただし、議決権を有するすべての株主が同意する場合には、カンボジア国外で開催することも認められる（同条2項）。株主総会の開催場所は取締役会が決定することができる旨定める会社法205条1項の規定から、取締役会の決議があった場合には、株主総会をテレビ会議や電話会議等の方法

で開催することも可能と解されている。もっとも、実務上は、テレビ会議等の方法によって株主総会を開催した場合、商業省において、かかる株主総会での決議に基づく登記申請が受理されない可能性が存在する。

【図表15-1】主な株主総会決議事項

普通決議事項	取締役の選解任（会社法118条、124条）、取締役の報酬の決定（同法119条）、監査役の選解任（同法229条）、監査役の報酬の決定（同法231条、もっとも、取締役会でも決定できる）
特別決議事項	資本金の変更（会社法150条）、定款変更（同法236、238条）合併（同法245条）、解散（同法251条）

(2) 取締役

非公開有限責任会社は1名以上の取締役の選任が必要であり（会社法118条1項）、公開有限責任会社については3名以上とする必要がある（同条2項）。そして、上場会社については5名以上15名以下とする必要がある（上場公開有限責任会社のガバナンスに関する大臣令14条）。また、単独株主非公開有限責任会社において、唯一の株主が取締役となることも可能である。

取締役の選任は、株主総会の普通決議事項である（会社法118条3項）。また、取締役の解任についても、株主総会普通決議が必要と解される。

会社法上、取締役の国籍要件および居住要件に関する明文の規定はない。

取締役の任期は、定款で別段の定めがない限り2年であり、再任も可能である（会社法121条）。取締役に任命されるためには年齢要件があり、18歳以上で行為能力を有している必要がある（同法120条）。また、上場会社、金融・保険業などの規制事業を営む会社に関しては、年齢要件に加え、追加の資格要件が課せられている（業種によって具体的な基準は異なる）。さらに、上場会社や上述の規制業種を営む会社においては、独立取締役（independent director）の設置が必要とされているが、必要とされる独立取締役の人数は営む業種や取得しているライセンスの種類によって異なる。

(3) 取締役会

取締役会は少なくとも3カ月に1回開催されなければならない（会社法128条3項）。

取締役会の定足数は、原則として取締役の過半数であるが、定款の定めによって加重することができる（会社法132条1項）。

取締役会において、取締役の中から議長を選任する必要がある（会社法127条）。議長は取締役会を招集する権限を有する。また、議長以外の取締役も、全取締役の3分の1の賛成により取締役会を招集することができる（同法128条1項）。会社法上、招集通知の送付期限に関する定めはなく（定款に定めがあればそれが適用される）、また、取締役は、招集通知を受ける権利を放棄することができる（同法129条2項）。なお、招集通知には、取締役会の日付、場所、および詳細な議題を記載しなければならない（同条1項）。

取締役会は、定款に別段の定めがある場合を除き、カンボジア国内で開催されなければならない（会社法128条2項）。

取締役会の決議要件は、出席取締役またはその代理人の過半数の賛成である（会社法128条3項）。取締役が、取締役会において他の取締役を代理するには、署名付きの委任状が必要である（同法132条2項）。

取締役会の主な決議事項は、会社の業務や会社財産に関する事項である。たとえば、執行役員の任免および権限・給与およびその他報酬の決定（会社法119条1号、2号）、取締役の給与または報酬額に関する議案の作成および株主への提案（同条3号）、株主への定款の修正および削除の提案（同条5号）、株主への吸収合併および新設合併、解散および清算ならびに会社財産のすべてまたは重要部分の譲渡の提案（同条6-8号）、配当宣言（同条9号）、定款で認められた範囲での株式発行（同条10号）、借入および保証（同条11号、13号）などである。

(4) 監査役

株主は、定時株主総会において、少なくとも1名の監査役を選任するものとされている（会社法229条1項）。任期は、次回の定時株主総会が終了するまでとされている（同条2項）。ただし、有価証券を一般公開していない非公開有

限責任会社等、一定の要件を充足する場合には監査役を選任しないことも可能である（同法230条）。

監査役の職務は、財務諸表について株主に報告をするために必要な調査を行うこと、現在および前任の取締役、従業員等に説明等を求めること、株主総会に出席することである（会社法234条）。監査役が裁判所または臨時株主総会普通決議によって選任された場合を除き、株主総会普通決議によって解任することができると解される（同法232条1項）。ただし、定款の定めによって要件を加重することができる。監査役が不在の場合、取締役会は、21日以内に臨時株主総会を招集しなければならない（同条2項）。または、株主、商業省からの請求により、裁判所が株主によって新たな監査役が選任されるまで職務を行う監査役を任命することできる（同法233条）。もっとも、実務上、監査役不在の際に商業省が裁判所に請求することは盛んに行われているわけではない。

監査役は、個人でまたは会計事務所で開業している公認会計士でなければならない（会社法88条(2)）。

(5) 上場会社特有のガバナンス

証券取引所に株式を上場している会社は、商業省が発する省令を遵守する必要がある。以下、特徴的な規定を概説する。

① 取締役

上場公開有限責任会社（listed public limited companies）では、5名以上15名以下の取締役を選任する必要があり、このうち5分の1以上を独立取締役とすることが義務づけられている（上場公開有限責任会社のガバナンスに関する大臣令c14条1項）。また、会社が営む事業の種類等によっては、上記の上場会社一般の独立取締役に関する規制を上回る人数の独立取締役の選任が必要となる場合も存在する。たとえば、商業銀行や小口預金取扱機関の場合は、外国銀行の支店を除き、取締役会には少なくとも2名の独立取締役が含まれなければならない。専門銀行や小口金融機関の場合は、独立取締役は取締役の総数の3分の1以上でなければならない。独立取締役の任務は、日々の業務は行わず、取締役会決議事項について独立した意思決定をすることとされている。なお、独立取締役が外国人の場合、就任前6カ月間以上のカンボジアでの職務経験を有す

る必要がある。

　② 監査委員会

　上場会社は、原則として監査委員会を設置しなければならない。もっとも、取締役の人数等により、監査委員会の設置が任意となる場合も存在する。監査委員会を設置しない場合、独立取締役が下記の監査委員会の役割を果たす。

　監査委員会は、会社の財務諸表や内部統制機能、会社内外の監査機能、リスク管理委員会が設置されていない場合にはリスク管理体制についてチェックし、取締役の活動について報告および助言する機能を果たす。

　また、保険会社や金融機関にも監査委員会の設置が求められている。たとえば、金融機関の場合は、独立取締役が主導する監査委員会の設置が求められている。監査委員会は、財務情報の正確性の確保や、会計方法および内部統制手続の評価を行うとされている。

15-4　外資規制の概要

1　外資規制の概要

　カンボジアは、基本的に外国人による投資を可能な限り奨励する制度をとっている国であり、①一般的に投資が禁止されている事業を行う場合、および②土地を所有する場合や一定の事業を行う場合を除き、外国人による投資に関する規制（出資比率の上限や投資形態の制約など）は原則として存在しない。

　そして、2021年10月15日付で施行された投資法（以下「新投資法」という）では、外国からの投資を誘致するため、外国投資家にとってより有利な投資環境を構築することを目的として、より手厚い投資優遇措置や保障が定められることとなった。新投資法では、投資プロジェクトは、①適格投資プロジェクト（Qualified Investment Projects：以下「QIP」という）、②拡大適格投資プロジェクト（Expanded Qualified Investment Projects：以下「EQIP」という）、および③投資保障プロジェクト（Guaranteed Investment Projects：以下「GIP」という）の3種類に分類され、後述のとおり、それぞれ法人税の免税等の投資優遇措置や投資保障を受けることができる。

なお、新投資法制定以前の2003年改正投資法施行に関する政令111号（以下「政令111号」という）は本稿執筆時点で有効であるが、今後、新投資法施行に関する政令（以下「新政令」という）が制定される予定であるため、留意する必要がある。

2　投資が認められない業種

外国人による投資に特有のものではないが、カンボジア企業および外国企業による投資が禁止される業種が、政令111号の付属文書1（ネガティブリスト）Section 1（投資禁止業種）に以下のとおり挙げられている。これらの業種については、当然、外国人による投資も一切認められていない。なお、これらの業種については、新政令の施行に伴い変更となる可能性がある。

① 　向精神剤および非合法薬の製造・加工
② 　国際規約または世界保健機関によって禁止された、公衆の健康や環境に影響を及ぼす、有害化学物質、農薬、農業用殺虫剤および化学物質を使用したその他の製品
③ 　外国から輸入した廃棄物を使用した電力の加工および生産
④ 　森林法により禁止されている森林開拓事業

3　出資比率の上限

上述のとおり、カンボジアにおいては、原則として、外国人による出資比率100％での進出が許容されているが、以下のとおり、外国人による土地保有は禁止されている。また、法令上は明確な規定が存在しないものの、当局の指導等により、実務上、外国人による出資比率が制限されている分野が存在する。

(1)　土地所有

憲法44条において、カンボジア国内の土地を保有することができるのは、カンボジア国籍を有する自然人または法人（51％以上の株式をカンボジア人またはカンボジア国籍を有する法人が所有している、カンボジアで登記されているまたはカンボジアに登録事務所を有する法人。会社法101条）に限定されており、外国人（カンボジア国籍を有する自然人または法人以外の者）による土地保有は禁止

されている。もっとも、土地使用については、15年以上50年以下の期間による長期賃貸借[5]や、短期賃貸借（更新可能）等が認められている。

(2) 実務上の制約

カンボジアにおいては、法令上は外国人による出資比率を制限する明文の規定が存在しないにもかかわらず、当局の指導等により、実務上、外資規制（外国人による出資比率の制限）の対象とされている業種が存在する。たとえば、決済サービス事業を行う法人に関して[6]は、カンボジア国立銀行の指導により、その株式の5％以上をカンボジアの国籍を有する自然人または法人が所有していることが実務上要求されている。

したがって、投資禁止業種以外の事業を営む法人に対する投資であっても、外国人による出資について実務上の制約が存在しないかについては慎重に確認を行うことが望ましい。

4　投資プロジェクトの種類

投資プロジェクトは、①適格投資プロジェクト（QIP）、②拡大適格投資プロジェクト（EQIP）、および③投資保障プロジェクト（GIP）の3種類に分類され、その概要はそれぞれ以下のとおりである。

(1) 適格投資プロジェクト（QIP）

カンボジアへの投資に際して、投資プロジェクトがQIPの認定を受けた場合、法人税、輸入関税、輸出関税の免除等の投資優遇措置を受けることができる。カンボジアは外資規制が比較的緩やかであるため、同国への投資に際しては、実務上、QIPの認定の取得可否が重要な考慮要素の1つとなる。

5）　長期賃貸借の場合、その権利を第三者に対抗するには関係当局への登録が必要となる。
6）　「決済サービス事業者」とは、次の活動を行う法人を指す。①支払口座への現金の引出し・入金を可能にするサービスおよび支払口座を通じて処理される一切の取引、②同一の決済サービス機関または他の決済サービス機関の支払口座間の送金を含む、a．口座引落し、b．決済カードまたはそれに類するものを通じた決済取引、c．口座自動振替といった決済取引、③資金が決済サービス利用者にクレジットラインとして提供される上記a．～c．の決済取引、④決済手段の発行（電子通貨の発行・決済取引の取得を含む）、⑤国内および国際送金、⑥決済開始サービス、⑦カンボジア国立銀行が定義するその他の決済サービス。

QIPの認定を受けるためには、①政令111号の付属文書１、Section 2 に記載される優遇措置非適格プロジェクトに該当しないこと、②事業分野ごとに設定されている最低投資額を満たすこと、および③投資プロジェクトが以下の事業分野または投資活動に該当するものであること（新投資法24条）が必要となる（なお、これらの内容は、新政令の施行に伴い変更となる可能性がある）。

【優遇措置非適格プロジェクト（抜粋）】

1. すべての商業活動、輸入、輸出、卸、小売、免税店
2. 水路・道路・空路による運輸サービス（鉄道分野への投資を除く）
3. レストラン、カラオケ、バー、ナイトクラブ、マッサージ店、フィットネスセンター
4. 観光サービス、カジノ、賭博ビジネス
5. 銀行・金融機関・保険会社等による通貨・金融サービス
6. ラジオ・テレビ・新聞・雑誌等を含む報道・放送ビジネス
7. 専門的サービス
8. たばこの製造
9. 合法的な国内供給源である自然林の木を原料として使用する、木材製品の製造・加工
10. 50ヘクタール以下のホテル、テーマパーク、スポーツ施設、動物園等を含む、複合娯楽施設
11. 三ツ星以下のホテル
12. 不動産開発、倉庫業、駐車場

【QIPを受けるための最低投資額】

投資分野	投資条件
輸出産業にすべて（100％）の製品を供給する裾野産業	10万米ドル以上
動物の餌の製造	20万米ドル以上
皮革製品および関連製品の製造、金属製品製造、電気・電子器具と事務用品の製造、玩具・スポーツ用品の製造、自動二輪車およびその部品・アクセサリーの製造、陶磁器の製造	30万米ドル以上

食品・飲料の生産、繊維産業のための製品製造、衣類縫製、繊維、履物、帽子の製造、木を使用しない家具・備品の製造、紙および紙製品の製造、ゴム製品およびプラスチック製品の製造 上水道の供給、伝統薬の製造、輸出向け水産物の冷凍および加工、輸出向け穀類、作物の加工	50万米ドル以上
化学品、セメント、農業用肥料、石油化学製品の製造、現代薬の製造	100万米ドル以上
近代的なマーケットや貿易センターの建設	200万米ドル以上 １万ヘクタール以上 十分な駐車場用地
工業、農業、観光、インフラ、環境、工学、科学その他の産業向けに用いられる技能開発、技術向上のための訓練を実施する訓練・教育機関	400万米ドル以上
国際貿易展示センターと会議ホール	800万米ドル以上

【投資優遇措置が適用される事業分野および投資活動】

1．イノベーションを伴うハイテク産業または研究開発
2．革新的または競争力の高い新産業または高付加価値の製造業
3．地域および世界の生産チェーンに貢献する産業
4．農業、観光、製造業、地域および世界の生産に貢献する産業
5．電気・電子産業
6．スペアパーツ、組立ておよび取付け産業
7．機械産業
8．国内市場や輸出を目的とした農業、農産業、農産加工業および食品加工業
9．優先分野の中小企業および中小企業のクラスター、ならびに、工業地区および科学技術革新地区の開発
10．観光産業およびその他観光に関連する活動
11．経済特区の開発
12．デジタル産業
13．教育・職業訓練および生産性の向上

14. 健康分野
15. 物理的なインフラの整備
16. 物流
17. 環境管理・保護、生物多様性・循環型経済の開発
18. グリーンエネルギーおよび気候変動への順応・低減に資する技術
19. 上記の他、カンボジア王国政府が社会経済発展の可能性があると判断する、その他の分野および投資活動

また、政令111号の付属文書1、Section 3に定める①電気通信基本サービスおよび②ガソリン、石油およびあらゆる種類の鉱業の探査については、関税免除の対象ではあるものの、法人税免除の対象とはならないとされている。

(2) 拡大適格投資プロジェクト（EQIP）

EQIPは、既存生産ラインの拡大、製品ラインの多様化による拡大、持続可能な開発を促進する新技術の使用による生産拡大等、カンボジア王国政府により認められた形態（新政令で定められる予定である）によるQIPの拡大プロジェクトをいう。なお、新投資法上は、QIPとEQIPの享受できる投資優遇措置に具体的な差異はないが、EQIPの投資優遇措置の詳細については、新政令で定められる予定である。

なお、EQIPの認定を受けるに際しては、①既存のQIPから取得または譲渡されたプロジェクトでないこと、②既存のQIPに追加で資本注入するのみで実際に上記のようなプロジェクトの拡大を伴わないものではないことが必要とされている。

(3) 投資保障プロジェクト（GIP）

GIPは、投資保障（具体的な内容については、後記6参照）のみを享受できる投資プロジェクトであり、投資優遇措置は受けられないものである。

5　投資優遇措置の内容

(1) 概　要

　新投資法上、QIP（EQIPを含む。以下、本項目5において同じ）に登録された投資プロジェクトは、投資優遇措置を受けることができる。新投資法に規定された当該投資優遇措置は、①基本的優遇措置、②追加優遇措置、③特別優遇措置の3種類が存在する。

　各優遇措置の内容については以下に詳述するが、新投資法に基づく優遇措置の適用については、本稿執筆時点で制定されていない新政令に詳細に規定されることが想定され、各投資プロジェクトの事業分野、地理的条件、プロジェクトの性質により適用の可否や内容が決定されることとなると予想される。そのため、カンボジアへの投資計画を最終的に決定し、実行する前に、まずカンボジア開発評議会（Council for Development of Cambodia：以下「CDC」という）への相談を行い、適用可能な優遇措置等を確認しておくことが実務上は望ましい。

(2) 基本的優遇措置

　QIPとして登録された投資プロジェクトは、以下の2つのオプションから基本的優遇措置を選択することができる（新投資法26条1項）。
　①　オプション1（所得税免除）
　　当該プロジェクトによる最初の収入を得た時点から、3年間〜9年間、所得税の免除を受けることができる[7]。さらに、当該プロジェクトは、上記免除期間終了後、以下の割合で所得税を支払う優遇措置を得ることができる。
・当初2年間（免除期間終了後1年目および2年目）：年間所得税総額の25％
・次の2年間（免除期間終了後3年目および4年目）：年間所得税総額の50％
・次の2年間（免除期間終了後5年目および6年目）：年間所得税総額の75％
　②　オプション2（特別償却）
　　当該プロジェクトに適用される税制で規定されている特別償却により資本支出を控除すること、および、特定の費用について、最長9年間にわたり、

7）　免除期間は、新政令で定められる予定である。

実際に発生した金額の200％の控除を受けることができる[8]。

また、基本的優遇措置として、上記オプションのいずれを選択した場合でも、①適用される免税期間中の前払税の免除、②独立監査人による監査報告書の提出を条件とするミニマム税（法人税の最低限を画するものとして、所得ではなく売上高を基準とする税）の免除、③輸出税の免除（他の法令に別段の定めがある場合を除く）を受けることができる（新投資法26条1項）。

また、取得しているQIPの種類に応じて輸入関税・付加価値税の免除を受けられる場合がある。いずれの場合も、生産設備および建設資材の輸入関税・付加価値税が免除される点は共通しているが、免税対象の範囲の詳細は、下表のとおりである（新投資法26条2項、政令111号16条）。

QIPの種類	免税可能な物資
国内志向型QIP（輸出を目的としないQIP）	生産設備、建設資材および輸出品生産のための生産投入材
輸出志向型QIP（製品の一部を外国に販売または譲渡するQIP）	生産設備、建設資材、原材料、中間財、副資材
裾野産業QIP（通常輸入される原材料や付属品に代わるものとして輸出産業に100％の製品を供給するQIP）	生産設備、建設資材、原材料、中間財、生産投入用副資材。ただし裾野産業QIPが製品を100％輸出企業に提供しなかった場合や直接輸出しなかった場合、その部分について輸入関税およびその他の税金を支払うことが必要。

(3) 追加的優遇措置

QIPは、上記基本的優遇措置に加え、以下の追加的優遇措置を受けることができるものとされている（新投資法27条）。

① QIPの事業活動の実施に必要な生産資材[9]の購入に関する付加価値税の

---

[8] 200％の控除対象となる具体的な費用項目や控除対象期間の詳細については、新政令で定められる予定である。

[9] 石油製品および自動車用スペアパーツを除く原材料、半製品、生産付属品および生産工程で変質される製品をいう（新投資法3条）。

免除

② QIP が以下に該当する活動を行った場合、課税標準から150％の控除
- 研究、開発およびイノベーション
- カンボジアの労働者・従業員への職業訓練や技能訓練による人材育成
- 労働者・従業員のための宿泊施設、学校、合理的な価格の食堂、保育所等の建設
- 生産ラインを構成する機械のアップグレード
- カンボジア人労働者・従業員に対する福利厚生（自宅から工場までの通勤手段、宿泊施設、食堂、学校、保育所等）の提供

(4) 特別優遇措置

カンボジア政府が、カンボジアの国家の経済発展に貢献する可能性が高いとみなす特定の分野については、別途財務管理に関する法律（本稿執筆時点で未制定）に規定される特別優遇措置を受けられるものとされている。

6　投資保障

QIP、EQIP、または GIP として CDC に登録された投資プロジェクトは、以下の投資保障を受けることができる。

① 武力紛争、内乱または緊急事態により登録された投資プロジェクトが損失を被った場合において、返還および補償に関するカンボジア王国政府の法律および政策がある場合、投資家は、返還、補償またはその他の経済的救済策の提供について差別を受けることなく取り扱われること（新投資法15条1項）。

② 外国人投資家は、カンボジア王国憲法および不動産関連法令に基づく土地所有権の制限を除き、国籍を理由に差別的扱いを受けることはなく、他の国内外の投資家と同等に取り扱われること（新投資法15条2項）。

③ 投資プロジェクトは、収用に公益性がありかつ以下の条件を満たす場合を除き、直接または間接を問わず、国有化または収用から保護されること（新投資法17条）。
- 差別なく行われること。

- 公平かつ公正な補償が行われること。
- 収用に関する現行の法律および収用手続に従って行われること。

④ カンボジア王国政府によりQIPの製品またはサービスの価格が決定されないこと（新投資法18条）。

⑤ 為替管理および利益の本国への送金が制限されないこと（新投資法19条）。

7　QIP等の登録手続

投資家が投資プロジェクトをQIP、EQIPまたはGIPとして登録したい場合、投資家はCDCまたは関連する州の下位機関（以下「CDC等」という）に申請書を提出する必要がある[10]。当該申請書はオンラインで提出することが可能である。

QIPの登録手続は、新たに制定予定の政令により定められる予定であるが、QIPは投資プロジェクト単位で認定され、投資プロジェクトが上記ネガティブリストに含まれるものでない限り、CDC等に申請後20営業日以内にQIP登録証明書が発行されることとなることが予定されている。CDC等はワンストップサービスを提供する機関として、申請者に代わり、必要なライセンスや輸出入許可の取得を代行するものとされている。

8　QIP（EQIPを含む）の義務

QIPが投資優遇措置や投資保障を継続して受けるためには、毎年3月31日までにコンプライアンス証明書（Certificate of Compliance）をCDCに提出する必要がある。

9　その他の投資優遇措置（経済特区・PPP）

カンボジアでは、経済特区（Special Economic Zone：SEZ）への投資や会社設立を希望する事業者について、別途「経済特別区の設立と管理に関する政令

---

10) もっとも、①5,000万米ドルを超える投資、②政治的影響を有する事項を含む場合、③鉱物資源・自然資源の探索と開発、④環境に対する悪影響が懸念される場合、⑤長期開発戦略を必要とする場合、⑥BOT（建設・所有・譲渡）、BOT（建設・運営・譲渡）、BOO（建設・所有・運営）またはBLT（建設・賃借・譲渡）契約に基づくインフラ・プロジェクトについては、CDCは閣僚評議会の認可を得る必要がある。

148号（Establishment and Management of the Special Economic Zone）」が定められており、当該政令において、経済特区の開発企業または経済特区内に設立される企業の登録手続が規定されているとともに、そのような企業に対しては、新投資法に規定される投資優遇措置および投資保障が適用される旨が定められている。

経済特区の開発企業または経済特区内に設立される企業がQIPの登録を行う場合、SEZワンストップサービスオフィスを通じ、カンボジア経済特区委員会（Cambodian Special Economic Zones Board：CSEZB）に申請する必要がある。

また、カンボジアでは2021年11月18日に、官民パートナーシップ法（以下「PPP法」という）が施行された。PPP法は、PPP（官民パートナーシップ）としての投資プロジェクトの審査、評価、開発または実施について規定している。

15-5　買収のための各手法の手続および内容

1　既発行株式の取得

(1)　非上場会社の既発行株式の取得

非公開有限責任会社は、定款上、その株式について譲渡制限を定める必要がある（会社法86条(b)および(c)）ため、非公開有限責任会社の株式の譲渡に際しては、対象会社による譲渡承認を取得する必要がある。譲渡承認機関は定款の定めによる。

株式譲渡契約に加え、株式譲渡の事実について、商業省への登録ならびに税務当局および労働当局への通知も必要となる（さらに、金融、保険などの規制事業を営む企業が合併する場合には、商業省への登録申請以前に、所轄当局の承認を取得する必要がある場合が存在する）。

上記のとおり、株式譲渡は、会社法上は定款の定める譲渡承認機関の決議によって行うことができるが、実務上、商業省への登録を行うに際しては、株主総会の譲渡承認決議があった旨について、株主全員が署名した書面によって証明することが商業省から求められる事例が存在する（同様に、取締役会が決議を行ったことについては、取締役全員が署名した書面の提出が求められる事例が存在

する)。すなわち、会社法および定款の定める譲渡承認の決議要件にかかわらず、事実上、株主全員の同意を取得しなければ株式譲渡を行うことができない可能性があるため、留意が必要である。

(2) 公開買付規制

カンボジア法上、公開買付け(いわゆる Tender Offer)とは、上場会社の発行済み株式の5％以上を取得しまたは上場会社の支配権を取得する取引をいう。

カンボジア法上、公開買付けについては、証券取引委員会が定める開示規則が規定しているのみであり、公開買付けが強制される場面の有無や、公開買付けに係る詳細な手続については、以下に記載するもののほか、具体的な規定が存在しない。

買付者は、公開買付けの実施前に、公開買付者、対象会社、公開買付けの目的・条件・方法、公開買付けの対象となる株式の種類・数、資金源、公開買付代理人として選定された証券会社などの重要情報を証券取引委員会に提出し、証券取引委員会から公開買付けに係る許可を得る必要がある(開示規則11条)。

証券取引委員会から公開買付け実施の許可を得た買付者は、証券取引委員会長官の許可がない限り、①(不可抗力または予見できない事由によって総資産の10％以上の損害を受けた場合を除き)公開買付けを取り下げることはできず、②証券取引委員会に提出した公開買付開始報告書に記載の買付条件を変更することはできず、また、③証券取引委員会に提出した公開買付開始報告書に記載の買付条件と異なる条件で対象会社の株式を売買してはならない(開示規則15条)。

買付者は、公開買付けの完了後10営業日以内に、公開買付の結果を証券取引委員会に報告しなければならない。

(3) スクイーズ・アウト

会社法上、少数株主を強制的にスクイーズ・アウトする手法は存在しないと解されている。増減資やドラッグ・アロング条項、株式買戻条項その他定款の定めを利用することによってスクイーズ・アウト類似の効果を狙うケースも存在するものの、現在の実務上、商業省その他の当局は、増減資やドラッグ・アロング条項の行使に際して株主全員の同意を要求しているため、結局、少数株

主をその同意なしにスクイーズ・アウトすることは困難と考えられる。

2 新株式の取得

(1) 非上場会社による新株発行

非公開有限責任会社は、株式その他の証券の公募をすることができない（会社法86条(b)）が、株主等ではない特定の第三者に対して株式を発行することは妨げられないものと解されている。公開有限責任会社は、株式その他の証券の公募を行うことができ、株主等ではない特定の第三者に対して株式を発行することも可能である。

株式の発行に際して、非公開有限責任会社および公開有限責任会社は、定款に定める手続を履践する必要があり（会社法146条1項）、具体的には、取締役会決議および株主総会特別決議の双方を経る必要があるものと解されている。

カンボジア法人の株式は額面株式であり、額面価額未満の金額で株式を発行することは認められない（会社法143条）。

新株発行契約の締結後、株式発行の事実について、商業省への登録ならびに税務当局および労働当局への通知が必要とされている（さらに、規制事業を営む企業が合併する場合には、商業省への登録申請以前に、所轄当局の承認を取得する必要がある場合がある）。商業省への登録に際しては、株式譲渡同様、株主総会決議・取締役会決議があった旨について、それぞれ、株主全員・取締役全員が署名した書面によって証明することが商業省から求められる事例が存在するため、留意を要する。

(2) 上場会社による新株発行

上場会社が株式の公募を行う場合には、当該上場会社は、事前に証券取引委員会の許可を取得する必要がある（非政府債券発行・取引法12条）。

他方、上場会社は、私募の要件を充足する場合には、特定の第三者に対して株式を発行することも可能である。私募とは、①30人未満の者に対する募集であり、かつ②当該募集が広告等の手段によって公に宣伝されないものをいい、私募を行うに際しては、証券取引委員会に対する届出等が必要になる。

3 合　　併

　会社法は、合併当事会社の一方が他方に吸収される吸収合併と、合併により当事会社がいずれも消滅し新会社が設立される新設合併の双方の仕組みを認めている。吸収合併および新設合併ともに、その手続は同じであり、概要、以下の手続が必要とされる。

　まず、合併当事会社の取締役は、吸収合併または新設合併について、株主総会の特別決議による賛成（決議要件は定款によって加重可能）をそれぞれ得る必要がある（会社法242条）。また、法定の記載事項を記載した吸収合併契約または新設合併契約を合併当事会社間で締結する必要がある（同法243条）。そして、合併契約締結後、吸収合併または新設合併に係る登記申請書を、必要書類とともに、商業省、税務当局および労働当局を含む関係当局に提出する必要がある（同法247条）。なお、合併は株主総会特別決議事項であるが、合併登記の申請に際しては、株主総会決議があった旨について、それぞれ、株主全員が署名した書面によって証明することが商業省から求められる事例が存在するため、留意を要する。

　金融、保険などの規制事業を営む企業が合併する場合には、合併登記の申請以前に、所轄当局に合併の承認の事前申請を要する場合がある。また、上場会社が合併する場合には、事前に証券取引委員会および所轄当局の承認を取得し、特別開示を行う必要がある。

　合併によって消滅する会社の法人格は、商業省が存続会社に対して合併証明書（Certificate of Merger）を発行した日に消滅するものとされている（会社法241条2項）。

4　事業譲渡

　会社が事業用資産の全部を譲渡する場合、事業譲渡に分類され、通常の資産譲渡とは異なる税制が適用される。もっとも、法的には、事業譲渡（事業の全部の譲渡）であっても、資産譲渡（特定の資産の譲渡）であっても、重要な資産の譲渡が伴う場合には、株主総会の特別決議による賛成（決議要件は定款によって加重可能）を得る必要があると解される（会社法119条7号参照）点にお

いては同様である。

なお、事業譲渡・資産譲渡を行う会社が規制業種を営んでいる場合や、移転対象である資産が登録を要する資産（土地や車両等）である場合には、管轄当局での登録等が必要となる場合が存在する。

15-6　M&Aをめぐるその他の主要な規制

1　競争法

カンボジアでは、2021年10月6日に競争法（Law on Competition）が施行され、それを受け、2023年3月6日に企業結合の要件および手続に関する政令（Requirements and Procedures for Business Combinations）60号（以下「政令60号」という）が制定（一部施行）された。その結果、カンボジア市場の競争に悪影響を及ぼす可能性がある一定の企業結合については、カンボジア競争委員会（Competition Commission of Cambodia）への合併前の事前届出が必要とされた。事前届出義務は、同年9月6日までに施行される予定である。競争法上、企業結合とは、(1)ある者が株式や資産の購入を通じ他の者から50％を超える支配権や議決権を取得すること、または、(2)2人以上の者が結合して株式またはその他の形態で既存法人または新法人の配当受領権などの経済的権利を取得することとされている（競争法3条3項）。また、取引完了後30日以内にカンボジア競争委員会への登録が必要となる（政令60号12条）。

事前届出が不要な企業結合についても、取引完了後30日以内にカンボジア競争委員会への登録が必要となる（政令60号13条）。

なお、競争法に加え、従前より施行されていた電気通信法において、電気通信事業者やその関係者が、市場における競争を阻害し、制限し、歪曲するような方法で合併や株式取得を行うことが禁止されている。

(1)　事前届出が必要となる基準

前述のように、一定の基準を満たす企業結合については、カンボジア競争委員会に事前届出を行う必要があるところ、当該基準は業種ごとに異なり、以下

のとおりである(政令60号4条および5条)。なお、下記の金額はいずれも直前の会計年度における当該会社またはその関連グループの合計額を指す(基準金額については、法令上は現地通貨であるリエル建てで定められているものの、参照の便宜上、下記表では米ドル建てで記載している)。

【図表15-2】企業結合の事前届出が必要となる基準

業　種	総資産額	売上高	課税収入額	取引価額
銀行・金融機関の場合	1.125百万米ドル以上	105百万米ドル以上	950百万米ドル以上	30百万米ドル以上
保険・証券業の場合	250百万米ドル以上	70百万米ドル以上	205百万米ドル以上	15.25百万米ドル以上
上記以外の業種	85百万米ドル以上	67.5百万米ドル以上	30百万米ドル以上	10.25百万米ドル以上

(1米ドル=4,000リエルとして計算)

(2) 事前届出および審査手続

　審査の具体的な手続として、まず、カンボジア競争委員会は、事前届出を受領してから7営業日以内に届出内容について形式的な審査をする。そして、カンボジア競争委員会は、提供された情報に不備があると判断した場合、30営業日以内に必要な情報の追完を求める通知をする(政令60号5条)。届出受理後、カンボジア競争委員会は、30営業日以内に一次審査を実施し、当該企業結合がカンボジア市場に重大な影響を与える危険性があるかどうかを評価する。一次審査終了後、カンボジア競争委員会が当該企業結合はカンボジア市場に重大な影響を及ぼすと疑う合理的な理由がある場合、二次審査の対象とすることができる。二次審査の期間は、最長で120営業日であり、審査期間中、カンボジア競争委員会から、査定に必要な追加的な情報等の提供を求められることがある。二次審査終了後、カンボジア競争委員会は、企業結合を承認または禁止する。承認には条件を付すこともできる(政令60号5条)。

　事前届出義務があるにもかかわらず、事前届出を行わなかった場合には、当該企業の違反期間中(3年以下とする)の総売上高の3%以上10%以下に相当

する金額が課徴金等の対象となる。

違反が繰り返される場合、許認可の取消し等の追加処分の対象となる（競争法35条）。

(3) 事前裁定証明（Advanced Ruling Certificate）

カンボジア競争委員会から事前裁定証明（Advanced Ruling Certificate）を取得することにより、事前届出の上記各審査手続きを省略することが可能となる。事前裁定証明の発行日から1年以内であれば、カンボジア競争委員会からの異議申し立てや禁止を受けることなく、企業結合が可能となる（政令60号14条）。ただし、この手続を経る場合であっても、前述のとおり、取引完了後30営業日以内に、当事者はカンボジア競争委員会に当該企業結合を登録しなければならない点には留意する必要がある。

2　上場会社の開示規制

カンボジアにおいては、株式その他の証券の上場は比較的新しい分野であり、2012年にカンボジア唯一の証券取引所である証券取引所が業務を開始して以来、2023年3月末までに9社が株式の上場を行っている。

カンボジアの上場会社における企業情報の開示は、証券取引委員会および証券取引所により監督されている。上場会社の開示規制については、非政府債券発行・取引法および株式等上場規則（Listing Rules of equity securities）が定めており、これらによれば、開示の種類は、主に4つの類型（適時開示、定期開示、特別開示、要請開示）に分けられる。

上場会社は、少なくとも1名の開示責任者（一定の業務経験を有し、証券取引委員会が定める研修を受講した者）を確保する必要がある。開示する情報は、開示責任者により公開または非公開のいずれかに分類され、どちらも証券取引委員会の長官宛てに提出される。証券取引委員会および証券取引所は、上場会社が作成した開示書類の内容を確認するとともに、上場会社が非公開と分類した情報についても、投資家の利益のために公開する必要がないかを決定することができる。

(1) 適時開示

上場会社の経営や財産、証券の価格や取引に重大な影響を与えると考えられる事由が発生した場合には、適時開示が必要となる。原則として、適時開示事由が証券の取引開始時間の1時間前以降または取引時間中に発生した場合には即時に、取引時間中ではないものの労働時間中に発生した場合には同日の労働時間中に、証券取引委員会に適時開示書類を提出する必要がある。適時開示が必要となる事由のうち特に重要なものとしては、たとえば、以下のものが挙げられる（開示規則6条）。

(a) 株式・組織・経営管理・事業の変更
(b) 投資家や株主に懸念を与えうる、裁判関連手続を含む重要な手続
(c) 株主資本が300億リエル未満の上場会社における直近の会計年度の総売上高の10％以上に影響を及ぼす取引や事業活動
(d) 会社資産の10％を超える重大な赤字または損失の発生
(e) 会社の財務諸表に対する外部監査人の適正意見、不適正意見または意見不表明

(2) 特別開示

公開買付け（いわゆるTender Offer）、M&A、株式の買戻し、買収（いわゆるTakeover）に関する情報については、特別開示が必要となり、取引の前後に（すなわち合計2回）開示が要求される。具体的には、以下の情報の開示が必要となる。

① 公開買付け

上記15-5の1(2)記載のとおり、公開買付けの場合の買付者は、取引実行前に、公開買付けに係る重要情報を証券取引委員会に提出し、その許可を取得する必要があるとともに、公開買付けの完了後10営業日以内に、公開買付けの結果を証券取引委員会に報告する必要がある。対象会社である上場会社も、同様に、公開買付け実施前の証券取引委員会への情報提出などの義務を負う（開示規則11条）。

② M&A・株式の買戻し・買収

株式の買戻しおよびM&Aの場合、上場会社は、取締役会決議後速やかに、

当該取引の目的、対象会社、その他証券取引委員会が要請する当該取引に関する情報などの重要情報を証券取引委員会に提出する必要がある（開示規則12条、13条、14条）。さらに、取引完了後3営業日以内に、M&A、株式の買戻し、買収の結果を証券取引委員会経由に報告するものとされている（開示規則11条）。また取引が実行されなかった場合は、速やかにその旨を証券取引委員会に報告しなければならない。買収（発行済み株式の30％以上の取得）の場合、買付者が上記同様の義務を負う（開示規則11条）。

(3) 定期開示

上場会社は、財務状況、ガバナンス、経営状況、業務状況に関する情報を、四半期、年次等定期的に証券取引委員会経由で開示する必要がある（開示規則7条、8条、9条）。

(4) 要請開示

証券取引委員会が、上場会社に対して、以下の情報に関する開示を要求する場合があり、上場会社は、この要請に応じて必要な情報を開示する必要がある（開示規則16条）。

 (a) 会社や証券の価格に影響を与える風説、ニュース、情報
 (b) 証券の価格や取引量が異常に変化する可能性のある情報
 (c) 投資家の利益に影響を及ぼす可能性のある情報
 (d) 証券取引委員会の長官が要請する他の事案における情報

3 インサイダー取引規制

非政府債券発行・取引法は、上場会社の内部者が、直接または間接にインサイダー情報を活用する行為をインサイダー取引として禁止している（同法40条）。

インサイダー取引の主体となる「内部者」とは、①上場会社の従業員、上場会社の発行済議決権の5％以上を保有する株主、および上場会社のインサイダー情報を所有しまたは当該情報にアクセスできる個人または法人、ならびに②証券取引委員会の職員またはその他の政府機関であって、その立場上、発行

主体の活動に関するインサイダー情報を保有しているか、または当該情報にアクセスできる者をいうとされている。

「インサイダー情報」とは、上場会社が発行したまたは発行する予定の有価証券に関連して、まだ一般に公開されていないが、一般に公開された場合には、それらの有価証券の価格その他の取引条件に重要な影響を与える可能性がある情報をいうものとされている。

上場会社の内部者とされる者が以下の行為を行った場合、制裁の対象となる。
① 利益を上げまたは損失を回避する目的で、直接または間接を問わず、インサイダー情報を利用して、発行主体の有価証券を売買する行為。
② 個人または法人が利益を上げまたは損失を回避することを可能にする目的で、他の個人または法人にインサイダー情報を提供すること。

なお、故意に上記規制に違反した個人は、5年以上10年以下の懲役および2,000万リエル以上1億リエル以下の罰金が課され、また違反した法人は、5,000万リエル以上10億リエル以下の罰金が課されるものとされている（非政府債券発行・取引法54条）。

M&A取引との関係では、インサイダー取引の主体となる「内部者」には、上場会社の従業員のみならず、内部情報にアクセスした者やこれを入手した者も含まれるため、インサイダー取引規制は、デューディリジェンスに参加し、上場会社の内部情報を受領した申込者や買主、アドバイザー、コンサルタントにも適用がある点に留意する必要がある。したがって、買主・買主候補がデューディリジェンスを行い、その結果として上場会社に関するインサイダー情報を保有している間は、当該情報が公知であるかまたは機密情報でなくなるまで、当該買主・買主候補は当該上場会社の証券を売買することはできない。

第16章　パキスタン

16-1　総論

　パキスタンは、政情不安や治安の問題により、日本企業の進出先としてこれまで必ずしも注目されてこなかった点があることは否めない。しかし、2020年はマイナス成長であったものの、近年の実質GDP成長率は3～5％で推移しており[1]、国家長期政策「VISION 2025」によって2025年までに実質GDP成長率を8％にまで伸ばすことを目指しており、今後の発展が期待される国である。

　現在、パキスタンに進出している日本企業は、約80社[2]と比較的まだ少ないが、今後は、パキスタンのさらなる経済発展を見込んで、また、中東やアフリカ地域への進出拡大も視野に入れ、製造業等を中心とした進出が期待される。

　パキスタンの法制度は、英国から移入した法制度を基礎とするためいわゆる英米法系の判例法主義を取ると一般的にはいわれるが、さまざまな制定法も裁判における法源となっている。また、主に家族法の分野でイスラム法に根差した宗教法や慣習法の法制度も並立しており、複雑な法制度となっている。他の新興国同様に外資規制も存在しているが、その規制は比較的緩やかであり、外資企業の進出にとっては利点の1つとなりうる。

16-2　M&Aの手法および関連する法令・ルールの概観

　外国企業がパキスタン法人を対象としてM&Aを行う際の手法としては、主

---

1) 日本貿易振興機構（JETRO）ウェブサイト（https://www.jetro.go.jp/world/asia/pk/basic_01.html）より。

に、対象会社の株式取得（後記16-5の1参照）、合併等の組織再編（後記16-5の2参照）および事業または資産譲渡（後記16-5の3参照）が挙げられる。上場している公開会社の株式を取得する場合には、一定の場合に公開買付けを行うことが義務づけられる（後記16-5の1(3)参照）。

これらのM&Aの手法を規律する最も基本的な法律はパキスタン会社法（Companies Act, 2017：以下「会社法」という）であり、会社法には、ガバナンスに関する規律のほか、上記手法によりM&Aを行う際の手続等が規定されている。また、上場している公開会社については、上場会社（株式の大量取得および買収に関する）規則（Listed Companies（Substantial Acquisition of Voting Shares and Takeovers）Regulations：以下「上場会社買収規則」という）が適用され、この中で公開買付けの要件や手続等についての定めが置かれている。さらに、上場会社が遵守しなければならないルールとしては、パキスタン証券取引所上場規則（Pakistan Stock Exchange Listing Regulations：以下「上場規則」という）があるほか、パキスタン証券法（Securities Act 2015：以下「証券法」という）では、上場会社の株式に関するインサイダー規制が規定されている。

さらに、外国企業がパキスタン法人の株式を取得するためには、原則としてパキスタン中央銀行（State Bank of Pakistan）の承認が必要であり、この承認の免除を受けるためには、外国為替規制法（Foreign Exchange Regulation Act 1947）および同法に基づく外国為替マニュアル（Foreign Exchange Manual）に従う必要がある。

これらに加えて、パキスタン法人に対するM&Aに際しては、他のアジア新興国と同様、外資規制や競争法の観点からの検討も必要となる。

16-3　会社の種類とガバナンス

1　会社法における会社の種類

パキスタンの会社法において、会社の種類は、有限責任株式会社（company

2）　前掲（注1）のウェブサイト参照。

limited by shares)、無限責任株式会社（unlimited company）および有限責任保証会社（company limited by guarantee）の3種類に分けられている（会社法14条2項）。このうちパキスタンで最も一般的な形態は、日本の株式会社に相当する有限責任株式会社である。そして、有限責任株式会社は、非公開会社（private company）と公開会社（public company）とに分かれる。非公開会社とは、定款上、①株式の公募禁止の定め、②株主数を50名以下に限定する定め（ただし従業員を除く）、および③株式の譲渡制限の定めのある会社をいい（同法2条(49)号）、公開会社は、非公開会社でない有限責任株式会社をいう。そして、公開会社には、上場会社と非上場会社がある。

以上をまとめると【図表16-1】のようになる。

次項では、パキスタンにおけるM&Aを検討する際に、前提として理解しておくべき非公開有限責任株式会社および公開有限責任株式会社（上場会社を含む）のガバナンスの概要を紹介することとする。なお、特段の記載のない限り、以下で説明する事項は、非公開有限責任株式会社および公開有限責任株式会社に共通した規律である。

【図表16-1】会社の種類

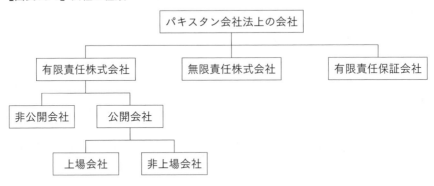

2　ガバナンス

(1)　株主総会

株主総会の種類には、定時株主総会と臨時株主総会がある。定時株主総会

は、会社設立後16カ月以内に開催され、その後は、暦年ごとに最低1回、かつ会社の会計年度の末日から4カ月以内に開催しなければならない（会社法132条1項）。臨時株主総会の招集は、原則として取締役会によってなされる。また、合わせて議決権割合の5％以上を有する株主は、株主総会の招集を請求することができる（同法133条3項(a)）。

取締役会が定時株主総会を招集する場合、会日の21日前までに各株主に対して通知をする必要がある（会社法132条3項）。また、取締役会が臨時株主総会を招集する場合も、原則として、会日の21日前までに各株主に対して通知をする必要があると解されている。この場合、非上場の会社であれば、当該臨時株主総会に出席して議決権を行使する権限を有するすべての株主の同意があれば、通知期間を短縮することが可能である（同法133条8項）。

株主総会の定足数は、各会社の定款で別段の定めがない限り、上場している公開会社では、10名の株主が物理的に出席しているか、あるいはビデオリンク方式によって議決権の25％以上を保有する株主が出席している場合に、また、その他の会社では、2名の株主が物理的に出席しているか、あるいはビデオリンク方式によって議決権の25％以上を保有する株主が出席している場合に、充足される（会社法135条1項(a)(b)）。

会社法における株主総会の決議要件としては、普通決議（Ordinary Resolution）および特別決議（Special Resolution）の2種類がある。

普通決議は、出席株主の過半数の賛成を得られた場合に成立する（会社法2条(46)号）。特別決議は、出席株主の4分の3以上の賛成を得られた場合に成立する（同法2条(66)号）。

それぞれの主な決議事項は、【図表16-2】のとおりである。

また、非公開会社や非上場の公開会社においては、すべての株主の署名により、株主総会の書面決議が可能である（会社法149条1項）。

【図表16-2】主な株主総会決議事項

普通決議事項	利益配当（会社法240条1項）、監査役の選任（同法246条2項）、取締役の解任（ただし、チーフ・エグゼクティブの解任を除く）（同法163条）、取締役の報酬の決定（同法170条1項）等

特別決議事項	会社の名称変更（会社法12条）、本店所在地の変更（同法21条2項）、定款変更（同法32条1項・38条1項）、従業員のストックオプションの行使に伴う株式発行（同法83条A）、増資（同法85条1項(a)）、減資（同法89条）、チーフ・エグゼクティブの解任（同法190条1項）、関連会社への投資（同法199条1項）、監査役の解任（同法246条5項）、自主清算（同法347条(b)）等

(2) 取締役

　取締役は、非公開会社では2名いれば足りるが、公開会社については3名以上とする必要がある（会社法154条1項）。

　取締役として選任されるためには、原則として会社の株主である必要がある（会社法153条(i)）。もっとも、会社の株主でなくとも、会社の従業員であれば常勤取締役となることは可能であり、また、チーフ・エグゼクティブになることも可能である。なお、すべての会社は、チーフ・エグゼクティブを選任しなければならない（同法186条1項）。このチーフ・エグゼクティブを解任する際は、取締役会において全取締役の4分の3以上の賛成か、株主総会の特別決議が必要となる（同法190条1項）。

　取締役の選任は、株主によってなされるが、議決権付き普通株式の各株主は自らが保有する株式数と同数の議決権数を持ち、当該議決権を一人の取締役候補者に集中させることも、複数の取締役候補者に分散させることも可能とされている。そして、この投票の結果、取締役の定員に至るまで得票数の多い者から順に取締役に選任されるという手続が踏まれる（会社法159条5項）。

　他方、取締役の解任は、株主総会の普通決議事項である（会社法163条）。もっとも、上記の会社法159条5項の手続に従って選任された取締役の解任決議に際して、解任に反対する議決権数が、直近の取締役選任時に選任された各取締役が獲得した議決権数のうちの最低獲得議決権数と同数かそれを超える数である場合、解任は決議されていないものとみなされる点に注意が必要である（同条）。

　なお、会社法上、取締役の居住要件・国籍要件および任期に関する明文の規定はない。

(3) 取締役会

　会社法上、公開会社では、取締役会は、少なくとも年に1回開催されなければならない（会社法176条3項）。取締役会の定足数については、上場会社については、全取締役の3分の1または4名のいずれか多い方とされているが（同条1項）、その他の会社については、各会社の定款の規定に委ねられている（同条2項）。有限責任株式会社の標準定款が会社法に付属されており（会社法FIRST SCHEDULE TABLE A）、この標準定款によれば、取締役会の定足数は、全取締役の3分の1か2名のいずれか多い方とされている。

　すべての会社は取締役会の全手続を記載した議事録の作成を義務づけられている（会社法178条1項）。

　取締役会は、会社の事業を司るものとされ（会社法183条1項）、会社を代表して、株式の発行、社債の発行、他社への投資、金銭の借入れ・貸付け、財務諸表の承認、従業員へのボーナスの承認、中間配当の宣言、他社の買収等を取締役会決議によって実行する権限を有する（同条2項）。

(4) 監査役

　監査役は、毎定時株主総会において、取締役会の推薦に基づき選任される（会社法246条2項）。任期は、次回の定時株主総会の終結時までとされている（同項）。監査役の解任は、株主総会の特別決議事項である（同条5項）。

　会社が公開会社である場合、非公開会社であるが公開会社の子会社である場合、あるいは非公開会社であるが払込済資本金額が300万パキスタンルピー以上である場合は、監査役は、パキスタン勅許会計士協会から有効な認証を取得している勅許会計士でなければならない（会社法247条1項(a)）。他方、会社がその他の会社である場合は、監査役は、関連機関から有効な認証を取得している勅許会計士か原価会計士（cost accountant）でなければならない（同項(b)）。

(5) 会社秘書役

　パキスタンには、日本にはない機関として会社秘書役という機関が存在する。公開会社は、会社秘書役を置くことを義務づけられている（会社法194条）。会社秘書役は、会社法上の法定書類の作成および管理ならびに法令順守

の確保等が主な役割である。会社秘書役になるには、会計士団体等のメンバーであるか、経営学修士（MBA）等所定の学位を保持しているか、あるいは、退職した公務員等であることが資格要件とされている。なお、会社の従業員以外の外部のサービスプロバイダーを会社秘書役とすることも可能である。

16-4　外資規制の概要

1　出資比率等の規制

パキスタンにおける出資比率等の規制は、パキスタン投資庁（Board of Investment）による投資方針（Investment Policy 2013：以下「投資方針」という。）に規定されている。投資方針では、製造業・サービス業において（業種を問わない）、外国資本がパキスタンの会社の100％持分を取得することが可能とされており、最低投資金額の制約は存在しない。

また、投資方針上は、原則として、外国投資に関する事前のパキスタン政府の承認は不要である。ただし、以下の業種への外国投資については、事前のパキスタン政府の承認が必要である。
① 兵器および弾薬
② 高性能爆薬
③ 放射性物質
④ 有価証券・貨幣・造幣
⑤ 消費用アルコール

もっとも、以下2および3において説明する各規制については留意を要する。

2　株式譲渡および新株発行ならびに配当支払いにおける非居住者に対する規制

パキスタン非居住者に対して株式譲渡や新株発行を行う場合、原則としてパキスタン中央銀行（State Bank of Pakistan）の一般または特別承認（general or special permission）が必要である。外国為替規制法（Foreign Exchange Regulation

Act 1947）に基づく外国為替マニュアル（Foreign Exchange Manual）において、パキスタン中央銀行による一般承認に関する通達や命令等が規定されている。

　一方、外国為替マニュアルにおいては、非居住者に対する株式の発行および非居住者による株式の取得、ならびに配当支払いに関する一般的免除規定が設けられている。一般的免除規定の適用を受けるためには、通常の銀行ルート（normal banking channels）によりパキスタン国内に送金された外貨がルピーに交換され、株式取得代金として支払われる必要がある。非上場株式の購入価格は、パキスタン中央銀行による特別承認を受けない限り、簿価（清算価値）かそれ以上でなければならない。一般的免除規定に基づいて非居住者による投資がなされた場合、パキスタン中央銀行によって公認された銀行（Authorized Dealers）による登録が必要となる。

　当該公認銀行は、外国為替マニュアル所定の書面のレビューを条件として、パキスタン中央銀行による事前の承認の必要なく、会社の要請に基づいて、非居住者へ配当を支払うことができる。

3　外国投資に関するその他の規制

　2012年以降、安全保障の観点から、パキスタン法人のすべての非居住者株主および非居住者取締役は、原則として株主または取締役としての登録前に、所定の書類を提出し、パキスタン内務省（Ministry of Interior）からのセキュリティ・クリアランスを取得することが求められることとなった。

　ただし、パキスタン証券取引委員会（The Securities and Exchange Commission of Pakistan：以下「SECP」という）によるInstruction No.03 of 2013に基づくと、当該クリアランスが取得できない場合には、非居住者株主は株式を売却し、非居住者取締役は辞任する旨の誓約をSECPに提出すれば、当該クリアランスの取得前に株主または取締役としての登録を行うことは可能である。

16-5　買収のための各手法の手続および内容

1　株式の取得

(1)　既発行株式の取得

　パキスタン法人の株式の譲渡は、原則として、株式譲渡証書（share transfer deed）によって効力が発生する。株式譲渡証書の様式は、通常パキスタン法人の定款に添付されており、2名の男性の証人による立ち合いのもと、売主および買主の権限ある役員によって署名される必要がある。

　対象会社の株主名簿への登録は、署名済みの株式譲渡証書と、譲渡対象となる株式の株券を対象会社に提出したうえで、対象会社の取締役会の承認を得る必要がある。株式の譲渡は対象会社の株主名簿および株式譲渡登録（Share Transfer Register）に記録されるとともに、対象会社の会社秘書役の署名のもと、当該株券の裏面上に裏書される。

　譲渡対象株式の株券が発行されておらず、Central Depository Company of Pakistan Limited の中央預託システム（Central Depository System）において電子化されている場合は、株式の譲渡を証する書面が同社によって発行される。

(2)　新株発行
①　株主割当

　パキスタン法人は、取締役会の承認に基づき、既存株主の持分割合に応じた株主割当（会社法[3]上のライツイシュー）の方法によって、株式資本を増加させることができる。対象会社は、株主割当の実施後45日以内に、株式割当報告（Return of Allotment）を商業登記所（Registrar of Companies）に登録し、株主割当の実施後60日以内に外国株主からの払込金の受領を証する収入実現証明書（Proceeds Realization Certificate）の原本と対象会社の取締役会決議の写しとともに、Form Appendix V-95を指定銀行に提出する必要がある。

---

3 ）　上場会社に関してはSECPによるCompanies（Further Issue of Shares）Regulations, 2020の規定も合わせて適用される。

② 第三者割当増資

パキスタンの公開会社においては、上場会社・非上場会社の別を問わず、会社法上、第三者割当の方法による新株発行が認められている。ただし、第三者割当増資については、株主総会の特別決議およびSECPによる承認が必要である。

また、パキスタンの非公開会社においては、2021年会社法（改正）（Companies (Amendment) Act 2021）により、定款の規定および株主総会の特別決議による承認によって、第三者割当の方法による新株発行が認められた。

(3) 公開買付規制

パキスタンの証券法は、上場会社の株式を取得する場面において、買収者（acquirer[4]）が、①対象会社の議決権の30％超に相当する議決権付株式（voting shares[5]）を保有することとなる場合、②対象会社の議決権の30％超51％未満に相当する議決権付株式を保有している買収者が、12カ月間に対象会社の議決権付株式を取得する場合、または③対象会社の支配権（control[6]）を取得する場合には、買収者は強制的公開買付けを行わなければならない旨を規定している。

買付者が取得する議決権付株式の合計が10％以上30％以下の場合は、強制的公開買付けの対象にはならないが、株式取得の2日以内に、この取得について、対象会社、対象会社の株式が上場している証券取引所およびSECPに対して開示・届出をする必要がある。

強制的公開買付けの手続およびタイムラインは、上場会社買収規則に規定されている。買収者は、強制的公開買付けを実施しようとする旨について新聞に公表した後180日以内（90日の延長が可能）に、強制的公開買付けの実施を新聞に公表しなければならない（以下「公開買付公表」という）。公開買付けの期間

---

[4] 単独または共同保有者（any person acting in concert）とともに、直接または間接に、対象会社の議決権付株式を取得するもしくは取得しようとする者または対象会社の支配権（control）を取得するもしくは取得しようとする者と定義されている（証券法108(a)条）。

[5] 対象会社の議決権を持つ株式であり、議決権を取得するまたは行使する権利を所有者に付与する証券を含むと定義されている（証券法108(h)条）。

[6] 単独または共同保有者（any person acting in concert）とともに、直接または間接に、株式持分・経営権・株主間契約・議決権行使契約その他の方法により、取締役の過半数を選任する権利または経営もしくは事業上の意思決定を支配する権利と定義されている。

は、公開買付公表後最長54日間であり、公開買付けに応募した株主に対する対価の支払いは、公開買付期間終了後10日以内に完了する。

　強制的公開買付けにおける買付価格は、取引量の多寡に応じて、上場会社買収規則に定める一定の価格以上でなければならない。

(4)　スクイーズ・アウト
① 　非上場化（De-listing）

　パキスタン証券取引所のルールブック（Rule Book of the Pakistan Stock Exchange Limited）において、非上場化のプロセスが規定されている。主要株主は、非上場化に先立ち、少数株主から取得する際の価格、株数または割合を、パキスタン証券取引所との間で交渉し、合意することが必要である。それに加えて、非上場化および最低購入価格に関する株主総会の特別決議が必要である。

② 　反対株主からの強制的株式取得

　会社法に基づき、ある会社の株式を他の会社が取得するスキーム・オブ・アレンジメントまたは何らかの契約に関して、（買収者側が従来保有している株式を除いて）買収対象となる株式のうち90％以上の賛成があった場合、買収者は、反対株主の株式を強制的に取得することができる。

2　合併等の組織再編

　パキスタンでは、会社法上、他の英国法系の国と同様、高等裁判所（High Court）の認可を条件とするスキーム・オブ・アレンジメント（Scheme of Arrangement：以下「SOA」という）の手法を用いることにより、対象会社を買収することができる（会社法279条〜284条）。

　SOAに基づく組織再編を行う場合には、各当事者の概要や組織再編のストラクチャー、組織再編を行うメリット、株主・従業員・債権者等の第三者への影響等を記載した文書等を高等裁判所に提出するとともに、SOA認可のための臨時株主総会の招集を当該裁判所に申し立てる。高等裁判所においてSOA認可申請のためのヒアリングが行われ、新聞および政府公告（Government Gazette）による公表がなされる。

　上記に加えて、高等裁判所に提出された文書等は、SECPによるレビューを

経て、SECPのコメントが当該裁判所に提出される。その後、各当事者の臨時株主総会における特別決議および高等裁判所の認可を得て、当該認可が登記された場合に、SOAの効力が生じることになる。

また、ある会社がその完全子会社と合併する場合には、略式合併（simplified process merger）として簡易な手続での合併が認められる（会社法284条）。略式合併は、各合併当事者による取締役会の決議によって可能である。

3　事業または資産譲渡

パキスタンにおいては、事業または資産譲渡の方法により、当事者間の契約に基づいて、対象会社を買収することも可能である。事業の重要な一部（sizable part）（直前の事業年度の監査済財務諸表において25％以上の資産価値を有する事業の一部）の譲渡に該当する場合は、株主総会の特別決議による承認が必要である。

16-6　M&Aをめぐるその他の主要な規制

1　競争法

パキスタン法人の買収を行うに際して、パキスタン国内における競争に何らの影響を与える可能性がないと見込まれる場合であっても、競争（企業結合）規則（Competition (Merger Control) Regulations 2016：以下「企業結合規則」という）4条(2)に定められる基準[7]を満たす場合は、パキスタン競争法（Competition Act 2010：以下「競争法」という）11条(2)の定めに従い、競争委員会（Competition

---

7）　以下(a)または(b)のいずれかの基準を満たし、かつ、(c)または(d)のいずれかの基準を満たす場合に、事前届出義務が生じる。
　(a)　一方当事者の（営業権を除く）総資産額が3億ルピー以上または両当事者の価値の合計額が10億ルピー以上
　(b)　一方当事者の前年度の年間売上高が5億ルピー以上または両当事者の売上高合計が10億ルピー以上
　(c)　株式または資産の取得の場合、1億ルピー以上の取引
　(d)　議決権付株式の取得の場合、買収者が保有する議決権付株式と合わせて10％以上の議決権を保有することとなる取引

Commission）に対する事前届出を行う必要がある。

　競争委員会に対する事前届出に関する申請手続は企業結合規則に定められており、競争委員会に提出する書類・情報としては、たとえば、当事者の基本的情報、買収が許可されるべき戦略的・経済的根拠、買収当事者間の契約書、関連する市場シェア・競争状況・競合他社の状況・市場拡大の可能性等に関する分析レポート類等が挙げられる。

　企業結合規則に基づく企業結合審査のプロセスは、第一段階審査（First Phase Review）と第二段階審査（Second Phase Review）に分かれる。

　第一段階審査は簡易な審査手続であり、関連市場において独占的な地位（dominant position[8]）を形成するまたは強化することによって競争を弱めることにならないと判断された場合に、当該買収は許可される。競争委員会は、事前届出の提出の完了から30日以内に第一段階審査を行うが、その期間内に当事者に何らの決定が通知されない場合は、当該買収は許可されたものとみなされる。

　当該買収が何らかの競争上の懸念を生じさせると競争委員会が判断した場合は、当該買収が相当程度競争を弱めるか（substantially lessening competition）について、より詳細な審査を行うために、第二段階審査に進むことがある。競争委員会は、市場への参入の容易性・市場の集中度や過去の談合事案の存在・競合他社の影響力・市場の成長性等、関連する市場における競争状況に関する要素を考慮し、買収当事者が当該買収実行後において競争的に行動できるか否かを評価する。

　第二段階審査は、競争委員会が第二段階審査に進むことを当事者に通知し、当事者が競争委員会の要請するすべての情報を提出した時点から90日以内に完了されなければならない。当事者によりすべての情報が提出された後、当事者の代表者ならびに競争委員会の議長および委員の出席のもとでヒアリングが実施される。その後、第二段階審査に関する決定が当事者に通知される。

8）関連する市場における一または複数の当事者が、相当の範囲で、競合他社・顧客・消費者・サプライヤーと独立して行動する能力を持ち、当事者の関連市場におけるシェアが40％を超える場合、当該当事者は独占的地位を有するものと定義されている（競争法2条(1)(e)）。

事前届出義務に違反した場合、最大で7500万ルピーまたは当事者の年間（全世界）売上高の10％のいずれか大きい額の罰金を科せられることがある。

2 上場会社の情報開示規制

上場会社の適時開示に関する規制は、上場規則に規定される。上場会社は、株価に対して影響を与えうる事業その他の事情に関連する価格感応情報を、パキスタン証券取引所およびSECPに対して開示しなければならない。適時開示が求められる情報は、たとえば、会社の事業の性質に重大な変更があった場合、M&A取引等の組織再編行為、配当・株主割当・自己株式の取得・非上場化等に関する取締役会の決議、一定規模を超える資産の取得、会社の株主構成に重大な変更があった場合、借入れ債務の不履行、取締役・監査役の変更、会社または子会社・関連会社の清算手続の開始等が挙げられているが、適時開示が求められる事項は、それらに限られない。

また、SECP通達（SECP notification S.R.O 1431(1)/2012）に示された開示様式には、会社の株価に影響を与えうる価格感応情報または内部情報（inside information）で、SECPおよび市場に同時に開示することが要請される情報の例が記載されている。この開示が求められる情報は、たとえば、業績の変動または業績予想、支配権の異動、会社の取締役の変更、買収や合併、合弁会社の設立、株式取得または売却、金融商品の増減等が挙げられている。

証券法は、価格感応情報を、①市場が会社および子会社の状況を評価するうえで必要な情報、②会社の株式に関して情報が与えられていないため、または誤った情報に基づいて、誤った市場（false market）が形成されることを回避するのに必要な情報、または③資本市場の活動や株価に重要な影響を与えると合理的に想定される情報を含むものと規定しており（証券法96条）、上記の上場規則およびSECP通達と重複するものもあるが、上場会社は原則としてこれらの情報も開示することが要請されている。

3 上場会社株式のインサイダー取引規制

パキスタンのインサイダー取引規制は、証券法に規定されており、たとえば、以下のような取引がインサイダー取引に該当するとして規制されている。

① 会社の内部者（insider[9]）が、当該会社の株式に関する内部情報（inside information[10]）を用いて、直接または間接に、取引を行うまたは第三者に取引を行わせること
② 会社の内部者から当該会社の株式に関する内部情報を伝達された者が、内部情報を用いて、直接または間接に、取引を行うまたは第三者に取引を行わせること
③ 保有する情報または取引に用いる情報が内部情報であることを知っていたもしくは通常の合理的な状況において知るべきであった者が取引を行うこと
④ 会社の内部者が、第三者に対して、（内部情報が開示されない場合であっても）当該内部者が保有する内部情報が関連している証券の取引を推奨すること

なお、SECPは、内部情報へのアクセス規制（Access to Insider Information Regulations 2016）において、内部情報へのアクセスを有する者のリストの提供を要請する規定を定めた。

インサイダー取引規制に違反した者は、個人の場合は3年以下の懲役または2億ルピーもしくはその者が得た利益（もしくは回避しえた損失）の3倍もしくは第三者が被った損失のうち最大額以下の罰金が、法人の場合は3億ルピーまたはその者が得た利益（もしくは回避しえた損失）の3倍または第三者が被った損失のうち最大額以下の罰金が科されうる。

---

9) たとえば、①会社の出資者・取締役・役員、②会社が直接または間接に25％以上の株式や議決権を有する法人または団体の出資者・取締役・役員、③会社の25％以上の株式や議決権を、直接または間接に有する法人または団体の出資者・取締役・役員、④会社の株式の発行に関与した組織の出資者・取締役・役員、および当該株式の発行・販売に関与し、内部情報にアクセスを有した発行会社または組織の従業員、⑤会社の取締役選任権を有する株式を直接または間接に保有する者または上場会社の10％以上の株式を有する者、⑥会社が口座を保有する金融機関の出資者・取締役・役員、⑦雇用またはその他職務遂行の過程で内部情報を入手した者、⑧不法な方法で内部情報を入手した者、⑨上記の者の配偶者、直系尊属または直系卑属等が該当する。
10) たとえば、①会社またはその証券に直接または間接に関係する情報であって、一般的に知られておらず、仮に一般的に知られれば当該証券や関連証券の価格に影響を与える可能性のある情報、②上場証券の取引を行う旨の決定または予定に関する情報、③上場証券の売買に関する受注を取り扱う者に関しては、顧客によって伝達された情報または顧客による進行中の注文に関する情報等が該当する。

第17章　モンゴル

17-1　総　　論

　モンゴルは、中国およびロシアという大国に挟まれた内陸国で、日本の約4倍の面積に340万人超の人口が居住する、地政学的に重要な国である。モンゴルは、石炭、銅、ウラン、レアメタル、レアアース等の地下資源が豊かで、鉱業を主要な産業としており、2010年以降は鉱物資源開発の進展により、大きな経済発展を実現している。

　日本とモンゴルの外交関係は1972年に樹立され、モンゴルが1990年代に民主化した後、日本とモンゴルの二国間関係は強化された。2015年には二国間で経済連携協定が締結され、貿易や投資の環境が整えられている。2021年夏に、日本のODAを活用して建設されたチンギス・ハーン国際空港が開港され、2022年11月には、両国首脳により「日本国とモンゴル国との間の平和と繁栄のための特別な戦略的パートナーシップ設立に関する共同声明」およびその付属文書としての行動計画（2022年～2031年）が発表された。両国間において、モンゴル経済の発展に向け、国内産業の多角化、国内産業、特に、農牧業の振興、食料安全保障、日本からの投資を呼び込むための法整備を含むビジネス環境の整備、モンゴル国の鉱物資源、中でもレアアースの探査、採掘分野での協力可能性の模索、エネルギー事情の課題解決、都市および地方のバランスの取れた開発に取り組む方針で協力することが確認されている。

　2023年には、モンゴル政府において、輸出製品の多様化、とりわけ、鉱業以外の経済セクターの支援、投資誘致の発展、安定した投資環境の維持を目的として、投資貿易庁が設置されたところであり、モンゴルへの投資がより活発

になることが期待されている。

17-2　M&Aの手法および関連する法令・ルールの概観

　外国企業がモンゴル法人を対象としてM&Aを行う際の手法としては、主に、対象会社の株式取得（後記17-5の1参照）および合併等の組織再編（後記17-5の2参照）が挙げられる。上場しているジョイント・ストック・カンパニー（joint stock company）の株式を取得する場合には、一定の場合に公開買付けを行うことが義務づけられる（後記17-5の1(2)参照）。

　これらのM&Aの手法を規律する最も基本的な法律はモンゴル会社法（Law of Mongolia on Company：以下「会社法」という）であり、会社法には、ガバナンスに関する規律のほか、上記手法により上場・非上場会社のM&Aを行う際の手続等が規定されている。

　上場会社が遵守しなければならないルールとしては、証券市場法（Securities Market Law：以下「証券法」という）その他規則において、上場会社の情報開示義務および上場会社の株式に関するインサイダー規制が定められている。

　モンゴルでは、2013年に投資法（Investment Law：以下「投資法」という）が制定・施行され、従来の広範な外資規制が撤廃されることとなり、現在では広く外国企業による投資が認められている。

　その他、モンゴル法人に対するM&Aに際しては、競争法の観点からの検討も必要となる。

17-3　会社の種類とガバナンス

1　会社法における会社の種類

　モンゴルでは、組合、会社等の営利法人、財団、協同組合等の非営利法人等があるが、モンゴルの会社法における会社は、有限責任会社（limited liability company）、ジョイント・ストック・カンパニー（joint stock company）の2種類に大別され、いずれも株主資本が株式に分割される会社である。

有限責任会社は、会社法において、株主資本が株式に分割され、法律または定款により株式の処分が制限される会社と定義されている。有限責任会社は、設立手続が簡便であり、モンゴルにおいて最も一般的に用いられている会社形態である。有限責任会社の設立時の株主の数は、50人を超えてはならないとされている。

ジョイント・ストック・カンパニーは、公開会社と非公開会社に分類される。公開会社は、株式が証券取引所や証券保管機関に登録され自由に取引される会社であるのに対し、非公開会社は、株式が市場外で定款に従い譲渡される会社である。ジョイント・ストック・カンパニーの株主の人数については、有限責任会社と異なり、特段の制限はない。

2018年に制定されたモンゴル法人登録法（Law of Mongolia on the State Registration of Legal Entities）の下、会社は法人登録事務所（Legal Entity Registration Office：以下「LERO」という）において登録を受けなければならない。

2　ガバナンス

(1)　株主総会

株主総会は、会社の最高統治機関である。株主総会の種類には、定時株主総会と臨時株主総会がある。定時株主総会は、会社の会計年度の末日から4カ月以内に開催しなければならず、書面決議で代替することはできない。株主総会の招集は、原則として取締役会（取締役会がない場合は執行機関）によってなされる。株主総会の招集手続については、会社法、2018年12月14日付金融規制委員会（Financial Regulatory Commission：以下「FRC」という）決議第377号の附属書として採択されたジョイント・ストック・カンパニーの株主総会の通知に関する手続、およびコーポレート・ガバナンス・コード（下記(3)参照）に規定されている。

株主総会の定足数は、定款で別段の定めがない限り、会社の議決権付株式の50％以上を保有する株主の数が出席している場合に充足される。

株主総会の主な専権決議事項は、(i)定款変更および新設、(ii)統合、合併、分割、変更による会社の再編、(iii)デットエクイティスワップ、新株発行、(iv)会社の清算および清算委員会の選任、(v)取締役の選任および解任、(vi)事業報告の承

認、(vii)会社法に定める主要な取引または利益相反取引の承認等である。

(2) 取締役会・取締役

会社法上、ジョイント・ストック・カンパニーでは、取締役会の設置が必須であるが、有限責任会社では、取締役会の設置は任意である。株式会社の取締役は9人以上で、その3分の1以上が社外取締役である必要があるが、有限責任会社の取締役には、そのような定めはない。

取締役会は、定款に別段の定めがある場合を除き、毎月1回開催し、必要があると認めたときは、追加の取締役会を開催することができる。取締役会の定足数は、取締役の大多数（3分の2以上）をもって構成する。

取締役会の主な決議事項は、(i)会社の経営方針の決定、(ii)株主総会の招集、(iii)新株の発行、(iv)自己株式の取得、株式の償還、(v)執行役の選任・解任、(vi)監査役の選任、(vii)中間配当等である。ただし、株主総会の専権決議事項を含まない。

(3) 上場会社

上場会社には、2022年3月23日付のモンゴル金融規制委員会決議第145号の附属書として承認されたコーポレート・ガバナンス・コードが適用され、上記に加え、より厳格なガバナンスが要求される。

17-4 外資規制の概要

1 外資規制の概要

モンゴルでは、2013年の投資法施行により、旧外国投資法（Law on Foreign Investment）（1993年制定）および国家安全保障の観点からの広範な外資規制を認めた「戦略的重要分野において事業活動を行う企業に対する外国投資の規制に関する法律」（Law on the Regulation of Foreign Investment in Business Entities Operating in Sectors of Strategic Importance）（2012年制定）が撤廃され、モンゴル政府の承認を必要とする投資は、外国政府が保有する法人による一定の分野における投資のみに変更され、広く外国人による投資が認められることとなった。

投資法は、国内外の投資家の区別なく適用され、モンゴルにおける投資を保護・促進するための法的保証および課税・非課税上の投資支援を付与するとともに、租税安定化証明書（tax stabilization certificate）および投資契約[1]（investment agreement）により投資家の納める税率・税額を安定化させるインセンティブを与えている。

2 出資比率等の規制

外国人投資家は、モンゴルの国内法で禁止[2]または制限されている業種を除けば、業種・比率を問わず出資することができる。ただし、外国人投資家が、外国資本によって25％以上の持分が保有される法人に対して出資する場合、少なくとも10万米ドル以上を出資しなければならない。

また、外国政府が保有する法人（Foreign State-Owned Enterprise）（発行済み株式の50％を超える持分を外国政府が直接または間接に保有する法人をいう）が、以下の業種を営むモンゴル法人の33％を超える株式を取得する場合、モンゴルの経済開発省（Ministry of Economy and Development）の承認が必要である。

① 鉱業
② 銀行および金融業
③ メディア・通信

3 送金等に関する非居住者に対する規制

投資法上、投資家は、モンゴルにおける課税義務を充たすことを前提に、特段の制約なく以下の財産・利益をモンゴル国外に送金することが認められている。

① 事業活動により生じた利益および配当
② 知的財産権の利用によるロイヤリティやサービス料
③ 国外からの借入に関する元利金の支払

---

1) 500億モンゴルトゥグルグ以上の額で投資を行う投資家は、一定の制限に従うことを条件にモンゴル政府との間で投資契約を締結し、租税環境の安定化等に関する事項を合意することができる。
2) 特定の禁止業種としては、麻薬、カジノ、ポルノまたは違法な手段を用いたマルチ商法が挙げられる。

④ 法人の解散に伴う残余財産の分配
⑤ その他法的枠組みにおいて獲得・所有した財産

　また、投資法には、投資家はモンゴル国内から金融資産を移転する際、いかなる国際的通貨にも自由に換えることが可能であることが定められている。

17-5　買収のための各手法の手続および内容

　前記**17-2**のとおり、モンゴルにおいて会社買収に用いることができる主な手法としては、既発行株式の取得および新株発行による方法、ならびに合併（merger）・統合（consolidation）が挙げられる。それぞれの手法の概要は以下のとおりである。

1　株式の取得

(1)　既発行株式の取得および新株発行

　モンゴル法人の買収方法としては、買収者が対象会社の既発行株式を取得する方法が最も典型的である。

　モンゴル法人の株式譲渡および新株発行にあたっては、当該法人の株主総会における特別決議（議決権を有する出席株主の3分の2以上の賛成）が必要である。また、新規株主に対する新株発行の場合、既存株主による優先引受権（株式の割当を優先的に受けられる権利）を放棄させる手続が必要となる場合がある。

　対象会社が一定の許認可を要する規制業種を営んでいる企業でない場合、既発行株式の譲渡および新株発行に関して、所定の書類（株主総会議事録、株式譲渡契約または株式引受契約、株主構成の変更を反映した定款、LEROが管理する登記（state registry）に関する申請書等）の届出を行えば足りる。

　一方、対象会社が規制業種（銀行、鉱業、通信、保険、監査等）を営んでいる場合、原則として、該当する許認可を与えている監督当局による事前の承認が必要とされており、各業種別の特別法（モンゴル銀行法（Law of Mongolia on Banking）、モンゴル保険法（Law of Mongolia on Insurance）等）において具体的な手続が定められている。

モンゴル法人の株式譲渡および新株発行は、LEROが管理する登記への登録により完了したものとみなされる。また、それに加えて、ジョイント・ストック・カンパニーの株式譲渡または新株発行に関しては、証券取引監督当局への登録が必要である。

(2) 公開買付規制

買収者が、上場会社であるジョイント・ストック・カンパニーの支配株（対象会社の普通株式の3分の1以上を意味する。以下同じ）を単独または関係者と共同で取得しようとする場合、会社法および証券法に定める手続に従って公表し、強制的公開買付けを行わなければならない。

公開買付けの対象会社の株主総会において、議決権を有する出席株主の過半数によって否決されない限り、当該株主総会は株主による買収者への対象会社株式の譲渡を妨げることはできない。

また、ジョイント・ストック・カンパニーの支配株を単独または関係者と共同で取得した買収者は、当該取得の60営業日以内に、過去6カ月間の対象会社の加重平均株価を下回らない価格で、他の株主が保有する全ての株式を取得するための買付勧誘を行う必要がある。

もっとも、現時点ではモンゴル市場においてこのような強制的公開買付けがなされることは極めてまれである。

(3) スクイーズ・アウト

モンゴルの法令上、現時点で、少数株主の株式を強制的に取得するスクイーズ・アウトやスキーム・オブ・アレンジメントの概念は存在しないものと解されている。

(4) 株主による株式買取請求

以下の事項に関する株主総会の決議に反対したまたは決議に参加しなかった株主は、対象会社に対して市場価格での株式の買取を請求することができる。
① 対象会社の合併または統合
② 株主総会による決議が必要とされる主要な取引（発行済み普通株式の

25％を超える普通株式の新規発行等）を対象会社が行った場合

また、対象会社の株主が（関係者の持分と合わせて）75％を超える普通株式を保有している場合、他の株主は、対象会社に対して、その保有株式を市場価格で買い取るように請求することができる。

対象会社が株式買取請求に応じない場合、または買取請求を行った株主が対象会社の取締役会が示した買取価格が不十分であると判断した場合、当該株主は対象会社による買取価格の決定後3カ月以内に裁判所に提訴することができる。

2 合併等の組織再編

(1) 合併（merger）

会社法に定められる合併（merger）（モンゴル語で「нэгтгэх」という）とは、一つの会社が解散し、その権利義務関係が既存の他の会社に移転する手続をいう。なお、登記・登録実務上、複数の会社が同時に他の会社に合併することはできないものと解されている。

会社が合併を行う場合、当事者となる会社の取締役会（または執行機関）は、合併および合併契約書の承認を株主総会に諮る必要がある。合併の承認には、株主総会の特別決議（議決権を有する出席株主の3分の2以上の賛成）が必要となる。

上場会社の場合、それに加えて、合併の決定後3営業日以内に、FRCおよび証券取引所に対して通知する必要がある。FRCが証券法に定められた手続に従って当該合併決定を承認した場合に、当該合併についてLEROが管理する登記への登録が可能となる。

合併契約書には、合併の条件および手続、ならびに消滅会社の株式を存続会社の株式またはその他の資産に転換するためのストラクチャーを記載する必要がある。もっとも、会社法上、上記以上に合併契約書の記載内容の詳細に関する特段の規定はなく、消滅会社の株主に対する対価支払の方法（消滅会社の株式を存続会社の新規発行株式に転換するか、存続会社の株式を市場価格に基づいて

消滅会社の株主に付与するか等）は、合併当事者の合意に委ねられている。

　なお、合併の目的で存続会社の株式を新規発行する場合、当該存続会社の株主はその持分比率に応じた会社法上の優先引受権を行使することができるが、各株主は任意で当該優先引受権を放棄することが可能である。

　合併の当事者となる会社は、合併についての登記の登録のため、LERO に所定の書類（合併契約書、修正定款、財務諸表等）を提出する必要がある。

　許認可業種の場合、原則として、該当する監督当局への事前通知および監督当局からの事前承認が必要であり、LERO に対して当該承認を証する書類を提出する必要がある。合併の手続は、消滅会社の登記からの抹消および存続会社の修正定款の LERO における登録をもって完了する。

(2) 統合（consolidation）

　会社法に定められる統合（consolidation）（モンゴル語で「нийлүүлэх」という）とは、2以上の会社の法的地位が終了し、その権利義務関係が新規に設立される会社に移転する手続をいう。

　会社が統合を行う場合、当事者となる会社の取締役会（または執行機関）は、統合に関する条件および手続を記載した契約書、新規設立会社の定款、統合の当事者となる会社の株式を新規設立会社の株式その他の資産に転換するための手続等について株主総会に諮る必要がある。統合の承認には、株主総会の特別決議（議決権を有する出席株主の3分の2以上の賛成）が必要となる。

　上場会社の場合、それに加えて、統合の決定を FRC および証券取引所に対して通知し、FRC から承認を取得する必要がある点や、許認可業種において、監督当局からの承認および LERO への書類の提出が必要となる点については、前記(1)の合併の場合と同様である。

　統合に関する契約書には、統合後に開催される株主総会の日時と場所を特定して記載する必要があり、当該株主総会において統合後の新会社の定款が採択される。

17-6　M&Aをめぐるその他の主要な規制

1　競争法

　モンゴルにおける独占禁止法・競争法に関する法令としては、2010年に施行されたモンゴル競争法（Competition Law of Mongolia：以下「競争法」という）および2012年4月18日付政府決議第118号により採択された合併・統合および支配的事業者による競争者の株式の購入に関する規則（Regulation on the Issuance of Conclusion on Mergers, Consolidations and the Purchase of Shares of a Competing Company by Dominant Entities）がある。

　取引の当事者は、以下に該当する場合、公正競争・消費者保護当局（Authority for Fair Competition and Consumer Protection：以下「競争当局」という）に届出をして、承認を得る必要がある。
①　単独で、または他の事業体もしくは関係者と共同で、ある市場における一定の商品またはサービスの生産、販売または購入の総額の3分の1以上を占める事業者（以下「支配的事業者」という）が、他の事業者との合併または統合により再編される場合
②　支配的事業者が、類似の製品またはサービスを提供する競合事象者の普通株式の20％以上を取得する場合
③　支配的事業者が、類似の製品およびサービスを提供する競合事業者の優先株式の15％以上を取得する場合

　なお、競争法は、ある事業者について市場シェアの3分の1には達していないものの、市場への参入を障害もしくは制限する、または他の事業者を市場から排除する能力を含む他の理由に基づき、支配的事業者とみなすこともできると規定している。競争当局は、一般的な市場セクターにおいて支配的事業者とみなされる者のリストを随時公表している。

競争当局は、以下の要素を考慮して、提案された取引に関する承認の決定を行う。

① 市場における事業者の優位性を評価することにより、提案された取引が競争制限をもたらすか
② 提案された取引が他の競合事業者の排除につながるか、または他の競合事業者が市場に参入することを妨げるか
③ 提案された取引が競合事業者の経済的利益または消費者の権利を阻害することを意図しているか
④ 提案された取引が、公正な競争にもたらす可能性のある不利益よりも、国にとってより大きな経済的利益をもたらすか

2　上場会社の情報開示規制

上場会社の開示義務に関する主な規制は、証券法および2021年6月11日付FRC決議第225号で採択された証券登録規則（Regulation on Securities Registration：以下「証券登録規則」という）に規定されている。

証券法に基づき、証券の発行体は、情報の開示に関して以下の一般的義務を負う。

① 証券取引に関する情報および報告書を公表する
② 証券目論見書に記載されたプロジェクトの実施状況に変更が生じた場合には、適時に公表し、株主に通知する
③ FRCに登録された監査人によって認証された半期財務報告書および年次財務報告書をFRCおよび証券取引所に提出する
④ FRCが定めた手続に従って企業の経営・財務状況に関する情報を公表する
⑤ 株主総会の決議を直ちに公表し、当該決議から3営業日以内に関連文書および情報をFRCおよび証券取引所に提出する
⑥ 証券の価格または取引量に著しい影響を及ぼす可能性のある状況が生じた場合には、直ちに公表する

また、証券が流通市場で取引されている発行体は、以下の事象が生じた1営業日以内に、FRC、証券取引所およびそのウェブサイトを通じて公表する必要がある。
① 発行体の経営構造に変更がある場合
② 発行体の有力株主の株主構成に変更が生じた場合、または当該有力株主の有する他の会社の株主持分に変更が生じた場合
③ 発行体、その子会社、関連会社および兄弟会社に組織変更があった場合
④ 発行体の資産が差し押さえられ、または没収された場合
⑤ 発行体が許認可業種を開始する場合、または当該許認可が停止もしくは取り消された場合
⑥ 発行体の株主総会の決議があったとき
⑦ 証券の価格および価値に影響を及ぼす可能性のあるその他の状況

さらに、証券登録規則においては、定期的報告（年次、半期および四半期報告書）に加えて、発行体は、株主・投資家の決定に影響を及ぼす可能性のある事業および財務運営に関する情報について、当該事象の発生後2営業日以内に開示しなければならないと定められている。かかる開示が求められる情報には、以下を含む少なくとも17の異なるカテゴリーが含まれる。
① 会社の主たる事業運営、財政状況および業務に直接影響を及ぼす契約の締結、変更、解約、解除、拒否または満了に関する情報
② 訴訟・破産に関する情報
③ 発行体の総資産の25％以上に相当する価額の不動産の譲渡および担保に関する情報、または他の会社の支配株の購入に関する情報
④ 会社の支配株の他の当事者への譲渡に関する情報

3　上場会社株式のインサイダー取引規制

証券法は、内部情報および内部情報保有者の定義を規定し、インサイダー取引および市場での不正行為（market abuse）を禁止している。また、FRCは、証券法に加えて、2019年4月24日に証券市場における内部情報のリストおよびその報告に関する規則（Regulation on the List of Insider Information in the Securities

Market and Its Reporting：以下「内部情報に関する規則」という）を制定した。

　証券法上、「内部情報」とは、公開されておらず、株価に影響を与える可能性のある情報と定義されている。一般に入手可能な情報に基づいて行われた分析は、たとえそれが株価または取引量に明らかに影響を与える可能性があるとしても、内部情報とはみなされない。
　次に掲げる者は、当該情報を直接または間接に取得したか否かを問わず、「内部情報保有者」に該当する。
　① 発行体の有力株主、支配者または従業員およびその関係者
　② 職務の遂行上、または契約の作成、締結もしくは履行をする上で内部情報を取得した者およびその関係者
　また、内部情報に関する規則には、内部情報とみなされる30種類以上の情報が掲載されており、内部情報保有者とみなされる主体が定められている。

　証券法は、内部情報保有者が主に以下の行為を行うことを禁止している。
　① 当該情報の結果、株価または取引量が変動する可能性のある証券またはデリバティブ商品の取引に参加すること
　② 当該情報の結果、株価または取引量が変動する可能性のある証券またはデリバティブ商品の取引に参加することを他人に提案し、または誘導すること
　③ 職務上の義務を遂行する過程以外で、他人に内部情報を開示すること

　また、内部情報に関する規則は、内部情報保有者が主に以下の行為を行うことを禁止している。
　① 自己の勘定でまたは関係者のために、証券を売買して利益を得るために内部情報を利用すること
　② 内部情報を第三者に発信・報告すること
　③ 内部情報を利用して、第三者に証券の売買の助言または推薦をすること
　④ 内部情報を所有する第三者の勘定で証券の売買を行うこと
　⑤ 発行体との間で契約を締結した、または契約を締結しようとしている者

に関して、発行体またはその関係者の証券の売買をすること、かかる証券の売買を第三者に助言または勧誘すること、および発行体との間の契約に関する非公開情報を第三者に伝達すること
⑥ 投資家を誤解させるおそれのある情報を開示すること

編著者・執筆者略歴

《編著者》

武川　丈士（むかわ　たけし）　　　　　　　　　【ベトナム・ミャンマー担当】
シンガポールオフィス・ヤンゴンオフィス・ハノイオフィス共同代表パートナー
- 1998 年　　　　　　弁護士登録
- 2006 年　　　　　　カリフォルニア州弁護士登録
- 2012 年 2 月〜　　　森・濱田松本法律事務所シンガポールオフィス共同代表パートナー（シンガポール外国法弁護士登録）
- 2014 年 4 月〜　　　森・濱田松本法律事務所ヤンゴンオフィス代表パートナー
- 2022 年　　　　　　森・濱田松本法律事務所ハノイオフィス共同代表パートナー（ベトナム外国弁護士登録）

小松　岳志（こまつ　たけし）【シンガポール・スリランカ・カンボジア・パキスタン担当】
シンガポールオフィス共同代表パートナー
- 2000 年　　　　　　弁護士登録
- 2006 年　　　　　　ニューヨーク州弁護士登録
- 2012 年 2 月〜　　　森・濱田松本法律事務所シンガポールオフィス共同代表パートナー（シンガポール外国法弁護士登録）
- 2016 年　　　　　　シンガポール法弁護士（FPC）登録

小島　義博（こじま　よしひろ）　　　　　【第 1 章・シンガポール・マレーシア担当】
名古屋オフィス代表パートナー
- 2001 年　　　　　　弁護士登録
- 2007 年　　　　　　ニューヨーク州弁護士登録
- 2015 年　　　　　　森・濱田松本法律事務所名古屋オフィス代表パートナー
- 2016 年　　　　　　税理士登録、公認不正検査士（CFE）登録、名古屋大学法科大学院非常勤講師就任（金融商品取引法）

梅津　英明（うめつ　ひであき）
　　　　　　　　　　　　【インドネシア・フィリピン・トルコ・アラブ首長国連邦（UAE）担当】
- 2004 年　　　　　　弁護士登録
- 2010 年　　　　　　ニューヨーク州弁護士登録
- 2011 年〜 2014 年　成蹊大学法学部非常勤講師
- 2021 年〜　　　　　日本弁護士連合会国際活動・国際戦略に関する協議会委員
- 2021 年〜 2022 年　IBA（国際法曹協会）アジア大洋州議会役員・議長

関口　健一（せきぐち　けんいち）　　　　　【シンガポール・インド・バングラデシュ担当】
- 2005 年　　　　　　弁護士登録
- 2011 年　　　　　　ニューヨーク州弁護士登録

2011 年	インド・ムンバイ Amarchand & Mangaldas & Suresh A Shroff 法律事務所にて執務
2012 年	森・濱田松本法律事務所シンガポールオフィスにて執務

佐藤　貴哉（さとう　たかや）　　　　　　　　　【マレーシア担当】

2006 年	弁護士登録
2012 年	マレーシア・クアラルンプール Shearn Delamore & Co. 法律事務所に出向
2013 年	ベトナム・ハノイ VILAF-Hong Duc 法律事務所に出向
2013 年〜 2014 年	森・濱田松本法律事務所シンガポールオフィスにて執務

細川　怜嗣（ほそかわ　れいじ）
【シンガポール・インド・インドネシア・バングラデシュ担当】

2009 年	弁護士登録
2016 年	ニューヨーク州弁護士登録
2016 年〜	森・濱田松本法律事務所ジャカルタデスク（インドネシア・ジャカルタ Arfidea Kadri Sahetapy-Engel Tisnadisastra（AKSET Law）法律事務所内）にて執務
2017 年〜 2019 年	森・濱田松本法律事務所バンコクオフィス（Chandler MHM Limited）にて執務
2020 年〜	森・濱田松本法律事務所シンガポールオフィスにて執務（シンガポール外国法弁護士登録）

花村　大祐（はなむら　だいすけ）　　　　　　　【第 1 章・インドネシア担当】

2014 年	弁護士登録
2018 年〜	森・濱田松本法律事務所シンガポールオフィスにて執務（シンガポール外国法弁護士登録）

大林　尚人（おおばやし　なおと）　　　　　　　【第 1 章・シンガポール担当】

2018 年	弁護士登録
2022 年〜	森・濱田松本法律事務所シンガポールオフィスにて執務（シンガポール外国法弁護士登録）

《執筆者》

石本　茂彦（いしもと　しげひこ）　　　　　　　　　　【ベトナム担当】

1994 年	弁護士登録
1999 年	中国対外経済貿易大学国際経済ビジネス実務課程修了
2000 年	ニューヨーク市 Hughes Hubbard & Reed 法律事務所にて執務
2001 年	ニューヨーク州弁護士登録

土屋　智弘（つちや　ともひろ）　　　　　　【トルコ・イスラエル・フィリピン担当】
　　1994 年　　　弁護士登録
　　1998 年　　　シカゴ Jenner & Block 法律事務所にて執務
　　1999 年　　　ニューヨーク州弁護士登録
　　2000 年　　　イリノイ州公認会計士登録、米国公認会計士協会（AICPA）会員

江口　拓哉（えぐち　たくや）　　　　　　　【タイ・ベトナム・インドネシア担当】
大阪オフィス共同代表／ホーチミンオフィス代表パートナー
　　1995 年　　　　　　　弁護士登録
　　2003 年　　　　　　　タイ・バンコク International Legal Counselors Thailand 法律事務所にて執務
　　2004 年　　　　　　　ニューヨーク州弁護士登録
　　2004 年　　　　　　　ベトナム・ハノイ VILAF-Hong Duc 法律事務所にて執務
　　2014 年 4 月　　　　　森・濱田松本法律事務所大阪オフィス共同代表パートナー
　　2018 年 8 月　　　　　森・濱田松本法律事務所ホーチミンオフィス代表パートナー（ベトナム外国弁護士登録）
　　2020 年〜 2021 年　　神戸大学法科大学院非常勤講師就任（アジア法）

高谷　知佐子（たかや　ちさこ）　　　　　　　　　　　　　　　　　　　　【インド担当】
バンコクオフィス共同代表パートナー
　　1995 年　　　　　　　弁護士登録
　　1999 年〜 2000 年　　シンガポール Arthur Loke Bernard Rada and Lee 法律事務所にて執務
　　2000 年　　　　　　　ニューヨーク州弁護士登録
　　2000 年　　　　　　　インド Kochhar & Co. 法律事務所にて執務
　　2020 年 1 月　　　　　森・濱田松本法律事務所バンコクオフィス共同代表パートナー

田中　光江（たなか　みつえ）　　　　　　　　　　　【インドネシア・モンゴル担当】
　　2000 年　　　　　　　弁護士登録
　　2006 年　　　　　　　ニューヨーク州弁護士登録
　　2011 年〜 2013 年　　インドネシア・ジャカルタ Adnan Kelana Haryanto & Hermanto 法律事務所にて執務

秋本　誠司（あきもと　せいじ）　　　　　　　　　　　　　【タイ・マレーシア担当】
　　2002 年　　　弁護士登録
　　2009 年　　　ニューヨーク州弁護士登録
　　2015 年〜　　森・濱田松本法律事務所バンコクオフィス（Chandler MHM Limited）にて執務

江平　亨（えひら　あきら）　　　　　　　　　　　　　　　　　　　【イスラエル担当】
　　1996 年〜 1998 年　　㈱日本長期信用銀行（当時）勤務
　　2002 年　　　　　　　弁護士登録

2007年～2008年	ロンドン Allen & Overy 法律事務所にて執務
2008年	ニューヨーク州弁護士登録
2012年	金融庁検査局総務課に出向
2013年	公認不正検査士（CFE）登録

小山　洋平（こやま　ようへい）　　　　　　　【インド・イスラエル担当】

2002年	弁護士登録
2008年～2009年	アトランタ Alston & Bird 法律事務所にて執務
2009年	ニューヨーク州弁護士登録
2011年1月～8月	インド・デリー AZB & Partners 法律事務所にて執務
2011年9月～12月	ベトナム・ハノイ VILAF-Hong Duc 法律事務所にて執務

眞鍋　佳奈（まなべ　かな）　　　　　　　【ミャンマー・パキスタン担当】
ヤンゴンオフィス・ホーチミンオフィス共同代表パートナー

2002年	弁護士登録
2007年	ニューヨーク州弁護士登録
2007年～2008年	国際協力機構（JICA）のカンボジア法制度整備支援プロジェクト法律アドバイザー
2014年	森・濱田松本法律事務所ヤンゴンオフィス共同代表パートナー
2014年	シンガポール外国法弁護士登録
2015年	森・濱田松本法律事務所シンガポールオフィスにて執務
2015年	シンガポール国際商事裁判所（Singapore International Commercial Court）の外国法弁護士として登録
2022年	森・濱田松本法律事務所ホーチミンオフィス共同代表パートナー（ベトナム外国弁護士登録）

川村　隆太郎（かわむら　りゅうたろう）　　　　　　　【シンガポール・マレーシア担当】

2004年	弁護士登録
2010年～2012年8月	三菱商事株式会社法務部出向
2012年	ニューヨーク州弁護士登録
2012年9月～	森・濱田松本法律事務所シンガポールオフィスにて執務（シンガポール外国法弁護士登録）
2018年	シンガポール法弁護士（FPC）登録

塙　晋（はなわ　すすむ）　　　　　　　【カンボジア・ベトナム・インドネシア担当】

2004年	弁護士登録
2012年	シンガポール国立大学およびニューヨーク大学ロースクール卒業（Dual Degree Program）
2012年	ベトナム・ホーチミン LCT Lawyers 法律事務所にて執務
2013年	インドネシア・ジャカルタ Soewito Suhardiman Eddymurthy Kardono（SSEK）法律事務所にて執務

2013 年	ニューヨーク州弁護士登録
2015 年～ 2016 年	森・濱田松本法律事務所シンガポールオフィスにて執務
2017 年～	森・濱田松本法律事務所バンコクオフィス（Chandler MHM Limited）にて執務

佐伯　優仁（さえき　まさひと）　　【シンガポール・マレーシア担当】

2005 年	弁護士登録
2011 年	シンガポール Allen & Gledhill 法律事務所にて執務
2012 年	ニューヨーク州 弁護士登録

井上　淳（いのうえ　あつし）　　【ミャンマー担当】

2007 年	弁護士登録
2012 年	インド・ニューデリー Trilegal 法律事務所にて執務
2014 年	ニューヨーク州弁護士登録
2014 年～ 2015 年	森・濱田松本法律事務所シンガポールオフィスにて執務
2015 年～	森・濱田松本法律事務所ヤンゴンオフィスにて執務

臼井　慶宜（うすい　よしのり）　　【インド・スリランカ・パキスタン担当】

2007 年	弁護士登録
2014 年～ 2015 年	インド・ムンバイ AZB & Partners 法律事務所にて執務
2015 年	ベトナム・ホーチミン Frasers Law Company 法律事務所にて執務
2015 年	ニューヨーク州弁護士登録
2015 年～	森・濱田松本法律事務所大阪オフィスにて執務
2020 年～	神戸大学法科大学院非常勤講師就任（アジア法）

岸　寛樹（きし　ひろき）　　【ベトナム担当】

2007 年	弁護士登録
2015 年	ニューヨーク州弁護士登録
2017 年～ 2021 年	森・濱田松本法律事務所バンコクオフィス（Chandler MHM Limited）にて執務
2021 年～	森・濱田松本法律事務所ハノイオフィス共同代表パートナー（ベトナム外国弁護士登録）

園田　観希央（そのだ　みきお）　　【トルコ・フィリピン担当】

2007 年	弁護士登録
2014 年～ 2015 年	トルコ・イスタンブール Hergüner Bilgenözeke 法律事務所にて執務
2015 年	フィリピン・マニラ SyCip Salazar Hernandez & Gatmaitan 法律事務所にて執務
2015 年～	森・濱田松本法律事務所名古屋オフィスにて執務
2016 年	ニューヨーク州弁護士登録

編著者・執筆者略歴

竹内　哲（たけうち　てつ）　　　　　　　　　　　　　　　【インドネシア担当】
 2007 年　　　　　　　弁護士登録
 2013 年　　　　　　　ベトナム・ハノイ VILAF-Hong Duc 法律事務所にて執務
 2014 年　　　　　　　ニューヨーク州弁護士登録
 2014 年～2017 年　　インドネシア・ジャカルタ Arfidea Kadri Sahetapy-Engel Tisnadisastra（AKSET）法律事務所にて執務
 2017 年～　　　　　　森・濱田松本法律事務所シンガポールオフィスにて執務（シンガポール外国法弁護士登録）

西本　良輔（にしもと　りょうすけ）　　　　　　　　　　　【スリランカ担当】
 2007 年　　　　　　　弁護士登録
 2015 年～2016 年　　公正取引委員会事務総局審査局に勤務
 2017 年～2018 年　　住友ゴム工業株式会社法務部に出向
 2019 年～　　　　　　森・濱田松本法律事務所大阪オフィスにて執務

増田　雅史（ますだ　まさふみ）　　　　　　　　　　　　　【シンガポール担当】
 2008 年　　　　　　　弁護士登録
 2017 年　　　　　　　ニューヨーク州弁護士登録
 2017 年～2018 年　　森・濱田松本法律事務所シンガポールオフィスにて執務（シンガポール外国法弁護士登録）
 2018 年～2020 年　　金融庁企画市場局市場課（仮想通貨・ブロックチェーン担当）に出向

新井　朗司（あらい　ひろまさ）　　　　　　　　　　　　　【トルコ担当】
 2009 年　　　　　　　弁護士登録
 2016 年～2018 年　　厚生労働省参与
 2016 年～2020 年　　一橋大学大学院法学研究科ゲスト講師
 2020 年～　　　　　　金沢大学法科大学院非常勤講師

西尾　賢司（にしお　けんじ）　　　　　　　【ベトナム・アラブ首長国連邦（UAE）担当】
 2009 年　　　　　　　弁護士登録
 2015 年～2016 年　　Allen & Overy Dubai Office にて執務
 2016 年　　　　　　　ニューヨーク州弁護士登録
 2018 年～　　　　　　森・濱田松本法律事務所ホーチミンオフィスにて執務（ベトナム外国弁護士登録）
 2021 年～　　　　　　森・濱田松本法律事務所ホーチミンオフィス共同代表パートナー

田中　亜樹（たなか　あき）　　　　　　　　　　　　【マレーシア・インドネシア担当】
 2010 年　　　　　　　弁護士登録
 2017 年～2018 年　　マレーシア・クアラルンプール Skrine 法律事務所にて執務
 2018 年～2019 年　　森・濱田松本法律事務所シンガポールオフィスにて執務（シンガポー

　　　　　　　　　　　ル外国法弁護士登録）
　2020 年　　　　　　ニューヨーク州弁護士登録

喜多野　恭夫（きたの　たかお）　　　　　　　　　【パキスタン・モンゴル担当】
　2011 年　　　　　　弁護士登録
　2018 年　　　　　　ニューヨーク州弁護士登録
　2020 年〜　　　　　森・濱田松本法律事務所大阪オフィスにて執務

畠山　佑介（はたけやま　ゆうすけ）　　　　　　　【第 1 章・シンガポール担当】
　2013 年　　　　　　弁護士登録
　2015 年〜 2017 年　外務省国際法局経済条約課・社会条約官室にて執務
　2016 年〜 2017 年　外務省経済局国際経済紛争処理室に併任
　2017 年〜 2021 年　森・濱田松本法律事務所シンガポールオフィスにて執務
　2021 年〜　　　　　外務省（在英国日本国大使館）に任期付公務員として赴任
　2023 年　　　　　　イングランドおよびヴェールズ弁護士登録

御代田　有恒（みよだ　ありつね）　　　　　　　　【インド担当】
　2013 年　　　　　　弁護士登録
　2017 年　　　　　　Khaitan & Co. 法律事務所（インド共和国ムンバイ市）に出向
　2017 年　　　　　　Shardul Amarchand Mangaldas & Co 法律事務所（インド共和国デリー市）に出向
　2019 年　　　　　　ニューヨーク州弁護士登録

山本　健太（やまもと　けんた）　　　　　　　　　【カンボジア担当】
　2014 年　　　　　　弁護士登録
　2019 年〜 2021 年　SCL Nishimura（旧 Siam City Law Offices）にて執務
　2021 年〜　　　　　森・濱田松本法律事務所バンコクオフィス（Chandler MHM
　　　　　　　　　　　Limited）にて執務

Panupan Udomsuvannakul（パヌパン　ウドムスワナクン）　　【タイ担当】
　2010 年　　　　　　東京大学法学部卒業
　2012 年　　　　　　東京大学大学院法学政治学研究科修士課程修了
　2014 年　　　　　　タイ弁護士登録
　2016 年〜　　　　　森・濱田松本法律事務所バンコクオフィス（Chandler MHM Limited）にて執務
　2020 年　　　　　　ニューヨーク州弁護士登録

岩澤　祐輔（いわさわ　ゆうすけ）　　　　　　【タイ・バングラデシュ・カンボジア担当】
　2015 年　　　　　　弁護士登録
　2019 年〜　　　　　森・濱田松本法律事務所バンコクオフィス（Chandler MHM Limited）にて執務

編著者・執筆者略歴

大西　敦子（おおにし　あつこ）　　　　　　　　　　　【ベトナム担当】
　　2015 年　　　　　　弁護士登録
　　2021 年〜 2022 年　　森・濱田松本法律事務所ホーチミンオフィスにて執務（ベトナム外国弁護士登録）
　　2022 年〜　　　　　森・濱田松本法律事務所ハノイオフィスにて執務

小林　高大（こばやし　たかひろ）　　　　　　　　　　【インド・イスラエル担当】
　　2015 年　　弁護士登録

千原　剛（ちはら　ごう）　　　　　　　　　　　　　　【タイ担当】
　　2015 年　　　　弁護士登録
　　2023 年〜　　　森・濱田松本法律事務所バンコクオフィス（Chandler MHM Limited）にて執務

Poompat Udomsuvannakul（プームパット　ウドムスワンナクン）　【タイ担当】
　　2015 年　　　　タイ弁護士登録
　　2016 年　　　　東京大学大学院法学政治学研究科修士課程修了
　　2020 年　　　　東京大学大学院法学政治学研究科博士課程修了
　　2020 年〜　　　森・濱田松本法律事務所バンコクオフィス（Chandler MHM Limited）にて執務

大段　徹次（おおだん　てつじ）　　　　　　　　　　　【フィリピン担当】
　　2016 年　　弁護士登録

毛阪　大佑（もさか　だいすけ）　　　　　　　　　　　【シンガポール担当】
　　2016 年　　　　弁護士登録
　　2022 年〜　　　森・濱田松本法律事務所シンガポールオフィスにて執務（シンガポール外国法弁護士登録）

齋藤　悠輝（さいとう　ゆうき）　　　　　　　　　　　【インド担当】
　　2017 年　　弁護士登録

福島　翔平（ふくしま　しょうへい）　　　　　　　　　【フィリピン担当】
　　2017 年　　　　弁護士登録
　　2022 年〜　　　森・濱田松本法律事務所上海オフィスにて執務

片野　泰世（かたの　たいせい）　　　　　　　　　　　【トルコ担当】
　　2018 年　　弁護士登録

シャハブ　咲季（しゃはぶ　ざき）　　　　　　　　　　　　【インドネシア担当】
　2018 年　　　　　　　弁護士登録
　2021 年〜 2022 年　　森・濱田松本法律事務所シンガポールオフィスにて執務
　2023 年〜　　　　　　森・濱田松本法律事務所ジャカルタオフィス（ATD Law）にて執務

筑井　翔太（つくい　しょうた）　　　　　　　　　　　　　　【トルコ担当】
　2018 年　　弁護士登録

原田　昂（はらだ　たかし）　　　　　　　【アラブ首長国連邦（UAE）担当】
　2018 年　　弁護士登録
　2023 年〜　森・濱田松本法律事務所シンガポールオフィスにて執務（シンガポール外国
　　　　　　法弁護士登録）

木内　遼（きうち　りょう）　　　　　　　【アラブ首長国連邦（UAE）担当】
　2019 年　　弁護士登録

小坂　翔子（こさか　しょうこ）　　　　　　　　　　　　　【カンボジア担当】
　2019 年　　弁護士登録

小林　花梨（こばやし　かりん）　　　　　　　　　　　　　　【インド担当】
　2019 年　　弁護士登録

紫垣　遼介（しがき　りょうすけ）　　　　【アラブ首長国連邦（UAE）担当】
　2019 年　　弁護士登録

鋤﨑　有里（すきざき　ゆり）　　　　　　　　　　　　　　【スリランカ担当】
　2019 年　　弁護士登録

滝口　浩平（たきぐち　こうへい）　　　　　　　　　　　【バングラデシュ担当】
　2019 年　　弁護士登録

立元　寛人（たてもと　ひろと）　　　　　　　　　　　　　【イスラエル担当】
　2019 年　　弁護士登録

逸見　優香（へんみ　ゆうか）　　　　　　　　　　　　　　【カンボジア担当】
　2019 年　　弁護士登録

編著者・執筆者略歴

松尾　博美（まつお　ひろみ）　　　　　　　　　　　　　【マレーシア担当】
　　2019 年　　弁護士登録

菊池　春香（きくち　はるか）　　　　　　　　　　　　　【トルコ担当】
　　2020 年　　弁護士登録

重冨　賢人（しげとみ　けんと）　　　　　　　　　　　　【フィリピン担当】
　　2020 年　　弁護士登録

野々口　華子（ののぐち　はなこ）　　　　【アラブ首長国連邦（UAE）担当】
　　2022 年　　弁護士登録

アジア新興国のM&A法制〔第4版〕

2013年9月20日	初　版第1刷発行
2016年11月20日	第2版第1刷発行
2020年10月31日	第3版第1刷発行
2023年8月10日	第4版第1刷発行

編　者　　森・濱田松本法律事務所
　　　　　アジアプラクティスグループ

発行者　　石　川　雅　規

発行所　　株式会社　商　事　法　務
　　　　　〒103-0027　東京都中央区日本橋3-6-2
　　　　　TEL 03-6262-6756・FAX 03-6262-6804〔営業〕
　　　　　TEL 03-6262-6769〔編集〕
　　　　　https://www.shojihomu.co.jp/

落丁・乱丁本はお取り替えいたします。　　印刷／そうめいコミュニケーションプリンティング
©2023 森・濱田松本法律事務所　　　　　Printed in Japan
　　　　アジアプラクティスグループ

Shojihomu Co., Ltd.
ISBN978-4-7857-3039-0
＊定価はカバーに表示してあります。

|JCOPY| ＜出版者著作権管理機構　委託出版物＞
本書の無断複製は著作権法上での例外を除き禁じられています。
複製される場合は、そのつど事前に、出版者著作権管理機構
(電話03-5244-5088、FAX 03-5244-5089、e-mail: info@jcopy.or.jp)
の許諾を得てください。